TEORÍA DE LA EXPRESIÓN POÉTICA

BIBLIOTECA ROMÁNICA HISPÁNICA

DIRIGIDA POR DÁMASO ALONSO

II. ESTUDIOS Y ENSAYOS

CARLOS BOUSOÑO

TEORÍA DE LA EXPRESIÓN PÓETICA

PREMIO FASTENRATH

CUARTA EDICIÓN MUY AUMENTADA

BIBLIOTECA ROMÁNICA HISPÁNICA

EDITORIAL GREDOS, S. A.
MADRID

EDITORIAL GREDOS, S. A.
Sánchez Pacheco, 83, Madrid. España.

Depósito Legal: M. 15478-1966.
Gráficas Cóndor, S. A., Sánchez Pacheco, 83, Madrid. 1966.

A mi padre

NOTA A LA CUARTA EDICIÓN

El presente libro, desde su primera edición en 1952, hasta la cuarta que ahora se ofrece, ha ido engrosando su contenido hasta más del doble número de páginas, y al propio tiempo, ha ido precisando y desarrollando conceptos que antes habían podido quedar expuestos, en algún caso, mucho más sucintamente o con alguna menor precisión. En la edición actual esos aumentos han sido tantos que puede afirmarse que la obra que hoy se da a luz es una obra nueva. Por lo pronto, la ley del asentimiento, de que ya habla por extenso la edición segunda, ha sido profundizada y desenvuelta en cuatro capítulos, que se incorporan hoy al volumen: el XV ("Lo verosímil y lo posible"); el XVI ("Las leyes históricas de la Preceptiva y las leyes ahistóricas del arte"); el XVII ("Procedimientos extrínsecos y modificantes extrínsecos"); y el XVIII ("Concepto histórico de originalidad"). Los dos capítulos que siguen a éste, el XIX y el XX ("Los supuestos de la poesía" y "La historicidad de la poesía"), aunque existiesen con este nombre en ediciones anteriores, son nuevos también. De otro modo, es asimismo nuevo el capítulo VIII ("San Juan de la Cruz, poeta contemporáneo") y los Apéndices "Poesía contemporánea y poesía postcontemporánea" y "Poesía contemporánea y sugerencia". Acerca de estos dos Apéndices debo decir que, publicados en las revistas "Papeles de Son Armadans" (N.° CI) y "Revista de Occidente" (N.° 20, segunda época), contienen algunas repeticiones entre sí y con respecto al texto de este libro. He preferido darlas como aparecieron en esas revistas, sin suprimir tales reiteraciones, que al fin y al cabo pueden servir de recordatorio al lector y facilitar así su paciente tarea.

En muchos otros pasajes del libro se añaden en esta edición párrafos y apartados que no existen en ediciones anteriores. Refirámonos sólo a estos últimos. En el capítulo III, son nuevos los apartados "La desgeneralización dentro y fuera de la lengua" y "La poesía como ilusión psicológica". En el capítulo V lo es el apartado "Técnica de engaño-desengaño". En el VI, el apartado "Imágenes visionarias en el lenguaje coloquial", y casi por completo toda su segunda parte ("La visión"). En el VII ocurre lo mismo: su primera parte está prácticamente reescrita. Y, por fin, es inédito dentro del capítulo X el apartado "Las imágenes del significante son imágenes visionarias".

PALABRAS INICIALES

El volumen que ahora se abre no es un tratado de Estética ni una Preceptiva literaria; tampoco se encierra propiamente y por entero en el interior de las fronteras estilísticas. Sin embargo, miradas esas páginas desde distintas vertientes, pudieran parecer tan pronto una cosa como la otra. En algún momento, la obra que iniciamos tendrá visos de Preceptiva, porque a ratos nos ocuparemos en clasificar ciertos procedimientos de expresión usados con frecuencia en la poesía, la mayor parte de los cuales ha permanecido ignorada hasta hoy. Pero no nos vamos a detener en una mera descripción de ellos, como hicieron los retóricos de vieja cepa, sino que procuraremos calar más hacia abajo, buscando tentar la elemental raíz que los sustenta, su causa más profunda, su más evidente finalidad. Este trabajo asemejará, pues, nuestra labor a la puramente estilística, de la que, en cambio, nos separa la intención: tales explicaciones no serán válidas para nosotros sino en cuanto nos han de conducir al verdadero objeto de este libro, que, en su núcleo central, se plantea, como veremos, un problema que roza por una linde la ciencia que Baumgarten bautizó en el siglo XVIII con el nombre de Estética.

Pero no es éste, sin embargo, un capítulo de Estética: sólo por un costado toca esa disciplina. Nuestra investigación se limitará a extraer aquellas conclusiones estéticas que la previa indagación estilística de las obras literarias nos haya manifestado. Es el poema mismo (éste, aquél) el que me ha enseñado lo poco que sé sobre poesía.

En la concepción de este libro han sido antes, por consiguiente, la lectura y análisis de muchos poemas que la teoría estética, que sólo ese análisis me revelara. Igual que el concepto "manzana" nace de la visión de varias manzanas singulares, las afirmaciones estéticas que a continuación haremos se han engendrado en la visión y el desmenuzamiento de una masa de poemas concretos. En la exposición de mi pensamiento pude haber seguido el orden mismo con que éste se fue presentando a mi mente; pude haber analizado un poema tras otro, y por comparación entre todos ellos deducir al final del libro un conjunto de verdades estéticas, acaso lo bastante coherentes entre sí como para poder cerrarse en una trabada teoría. Pero supuse que había de ser más eficaz el orden inverso, y redacté el libro de tal modo que la parte teórica se adelantase, en parte, a la investigación analítica: lo que fue origen de estéticas aseveraciones pasa a ocupar, pues, el modesto papel de confirmación para los postulados previamente emitidos.

He realizado así ese trastrueque por creer que las obras se escriben para ser leídas: cuantos más lectores tenga un libro, mejor se cumple la misión que el autor le ha asignado. Pero sólo una exposición sencilla, clara, que no requiera esfuerzos graves de atención, puede conseguir un número de lectores que sobrepase la cifra (tan modesta) de los especialistas. Yo desearía lograr eso, aunque tal vez no lo consiga. Yo querría que este libro no repugnara a los lectores de buena fe, a aquellos de sana voluntad que leen únicamente por enterarse y nutrir su alma.

Sólo me resta decir algo sobre el método utilizado en una parte de este volumen: precisamente en esa parte que definíamos por su semblante en cierto modo preceptivo. Los antiguos retóricos (que tan claros servicios han prestado a lo largo del tiempo al conocimiento del instrumental literario) se limitaron a describir aquellos procedimientos que podían ser lógicamente capturados, sin intervención alguna de la sensibilidad: tal fue el motivo de que por entre las mallas de sus redes se les escapara gran parte de la pesca. Sabiendo esto, nuestro método ha sido esencialmente diverso. Para nuestra información hemos consultado primordialmente a la sensibilidad, y sólo tras esa previa consulta nos atrevimos a operar intelectualmente. Es decir, hemos realizado un análisis de nuestra intuición de lectores, un análisis de la impresión recibida al pasar nuestra psique por una determinada zona del poema. De este modo es como pudimos descubrir que el poema emplea una cantidad de figuras mucho mayor que la exhibida en las Retóricas al uso. Mas no se suponga ni por un instante que doy por terminado ese trabajo de deslindamiento. A los recursos líricos aquí consignados han de añadirse en el futuro otros muchos que yo no he visto, e incluso algunos que no han aparecido aún en la literatura. Porque cada época aporta, como más adelante hemos de comprobar, un conjunto más o menos grande de instrumentos expresivos, que sirve para transmitir idóneamente otro conjunto paralelo y correlativo de nuevos estremecimientos psíquicos, inefables a través de las formas heredadas, aptas sólo para transparentar al hombre inmediatamente anterior.

Pero el método en cuestión me ha llevado a otro resultado que considero de mayor importancia: al indagar analíticamente las zonas más eficaces del poema di con un hecho que me sorprendió sobremanera: la emoción lírica venía *siempre* proporcionada por una sustitución realizada sobre la *lengua*[1]. Explicarme tal fenómeno en toda su profundidad fue la tarea a que me lancé desde entonces. De esa apasionada investigación ha nacido una parte esencial del presente trabajo, que, ahondada posteriormente, me condujo con suavidad a otras conclusiones, que, a su vez, trajeron consigo otras. El resultado final ha sido la teoría general sobre la expresividad poética que entrego hoy al lector.

---

[1] Véase en la página 62 lo que este libro entiende por "lengua".

LA PRIMERA LEY DE LA POESÍA

Capítulo primero

LA POESÍA COMO COMUNICACIÓN

1. EL POEMA COMO COMUNICACIÓN

PLANTEAMIENTO DEL PROBLEMA

El presente libro se emprende, pues, con un propósito al que algunos achacarán una ambición excesiva: su objeto es nada menos que acercarse al conocimiento de lo que sea la poesía como realización. Nuestra tarea va a actuar, por tanto, desde un plano muy distinto, por ejemplo, a aquel en que se mueven los filósofos, y esto debe tenerlo muy en cuenta el lector del presente libro. Buscaremos aquí solamente en qué consista el poema en cuanto estructura: este poema que alguien escribió ayer, este otro que se escribió hace mil años, el que mañana se escribirá sin duda. Es decir, intento aislar, en primer término (pero, repito, desde una determinada perspectiva, científica, no filosófica), el elemento esencial de la lírica, ese algo, ese "no sé qué" del cual Feijóo y otros escritores hablaron tanto, que existe siempre en el poema y por el cual el poema es poema y no otra cosa; e intento también determinar cómo ese algo, ese "no sé qué", puede transparentarse en la palabra, y a través de qué recursos. Busco, en fin, la causa por la cual unos versos, unos versos sencillos o unos versos complicados, una coplilla o una larga composición, nos emocionan. Con más exactitud: deseo dilucidar la *significación* de los procedimientos de la poesía para obtener la explicación de ésta, o sea, las leyes ahistóricas [1] que la rigen.

Al oírme, muchos pensarán que el problema es insoluble. Pero la actual teoría del lenguaje, la filosofía y la estética modernas han proporcionado ya elementos más que suficientes para que nosotros, modestamente y en la medida de nuestras fuerzas, nos atrevamos a dar este paso. Hace sólo un siglo hubiese sido, efectivamente, descabellada la aventura. Hoy no lo es, o, al menos, no espero que lo sea. Una serie de hombres, esparcidos por todos los países, han ido amontonando los datos necesarios sobre la naturaleza del lenguaje y del arte para que no resulte tamaña nuestra empresa.

De otro lado, sé muy bien que la lectura de estas páginas escandalizará a aquellos lectores que miren la poesía bajo especie religiosa, y que, en consecuencia, estimen todo análisis como una profanación. Me consuela de beatería tan frecuente la opinión más justa de los que han comprendido que analizar el arte no es destruirlo, sino iluminarlo científicamente; que no se trata de suplantar al artista, ni tampoco al lector, sino de adquirir conocimientos que nos enriquezcan el espíritu. Después de saber que el corazón está situado en la izquierda de nuestro tórax, seguimos percibiendo sus latidos; y las orquídeas nos parecen tan hermosas como antes de que supiésemos la familia en la que se incluyen. Un hombre siente la belleza de la mujer, aunque haya averiguado que el carmín de su rostro no es otra cosa que el color de la sangre que en él se transparenta. Sería ridículo creer que ese conocimiento pudiese suprimir o estorbar el amor que la visión de la belleza inspira.

Sin embargo, quienes juzgan inútiles estos análisis nuestros tienen mucha razón desde su punto de vista: son inútiles para sentir *con más viveza* la obra de arte, porque no es ese su objeto, del mismo modo que el conocimiento de la astronomía no ayuda al movimiento de los astros ni es esa su misión.

---

[1] Hablar aquí de leyes ahistóricas de la poesía no significa creer en la ahistoricidad del arte. Según veremos, el arte es histórico, pero sus leyes son ahistóricas.

En una palabra: lo que pretendo no es algo *práctico,* sino algo *teórico*: buscar (siempre desde nuestro punto de vista, que no excluye otros) la causa más radicalmente originaria de lo poético. Para ello nos haremos cuestión aquí del significado de los procedimientos que el poeta utiliza. Vamos, pues, a indagar procurando la respuesta a esta pregunta: ¿por qué me emociona una metáfora u otro recurso lírico cualquiera? Contestar a esta interrogación será, como veremos, contestar de algún modo a esta otra: ¿qué es, cómo se produce la poesía?

DEFINICIÓN DE POESÍA DE LA QUE PARTIMOS

Para buscar una solución a estas incógnitas, hemos de partir de una noción previa, sin la cual no sabríamos dar un paso hacia adelante. Lo que ante todo ha de preocuparnos es averiguar qué cosa hace el poeta cuando se expresa como tal. Nuestra definición del acto poético debe abarcar todos los casos posibles, tanto los que históricamente se han dado como los que en el futuro puedan presentarse; tanto el acto poético que realizó Garcilaso como el que un poeta de hoy realiza aún o el que en su tiempo haya de realizar un poeta del porvenir. Si la definición que nos sirve de base no resulta satisfactoria desde el punto de vista general, nuestro esfuerzo será vano. Afortunadamente esta cuestión no presenta hoy insuperables dificultades. Esbocemos, pues, un primer pensamiento sobre la naturaleza de la poesía, que sucesivamente iremos, luego, enriqueciendo y precisando.

Nuestra inicial afirmación será ésta: poesía es la comunicación, establecida con meras palabras, de un *conocimiento* de muy especial índole: el conocimiento de un contenido psíquico tal como es: o sea, de un contenido psíquico como un todo particular, como *síntesis* intuitiva, única, de lo conceptual-sensorial-afectivo. La definición que acabo de ofrecer lleva incrustada (así les ocurre a la mayoría de las definiciones) una condensación de numerosos supuestos que necesitamos aclarar desde luego, si no queremos entrar, en el comienzo mismo del libro, agobiados bajo el pecado mortal de la vaguedad. Pero antes de quedar absueltos, si acaso, de tan grave culpa mediante esclarecimientos posteriores, permítaseme añadir unas apresuradas palabras a nuestra por ahora también rápida definición de poesía. Se trata de indicar escuetamente el papel que en la comunicación poética representa lo que comúnmente se ha llamado *placer estético*. Y es que la expresión adecuada que para esa comunicación se requiere se acompaña, *secundariamente,* de un desprendimiento de placer, en el que coinciden autor y oyente o lector. Este desprendimiento placentero, que toda expresión idónea lleva consigo, hasta la puramente conceptual, no poética [2] (nos produce placer, pongo por caso, la expresión clara, exacta y económica de un pensamiento matemático o, en general, científico), es paralelo al desprendimiento de risa que la expresión cómica efectúa. (Ello plantea un problema más profundo, que no puedo ahora sino rozar. El placer en este caso parece venir de nuestra visión de lo que se adecúa rigurosamente a la vida, y que por eso nos salva, como, según Bergson, la risa nace de lo contrario: de contemplar una inadecuación con respecto a tales exigencias) [3].

LA POESÍA COMO CONTEMPLACIÓN DE
UN CONTENIDO PSÍQUICO TAL COMO ES

Pero ciñámonos ya a nuestro tema, y comentemos la definición esbozada, porque algunos de los términos en ella usados, tales "comunicación", "conocimiento", contenido psíquico "tal como es", podrían resultar confusos. Por lo pronto diré que la palabra "conocimiento", sinónima aquí de lo que otros tratadistas denominan "percepción", "recuerdo tranquilo", "distancia psíquica", etcétera, quiere dar a entender que la poesía no es, sin más, emoción a secas, sino percepción de emociones, evocación serena de impresiones y de sensaciones. Lo que se comunica no es, pues, un

---

[2] Me complace ver expresado un pensamiento semejante en el libro de SUSANNE K. LANGER, *Nueva clave de la Filosofía,* ed. Sur, Buenos Aires, 1958, traducción de Jaime Rest y Virginia M. Erhart, págs. 294-297.

[3] Véase el capítulo XIII de este libro.

contenido anímico real, sino su *contemplación*. Los contenidos anímicos reales sólo se sienten; pero la poesía no comunica lo que se
siente[4], sino la contemplación de lo que se siente. Si el poema co-
municase lo que se siente, cuando el autor escribiese que le dolían
las muelas, le dolerían las muelas al lector; cuando escribiese que
estaba enamorado, el lector se enamoraría. El cómico absurdo al
que llevan tales ideas dice a las claras la infinita distancia que media entre contemplar y vivir, entre poesía y realidad, o, más ampliamente, entre lenguaje y realidad. Pues el lenguaje no poético
tiene de común con el poético este carácter contemplativo, y se
diferencia de él exclusivamente en la índole de lo contemplado. El
lenguaje no poético contempla uno sólo entre los ingredientes sintéticos del contenido anímico, el ingrediente genérico, el concepto,
mientras a través de la poesía contemplamos el contenido anímico
tal como es, en su aspecto de todo *particular*. Y, en efecto, nuestra
representación de los objetos posee contextura de bloque infrag-
mentable, pese a su posible análisis en tres ingredientes, como el
que Dámaso Alonso ha realizado[5]. Nuestro modo de registrar la
realidad, según éste, comprende: "*a*) las diferencias individualiza-
doras de esa realidad (recibidas sensorialmente[6]); *b*) la adscripción

---

[4] El único sentimiento que se comunica es el placer estético, esto es el
placer que precisamente la *contemplación* de sentimientos *tal como son* proporciona.

[5] DÁMASO ALONSO, *Poesía Española. Ensayo de métodos y límites estilísticos*. Biblioteca Románica Hispánica, ed. Gredos, Madrid, 1950, página 641. También Aldous Huxley parece referirse, aunque muy de pasada,
y lejos de todo rigor científico, a este tríptico de elementos, reconocibles
en todo poema (aunque en distinta proporción): "la poesía ha de ser escrita por seres *que gozan y padecen*, y no por seres dotados exclusivamente de *sensaciones*; ni tampoco, por oposición, exclusivamente provistos
de *intelecto*" (Ensayo "Temas y asuntos poéticos", que vertido al castellano figura en el volumen de la colección "La Nave", que lleva el título
Al Margen).

[6] Claro está que decir "recibidas sensorialmente" no resulta exacto, pudiéramos añadir, cuando la realidad de que se trata es un *valor*: por ejemplo, una cualidad moral, como la bondad de un hombre. Sin embargo,
para simplificar la exposición, a todo lo largo del presente libro, prescindi-
remos de todo rigor en este dispensable aspecto, y haremos caso omiso
de la distinción que acabo de establecer.

a un género (operada intelectualmente); *c*) la actitud del hablante ante esa realidad (descargada afectivamente). La persona que ve en la fruta que alguien come un gusano, y grita: "¡un gusano!", parte de la sensación individualizadora (blancuzco, determinados movimientos ondulados, etc.), la adscribe al género "gusano", y expresa su repugnancia personal y su deseo de que la otra persona no lo coma". Todos esos elementos (sensoriales, conceptuales, afectivos) están en la representación interior del hablante, pero en forma de unidad, que si, por medios puramente verbales, logra ser comunicada *tal cual es* (en su tripartición sintética), se nos manifestará como poesía.

Claro está que en un poema puede predominar uno sólo de los tres componentes, y hasta, de hecho, quedar tan reducido uno de ellos o quizá los otros dos (salvo si es el concepto el único superviviente, en cuyo caso no se produce la expresividad) que en la práctica sea como si no existiesen. En estos versos de Rubén Darío:

> Padre y maestro mágico, liróforo celeste,
> que al instrumento pánico y a la siringa agreste...

en este otro de Góngora:

> infame turba de nocturnas aves

y en este de Racine:

> la fille de Minos et de Pasiphaë

es lo sensorial lo que cobra un papel decisivo. Otras veces será el elemento sentimental el que se ponga de relieve; y con más frecuencia una mixtura dual: lo afectivo-sensorial, lo conceptual-afectivo, etc. En cambio, la poesía no puede consistir únicamente en conceptos, según en un rápido paréntesis acabamos de insinuar, pues los conceptos, en cuanto tales, han perdido el carácter *personal* de contenidos intuitivos comunicables, que lo poético exije. Naturalmente, cabe una poesía que dé importancia al pensamiento, y hasta mucha importancia. Mas ese pensamiento poético ha de es-

tar empapado de afectividad (Quevedo, Unamuno) o de sensorialidad (ciertas composiciones del "Cántico" de Guillén, por ejemplo),
de modo que el conjunto sintético que se obtenga, la criatura no
descuartizable, sea única, no universal en el sentido en que lo es
el concepto a secas: la universalidad de la poesía tiene, no hace
falta decirlo, otra significación. Como este asunto, y, más aún, el
de la función de lo conceptual en la poesía, tienen interés, permítaseme dedicarles aún un párrafo.

El pensamiento en el poema no posee jamás una finalidad en sí
mismo, sino que actúa simplemente como medio para otra cosa,
esa, sí, esencial: la emoción (sensorial o sentimental), que es la en-
cargada de darnos la impresión de que quien nos habla desde la
composición poética es una persona. De ahí que en poesía no se
constituya como un reparo el carácter tópico del pensamiento. Es
más: el pensamiento en la poesía casi no puede ser otra cosa que
un lugar común, puesto que lo importante en ese género literario
es comunicarnos experiencias humanas que aunque vividas individualmente y en cuanto que vividas individualmente por alguien
—por el protagonista del poema— son participables en alguna de
sus estructuras fundamentales *por los hombres* (universalidad de
la poesía). Ahora bien: la reducción conceptual de una experiencia personal de ese tipo ¿qué es? Sin duda alguna, la formulación
de esa dimensión general, colectiva, que hemos afirmado para tal
experiencia. Algo, pues, que todos los hombres conocen, por haberlo vivido, por ser capaces de vivirlo o por saberlo vivible. Pero
aquello que todos conocen se llama "lugar común". La poesía es
universal porque el pensamiento que en ella reside no es, en postrer esquematización [7], nuevo. Lo que por algún sitio ha de ser
nuevo es la manera en que ese pensamiento tópico (o sea, esa dimensión colectiva de la experiencia) queda asumido por un ser hu-

---

[7] Nótese que digo "en postrer esquematización". Aunque pocas veces
sucede, puede suceder que el poeta enuncie, *incidentalmente,* pensamientos
con alguna novedad. Lo que no puede ser nuevo es el pensamiento últimamente esquematizable del poema. Cuanto digo en el texto sólo pretende
explicar el hecho de que los elementos conceptuales del poema no necesiten
ser nuevos, y por tanto, no lo sean ordinariamente.

mano singular. En el poema nos importa, pues, esto último y no lo primero, que únicamente aparece, repito, como medio o soporte de un fin que consiste en los elementos personalizantes de la expresión: el sentimiento, la sensorialidad.

Pero volvamos ya a nuestra definición de poesía. La frase "contenido anímico tal como es" alude igualmente a la naturaleza fluyente de los estados de alma. La palabra "contenido", en la definición propuesta, no significa lo mismo que en otras posibilidades de su empleo: *verbi gratia*, cuando decimos: "el contenido de una jarra". Al referirnos al contenido de una jarra, pensamos en algo estático, inmutable; en cambio, un contenido psíquico está en perpetua mutación; es un constante devenir, algo incesantemente movedizo, fluyente, aunque nuestra experiencia de la realidad interior pretenda insinuar lo contrario. Se trata de una ilusión de nuestros sentidos, como ha demostrado Bergson. El poema, a imitación y como expresión de lo que ocurre en el alma del hombre, consistirá también en un fluir, más o menos evidente, de estados de conciencia cambiantes que se desenvuelven en el tiempo. La poesía, por ser un arte temporal a diferencia de las artes plásticas, resulta más fiel que estas últimas a un aspecto esencial de la vida, y, por consiguiente, sólo en este sentido, es superior a ellas.

EL POEMA COMO COMUNICACIÓN
DE LENGUAJE IMAGINARIO

Desbrozado, bien que someramente, el primer cerco de maleza que asfixiaba nuestra definición, hemos de encararnos ahora con otras arborescencias que la rodean, más intrincadas todavía. Porque con lo dicho no hemos resuelto todas las cuestiones que la misma expresión "contenido anímico" nos proyecta. Por lo pronto, queda sin decidir qué contenido anímico es el que contemplamos. ¿El de la vida real? No sabemos, pues, si se trata de una experiencia personal del poeta (reducible o no al término "vivencia") o si tal contenido puede ser sólo fruto de su fantasía creadora.

Todo ello está ligado al concepto de comunicación con que nuestra definición se ha iniciado. Esta palabra (comunicación), usada por mí ya en la primera edición de este libro, ha sido tan erróneamente interpretada por algún crítico, que me veo forzado a dedicarle varios párrafos aclaratorios. La razón de esta clase de malentendidos suele ser que a veces un posible lector atribuye a los términos que tiene ante la vista sentidos que esas expresiones han poseído en otros textos de otros autores, pero no en el actual. Lo malo de las palabras, en casos como éste, es que han sido usadas antes, porque al pasar por diferentes escritos han recogido en ellos significados o matices del todo impertinentes en el nuevo marco de que ahora forman parte. Así ocurre tal vez con la tan traída y llevada "comunicación".

Hay toda una tradición teórica que niega que la poesía comunique cosa alguna. Sin grave imprecisión, podríamos conceder, en el fondo, a Novalis el origen de esta corriente estética, que tras él no dejó de fluir con generosidad. En cierto modo Víctor Hugo, y sin duda Poe, Baudelaire, Mallarmé y luego la estética de la poesía pura, significaron jalones decisivos, aunque no los únicos, en el afianzamiento y éxito de esta idea. Desde otro horizonte (el de los teóricos del lenguaje) se ha podido discutir también el concepto de comunicación. Mientras el psicologismo a la manera de Vossler y su escuela lo acepta, otro grupo de pensadores (Ingarden, Kayser, Wellek y Warren, Friedrich, G. Müller, y recientemente, con más firmeza aún, Martínez Bonati) lo rechazan en nombre del carácter imaginario y objetivo de la obra de arte. Ahora bien: cuando se niega en todos estos casos la existencia de la *comunicación* poemática se da a esta palabra, sin excepciones, la significación de "comunicación real del autor". En la segunda edición de este libro ya hablaba yo de la naturaleza esencialmente imaginaria de la obra de arte [8] (lo cual no excluye, claro está, la posibili-

---

[8] En dicha edición de mi libro se lee lo siguiente: "A veces el contenido anímico comunicado es expresión *formalizada* de las vivencias del poeta. Pero en otras ocasiones, aunque el poeta hable desde posibilidades propias, no está sin más otorgando cauce formal a tales vivencias, sino imaginando en sí mismo o en un personaje distinto estados anímicos que no

dad de que a veces, e incluso muchas veces, el poeta estructure estéticamente en sus versos algo o mucho de su propia vida). Al parecer, por lo que veo en el capítulo que se me dedica en el por otra parte excelente libro del citado Bonati [9] y en algún que otro lugar, ciertos autores se refieren a mi concepto de comunicación como si yo quisiese dar a entender que lo que comunica el poeta en todo momento es indefectiblemente un conglomerado de sus personales vivencias. Nadie que no sea ciego puede creer esto último. El hecho de que Lope, para citar un caso flagrante, ponga en boca de un personaje teatral femenino un soneto de amor, nos dice estentóreamente que el poema *esencialmente* no transmite vivencias (aunque de manera *no esencial* pueda transmitirlas en numerosos casos, formalizándolas previamente). El impersonalismo de parte muy fundamental de la poesía contemporánea (tan explicitado por los propios autores, valgan los nombres de Baudelaire o de Mallarmé como ejemplos) nos señala el mismo hecho. Contra la embriaguez del corazón clamaron varios líricos posteriores al romanticismo, y alguno incluso romántico. Y no hablemos de los "poetas puros", que hicieron de ello, entre otros ingredientes, la base misma de su arte. Si exceptuamos bastantes poemas de Lope y la mayoría de la producción romántica, la poesía no fue casi nunca expresión inmediatamente vivencial. Y aun en estos casos habría que matizar, pues el hecho de que los poetas usen generalmente el verso para manifestarse, está diciendo ya que las vivencias que se comunican han sufrido una honda elaboración, cuya índole no puede ser más que imaginaria.

---

son vivencialmente los suyos, aunque lo sean en la dimensión imaginaria. Es, pues, indiferente que la materia anímica contemplada proceda de experiencias reales de la persona del lírico o resulte una mera construcción fantástica suya". (*Teoría de la expresión poética,* segunda edición, ed. Gredos, Madrid, 1956, págs. 24-25.)

[9] FÉLIX MARTÍNEZ BONATI, *La estructura de la obra literaria,* Ediciones de la Universidad de Chile, Santiago de Chile, 1960. Capítulo V: *Sobre la concepción de poesía de Carlos Bousoño,* págs. 138-145.

Aunque el libro de Martínez Bonati es de 1960, se atiene al texto de la primera edición de mi "Teoría de la expresión poética", que es de 1952, y no a la segunda, de 1956.

La persona que habla en el poema, aunque con frecuencia mayor o menor (no entramos en el asunto) coincida de algún modo con el yo empírico del poeta, es, pues, substantivamente, un "personaje", una *composición* que la fantasía logra a través de los datos de la experiencia [10]. Esto se ve con mayor claridad, por ejemplo, en la novela o en el teatro, pero no deja de ser cierto para la lírica. Lo que ocurre es que en este último género el autor recurre más a menudo que en los dos anteriores a utilizarse a sí mismo como "modelo" para su creación. Diríamos un poco vagamente que si atendemos a la cuestión estadística resulta infrecuente la novela de raíz autobiográfica, mientras en la poesía el subjetivismo de esta clase es mucho más esperable, lo cual puede darnos la impresión, absolutamente ilusoria, de que es el propio poeta quien nos está hablando en sus versos. Pues aun en los casos límites de uso de la propia vida para fines artísticos, trátese de un poema lírico o de una narración en prosa, escrita en primera persona, donde se utilicen datos biográficos de la persona del autor, quien nos dirige la palabra no puede ser más que un ente de ficción. Cuando decimos que el narrador de la novela de Proust es el propio Marcel, estamos afirmando algo que, si hablamos con rigor, no tiene sentido, bien que pueda sernos útil convencionalmente en determinados instantes.

Pero si es ficticio el personaje que lleva la palabra en la literatura, lo será también esa palabra y la situación desde la que habla e incluso el público al que se dirige, al revés de lo que ocurre

[10] Escribe Pfeiffer, discípulo de Heidegger, que un determinado poema puede no coincidir "con la personalidad, biográficamente captable, de quien lo compuso", pero que, sin embargo, "nos hace participar en una posibilidad de esa misma vida, que nosotros mismos, sus lectores, estamos viviendo en una posibilidad esencial". Por eso puede afirmar, en otro lugar del mismo libro, que la poesía "ambiciona hacernos compartir las vibraciones de una disposición interna, de un temple de ánimo humano". Véase: *La poesía,* traducción de Margit Frenk Alatorre, Breviarios del Fondo de Cultura Económica, México, 1951.

A nuestra teoría le es indiferente el hecho de que la poesía sea o no expresión "de un temple de ánimo humano", y si traigo aquí esta cita es exclusivamente para, al margen de la tesis que en el presente libro se expone, sugerir una idea que me parece sumamente verosímil.

en el lenguaje ordinario, que es tan real como los términos en él implicados: situación, hablante y auditorio. De ahí que, para aducir un ejemplo extremo de "realismo literario", no nos importe ni deba importarnos la coincidencia exacta entre un relato poemático y el hecho real en el que tal vez se base. Ambos universos (el de la realidad y el de la fantasía) son impermeables entre sí, bien que, en otro sentido, se correspondan, en cuanto que el segundo es expresión del primero. La relación entre poema y vida se parece a la relación que media entre dos líneas paralelas, que sin tocarse nunca, cada una de ellas sigue las evoluciones de la otra en una mimesis perfecta. Tómese esta comparación de todos modos con cierta reserva, porque el arte no es una reproducción exacta de la vida al modo de una curva con respecto a su paralela, sino que es su contemplación sintética, algo que, para entendernos, llamaríamos *estilización*, si esta palabra no trajese consigo la posibilidad de otra suerte de equívoco, el equívoco irrealista, quizá más grave que el primero. Pues ni hemos de creer que el arte es la vida, ni, por el contrario, que el arte no tiene nada que ver con la vida. El arte contemporáneo, tan propenso a huir de la reproducción fotográfica de la realidad, ha inducido a error a ciertos teóricos que toman la irrealidad en cuanto tal como fundamento de las manifestaciones estéticas, y piensan, en consecuencia, que aquella "irrealidad" es un orbe no sólo cerrado (que lo es), sino independiente del mundo en que viven los hombres, lo cual, a todas luces, no es cierto. La pintura menos figurativa, la poesía más metafórica, existen en cuanto que se refieren a la vida, y pensar lo contrario es ignorar que los seres humanos no podrían interesarse por un supuesto arte que no los implique de un modo o de otro. En este mismo libro hallará el lector la comprobación de ello, pues tendremos ocasión de analizar varios ejemplos de poesía aparentemente irrealista, que se revela siempre como un modo de aludir con más precisión o intensidad a la concepción que de *este mundo* se forja el personaje que habla en los versos. Aunque la persona concreta del poeta no se compromete en términos de realidad con lo que literalmente dice su poema, el hombre genérico que en el poeta hay se compromete con la vida. O de otro modo: quien habla en el poema no es el poeta, pero sí es la imagen de un ser humano, que naturalmente existe en un mundo imaginariamente humano también. Tal es la razón de que podamos exigir cuentas muy estrechas al autor cuando su obra nos ofrece una estampa falsificada del universo, cosa que no ocurriría si, en efecto, el arte fuese independiente de la realidad [11]. Desde tales supuestos, ¿qué significa en estas páginas el tecnicismo "comunicación", referido al poeta? ¿Qué es lo que el poeta comunica? El poeta comunica la representación de la realidad que se forma en la pupila de un personaje: la realidad exterior a él o la realidad que le es interior. En ambos casos, lo importante es que el lector asume por contemplación *lo mismo* (comunicación) que el autor ha contemplado: esa representación que imagina como propia de su criatura.

---

[11] Téngase muy en cuenta que el "irrealismo" (llamémosle tan impropiamente) del arte contemporáneo o de cualquier otra época, si es verdadero arte, no falsifica la realidad, porque, como he dicho más arriba en el texto, tal irrealismo es sólo *un medio* para aludir, precisamente con mayor exactitud, a la realidad tal como se le representa al autor. Si el pintor o el poeta nos ofrecen en sus obras criaturas tales como vacas o árboles azules, plasman de ese modo un determinado sentimiento o una determinada sensación que ciertas cualidades de unas vacas o árboles reales, de muy distinta coloración, pueden producir a un hombre. Véase lo que en el cap. VI de este mismo libro digo acerca de las "visiones", que es, justamente, el procedimiento utilizado en el ejemplo de las vacas o los árboles que acabo de poner, idéntico, por otra parte, al que existe en el lenguaje ordinario en giros como "colores chillones". En todos los casos se trata de la atribución de cualidades o de funciones irreales a un objeto para expresar otras cualidades reales de ese mismo objeto. La frase "colores chillones" no nos escandaliza como "falsificación de la realidad", porque aunque los colores no chillan (igual que las vacas o los árboles no son azules), entendemos simplemente a través de ella "colores inarmónicos y exaltados", concepto que no tiene nada de irreal. El "irrealismo artístico" no pasa de la apariencia un milímetro más allá de lo que en "colores chillones" podemos apreciar: es un mero instrumento, repito, de aproximación a la captación del mundo, en el mismo sentido en que lo es la metáfora y el resto de los recursos retóricos.

LA INTERVENCIÓN DE FACTORES EXTRA-
PERSONALES EN LA CREACIÓN DEL POEMA

Una vez llegados a conclusión tan nítida, el concepto de comunicación así definido queda al margen de un reparo que podríamos oponer a la idea de comunicación entendida como comunicación real del poeta. Me refiero al hecho palmario de la "beli-
gerancia" que tienen numerosas realidades extrapersonales en la
creación artística.

No es posible poner en tela de juicio, por ejemplo, que en
cuanto Góngora ha escrito los dos primeros versos de un soneto:

> La dulce boca que a gustar convida
> un humor entre perlas destilado,

se convierte en prisionero del juego de rimas en *-ida* y en *-ado* para el resto de los cuartetos, y ello significa que todo lo que el
autor vaya a decir a continuación está condicionado por la necesidad de colocar una palabra con una de esas dos terminaciones
al final de los seis versos siguientes, en un orden implacable fijado
por las preceptivas (*abba abba*). Y sobre esta cadena, hay aún
otras: la precisión, extensible al resto de la pieza, de usar el endecasílabo con su específico sistema acentual, y de que el significado completo pueda encerrarse en el término de 14 unidades
métricas, etc. Teóricamente, el poeta es libre de expresar lo que
guste, pero, de hecho, el soneto impone un poderoso "veto" a su
imaginación, no consintiéndole sino aquellas significaciones que puedan cumplir tan estrictas reglas. El soneto, y en general, el poema,
interviene, pues, en la obra bajo la forma de una coacción muy
enérgica. Y lo mismo diríamos, en diverso grado, de otras realidades con las que el poeta tiene que contar. El género literario utilizado o los gustos del público al que el escritor se dirige son factores esenciales. Y también lo es el concreto lenguaje que se use
(francés, español, chino), pues éste determina, aunque más vagamente, lo que digamos. No todo se puede expresar en vasco; pero

tampoco todo en italiano o en alemán. Hay matices conceptuales
y sobre todo sentimentales o sensoriales que parecen ligados a un
determinado idioma. Y aún se complica la cuestión cuando pensamos en lo que pasa dentro de una lengua misma. Lo que era
imposible de comunicar en el castellano del siglo XII, podría co-
municarlo acaso con facilidad el castellano del XVII o del XX. Y
al revés: pues no ha de creerse que siempre y en todos los aspectos los idiomas ganen en flexibilidad con el tiempo, aunque hablando en términos generales suele ocurrir esto con más frecuencia
que lo contrario. El francés dieciochesco era incomparablemente
más rígido que el medioeval, y, por tanto, más coercitivo en la
expresión de algunas cosas, aunque hubiese mejorado mucho sin
duda en cuanto a claridad lógica y en varios importantes aspectos
más; lo cual, a su vez, le permitía la formulación de otro género
de significaciones, inefables para el francés del siglo XIII, por ejemplo. Por su parte, la existencia en el castellano antiguo de ciertos
sonidos consonánticos que luego se perdieron y sólo en parte fueron como reemplazados por otros, podía proporcionar a los escritores armonías, y, por consiguiente, significados (el significado no
se agota en el concepto, claro es) imposibles posteriormente.

Esta "belicosidad" que observamos en el lenguaje, se percibe,
en sentido más estricto aún, si nos detenemos un instante a considerar el desarrollo de un poema en el instante de su creación.
Cada verso que el poeta escribe acucia su imaginación emotiva y
le mueve a nuevos hallazgos, que, a su vez, le despiertan otros, y
así hasta el final: Son, pues, las palabras mismas del poema, las
que, operando sobre su autor, originan la sucesión expresiva. Un
primer sintagma lírico actúa como la piedra que, arrojada a un
estanque, provoca un movimiento de ondas concéntricas. Mas no
sólo el poema es agente activo en el hecho de su composición bajo
especie de excitante, pues obra al mismo tiempo en manera opuesta como recio sistema de prohibiciones. Cada frase que el autor
concibe como definitiva imprime al movimiento poemático una dirección irrevocable, que, naturalmente, excluye, por su mera existencia, muchas otras posibles en aquel momento, a partir de las
cuales podrían haber nacido impulsos diferentes, inasequibles ya.

El poema en su desenvolvimiento ordena en proporción cada vez mayor el esquema general de su desarrollo, y el poeta lo único que hace es particularizar ese esquema, elegir una carta de la baraja, a cada momento menos gruesa, que se le ofrece.

Por tanto, el lenguaje (en su sentido amplio de "lenguaje español", "inglés", "italiano", y en su sentido restringido de "este poema que estoy escribiendo") también se impone al escritor como una silenciosa pero inexorable limitación a sus posibles ocurrencias.

¿Y qué decir sobre el peso, a veces abrumador, de la tradición literaria misma? No hay duda de que los poetas cortesanos del siglo XV español estaban estrechamente encajonados en fórmulas tan férreas (las trovadorescas) y, sobre todo, ya tan alejadas de la realidad contemporánea, que hasta fueron poderosas para casi esterilizar el estro amoroso de un gran poeta como Jorge Manrique.

Y aún se endurecen más las condiciones en que ha de trabajar un autor que prosigue la obra de otro, o simplemente la modifica en algún punto o la corrige, pues en este caso (que es, por ejemplo, el de cada cooperador en la transformación de un romance, balada o canción tradicionales) es imposible apartarse, no ya de unas normas generales de conducta estética, como en el caso anterior, sino de la representación estética misma, que le fue otorgada como dato previo, sólo en una zona modificable.

Todos estos hechos son claros y podrían, repito, esgrimirse, en conjunto o parcialmente, contra la idea de "comunicación del autor" acaso con algún fundamento, mas con ninguno si nos referimos a la comunicación imaginaria que aquí sustentamos para el poema. Pues, en este sentido, lo único que tales hechos parecen declarar es que el escritor construye su obra desde las posibilidades que le ofrece un material cargado de exigencias. El poeta no es más que un caso particular del genérico creador, que, en el instante de intuir una realidad nueva, sea la que fuere, se ve constreñido y alentado a la vez por resistencias de toda índole que ha de tener en cuenta y desde las cuales actúa. El arquitecto se atiene para idear su trabajo a los materiales de que puede disponer (piedra, ladrillo, mármol, cemento armado), materiales que toleran ciertas concepciones y son intolerantes con otras. La invención artística tiene libertad, pero dentro de un espacio acotado que no es lícito sobrepasar. Alienta en un país relativamente vasto, mas con vigiladísimas fronteras que a nadie le es dado trasponer. La época misma en que se vive, su sistema de valores, su interpretación del mundo, sus tradiciones, vigencias, usos y hasta manías forman una situación o suelo donde el poeta pisa de un modo u otro. No sólo la política es el arte de lo posible. Cualquier producto humano —la poesía en nuestro caso— lo es. *El poeta sólo imagina y comunica aquello que las palabras y las más diversas constricciones le permiten imaginar y comunicar.* Eso es todo. Pero todo eso no niega ni puede negar la comunicación, sino sólo señalar sus lindes.

POESÍA IRRACIONALISTA Y COMUNICACIÓN

Propongamos ahora y al propio tiempo salgamos al paso de objeciones más importantes para nosotros, puesto que podrían extenderse también, en apariencia, al concepto de comunicación tal como en este libro lo concebimos. Friedrich, por ejemplo, parece *implícitamente* creer que el hecho de que con alguna frecuencia el poeta ignore lo que su poema significa conceptualmente pone en entredicho la comunicación. Un análisis más detenido del asunto nos revelaría, sin embargo, que no es posible utilizar tal argumento en ese sentido ni aun tomando aquel vocablo en su acepción, rechazada por nosotros, de comunicación real del poeta. Pues si un escritor no sabe a veces lo que lógicamente ha dicho, no desconoce lo que intuitivamente ha expresado, y no olvidemos que es la intuición y no el concepto el objeto de la comunicación. Reduciendo la tesis a su más simple forma: el poeta que en un momento determinado sea incapaz de decirnos las ideas que hay en un poema suyo, conoce, sin embargo, con precisión máxima la emoción que sus versos suscitan, pues de lo contrario el autor no sentiría su propia obra, cosa absurda por principio. Lorca pudo afirmar de su genial "Romance sonámbulo" que esos versos eran para él un misterio como para sus lectores, sin indicarnos con ello que ignorase el contenido emocional de la pieza en cuestión, sino sólo la cadena lógica que bajo él yace, cadena que, en este caso concreto, sólo el análisis puede revelar. Se me dirá que entonces Lorca no se hacía cargo de *todo* el significado poemático, puesto que en tal significado entraba como parte la masa conceptual de que el autor, según confesión propia, no se mostraba enterado. Para poder contestar adecuadamente a alegato tan aparentemente válido hemos de sentar de modo previo que la emoción del poema más irracionalista se halla en relación de dependencia con respecto a la materia lógica, incluso cuando esta última se ofrece al lector (y al propio autor) bajo forma inconsciente. Si esos conceptos, pese a que la lectura no los percibe como tales, se desvaneciesen, la emoción se desvanecería en idéntica medida, porque las emociones, insisto, están siempre asociadas a los conceptos o lo que ellos suponen. El ejemplo más simple es el de las palabras onomatopéyicas, tales como "tic-tac" del reloj, en cuya expresividad interviene, sin ningún género de duda, la presencia del respectivo concepto, de tal forma que un vocablo que tuviese sonidos equivalentes y concepto distinto, carecería de todo don en ese sentido. Y así, la palabra francesa "tactique", por poseer una forma fonética no imitativa del respectivo fondo racional, es expresivamente neutra, al contrario de lo que ocurre, por motivos opuestos, en el español "tic-tac" según hemos visto, de configuración, no obstante, casi idéntica. Aquí se trata de una emoción sensorial, pero lo mismo pasa cuando la emoción es afectiva. En un poema (véase el análisis que hacemos del poema XXXII de "Soledades, Galerías..." de A. Machado en el capítulo VII de este libro), la palabra "crepúsculo" (vespertino) puede irracionalmente producirnos un sentimiento fúnebre, pero ello se debe a que el contenido lógico de tal palabra lo permite, aunque acaso, en el instante de la lectura, no nos percatamos de ello de manera consciente: y, en efecto, "crepúsculo (vespertino)" queda definido en el diccionario de la Academia como "claridad que hay desde que el sol se pone hasta que es de noche", y este concepto, por su misma índole, consiente, en un determinado texto, la asociación indicada, que el lector *siente* (conoce) con la sensibilidad e ignora probablemente con la razón.

Ahora bien: dado el indestructible lazo de unión que media entre el ingrediente racional y el irracional en la obra de arte, hacerse cargo de uno de ellos (la emoción, en nuestro caso) lleva consigo hacerse cargo del otro (los conceptos), bien que de manera *implícita*. Los conceptos quedan *implicados* en el significado y es ése el modo de ser imaginados por la psique del autor y recibidos por la del lector. Lorca conocía, por tanto, el significado de su poema tal como lo conoce el lector: como una densa niebla emotiva que *oculta* una rocosa región conceptual, sólo accesible tras un análisis, siempre realizable (aunque innecesario desde el punto de vista estrictamente estético). La palabra comunicación me parece la más justa para dar nombre a esta coincidencia del autor y lector en el modo de percibir un significado.

MULTIPLICIDAD DE INTUICIONES LECTORAS Y COMUNICACIÓN

Contra la idea de comunicación se ha hablado también de la multiplicidad de las intuiciones que un mismo poema suscita. El mismo poema —se dice— no se registra del mismo modo en Juan que en Pedro; y ni siquiera Juan puede recibirlo idénticamente en cada una de sus posibles lecturas. El temperamento de cada individuo, su personal y variable experiencia humana y cultural, el ambiente distinto, etc., modifican el resultado de nuestras lecturas. De estas indudables verdades suele extraerse, sin embargo, la precipitada conclusión de que no nos es lícito hablar de comunicación, sin darse cuenta de que el poema pertenece en este aspecto, como en el de la singularidad de su significado, a un tipo muy peculiar de realidades, a las que llamaríamos "deficientes", cuyo ser, por consistir en una meta a la que sólo puede aproximarse, admite grados de perfección y no verdadera plenitud. Pero si una realidad A es más A cuanto mejor cumpla la condición Z que suponemos inasequible, no cabe duda de que, hablando con el máximo rigor, tenemos que definir a A por su cumplimiento de Z; y todo lo más, si es que deseamos aún mayor precisión en nuestro

lenguaje, declararemos que A no puede darse del todo y que sólo
existen grados de aproximación a A; mas nunca diremos, insisto,
que A no debe ser definida (que es cosa bien distinta) por Z.

Empecemos, sólo a guisa de ejemplo, con un caso muy ale-
jado de nuestras actuales preocupaciones: la idea de nación. Esta
idea se nos muestra como rigurosamente impensable si no tenemos en cuenta la existencia de lo que acabo de llamar "realidades
deficientes". Haciendo nuestra la definición de Ortega, una nación
consiste en "un proyecto de vida en común". Pero bien claro está
que en una nación, dada la libertad y diversidad del espíritu humano, siempre hay individuos que no participan en ese impulso
programático, que se quedan al margen de él, e incluso que le son
profundamente contrarios. Nuestra teoría salva esta posible objeción imaginando la existencia de lo nacional como una realidad
deficiente. La nación no tiene ni puede tener en la práctica completa realidad, sino sólo grados de ella, porque la concordia total,
la comunión de todos en un esquema de vida proyectado hacia
el futuro es imposible. Habrá, así, más o menos nación dentro
de un grupo humano, mas nunca dejará de darse en él una cierta
proporción de "adolescencia" en este sentido. Dentro de la escala
cuyo tramo superior es inalcanzable caben ya todas las situaciones:
peldaños de muy baja o de ninguna nacionalidad, junto a todos
los intermedios.

Acaso otras muchas realidades sociológicas o antropológicas ad-
mitiesen este mismo enfoque, pero lo que me parece seguro es su
necesidad en lo que toca al entendimiento de la poesía. Ni el concepto de comunicación, ni el concepto de unicidad en los significados artísticos se ponen totalmente en claro sino cuando los
examinamos bajo esta perspectiva. Hagámoslo, comenzando, por
razones puramente expositivas, con el caso segundo. Cuando decimos que el poema comunica la representación que la mirada de un
hombre nos da de una realidad de carácter único, no ignoramos
que lo individual, *sensu stricto,* es inefable. Lo que pretendemos
decir es que el poema tiende a la individuación del significado y
que es tanto más poético cuanto mayor sea tal individuación. O
para expresarnos con exactitud: *que el poema alcanza un grado*

más elevado de perfección en la medida en que posea un contenido menos genérico. Si aceptamos que ello es así, estamos obligados a considerar la singularidad del significado como uno de los ingredientes indispensables de la poesía, puesto que es precisamente el cumplimiento de esa cualidad lo que a la poesía le otorga el pleno ser. De lo dicho se desprende que, en este sentido, todo poema es un fracaso, ya que la meta queda siempre un poquito más lejos de nuestras posibilidades [12].

---

[12] Si descendemos a un ejemplo concreto, quizá podamos ver con más relieve lo que digo en el texto. Cuando Bécquer escribe:

> *Si de nuestros agravios en un libro*
> *se escribiese la historia,*
> *y se borrase en nuestras almas cuanto*
> *se borrase en sus hojas,*
>
> *te quiero tanto aún, dejó en mi pecho*
> *tu amor huellas tan hondas,*
> *que sólo con que tú borrases una*
> *las borraba yo todas,*

es incuestionable que el poeta está buscando, a través de lo que en este libro llamaremos "ruptura en el sistema de la equidad", comunicarnos el grado exacto del amor que el protagonista del poema siente por una mujer. La grandeza del amor se mide, en efecto, en tales versos, por la grandeza de la generosidad del amante ("que sólo con que tú borrases una las borraba yo *todas*"). Hay, pues, un intento de individualización expresiva, y la composición es lírica en cuanto que ese propósito queda cumplido dentro de los restrictivos límites que sabemos. Porque, ciertamente, el contenido psíquico transmitido en la expresión poética becqueriana es genérico aún, aunque lo sea mucho menos que el contenido correspondiente de la expresión paralela no poética (que formularíamos en una frase tal "te quiero mucho"). Cabría que un hombre distinto, llevado de la fuerza de un amor que suponemos mayor o menor y de otra calidad que el transparentado en el poema de Bécquer, se sintiese tan generoso como el protagonista de éste, y, por tanto, pudiese suscribir sus palabras, que, en tal caso, estarían expresando al mismo tiempo dos sentimientos que divergen algo entre sí. La posibilidad de esta duplicidad expresiva delata el alcance no totalmente individualizador de los mencionados versos y el correlativo fracaso no remediable de ésta y de toda pretensión poética. Como la poesía requiere la comunicación y lo único es incomunicable, el éxito del poeta exige su previo fracaso. O en otras palabras tal vez más claras: la grandeza de la poesía es una misma cosa con su miseria.

Algo por completo semejante diríamos de la comunicación. También la comunicación es "un deber que tenemos que cumplir"; deber que, como es común que ocurra en materia de deberes, podemos incumplir o cumplir de modo insatisfactorio, con la consecuencia de anular o mermar *en nuestra representación* el poema que se nos impone. Este nos aconseja "que seamos perfectos como nuestro Padre es perfecto". Nuestra limitación de criaturas obstaculiza el éxito completo de tal tarea. Pero conforme nos acerquemos a la verdadera comunicación, el poema va cobrando realidad, lo cual significa, sin vacilación, que consiste en la posibilidad de ser comunicado. La obra poética no puede definirse entonces por su capacidad de "suscitar experiencias distintas" (Wellek) en vista de que las suscita, pues ello equivaldría a caer en la negación de la objetividad artística, al dar por igualmente válidas todas las subjetivas lecturas. Considero, por el contrario, que esas lecturas son más o menos válidas, algunas francamente inválidas, según se aproximen o se alejen del significado objetivo, que no está acaso en ningún lector, pero sí en el sistema de signos que forman el poema.

No debe desorientarnos el hecho patente de que ciertas obras, precisamente por su genialidad, han sido interpretadas de modo distinto en las distintas épocas, porque eso sólo quiere decir que, por ser la obra muy profunda y compleja, no pudo entenderse sino parcialmente al principio y que el verdadero significado únicamente se reveló gradualmente y hasta acaso guarde sorpresas para un futuro más o menos prolongado. Pero, se me opondrá tal vez, el autor al menos ¿conocía todos los estratos de significación que los tiempos, las generaciones sucesivas de críticos fueron descifrando en su obra? Repito aquí lo que dije no hace mucho. El autor no tenía por qué conocer racionalmente todos los entresijos de su trabajo, como no tiene por qué conocerlos el lector. Pero puesto que fue capaz de trazarlo, es que lo había intuido en toda la vastedad y riqueza de su ser, esto es, que lo había conocido a través de la intuición, aunque a la hora de preguntarle por su significado, no encontrase palabras para decirnos lo que lógica-

mente hubiese en este último, cosa que, por otra parte, no es
misión ni del autor ni del lector, sino en todo caso del crítico.
Cabría ir más lejos aún y afirmar que es extremadamente difícil que un Cervantes o un Shakespeare hubiesen sido capaces de
forzar en este aspecto las posibilidades de su siglo, para abrir en
el Quijote o en el Hamlet, con la llave de la sola razón, todas las
puertas que separan las muchas cámaras en que tales obras consisten. Sería maravilla que el sistema de creencias y de ideas, las
normas de las preceptivas vigentes en aquella época, etc., no pu-
siesen en sus ojos una venda que les impidiese conocer lógicamente
lo que habían, en cambio, conocido de manera intuitiva al escribir.
Y esa obra, así conocida por el autor es como *debe* ser conocida
por el lector (comunicación), dentro de los límites propios de nuestra condición humana, que acabamos de señalar.

"INICIATIVA DEL LENGUA-
JE" Y COMUNICACIÓN

El concepto de comunicación ha sido combatido aún basándose
en otro supuesto: el mallarmeano de la "iniciativa del lenguaje"
en la creación del poema. Claro está que este concepto no es un
invento de Mallarmé, sino que tiene toda una prehistoria y hasta
una historia claramente anteriores a él (Novalis, Hugo, y sobre
todo Poe, donde la idea alcanza ya una primera plenitud teórica).
Después los poetas puros insistirán en que la poesía es un juego
del lenguaje, un maniobrar del poeta con las posibilidades de las
palabras. Se puede pensar, por ejemplo, que, en ciertos casos límite, relativamente frecuentes, sin embargo, sobre todo a partir
del romanticismo, lo que le importa al poeta al disponerse a escribir no es decir lógicamente algo, sino expresar una emoción,
vacía, en principio, de contenido conceptual. Y que sólo luego, al
hallar el vocablo que puede traducir esa emoción, aparece el concepto, diríamos que como producto *secundario* del vocablo, como
inesperado regalo suyo que no entraba en los cálculos previos del
autor. El concepto no ha sido hallado, pues, por iniciativa de éste,

a quien no le hubiese importado, en tal supuesto, dar de manos a boca con otro concepto cualquiera, sino por "iniciativa" del lenguaje encargado de incorporar la tensión emotiva.

Pero fenómenos como el descrito sólo invalidarían la tesis de la comunicación si pudiese probarse de algún modo para ellos el sorprendente milagro de que el poeta, no en el momento previo a la composición, momento que nada nos importa, sino en el instante mismo en que la composición se produce, imaginase una representación diferente de la que *debe* imaginar el lector. Por ejemplo, si en ese instante contemplase el elemento afectivo de las palabras con completo o parcial desvío del elemento conceptual (como en la etapa previa hemos imaginado que ocurría), mientras el lector, por el contrario, percibiese ambos componentes con nitidez. Quienes creen que la iniciativa del lenguaje con respecto al concepto echa por tierra la idea de comunicación desconocen que cuando hablamos de comunicación no tenemos derecho a referirnos, claro está, a las pretensiones del poeta antes de ponerse a escribir, pretensiones que podrían ser, en principio, totalmente opuestas a lo que de hecho después se llevó a cabo, sino a la representación que el poeta fue sucesivamente contemplando mientras escribía. Lo que se comunica es el poema y no el espectáculo más o menos atractivo de su vago prenuncio.

No ignoro que existe ciertamente el caso de poesía muy irracionalista en que el poeta no se hace cargo de los conceptos en el instante de la composición, pero, como ya hemos indicado páginas atrás, algo parecido le sucede en tal caso al lector, que tampoco se hace cargo de ellos en el instante de la lectura, de forma que la coincidencia poeta-lector persiste perfectamente inalterable, incluso en tan extremas ocasiones.

2. LA EXPRESIVIDAD DEL LENGUAJE ORDINARIO COMO
   POESÍA

EL CONCEPTO "POESÍA" MÁS AMPLIO
QUE EL CONCEPTO "POEMA"

Hemos pronunciado hasta aquí la palabra "poema" como sinónimo perfecto de "poesía". Nada más justo aparentemente. La poesía es, según la concepción tradicional, un género literario, lo que implica, por parte del autor, voluntad de arte, y por parte del lector, conciencia de que lo que lee es lenguaje imaginario dicho por un yo ficticio. Ahora bien: la poesía ¿es *siempre* y desde todas las perspectivas "poema", "género literario", "lenguaje de imaginación"? No tendremos más remedio que inclinarnos por la negativa si adoptamos una perspectiva no tradicional y, en vez de analizar la poesía partiendo del poema, la analizamos partiendo del *resultado* del poema (la emoción, etc., que éste acarrea), análisis al que tenemos perfecto derecho, pues lo importante es el significado y de ningún modo el medio para llegar a él.

El fenómeno cómico, por su paralelismo en todos los órdenes con el fenómeno poético, puede servirnos de excelente referencia comparativa en este punto. También la comicidad (hablo de la que es puramente verbal) tolera examen desde dos perspectivas, como la poesía. Desde la perspectiva del género literario, la comicidad resulta ser, como la poesía, pero en un grado aún más evidente, expresión imaginaria de un personaje ficticio de quien nos reímos. El desdoblamiento de autor y personaje es en la comicidad más patente que en la poesía, pues pronto nos percatamos de que el decir cómico no hace que nos riamos del autor, sino, al revés, nos obliga a reír *con* el autor *del* personaje ficticio, y esta duplicidad de actitud, inexistente en el poema (simpatía con respecto al autor, burla con respecto al personaje), destaca con una violencia mucho mayor que en aquél la duplicidad de personas (la real o autor y la imaginaria o protagonista) que hay en todo chiste.

He aquí un ejemplo cualquiera. Supongamos que se trata de una comedia. La escena ocurre en un comedor, donde, alrededor de una mesa, se congrega una familia. Se sirve un queso empezado la víspera y ya algo escaso para los cuatro o cinco comensales que constituyen el grupo. A la vista del suculento pero parco postre, la niña más pequeña de la casa, muy compungida, exclama: "¡Ay, qué poquito queso queda! ¡Sólo hay para mí!" ¿De quién nos reímos en este caso? No del autor de la comedia, a quien por el contrario aplaudimos al final de la representación precisamente si de verdad nos ha hecho reír, sino del inocente egoísmo de la niña y del carácter paradójico de su dolor, tan como fuera de la realidad.

Desde la perspectiva que hemos adoptado, no hay duda, pues, de la índole imaginaria de los personajes y las dicciones cómicas, lo cual supone que es incuestionable también su inclusión dentro de un género literario.

Pero si invertimos el punto de vista, y examinamos ahora la comicidad, no desde la causa o género literario, sino desde el efecto, la hilaridad de cierta clase que nos produce, llegaremos a la opuesta conclusión de que la condición ficticia de los personajes, la necesidad de que se nos hable desde un género literario, etc., no es esencial al fenómeno cómico, y nótese que sigo hablando de aquella comicidad puramente verbal a que antes nos referíamos. Imaginemos que la escena transcrita no la he escuchado en una comedia, sino en la vida real. ¿Se modificará por ello *en su cualidad* el efecto cómico que las palabras de la niña me causan? Esas palabras ¿dejan de ser cómicas para ser *otra cosa,* otra cosa que incluso me puede hacer reír? No; la comicidad persiste cualitativamente íntegra, y es en todo caso el *grado* de la comicidad lo que varía. Pero obsérvese que en el ejemplo aducido y en otros muchos casos, ni siquiera varía para descender, sino, al contrario, para aumentar. En efecto, con gran frecuencia un hecho de esta especie contemplado como real se nos aparece provisto de mayor comicidad que cuando es contado como chiste. Y la prueba de ello es que a veces el narrador hábil, para incrementar la efi-

cacia de sus palabras, procura *acercar* el hecho cómico al máximo
posible de realidad que cabe en un relato, iniciándolo con el comentario, en muchas ocasiones puramente táctico, de "esto ocurrió de verdad".

Lo que acabamos de ver en la comicidad verbal se repite, *mutatis mutandis,* en la poesía. En la poesía cabe también el análisis
desde la perspectiva del efecto (la emoción) y no sólo desde la
perspectiva de la causa (el género literario). Si un valiente le grita
desafiante a un tirano en nombre del país que éste ha empo-
brecido:

> ¡No sabe un pueblo hambriento temer muerte!,

el auditorio siente esta frase tan poéticamente expresiva, o quizá
más, que si la leemos en un soneto. Y si empezamos un poema con
este hexámetro:

> Más vale morir en pie que vivir de rodillas

no recibimos una emoción cualitativamente diferente de la que
experimentamos al escuchar tales palabras como frase real de un
posible político ante una multitud. El paso de expresión literaria a
expresión real podrá alterar el grado de la emoción (con frecuencia, en sentido negativo, aunque también en sentido contrario),
pero *en principio* (ya veremos las aparentes excepciones a esta regla) no alterará su cualidad, que persevera como poética.

De todo ello concluimos que cuando se estipula como condición indispensable de la poesía y de la comicidad verbal el carácter imaginario del lenguaje y del protagonista que lo usa, etc.,
se está confundiendo el concepto de poesía o de comicidad verbal
con el concepto del respectivo género literario. Este último posee,
en efecto, como atributo esencial la existencia de hablantes ficti-
cios, pero aquél no. El término "poesía" es más amplio que el
término "poema", y por ello, al contrario que este último, se mantiene indiferente frente a la especificación de real o imaginaria
con que podemos calificar la situación, etc., en que se ofrece.

FUNCIÓN DEL GÉNERO LITERARIO

El género literario ¿no posee entonces utilidad *esencial* alguna ni en lo relativo a lo cómico ni en lo relativo a lo poético? Nada más lejos de nosotros que afirmar tamaño dislate. Hay versos, trozos de poemas e incluso algún poema entero (e igual ocurre con la dicción cómica, pero en mayor proporción aún), que escuchados como lenguaje real conservan su expresividad, y esto nos ha bastado para probar el alcance más amplio de las palabras "poesía" y "comicidad verbal" con respecto a las palabras "poema" o "chiste". Mas es igualmente evidente que la gran mayoría de los poemas y algunos chistes perderían su poesía o su comicidad si no nos dispusiéramos a oír precisamente una composición artística.

Muchos de los chistes de humor negro, tan populares hoy, son de esta índole exclusivamente literaria, chistes puros que no toleran el trueque a realidad auténtica. Pero fuera de tal tipo de humor, se dan también casos de comicidad irreductible a términos de situación real. En una comedia francesa hay una escena en la que un médico se empeña en administrar una determinada píldora a un enfermo. Éste, que la ha tomado en días anteriores con resultados contraproducentes, se niega a seguir utilizándola, pues teme que tal medicina acabe con su salud. El médico dice entonces doctamente al enfermo para persuadirle: "Las reglas de la medicina aconsejan la píldora en cuestión. Y más vale morir según las reglas de la medicina que vivir con menoscabo de ellas". La escena es cómica si la entendemos como "chiste" o como "comedia", pero dejaría de serlo en el caso de que fuese presenciada como realidad. Un médico que estuviese diciendo eso a nuestra madre gravemente enferma, o simplemente a un ser humano cualquiera, en condición semejante, delante de nosotros, no nos haría reír, porque la acción que tales palabras preconizan, la interpretaríamos como claramente peligrosa para la vida de un semejante nuestro. En el interior de la comedia, por el contrario, suspendemos por el momento nuestro sentimiento de riesgo vital verdadero, entre otras razones en que no entro ahora, por el carácter puramente imaginario del personaje, y la comicidad así puede aparecer.

Es mucho más frecuente aún en la poesía esta estructura puramente estética de las significaciones, hasta el punto de resultar difícil (no imposible, claro es) encontrar un poema cuya poesía sobreviva a su comprensión como frase real. El género literario (que no es condición *sine qua non* de lo poético) suele ser condición *sine qua non* de lo poético de los poemas. El escritor Maurici Serrahima, en apoyo de una tesis distinta de la nuestra, recuerda la sabrosa anécdota, que nos importa recoger, de Jules Renard en su novela "Poil de carotte". Ligeramente modificada, héla aquí: un niño escribe una carta a su padre, el cual, al leerla, reprocha a su hijo el tono altisonante y enfático de la misiva. El niño dice: "Padre, no te has dado cuenta de que la carta está escrita en verso". Cuando abrimos un libro de poemas sabemos que se trata de leer poemas, y no de escuchar comunicaciones reales en forma epistolar. Sabemos que las palabras están en esos versos usadas según unas convenciones especiales, unas "leyes" (no necesariamente formuladas en las preceptivas) que nosotros respetamos, pero que no respetaríamos fuera del estricto género literario de que se trata [13], por ejemplo, no las respetaríamos en una carta verdaderamente tal, donde serían vistas por nosotros como impertinentes, como inadecuadas. No admitiríamos en ese caso y por esa razón la comunicación que se nos propone, y la poesía dejaría de existir.

---

[13] No sólo el poema ofrece, salvo rarísimas excepciones, unas convenciones que resultan insoportables en el lenguaje real, sino que cada género literario, y aun cada subgénero, especie o forma singular tienen las suyas en propiedad exclusiva. Hemos, por ejemplo, llegado tarde al teatro, sin saber qué clase de obra representan. Pensamos acaso que se trata de un drama. Lo primero que vemos es una situación que nos parece inverosímil. Juzgamos entonces la pieza como mediocre, si no como absurda. Pero pronto nos percatamos de que aquello es una farsa. "¡Ah, decimos, es una farsa! ¡Eso es otra cosa!" Y es que la situación, inverosímil dentro del drama o alta comedia, es verosímil en el interior de esa otra especie teatral. La verosimilitud o la inverosimilitud de una composición literaria, como no se relaciona *directamente* con un elemento inmutable que sería la verosimilitud o inverosimilitud en la vida real, no resulta adecuado imaginarla como cosa fija y abstractamente deducible. (Véase el cap. XV, págs. 377 y ss.).

Supongamos que un enamorado, sentado en el banco de un jardín,
dijese a su novia, no como poema, sino como frases amorosas reales que en aquel momento se le ocurren, las siguientes:

En crespa tempestad del oro undoso
nada golfos de luz ardiente y pura
mi corazón, sediento de hermosura,
si el cabello deslazas generoso.

Leandro en mar de fuego proceloso
su amor ostenta, su vivir apura;
Icaro en senda de oro mal segura
arde sus alas por morir glorioso.

Con pretensión de Fénix encendidas
sus esperanzas, que difuntas lloro,
intenta que su muerte engendre vidas.

Avaro y rico, y pobre en el tesoro,
el castigo y el hambre imita a Midas,
Tántalo en fugitiva fuente de oro.

Al escuchar tan extraña revelación ¿qué pensaría la muchacha?
¿Le parecería amorosamente expresivo (poético) lo que su sorprendente novio le decía, o más bien, empezaría a representarse
la conveniencia de retrasar la boda de manera definitiva? Sin embargo, esas palabras, escuchadas como "soneto", y concretamente
como "soneto de Quevedo", son sencillamente admirables. La paradójica discrepancia entre la reacción negativa de la muchacha,
que recibe ese párrafo como lenguaje real, y la positiva nuestra,
que lo recibimos como versos, es muy explicable. La muchacha no
se emociona ante las frases de su novio porque le parecen afecta-
das, pedantescas, incongruentes con la *situación real* en que han
sido dichas, y al no otorgarles su aquiescencia se niega a la comunicación que llevan consigo. Por el contrario, nosotros admitimos
ese lenguaje al sentirlo concorde con la *situación poemática* en que
lo vemos instalado, y damos así paso a su contenido, que poéticamente nos conmueve.

Resalta aquí con evidencia la función que cumple el género
literario con respecto a lo poético general, donde entra también la

expresividad o emoción de una carta escrita sin intención estética por una muchacha enamorada e incluso acaso la tirada insultante con que la verdulera de la esquina acribilla a su comadre. Ambos tipos de lenguaje, el imaginario del poema y el real de la expresividad cotidiana, coinciden cualitativamente en ser comunicación sin falsía de una intuición, y por tanto, en ser poesía. Y se diferencian, no en su cualidad de poéticos, sino en su respectiva cantidad, muy distinta en cada uno de los dos casos. La intuición depositada en un soneto de Shakespeare es más vasta y más compleja que la rudimentaria depositada en la frase "eres un burro" que un indignado pronuncia para demostrar a un inferior su desdén. Pero esa diferencia cuantitativa arrastra para el primer caso la necesidad del género literario, al precisar un lenguaje mucho más rico y complicado que el usual; un lenguaje de uso imposible, por impropio, por fuera de sitio, en la diaria comunicación; un lenguaje, en fin, que sólo se nos torna idóneo cuando lo sabemos perteneciente a un poema. Diríamos que el género literario sólo existe como *medio* para que la comunicación no quede obstaculizada por nuestra repugnancia a asentir a un lenguaje que necesita de una gran artificiosidad para poder transmitir correctamente la mayor complejidad y vastedad que antes denunciábamos como propia de la intuición poemática con respecto a la relativa pobreza y simplicidad de la expresividad ordinaria.

En suma: el género literario y todo lo que comporta (situación, personaje y léxico imaginarios, especial actitud del lector, voluntad de arte del autor) es simplemente la manifestación externa, formal, de una diferencia cuantitativa, no cualitativa, de contenido, y, en consecuencia, no afecta, como en un principio adelanté, a la esencia de los dos fenómenos comparados (expresividad vulgar y expresividad del poema) que podemos ver, rigurosamente, como los dos grandes lados, las dos grandes vertientes de lo poético.

EL REALISMO LITERARIO

Al llegar aquí es preciso recoger y matizar una de nuestras últimas afirmaciones. Hemos hablado del "gran artificio" del lenguaje poemático. Conviene añadir que ese artificio en muchísimos casos sólo es grande cuando lo contrastamos con la también relativa naturalidad del lenguaje de la conversación real. Son rarísimos los poemas, aun los que parecen más desnudos y simples, que resistan, dijimos, su audición como palabras no literarias. Esta copla:

> Tu calle ya no es tu calle,
> que es una calle cualquiera
> camino de cualquier parte.

o esta otra, que un enamorado dice a la novia que le ha abandonado:

> Catalina María Márquez,
> ¿cómo tuviste el valor
> de casarte con Juan Lucas
> estando en el mundo yo?

son ejemplos, de ningún modo únicos, pero sí excepcionales, de tolerancia en el cambio imaginación-realidad. Pues lo frecuente es que incluso poemas que parecen muy sencillos, muestren su complejidad lingüística al pensarlos como expresiones no imaginarias. Nadie reprochará a Bécquer haber abusado de los medios retóricos, y, sin embargo, ningún amante, ni siquiera el propio Bécquer, podría decir a su amada, excepto si le advertía que iba a recitarle una "rima", cosas como éstas:

> Si de nuestros agravios en un libro
> se escribiese la historia,
> y se borrase en nuestras almas cuanto
> se borrase en sus hojas,
>
> te quiero tanto aún, dejó en mi pecho
> tu amor huellas tan hondas,
> que sólo con que tú borrases una
> las borraba yo todas.

La "artificiosidad" es al parecer "naturaleza" en la literatura. Es, por tanto, su verdadera "naturalidad", aunque la cantidad de artificio varíe considerablemente de unos estilos a otros. Este modo de ser, propio del arte, nos explica que literaturas enteras, como la latina o la árabe, se hallen escritas en una lengua, tan sorprendentemente disímil de la hablada, que admite, incluso, una denominación diferente (latín o árabe literarios, latín o árabe vulgares). Y nos explica, asimismo, la existencia de poetas como Góngora, que sin monstruosidad verdadera llevan a su límite extremo ese artificio que en otros casos más moderados se manifiesta sin llamar la atención. Aunque se da también el caso opuesto: momentos en que la literatura descansa de su altanería, diríamos que se avergüenza de su condición, y quiere como confundirse con el lenguaje real (sin trasponer del todo la linde, claro está). Una de estas épocas fue, en un sentido, el neoclasicismo dieciochesco, con su repudio de la imaginación y la metáfora en el verso, y otra, en sentido diferente, el romanticismo, que tendió a identificar la poesía con la vida, el yo empírico del poeta con el yo ficticio de la literatura. Pero quizás nunca como hoy, en un sector de nuestras letras, se ha intentado tan a conciencia y a fondo escribir una poesía "más allá del poema", si se nos permite usar una expresión desmesurada, una poesía en que el autor se compromete con lo que dice en sus estrofas, y cuyo lenguaje aspira, cuando menos, a parecer coloquial. La palabra "realismo" le va muy bien a esta pretensión de trascender, o, mejor dicho, de dar la impresión de que se trasciende la condición imaginaria del arte. Se es realista cuando se busca producir en el lector la *ilusión* de que se le habla fuera del convencionalismo literario, desde la situación real misma y utilizando el lenguaje real. Las actuales novelas "objetivas", que deponen también muchos de los convencionalismos tradicionales del género narrativo (omnisciencia del autor, etc.), tienen, a mi juicio, el mismo sentido y reman en la misma dirección.

LA EXPRESIVIDAD EN EL LENGUAJE ORDINARIO

Recojamos de nuevo ahora el hilo fundamental de nuestra argumentación, la idea de que el poema (el auténtico poema, por supuesto) no es otra cosa que *un grado superior* de esa poética expresividad que se manifiesta también a veces, aunque en forma mucho más tosca y primaria, en el habla real de todos los días. Según esto, el concepto de comunicación de intuiciones a través de meras palabras no es para nosotros más extenso que el concepto de poesía. Donde leemos el vocablo "poesía" entendemos el concepto "comunicación"; donde leemos el vocablo "comunicación" entendemos el concepto "poesía". Ambos términos se nos aparecen como intercambiables por completo, tanto en extensión como en profundidad.

Conviene, sin embargo, subrayar que a la palabra "comunicación" le hemos impuesto una restricción importante: comunicación, pero "a través de meras palabras", esto es, valiéndose sólo de recursos puramente léxicos y sintácticos. Pues es evidente que en el lenguaje ordinario la comunicación se establece, con gran frecuencia, por medio de otros elementos, como Charles Bally ha señalado con precisión máxima: la comunicación se halla en ocasiones motivadas por "la situación", "por la realidad extralingüística en que se sumerge el discurso". "Una fuerte emoción estética se puede expresar con palabras sin calor: basta con que el objeto de nuestra admiración esté presente. *Esta iglesia es muy hermosa* es un giro perfectamente neutro: pero, pronunciada ante la catedral de Chartres, tal frase puede traducir y comunicar una fuerte vibración emotiva. La lengua no es la que comunica esa emoción, puesto que ha transformado el pensamiento afectivo en un juicio lógico, construido con palabras puramente conceptuales. Al decir a una madre: *su hijo se va a morir,* se puede trastornar toda una vida; pero la realidad es la única responsable: *morir* es la etiqueta de una idea pura, hasta tal punto que un giro tal como *Luis XIV murió* en 1715 nos deja completamente fríos."

"Pero no es la *situación* la única que puede dar un carácter afectivo" a nuestras palabras. "El discurso puede recibir un comentario emotivo continuo, por medio de las inflexiones de la voz, los acentos que subrayan los vocablos importantes, la lentitud o rapidez del hablar (...), hasta los silencios; la emoción se puede traicionar en la mímica facial del hablante, en sus gestos, actitudes, etc. A condición, por supuesto, de que todos esos movimientos (inconscientes o no) sean imitativos y voluntarios, pues si no, serían reflejos y, por lo tanto, indicios y no signos" [14].

Si yo grito: "¡una víbora!" con una inflexión de voz que refleje espanto y con un gesto que denuncie terror, puedo transmitir mi sentimiento a otra persona. Pero son precisamente esa inflexión y ese gesto los que provocan la comunicación, que el simple sintagma no conlleva.

Nos será lícito entonces concluir que cuando la expresividad del lenguaje no literario tiene su origen en la *situación* o en ciertas pantomimas o visajes, etc., que el hablante efectúa, o en su voz, nos hallamos en presencia de un fenómeno distinto del poético, ya que a éste, para su función transmisora, sólo le es posible recurrir a palabras y a relaciones entre palabras, nunca a las situaciones ni a los otros medios que el habla usual utiliza [15].

Sin embargo, como el mismo Bally ha sugerido, la expresividad del lenguaje no literario es, en ciertos momentos, puramente verbal. Cabe que el hablante la obtenga por muy variados modos: dando a la palabra "un sentido nuevo", "haciendo entrechocar dos vocablos que en el lenguaje corriente no se suelen juntar, arriesgando una imagen desconocida para el oyente, etc.". Pero Bally, por un incomprensible prejuicio, separa radicalmente el hecho lingüístico cotidiano del hecho literario, aduciendo argumentos que no resisten la más liviana crítica. Nosotros, por el contrario, diremos aquí que cuando la expresividad del diario lenguaje se debe sólo a su sintaxis o a su léxico, el *habla es poética*: que habla y poesía son dos aspectos, dos grados de un mismo hecho esencial: el hecho estético. Toda la diferencia es cuantitativa, según vimos y

---

[14] CHARLES BALLY: *El lenguaje y la vida,* traducción de Amado Alonso, ed. Losada, Buenos Aires, 1947, págs. 125-127.

[15] Un recitador modula su voz y gesticula de un determinado modo: pero si su recitado es el conveniente, esos visajes y modulaciones se hallan *implícitos* en la lírica composición y están por ella determinados. Si no ocurre así, el poema queda desvirtuado; se empeora o se mejora; en ambos casos, se falsea. (En la obra de RENÉ WELLEK Y AUSTIN WARREN —*Teoría literaria,* ed. Gredos, 1953, pág. 247— veo expresada una idea semejante.)

como Croce, con una muy distinta intención [16], afirmaba también,
y por tanto se trata de una diferencia inesencial [17].

Ello quiere decir que si llegamos a esclarecer cuál sea, en algún
aspecto, la causa más radicalmente originaria del producto lírico,
tal vez habremos determinado igualmente, de rechazo, la causa
equivalente para cualquier tipo de expresividad lingüística, la con-
versacional, por ejemplo, cuando exista sin depender de la situación o de la mímica del hablante o del modo en que su voz se
emite. De otra forma: nuestra indagación será acaso también válida para una amplia zona de la Teoría del lenguaje.

DIFERENCIAS QUE NOS SEPARAN DE CROCE

Acabamos de citar a Croce, y pudiese parecer que nuestra
tesis, en lo que respecta a la parcial identificación entre poesía y

---

[16] Véase más abajo, pág. 53.

[17] Dámaso Alonso, en su obra citada, viene a afirmar lo mismo, mas
con distinta significación: no establece el distingo que nosotros hemos hecho entre la expresividad puramente léxica y sintáctica (a la que llamamos
poesía) y la expresividad de situación y de gesto (no poesía para nosotros),
ni tiene en cuenta tampoco la distancia que se interpone, en cuanto al carácter imaginario o no de las palabras usadas, entre poema y lenguaje real
intuitivo. Para Dámaso Alonso, en consecuencia, como para Croce (pero
por distintos motivos que éste), toda frase hablada es estética, porque siempre la pronunciaremos con un calor que le comunica expresividad. Nuestra tesis, al defender otra definición de poesía, difiere de ambos teóricos
tanto como éstos entre sí. Son distintas vistas tomadas sobre lo real; vistas
que se separan en su fisonomía en cuanto que sus respectivos enfoques no
son idénticos. Para Croce, como diremos en el texto más abajo, sólo es
poética la expresión interior, antes de ser comunicada. Para Dámaso Alonso,
en cambio, es poesía la comunicación, pero lo mismo la comunicación realizada a través del gesto o de la situación que la meramente sintáctica y
léxica. Y, en fin, nosotros reservamos el nombre de poesía para aquellos
casos en que la comunicación se establece valiéndose sólo de estos últimos
elementos, *ya que son los únicos que los llamados vulgarmente poetas
utilizan.*

habla vulgar, coincide con la del pensador italiano [18]. Sin embargo, no puede ser mayor la distancia que de él nos separa. Toda la "Estética" de Croce opera sobre la expresión *interior,* la expresión *que aún no ha sido comunicada* y que quizá no llegue a comunicarse nunca. La comunicación misma, el hecho de plasmar en formas o en colores, en sonidos o en movimiento lo que el artista ha intuido o expresado interiormente es, para el filófoso que nos ocupa, algo *práctico,* algo que se sale del dominio estético, dominio puramente teórico, es decir, puramente cognoscitivo. El acto verdaderamente estético es para él, pues, la expresión interior o intuición, la contemplación que el espíritu dentro de sí realiza sobre la masa informe, caótica, indiscriminada de las sensaciones y las impresiones. El arte es, dice, forma interior y nada más que forma interior.

Ahora bien: la disimilitud que existe entre la concepción croceana del arte como *puro* conocimiento intuitivo, y la nuestra de poesía como conocimiento intuitivo *comunicado* [19], se refleja en puntos de vista también divergentes al mirar el lenguaje vulgar. Para el pensador italiano *toda frase* de habla usual es estética, puesto que obedece a una previa intuición o conocimiento de lo particular en sí, y esta previa intuición (que Croce identifica con "expresión" y con "arte") es lo único que a él le importa. Para nosotros, en cambio, no siempre el habla resulta estética; a veces no lo es en su resultado final (aunque sí en su etapa previa) porque a nosotros la poesía no se nos aparece como algo solamente cognoscitivo, sino también como algo comunicativo; y el conocimiento o representación interior, al comunicarse, al atravesar por el vehículo verbal en cuanto "lenguaje para todos" y no sólo para mí, lenguaje inerte y rígido con sobrada frecuencia, puede sufrir, como

---

[18] La idea fue inicialmente de Herder y Hamann, y, posteriormente a Croce, la hicieron suya los componentes de la escuela de Munich, Karl Vossler y Leo Spitzer.

[19] En el capítulo XIV se verá, supongo que diáfanamente, por qué no existe poesía sin comunicación, es decir, sin un lector que *acepte* el contenido anímico propuesto.

veremos, una poda que le despoja de sus ingredientes más característicos [20].

No es preciso ya señalar cuáles sean éstos: hemos indicado en la página 21 que nuestra representación interior de las cosas posee un aspecto triple: un aspecto conceptual, un aspecto sensorial y un aspecto sentimental, que se corresponden con nuestro triple modo de captar una realidad cualquiera, viendo: 1.º, lo que ella tiene de común con otras realidades de su género; 2.º, lo que tiene de distinto, de único; 3.º, lo que esa realidad es para mí desde el punto de vista afectivo. No siempre, sin embargo, los tres filamentos significativos que hemos observado en la representación interior del hablante se comunican al oyente. A veces al oyente sólo le llega uno de ellos: el conceptual. Al contemplar, por ejemplo, una silla, yo percibo un conjunto de elementos sensoriales, su forma, su color, su tamaño individual; esos elementos pueden placerme o disgustarme. Si entonces digo: "he ahí una silla", no expreso (al menos, con las solas palabras) otra cosa que el elemento conceptual que existía en mi representación interior; pero no el elemento sensorial, ni tampoco el afectivo. No indico, porque no me interesa indicarla, la singularidad de su color, de su tamaño, de su forma, ni la singularidad de mi sentimiento. Aunque mi representación interna sea estética, no lo es mi representación exterior lingüística, porque he desvirtuado la primera al encerrarla en la frase. Por tanto, de sus tres cualidades, la representación interior, repito, pierde a veces dos al encarcelarse en el signo idiomático: desaparece lo afectivo y lo sensorial y resta sólo lo conceptual. Ello sucede porque, como dice Bergson, el lenguaje se propone, ante todo, un fin práctico; se dirige a lo útil como la flecha a su diana. Y esta naturaleza práctica del lenguaje [21] se

---

[20] Quiero decir que los elementos léxicos y sintácticos del lenguaje suelen manifestar sólo la parte conceptual, y no la afectiva y la sensorial, de la representación interior. No olvido que los hablantes, valiéndose del gesto y de las modulaciones de la voz, logran muchas veces transparentar sus sentimientos o representaciones sensoriales. Sin embargo, como hemos dicho, y repetiremos, la gesticulación, etc., es un instrumento expresivo distinto del poético, y a nosotros no nos interesa aquí.

[21] Reflejada en sus elementos léxicos y sintácticos.

debe, a su vez, a la índole práctica de nuestras percepciones corrientes. Nosotros no percibimos de la realidad más que aquella zona que nos atañe en nuestro interés. Pongamos nosotros un ejemplo, extraído de un artículo de Amado Alonso sobre cuestiones fonológicas, aunque en él tenga otro sentido.

En castellano, el punto de articulación que tenga una nasal es diferenciador en principio de sílaba, y, como consecuencia, el hablante lo percibe. Todo español nota la distancia que hay entre la nasal *m* de "cama" (bilabial), la nasal *n* de "cana" (ápico-alveolar) y la nasal *ñ* de "caña" (linguopalatal). En cambio, en final de sílaba el punto de articulación no es diferenciador, y el hablante no reconoce como distintas entre sí las nasales de "u*n* patio" (bilabial: *m* implosiva), "u*n* lazo" (ápico alveolar) y "u*n* llanto" (palatal: *ñ* implosiva), aunque estas nasales difieren unas de otras tanto como aquéllas. En efecto: las nasales de "cama", "cana" y "caña" no están más diferenciadas que las de "un patio", "un lazo" y "un llanto". ¿Por qué en un caso sentimos la diferenciación y en otro no? La respuesta es perfectamente conocida: en "cama", "cana" y "caña" los rasgos diferenciadores deciden la significación de la palabra; en "un patio", "un lazo" y "un llanto" no la deciden. El cambio de punto de articulación en "cama" hace que el signo se modifique, que sea otro (que pase a "cana" o a "caña"). Ese mismo cambio de la nasal en "un patio" (o en "un lazo" o en "un llanto") no trastorna el signo, ni aun en lo más leve. Este signo sigue siendo el mismo, ya lo pronunciemos bilabialmente, ya ápicoalveolarmente, ya palatalmente. Los distingos son útiles en "cama", y los percibimos; no lo son en "un patio", y por eso no los notamos.

Quedamos, pues, en que la naturaleza práctica de nuestras percepciones origina la naturaleza práctica de nuestro lenguaje. Pero lo práctico, lo útil, lo inmediatamente servicial es el concepto, que indica relaciones entre cosas, y no lo es la representación sensorial ni la pigmentación afectiva, por consistir en datos irrepetibles o únicos. Por tanto, el lenguaje tenderá a suprimir en sus elementos léxicos y sintácticos lo afectivo y lo sensorial, reduciéndose a transmitir lo conceptual; tenderá, pues, a falsear nuestra representación interior de los objetos. Y así sucede que siendo estética, puramente teórica, cognoscitiva la primera fase del lenguaje, deja de serlo a veces en su fase segunda de realización verbal [22], porque un interés práctico se ha interpuesto entre ambas. Las tres dimensiones de la primera (la dimensión afectiva, la sensorial, la lógica) se resuelven en una: la conceptual; lo que era un volumen aprehensible se trueca en una línea sin materia; lo que era corporal y concreto se vuelve abstracto e incorpóreo.

Se ha observado en el lenguaje esta tendencia conceptual; y al mismo tiempo se ha visto cómo en el lenguaje obra también una fuerza de signo contrario que lo impele a la expresividad. El hablar humano precisa solamente, en multitud de casos, del aspecto lógico, puramente ideal de las cosas, y abrasa lo expresivo como a hierba viciosa, como a algo sobrante y en definitiva entorpecedor. Y así, los procedimientos poéticos, una metáfora determinada, por ejemplo, otrora fuerte y luminosa ("la nación se puso en pie de guerra"), se apaga y debilita al repetirse, como piedra lamida por lluvias milenarias; se reduce a un mero concepto (el concepto de "armarse"), unidimensional, lineal, perfectamente descarnado, apoyatura simple en la que resbala la inteligencia. Pero en otras circunstancias, la afectividad humana, la sensorialidad de las representaciones, necesitan plasmarse en el habla, porque también a ratos le importa al alma del hombre irrumpir, prorrumpir, confesarse a sus semejantes. Y nacen así nuevas imágenes en la cotidiana comunicación lingüística, nuevos procedimientos que otorgan a las palabras peso, medida, configuración material. Se alza una criatura, un bulto, donde había una línea geométrica; bulto o criatura destinado, como todo, a la muerte: al limbo de los conceptos puros. Expresividad y conceptualización son, pues, como dos huracanes en perpetuo choque; como un Lucifer y un San Miguel en inmortal discordia. El campo de batalla y, al propio tiempo, la resultante de ello, es el lenguaje, nuestro diario lenguaje. Por ello, no podemos separar el habla expresiva de la que no lo es. Ambas

---

[22] ¡Hablo siempre de los ingredientes léxicos y sintácticos del lenguaje, no de la entonación, etc.!

están mezcladas en la realidad formando un chorro donde se combina el agua aséptica del laboratorio y la turbia de la torrentera. De esa mezcla vivimos, esto es, charlamos; a ratos expresiva, a ratos inexpresivamente. Pero sólo un análisis muy atento puede separar lo que está intrincadamente unido. Análisis muy fértil para deslindar cuestiones teóricas y precisar conceptos científicos. Más de una vez hemos de realizar nosotros esa misma labor, que desde ahora calificamos de abstracta: abstracción que en ocasiones —repito— no puede ser más útil.

Capítulo II

UNICIDAD DE LOS CONTENIDOS PSÍQUICOS

Si la poesía comunica contenidos psíquicos, nos importa recordar una sustancial condición de éstos, porque, como veremos, esa condición deja su huella impresa en el sintagma poético. Me refiero al carácter *único* de las realidades anímicas. Ocioso es decir que cada hombre, en efecto, es único en cuanto ser psicológico individual. Tiene un determinado temperamento, una determinada inteligencia, unas determinadas dotes afectivas y sensoriales exclusivamente suyas, que le distinguen de los demás hombres. Y tiene también una determinada experiencia de la realidad, un pasado propio, un determinado *vivirse*. Todo ello está condicionando, influyendo, modificando, alterando en grado diverso cada una de sus percepciones, de sus pasiones, de sus sentimientos, y *origina* la unicidad a que estamos aludiendo. Pero lo que ahora deseamos conocer no es propiamente esto, aunque esto no deja de interesarnos. El objeto principal de nuestra atención no es el *origen,* sino el análisis de tal unicidad. Atengámonos, pues, a esta cuestión tan sólo.

Hemos visto que toda realidad anímica es un complejo de elementos conceptuales, sensoriales [1] y afectivos que forman una síntesis espiritual, un todo que difiere de la suma de sus partes.

---

[1] Véase la nota 6 que va al pie de la pág. 21.

De los tres elementos que lo constituyen, sólo uno puede ser
común a varios individuos: el conceptual. Los otros dos cambian
siempre con el sujeto, por las razones que acabamos de aducir.
Juan y Pedro contemplan una misma rosa. Ambos incluyen esa
rosa individual, única, en el género "rosa". Pero la reacción afectiva y la nitidez o la clase de la percepción sensorial varían en
cada uno de ellos. Pedro puede experimentar un placer (ingrediente afectivo) que emana, sobre todo, al presentir la aterciope-
lada suavidad de los pétalos (ingrediente sensorial). Juan, en cambio, es posible que sienta también placer, pero un placer de distinto
grado, mayor o menor que el de Pedro, y mezclado o no con otros
sentimientos (ternura, etc.); y ese placer puede no hallarse en
relación con la suavidad de los pétalos, sino con su maravilloso,
encendido color; o con la viva totalidad de la rosa. Y aun en el
caso de que el objeto especialmente aprehendido sea el mismo
(la suavidad de los pétalos), la nitidez perceptiva de Juan para los
elementos sensoriales será más intensa o menos intensa que la de
su compañero. En consecuencia, los contenidos psíquicos de ambos,
al diferir en sus respectivos elementos, diferirán en sus respectivos
conjuntos.

De otro modo, un estado de alma es algo irrepetible. Al volver
a contemplar esa rosa, ni Juan ni Pedro sentirán lo mismo en el
mismo grado, ni tampoco percibirán exactamente lo que antes
percibieron. Siempre se suscitará una mínima modificación tras-
tornadora del anterior sistema, si se me permite hablar así. El
amor que yo estoy experimentando no sólo es distinto del amor
que Andrés experimenta ahora y del amor que han experimentado
otros hombres que me precedieron; es, igualmente, distinto del
amor que yo mismo he de experimentar mañana. Este sentimiento
ni se ha dado antes ni se reiterará después. Existe en un punto
del tiempo (ahora) y en un punto del espacio (en mí). Luego se
desvanece para no retornar ya nunca.

Hemos de añadir que pocas veces (si alguna) se producen sentimientos simples ni percepciones sensoriales de un objeto único.
Las más de las veces es un complejo afectivo lo que se suscita y
un complejo sensorial lo que se capta. Pero ambos complejos son

conocidos por el espíritu *sintéticamente*. Nuestro amor puede mez-
clarse con tristeza o con alegría, con timidez o con orgullo, con
amargura, hasta con desprecio. Mas nosotros no sentimos ninguno
de esos ingredientes de modo aislado. Al llamar "mezcla" a tal
complejo no me he expresado con justeza. Se trata más bien de
una combinación que tiene muy poco que ver con la suma de sus
componentes. Un amor triste se aleja tanto del amor a secas como
de la tristeza a secas. Es un sentimiento independiente, diferenciado. Tan diferenciado, tan independiente en un sentido como
pueda serlo la amargura con respecto al dolor.

Algo semejante acaece en la percepción de complejos sensoriales, cuyo carácter sintético nos importa recoger. Si yo miro
un paisaje abarco de una sola mirada un conjunto de seres: un
prado verde; un hombre que vigila el ganado; al fondo el cielo
azul; una montaña, un árbol. Todo ello lo contemplo de golpe,
sin análisis, aunque en mi contemplación exista un foco atencional
y un fondo más borroso y desatendido. Mas lo evidente es que en
un mismo instante advierto como totalidad única lo que en el panorama vislumbrado es multiplicidad.

Con estas palabras intento sugerir que un contenido anímico
(con sus tres vetas: la conceptual, la sensorial, la afectiva) es casi
siempre un sintético complejo de complejos a su vez sintéticos.
Porque tampoco es separable el elemento afectivo del sensorial o del
conceptual. Con gran claridad comprenderemos lo dicho si volvemos sobre un ejemplo anterior; decíamos que nuestros ojos
veían en un solo instante toda la variedad de un paisaje. Esa
contemplación puede desencadenarnos en el alma un complejo
afectivo, que resultará igualmente sintético (sentiremos, pongo por
caso, amor mezclado a ternura y a dicha, sin que se trate, en
realidad, de varios sentimientos que se adicionan, sino de un único
sentimiento, que sólo en un terreno abstracto podríamos analizar).
Ahora bien: tampoco es separable, como quedó indicado, este
complejo afectivo del otro sensorial, ni ambos del correspondiente
conceptual. Mi visión del paisaje, mi sentimiento y mi núcleo conceptual correlativo son una misma cosa en mi ánimo porque se

integran en un conjunto superior, tenazmente unitario, al que llamamos contenido psíquico en síntesis espiritual.

Se nos impone, como resumen, esta afirmación, que más adelante recordaremos una y otra vez: las realidades anímicas son tres veces únicas: únicas en su enorme *complejidad sintética*: únicas también en cuanto a la *intensidad* de sus elementos afectivos y en cuanto a la *nitidez* de sus elementos sensoriales.

Capítulo III

COMUNICACIÓN DE LA UNICIDAD PSÍQUICA A TRAVÉS DE LA PALABRA

CONCEPTO DE "LENGUA" QUE EMPLEAMOS AQUÍ

No tardaremos en ver la importancia que tiene la anterior afirmación en el conjunto de nuestro pensamiento. Pero antes de proseguir el hilo de estas reflexiones, hemos de cortarlo momentáneamente para establecer de un modo rápido un aspecto lingüístico fundamental: el concepto de "*lengua*".

Para mí la *lengua* es, como para Saussure, el sistema de los signos y de las relaciones entre los signos *en cuanto que todos los hablantes les atribuyen unos mismos valores*. Mas para Saussure la *lengua* era siempre un *depósito*, nunca un *acto*, mientras en mi trabajo he necesitado suponer como *lengua* tanto el acto como el depósito. Tal es la diferencia que separa nuestra terminología de la que empleara el maestro de Ginebra.

La palabra "sillón", por ejemplo, con el significado que el uso le concede, o la frase "este sillón es muy hermoso", donde las relaciones entre las diversas palabras y su respectiva significación se moldean según un esquema sintáctico previo, común a todos los hablantes hispánicos, son para nosotros signos de *lengua*, lo mismo: *a*) si permanecen en el acervo de la memoria colectiva, presto a su empleo, que *b*) si los pronuncio en un momento dado[1].

Es, pues, *lengua* en nuestra nomenclatura todo lo que en el lenguaje significa insistencia en lo recibido, herencia sin transformar, caudal sin merma ni aumento: patrimonio común de un grupo humano. Es el acopio de la tradición repetido por la boca de un hombre.

De este concepto de *lengua* partiremos en el presente libro: sobre él hemos de asentar nuestro postulado central, que suena así: la labor poética consiste en *modificar* la *lengua*: el poeta ha de trastornar la significación de los signos o las relaciones entre los signos de la *lengua* porque esa modificación es condición necesaria de la poesía.

INCAPACIDAD DE LA "LENGUA" PARA LA COMUNICACIÓN DE LO ÚNICO

Hay una razón para ello. Recordemos nuestra definición del acto poético: denominábamos poesía a la transmisión verbal de un contenido psíquico particular que nuestro espíritu ha conocido previamente. Recordemos también lo que más arriba dijimos: que los contenidos psíquicos son algo perfectamente *individualizado*: son únicos en la intensidad de sus elementos afectivos, en la nitidez de sus percepciones sensoriales y en la complejidad *sintética* de su conjunto. Pero la *lengua,* en cuanto sistema inalterado, ¿puede

---

[1] Saussure, como es sabido, distingue estos dos aspectos en el lenguaje: "lengua" y "habla". Es para él "lengua" el depósito de los signos; y es "habla" para él el conjunto de los signos en cuanto movilizados por el hablante. Nuestra distinción es, pues, muy otra. A nosotros la terminología saussuriana no nos sirve porque prescindimos de todo lo que en el lenguaje hay de *individual* gesticulación, de *individual* entonación de las palabras, etc., que, como hemos dicho, son elementos que no intervienen en la poesía con tal individualización, puesto que se producen siempre en ella como "un deber que tenemos que cumplir" del único modo a que el poema *universalmente* nos obliga, aunque, de hecho, incumplamos nuestra obligación, meta en rigor inasequible. Véanse las págs. 35 y ss. donde discutimos estos conceptos en relación con el de "comunicación" al que se encuentran ligados.

transportar lo único? Para ello sería preciso que la *lengua* poseyese dos condiciones que desde luego no posee: de un lado, *aludir individualmente* a las cosas; de otro, manifestar *sintéticamente* lo que las realidades tienen de complejas.

Es una verdad generalmente reconocida que la *lengua*, en el sentido que hemos dado a esta palabra, no expresa el lado singular de las cosas [2], sino su aspecto genérico, colectivo, lo que hay de común entre ellas. Sorprende relaciones, semejanzas; define un objeto por lo que no es, por aquella faceta impersonal que comparte con todo un grupo, más o menos grande, de ellos. "Las palabras, salvo los nombres propios, todas designan géneros", nos indica Bergson [3]. Si digo "árbol", si digo "perro", si digo "piedra", me refiero al género árbol, perro y piedra, pero en esas palabras no encierro lo que es individualmente esta piedra, este árbol o este perro. Si Juan dice a María una frase como "te amo" tampoco se comunica, *con las solas palabras,* en toda su intensidad (ni en toda su complejidad) el especialísimo sentimiento de Juan, porque esa misma frase sirve a Pedro para expresar a Carmen otro sentimiento que por ser personal ha de diferir de aquél.

En suma: la *lengua* no comunica intuiciones, sino conceptos (excepto en el caso de los aumentativos, diminutivos, despectivos e interjecciones y en aquellos vocablos cuyo significante, por ser onomatopéyico o sinestético, nos induce a representaciones sensoriales: tic-tac, pitido, etc., o en aquellos otros —véase la nota 2— que por distintos motivos provocan asociaciones de muy diversa índole). Se me dirá que no podemos capturar un concepto sino

---

[2] Como digo más abajo en el texto, habría que exceptuar los aumentativos, diminutivos, despectivos e interjecciones y aquellas palabras de "lengua", relativamente muy escasas, cuyo significante, por ser onomatopéyico o sinestético, suscita en nuestra psique representaciones de tipo sensorial: por ejemplo, "tic-tac", "rugiente", "gárgara", etc. Hemos de salvar igualmente la capacidad asociativa de los vocablos. "Blanco" se nos puede asociar con "pureza"; "negro" con "tristeza", "muerte", etc. Ahora bien: todas esas asociaciones duermen en la lengua y por tanto sólo están en ella potencialmente, a falta de un contexto que las convierta en acto.

[3] *Le rire.* Bibliothèque de Philosophie Contemporaine, Presse Universitaire, París, 1949-50.

a través de un esfuerzo intuitivo; que, al decir alguien una
frase como "en la mesa había un cenicero", el oyente que no
está en presencia ni conoce los objetos aludidos ha de contemplar con la imaginación una determinada mesa y un determinado cenicero de individualísimas cualidades, porque lo genérico
es inaprensible por abstracto. No tenemos por qué negarlo: en
la mente del que escucha se produce siempre una intuición. Pero
esta intuición *no es la misma* del hablante. No hay, por lo tanto,
comunicación. El hablante ha percibido con sus ojos o con su
fantasía un cenicero A_1 y una mesa B_1, absolutamente singulares,
con forma y color propios, y el oyente (al oír "en la mesa había
un cenicero") ha intuido también una mesa y un cenicero en su
individualidad; mas no el cenicero A_1, sino otro diferente A_2; no
la mesa B_1, sino otra distinta B_2. Para que la intuición del hablante
se hubiera transmitido al oyente sería preciso que la de éste no
fuera A_2-B_2, sino A_1-B_1. Ambas intuiciones coinciden genéricamente (A-B), pero específicamente se distinguen: son intuiciones semejantes, no idénticas. No ha habido una transmisión intuitiva,
sino conceptual. La intuición del hablante y la del oyente tienen
de común lo que una mesa tiene de común con otra; lo que un
cenicero comparte con otro cenicero; están sólo conceptualmente
relacionadas.

Pero aparte de la condición ya señalada (incapacidad para individualizar los objetos), la "lengua" posee otra aún que la imposi-
bilita también para la expresión compleja y justa de los contenidos
de nuestra psique: su carácter analítico. Hemos dicho ya que
nosotros conocemos sintéticamente nuestros complejos psíquicos
(nuestros complejos sensoriales y nuestros complejos afectivos, tanto como la unión en nuestro espíritu de lo afectivo, sensorial y
conceptual). Si desde el balcón de mi casa miro hacia el jardín,
veo de un solo golpe, globalmente, un conjunto de objetos: próximo a mí, un rosal, y más allá un estanque, un pino, el cielo
azul. Si me enamoro, en mi amor flotan diversos ingredientes que
constituyen con mi amor un todo, distinto de sus partes, que yo
experimento en conjunto, sin análisis. Sin embargo, en ambos casos, al expresar por medio de la "lengua" lo que he contemplado o

lo que he sentido, me es absolutamente preciso ir enumerando analíticamente lo que viera en un solo instante en un complejo simultáneo, lo que sintéticamente me afectara.

En una palabra: la "lengua" falsea doblemente la realidad
psicológica (convirtiendo en un género lo que es un individuo, analizando lo que es sintético) y por eso no puede comunicarla.

LA POESÍA COMO MODIFICACIÓN DE
LA "LENGUA": MODIFICANTE, MODI-
FICADO, SUSTITUYENTE Y SUSTITUIDO

Esta afirmación equivale a esta otra: "la lengua" no puede
alzarse a poesía. La "poesía" ha de sorprender nuestros contenidos
anímicos tal como son: únicos en la intensidad de sus elementos
afectivos y en la nitidez de sus elementos sensoriales; perceptibles
sintéticamente en su complicación. Pero la "lengua" no puede
transmitir esa unicidad por ser genérica, ni sintéticamente esa
complejidad por ser analítica, como acabamos de indicar. Por tanto,
para convertir la lengua en un instrumento poético es preciso hacerle sufrir una transformación. Valiéndose de *procedimientos,* el
poeta ha de someterla a una serie sucesiva de cambios, a los que
llamaremos *sustituciones.* Sin procedimiento, es decir, sin *sustitución,* no hay poesía, aunque a veces los procedimientos se disimu-
len de muy variadas formas y parezcan no existir. No tiene, pues,
sentido hablar en poesía de lenguaje directo (concepto que aproximadamente viene a coincidir con el que nosotros concedemos
al término "lengua"). El "lenguaje directo" es todo lo contrario:
es la ausencia de poesía. De esta manera, en toda descarga emotiva
debe intervenir siempre un *sustituyente* (o elemento poético reem-
plazador), un *sustituido* (o elemento de lengua reemplazado), un
modificante o reactivo que provoque la sustitución, y un *modificado* o término sobre el que actúa el *modificante.*

Precisemos algo más estos conceptos. Denomino *sustituyente*
a aquella palabra o sintagma, expreso en el lenguaje poético, que
por sufrir la acción de un *modificante* aprisiona una significación

que llamaremos individualizada. El *sustituyente* encierra, por tanto, la intuición misma del poeta y es la única expresión *prácticamente* exacta de la realidad psicológica imaginada. (Nos importa conocer el alcance de los términos usados. Digo que el sustituyente —o sea la voz poética— se ofrece como la "expresión *prácticamente* exacta de la realidad psicológica" porque claro está que la realidad psicológica por ser única es, hablando con rigor, inefable, como dijimos en otro capítulo [4]. La faena lírica consiste, pues, repito, en un imposible. El poeta, de hecho, se mostrará más modesto en sus aspiraciones, y se conformará con acercarse todo lo que pueda a tan inalcanzable exactitud. Cuando decimos que un sustituyente es expresivamente feliz queremos significar que se halla a poca distancia de la verdadera perfección. En la poesía, como en la moral, se nos imponen metas inasequibles.) Doy, a su vez, el nombre de *modificado* a esa palabra o sintagma que denominamos "sustituyente" en cuanto que, privada del *modificante* en cuestión, esto es, en cuanto que en general fuera del poema, resultaría continente de una significación genérica. Por su parte, el *sustituido* es para mí la expresión genérica o analítica de la "lengua" que se corresponde con la expresión individualizada o sintética de la poesía, del *sustituyente*. El *sustituido* arrastra solamente, pues, el concepto correlativo a la intuición del artista; toma así una mínima parte de esa realidad interior.

Pongamos ya un ejemplo que ilustre con claridad nuestras palabras. Elijamos una metáfora, y apréstémonos a encontrar en ella el lírico cuadrilátero que acabo de describir. Para nuestros fines nos basta con tomar una muy sencilla, la que hemos entrecomillado en esta conocida estrofa de Bécquer:

> Cuánta nota dormía en sus cuerdas,
> como el pájaro duerme en las ramas,
> esperando la "mano de nieve"
> que sepa arrancarlas.

Comencemos por examinar la intuición del poeta en este caso, lo que el poeta ha querido significar con la expresión "mano de

---

[4] Véase la pág. 36.

nieve". ¿Acaso ha pretendido insinuarnos que la mano de que se trata sea efectivamente "de nieve", o tan blanca como la nieve? Podemos asegurar que no. El poeta ha aludido a un especialísimo matiz de blancura, que no es tampoco exactamente el mismo que la nieve posee. Ha querido más bien decirnos algo como esto: "esa mano es todo lo nívea que una mano puede ser". La experiencia nos señala que la blancura de una mano no alcanza nunca idéntico grado que la blancura de la nieve. Y precisamente en esa experiencia nuestra se apoya el poeta para que no nos dejemos seducir por el significado literal de sus palabras. El conocimiento que tenemos de la realidad nos pone ante los ojos el absurdo que la metáfora acarrea en su estricta literalidad, y es un factor que interviene en la imagen: en unión del contexto ("mano de") es un *modificante* de la palabra "nieve", que fuera del poema, considerada como *modificado,* significa cosa bien distinta: un determinado meteoro. La palabra "nieve" sumergida en su contexto, afectada por el *modificante,* es, pues, un *sustituyente,* ya que expresa una singular coloración[5] que no coincide de modo cabal con la de la nieve. ¿Y el *sustituido*? Tras la definición que de este término nos hemos hecho, no puede costarnos gran fatiga su hallazgo en este caso concreto. El *sustituido,* dijimos, es el signo genérico de la "lengua" que se relaciona con el signo individualizado, o *sustituyente,* de la poesía. El *sustituido* ha de ser aquí, por tanto, una frase como "mano muy blanca", que conviene a muchas manos de blancura menos envidiable.

Nótese que nuestra terminología (*modificante, modificado, sustituyente* y *sustituido*) resulta, desde el punto de vista científico, más *propia,* más *completa* y más *universal* que la tradicionalmente admitida para la imagen (y que, sin embargo, por su comodidad usaremos luego en este mismo libro): se ha llamado, en efecto,

---

[5] Prescindo de lo que esa imagen tenga de bien mostrenco. El primero que llamó "nieve" a una mano blanca individualizó la expresión de su color. Pero, naturalmente, cuando una metáfora se convierte en tópico (como más o menos ocurre aquí) su fuerza poética se desgasta y acaba por desvanecerse. Nuestro análisis considera, pues, la imagen "mano de nieve" en el instante en que aún sonaba con novedad.

plano evocado a lo que nosotros denominamos *sustituyente,* y se ha llamado plano real a lo que nosotros denominamos *sustituido.* Necesito justificar mis palabras. Digo que es más propia, porque llamar "plano real" a "mano blanca" es admitir que la realidad a que el poeta se refiere está expresada ya con ese sintagma sustantivo-adjetivo. Y, como hemos llegado a saber, no es así: decíamos que la verdadera realidad (el matiz de color real percibido) sólo se formula propiamente con la palabra "nieve", esto es, con el *sustituyente.* "Mano muy blanca" es, precisamente, el sintagma que el poeta rechaza por su carácter genérico, por su impropiedad: es el *sustituido.*

Igualmente podemos afirmar que la terminología propuesta es más completa que la usual, porque la primera hace intervenir dos esenciales factores que la otra desconocía por completo: el *modificante* y el *modificado,* sin el primero de los cuales la imagen no tendría ningún valor expresivo.

Pero lo verdaderamente decisivo de esta nomenclatura reside en su carácter universal. En efecto: como hemos dicho, y más adelante intentaremos probar, los cuatro elementos que hemos analizado en la imagen (*modificante, modificado, sustituyente* y *sustituido*), pueden descubrirse en el resto de los recursos expresivos: es, como sabemos teóricamente, el origen de todos los instantes poemáticos.

Hemos de hallar ese cuadrilátero como invariable fondo de todos los procedimientos poéticos, tanto de los clasificados por la Preceptiva tradicional como de los múltiples que pasaron inadvertidos a su atención. Más aún; cabría definir el poema como un conjunto de *sustituyentes,* y a la vez como un único *sustituyente* total, complejísimo, dentro del cual están multitud de *modificantes* que van realizando sucesivas sustituciones parciales, hasta la completa trasmutación del poema entero. Si designamos como:

$$A_1 \ A_2 \ A_3 \ ... \ A_n$$

a los distintos términos de una composición lírica, dispuestos linealmente, es posible que A_1 modifique a A_2, y que a su vez A_2 modifique a A_1; o que A_1 modifique a A_3, etc., y sea A_n, por ejemplo, quien modifique a A₁. *Cualquier elemento anterior o posterior a ella puede ser modificante de una expresión.* En ocasiones, el modificante de los versos últimos es el conjunto de los versos iniciales; y a veces sucede lo opuesto: son los versos postreros los que modifican el resto de la composición; decimos entonces que ese final ilumina la pieza, que le da valor poético. Porque la descarga estética sólo se realiza cuando se ponen en contacto el modificante y el sustituyente. Si el modificante antecede al sustituyente, nos conmueve el sustituyente, pero si es el sustituyente quien va ante el modificante, será éste quien desprenda la lírica emanación.

No se piense, sin embargo, que el modificante es siempre una palabra, un signo del poema. En ciertos momentos no sucede así. El modificante puede ser algo que está situado totalmente fuera del poema (y no sólo parcialmente, como hemos visto que ocurría en la metáfora), algo que se halla en la conciencia de todos los hombres, fruto de su experiencia de la realidad o imperativo de su razón, de su instinto de conservación o de su sentido moral, etc. Los casos que se nos presentarán a lo largo de este libro van a ser muy variados. No podíamos esperar otra cosa de un fenómeno tan enormemente complejo como el que nos ocupa. Pero dentro de esa complejidad, hemos llegado a ver la simplicidad esencial del mecanismo poemático. Se trata, repito, de un hecho cuadrangular: el *modificante,* el *modificado,* el *sustituyente* y el *sustituido.* La poesía no es otra cosa que eso: en vez de un *sustituido,* un *sustituyente* obtenido por transformación de un *modificado* a través de un *modificante.* De aquí las fórmulas:

$$Sustituyente = modificante + modificado.$$
$$Modificado = sustituyente - modificante.$$

Quizás convendría echar mano de un símil: el *modificado* sería como el mármol que un escultor, sirviéndose del instrumento adecuado (el *modificante*), convierte en estatua. El *sustituyente* se nos presenta, pues, como esa estatua, como esa obra ya realizada. En un sentido muy particular, podríamos decir que el *modificado* es *materia,* y que es *forma* el *sustituyente.* El paso de materia a forma se realiza merced al *modificante*. La presencia de los *modificantes* en el poema no tiene, pues, otro valor que el poseído por los catalizadores en las reacciones químicas.

LA POESÍA COMO EXPRESIÓN PROPIA

Fácilmente se desprende de aquí la solución a un viejo pleito. Los preceptistas y teóricos de Estética han considerado durante siglos, con pertinaz ceguera, que el lenguaje figurado era *impropio*, y que era *propio* el lenguaje limpio de ornamento, sin tropos ni figuras; que existía un lenguaje *adornado* frente a otro *desnudo*. Tan insensata creencia se derivaba de otra no menos sin sentido. Los viejos retóricos padecieron un terco prejuicio que les hacía contemplar las palabras como soportes de meros conceptos. Aceptando esta hipótesis, la conclusión a que se llegaba era perfectamente legítima: los conceptos podrían transmitirse con o sin adorno, impropiamente o propiamente. Es decir: un concepto A podría plasmarse de dos modos: un modo *no bello, desnudo* o *propio*, y un modo *bello, adornado* o *impropio*, porque a distintos continentes correspondería un idéntico contenido: una misma masa, más o menos compleja, de conceptos.

Pero si suponemos lo contrario, si pensamos que las palabras pueden retener algo más que conceptos (sentimientos e impresiones sensoriales) y si añadimos que ese "algo más" es lo que hace poética a la expresión, habremos arribado a una costa rigurosamente antípoda de la tradicionalmente habitada. Instalados en ella, afirmaremos que los procedimientos, las sustituciones poéticas, son el único medio para transmitir *tal como es* una realidad psíquica, en la cual, como hemos dicho antes, se entrevera lo conceptual con lo sensorial y lo afectivo. Acabamos, pues, de volver un guante del revés: los procedimientos no son para nosotros, como para el pensamiento anterior [6], expresión *impropia* de contenidos anímicos

---

[6] Habría que salvar la *Estética* de Croce, y algunos esporádicos antecedentes aislados: Vico, De Sanctis, etc.

que pueden ser expresados *propiamente*. Sucede lo opuesto: los
procedimientos representan la *única* expresión *propia*, pertinente,
y la "lengua" la expresión *impropia,* impertinente, de tales contenidos.

La necesidad de justeza, de *propiedad* expresiva es, por consiguiente, el origen de los procedimientos o sustituciones líricas:
es la razón de su frecuencia, tanto en la poesía escrita como en la
hablada; tanto en las composiciones literarias, cuanto en las frases
del lenguaje ordinario. La abundancia de figuras en el habla vulgar
ya la notaba en el siglo XVIII Du Marsais en su conocida frase:
"Se hacen más figuras en un día de mercado, en la plaza, que en
muchas sesiones académicas." Es sabido que hablamos con metáforas o con esqueletos de metáforas, con onomatopeyas o con esqueletos de onomatopeyas[7]; gran parte de nuestro léxico es, en
efecto, o sincrónica o etimológicamente metafórica: "reanudar",
alude a "nudo"; "testa", en su origen es "tiesto"; "cabo" viene
de "caput", cabeza: y a su vez, la cabeza es designada hoy como
"azotea", "calabaza", etc. Hábito tan universal y arraigado en el
hombre no puede explicarse como un *adorno,* como un superfluo
añadido.

LA DESGENERALIZACIÓN DENTRO
Y FUERA DE LA "LENGUA"

Volvamos aún sobre una idea anteriormente expuesta y reite-
rémosla: lo poético aparece cuando lo analítico del lenguaje se
torna en sintético, o cuando lo genérico de ese mismo lenguaje se
particulariza. Esto, dicho así, es sólo, claro está, aproximadamente
verdadero. Pues para ser rigurosamente exactos deberíamos rebajar
ligeramente tales anunciados hasta el siguiente aserto: la expresión
va haciéndose más poética conforme vamos disminuyendo el carácter analítico y genérico propio de la "lengua". Fijémonos bien
que estoy hablando de mermar una o las dos condiciones funda-

---

[7] Véase DÁMASO ALONSO, *Poesía española. Ensayo de métodos y límites estilísticos,* Ed. Gredos, Madrid, 1950, pág. 648.

mentales de la "lengua" y no, en abstracto, de "individualizar" o de "sintetizar" la expresión. Y es aquí donde reside, a mi entender, la médula de la cuestión que nos hemos propuesto. La poesía, en efecto, hace relación, por un lado, a la realidad psíquica; pero por otro importantísimo sitio, y correlativamente, hace relación también al lenguaje habitual humano que designábamos, buscando mayor precisión, con el tecnicismo de "lengua". No basta con individualizar o sintetizar. Es indispensable que esa individualización o sintetización se realice allende la "lengua", esto es, en un ámbito expresivo no conceptual. Pues ha llegado el momento de puntualizar que aunque acortemos el radio de una generalización, no haremos poesía si para ello seguimos sirviéndonos de la "lengua", ya que, aun en este caso, no nos habremos librado de la conceptualización que a la "lengua" es inherente. No es difícil hacerlo ver con claridad meridiana. Cuando decimos "ser" realizamos una amplia generalización. Con la palabra "hombre" la generalización queda muy reducida. Esa reducción puede aun progresar en vocablos como "europeo", "español", "madrileño", "chamberilero", y más todavía, en giros tales "vecino de Madrid, Reyes Magos, 10", o "vecino de Madrid, Reyes Magos 10, primero, interior", o incluso, llegar a designar a una sola persona: "Juan Santana Castillo", sin que por ello nos hallemos en presencia de intuiciones particularizantes en que lo individual se nos ofrezca como tal (poesía), pues todo eso, incluidos los nombres propios, son meras etiquetas, clases conceptuales, que no presentan a nuestra imaginaria percepción las reales personas únicas a las que nos referimos. El nombre Juan Santana Castillo es una *referencia* a alguien que es persona, pero sólo una referencia, que no singulariza al ser designado más de lo que el número 7 de la ficha del guardarropa singulariza al abrigo que en éste hemos depositado. El nombre propio es tanto como ese número, que sólo nos indica la existencia tras él de *un* abrigo, sin notación alguna de su individualidad. Cuando oímos "Juan Santana Castillo", de no conocer previamente a tal persona, tampoco podremos representárnoslo como persona, sino, mucho más vagamente, como género. Lo que vemos con nuestra imaginación no es un individuo, es una clase. Sabremos que se trata de un hombre, o todo lo más, por la índole de los apellidos, podríamos suponerle (y sólo suponerle) español. Pero no llegaremos a averiguar si es alto o bajo, fuerte o enclenque, rubio o moreno, viejo o joven, inteligente, apasionado, etc., y mucho menos el grado y especiales matices con que esas cualidades u otras se dan en él. En suma: los nombres propios, pese a las apariencias, no comunican universalmente sino conceptos, de mayor o menor envergadura significativa, pues operan desde el interior de la "lengua". Decir "lengua" es, en efecto, decir conceptualización, y por eso, el material verbal, inicialmente poético, que los hablantes poco a poco van haciendo suyo hasta la absoluta popularización, va dejando, en igual medida, de percibirse como poesía, hasta alcanzar la meta de la total inexpresividad, en el caso de que ingrese por completo en la "lengua". "El primero que llamó perlas a los dientes fue un genio; el último que lo repite es un imbécil", parece que dijo Unamuno en cierta ocasión. Las metáforas que nacieron poéticas pueden morir en meros conceptos, si las reiteramos suficientemente y las hacemos penetrar así en el caudal lingüístico comúnmente manejado por quienes hablan un idioma [8].

Todo ello significa, insisto, que el proceso desgeneralizador no puede incluir poesía más que cuando se acompaña de desconceptualización, lo cual requiere, evidentemente, el abandono de la "lengua" como instrumento expresivo. Pues al operar por debajo del *status* lingüístico, la desgeneralización, por desprenderse del con-

---

[8] De ahí que el escritor se esfuerce en escribir con novedad respecto a los otros escritores y con variedad respecto de sí mismo. La falta de variedad, la pobreza estilística (como la falta de novedad) es un defecto, entre otras cosas que no vienen al caso, porque implica conceptualización. El escritor ha de evitar, en lo posible, no sólo el tópico recibido, sino el tópico que le es propio. Todo amaneramiento significa una tendencia a expresarse conceptualmente. El ideal sería no tener "estilo", si por estilo entendemos la reiteración de ciertos moldes lingüísticos y no la coherencia verbal de una interpretación sistemática del mundo. Aunque claro está que ese ideal no se realiza nunca más que parcialmente, como es frecuente que les ocurra a los ideales, ya que la imaginación humana y sobre todo el lenguaje tienen reconocidas fronteras que nadie puede superar.

cepto [9], nos da una *impresión* personal, pese a que de hecho la individualización no pueda nunca realizarse por entero. Tornemos a un ejemplo ya citado. Cuando leemos esta pieza becqueriana:

> Si de nuestros agravios en un libro
> se escribiese la historia,
> y se borrase en nuestras almas cuanto
> se borrase en sus hojas,
>
> te quiero tanto aún, dejó en mi pecho
> tu amor huellas tan hondas,
> que sólo con que tú borrases una,
> las borraba yo todas,

aunque, como hicimos constar en nota, estas palabras pudiesen ser dichas por alguien que tuviese un amor más hondo e intenso que el propio de quien protagoniza el poema, sentimos que nos habla una persona, pues al no utilizarse en tal poema la "lengua" o "lenguaje de todos", sino una expresión inusual, recién creada y en este sentido única, se produce en nosotros una *ilusión* de unicidad en otro sentido también (en cuanto a la significación), es decir, la ilusión de que el contenido se individualiza. En esa expresión, bien que no sea del todo individualizadora, se pone de relieve lo que tiene de tal, en cuanto menos genérica, y se disimula lo que de genérica conserva todavía en su interior como invisible resto. En los términos de "lengua" ocurre exactamente lo contrario. El uso de un "lenguaje de todos" supone psicológicamente una impresión de universalidad despersonalizante, aun cuando el radio de la generalización sea pequeño. Si yo digo "te quiero muchísimo", lo superlativo de ese amor mío otorga a éste, sin más, un cierto carácter de excepcionalidad; pero no experimentamos ninguna poética sensación individualizante precisamente por la utilización de la colectiva lengua conceptual. Al escuchar una frase como esa, lo primero que percibimos es que se trata de una expre-

---

[9] Ello no significa, por supuesto, que la poesía no pueda conllevar conceptos. La poesía, como ya indiqué, puede ser portadora de conceptos y hasta de muchos conceptos. Lo que no puede es ser exclusivamente conceptual.

sión tópica, que todos pueden pronunciar y que muchos, de hecho, pronuncian. Y esa impresión de pluralismo lingüístico, puesta en primer plano, nos ciega, en suficiente medida, para la relativa singularidad del contenido que tratamos de comunicar, pues inmediatamente comprendemos que si muchos pueden sin mentir hacer suyo ese giro es porque éste posee un contenido despersonalizado y general, que se nos hace desalojador.

LA POESÍA COMO ILUSIÓN PSICOLÓGICA

Acabamos de deducir algo que, en principio, no deja de sorprendernos: el hecho de que la poesía nazca de una radical ilusión, de un espejismo psicológico. Y si la "lengua" no puede ser poética ni aun en ciertos momentos de relativa desgeneralización, se debe a que nuestro espíritu sufre un curioso engaño de índole opuesta al que actúa cuando nos emocionamos poéticamente. Pero no debemos escandalizarnos demasiado. Sin salir del presente libro, hemos de ver que no sólo en este caso y en este sentido, sino en otros muchos casos y en otros varios sentidos, la poesía, que nace en un hombre y que se dirige a los hombres, tiene como soporte indispensable a la humana psicología, y en consecuencia, también, claro está, a lo que de limitado y de torpe hay en ella. La poesía es una flor que crece muchas veces sobre el estiércol de la humana deficiencia y no sólo sobre lo que en el hombre hay de noble y de valioso. Y si dadas determinadas circunstancias, el hombre (y no sólo ocasionalmente Juan o Pedro) ha de sufrir *necesariamente* una ilusión, el poeta puede apoyarse en esa ilusión irremediablemente colectiva, contar con ella como un supuesto previo, para lanzarse después a ejecutar, partiendo de éste, su egregia tarea.

Es ilusorio, en efecto, aunque psicológicamente explicable, que al utilizar el lenguaje de todos ("lengua") no podamos sentir la desgeneralización que como tal existe acaso en la expresión y sólo lo que de genérico quede aún en ella. E ilusorio resulta también que, por el contrario, el empleo de un decir no comunal nos lleve a experimentar en él la desgeneralización y no lo general de su contenido. No importa nada que se trate de una impresión engañosa, siempre que, como aquí, el engaño posea un carácter universal, pues en tal circunstancia, el engaño objetivo se convierte en realidad psíquica. Y lo que interesa al poeta es ésta y no aquél. El arte, en efecto, consiste en una representación interior a la que ciertas palabras deben forzosamente obligarnos. No cuenta para nada que esas palabras nos arrastren a tal representación a través de una "verdad" o a través de un "error" objetivos. Lo único que cuenta es que la relación entre la materia verbal y la representación correspondiente se produzca con necesidad. Por tanto, al hablar en este libro de que las sustituciones poéticas "individualizan" la expresión, me refiero a lo que experimentamos los lectores como *un hecho,* un hecho que no deja de serlo, repito, por originarse en algo como un espejismo, ya que este espejismo no es cosa que me pasa a mí solo, vuelvo a decir, sino que es propio de todos los seres humanos, y en consecuencia, utilizable artísticamente.

POESÍA, CHISTE, ABSURDO

Para que exista poesía, es decir, expresión propia, se precisa, decíamos, de una sustitución (que puede ser, como veremos, de muy diversa especie) realizada sobre la *lengua.* ¿Podemos entonces identificar sustitución y poesía? Si así fuese, habríamos logrado dar una receta para escribir bellos versos, idea peregrina que no se nos ha pasado por la cabeza. Salta, así, a la vista que "sustitución" y "poesía" no pueden ser términos intercambiables: han de discrepar en algo, aunque se relacionen en algo también, como hemos visto. En efecto: siempre que hay poesía hay sustitución, pero no siempre que hay sustitución encontramos poesía. La poesía implica la sustitución como el melocotón implica el hueso; en cambio, la sustitución no implica necesariamente poesía, porque a veces da lugar a otros fenómenos: al chiste y al absurdo. Una de las intuiciones previas que acaso lleguemos a probar es la de que el chiste utiliza todos los medios de que la poesía se vale: no sólo la genérica sustitución, sino cada uno de los procedimientos específicos que sirven a la lírica: la metáfora, la reiteración, el contraste, etc. En qué se distinguen chiste, poesía y absurdo será uno de los temas que más adelante nos tocará poner en claro.

ALGUNOS PROCEDIMIENTOS RETÓRICOS RELATIVOS A LA PRIMERA LEY POÉTICA

Capítulo IV

INTRODUCCIÓN AL ANÁLISIS DE LOS PROCEDIMIENTOS POÉTICOS

PLANTEAMIENTO DE LA CUESTIÓN

Nuestro trabajo se ha deslizado hasta ahora dentro de un ámbito puramente teórico. Pero las teorías son esencialmente problemáticas, porque la mente humana, al moverse entre símbolos y palabras, puede fácilmente caer en las añagazas que palabras y símbolos disimulan a veces bajo su contundente apariencia. Complemento, pues, de nuestra exposición teórica han de ser los textos mismos poéticos en su inexorable realidad. Intentaremos probar a través de ellos:

1.º Que en toda descarga poética se verifica siempre una sustitución realizada sobre la "lengua"; esto es, que en lugar de un *sustituido*, surge un *sustituyente* donde había un *modificado*. (Pero recuérdese el especial sentido que en nuestra terminología tienen estas palabras. Por el verbo *sustituir*, repito, entendemos individualizar o convertir en complejo el significado simple de los signos para hacer posible la comunicación lingüística.)

2.º Que el sustituyente se acompaña en todos los casos de un *modificante* que lo suscita.

Naturalmente, esta comprobación no va a ser exhaustiva, porque no es posible que lo sea. Nos limitaremos a estudiar el sufi-

ciente número de casos para que podamos inducir como ley general
la que en ellos hayamos contemplado. Entre los que elijamos,
unos se resistirán sólo en principio más que otros a la doctrina propuesta. Y así, algunos procedimientos, tal ciertas especies de metáfora, se dejan pronto analizar como fenómenos de sustitución. Otros,
en cambio, aparecen de primera intención como más irreductibles
a la tesis aquí sustentada. Nuestra teoría se fortalecerá si demos-
tramos igualmente para éstos la verdad de nuestras afirmaciones.
Incluso existen versos, ricos de poesía, que no semejan llevar procedimiento alguno que motive su íntima vibración. De tales versos
se ha dicho que están escritos en un "lenguaje directo", desnudo
de todo artificio [1]. Yo quisiera mostrar aquí lo contrario: que también esos versos se apoyan en un procedimiento, y que, a su vez,
consiste éste en una sustitución. Procuraré que bastantes de los
ejemplos estudiados pertenezcan a esta última clase, por ser los
que más poderosamente han de asegurarnos en nuestra previa hipótesis.

Este estudio nos favorecerá además con resultados difícilmente esperables: el descubrimiento de ciertos recursos, que aunque
muy frecuentes en la lírica, han permanecido invisibles a los ojos
de la Preceptiva. No dejará de maravillarnos que una ciencia tan
antigua haya pasado, al parecer, tan a la ligera sobre el objeto
de su investigación. Quizá esa ligereza contribuyera en buena parte
a hacer indisipable, durante largos siglos, el "misterio" de la poesía: un examen más atento habría tal vez aclarado muchos aspectos del vasto problema que han permanecido milenariamente
sombríos.

Hemos, pues, de considerar bajo nueva luz algunos procedimientos conocidos; pero sobre todo nos detendremos en los procedimientos ignorados o desatendidos hasta hoy, y en aquellas laderas
de los conocidos que a mi juicio se conservan aún intactas, vírgenes de toda exploración.

Las indagaciones a que en adelante nos lancemos tienen aún
otra finalidad, que, aunque secundaria, no deja de insinuar interés:

---

[1] Es frecuente entre los teóricos de la poesía la opinión, que aquí combatimos, según la cual existe una poesía "puramente enunciativa".

al estudiar los instrumentos de expresión, hemos de topar con algunos que resultan especialmente propios de un poeta determinado, de una escuela determinada, de un determinado período literario. Servirá, así, nuestra investigación en algún momento para caracterizar en parte el estilo de este o de aquel poeta, de esta o aquella dirección lírica.

En expresión más concisa: a lo largo de estas páginas nos va a guiar un triple propósito:

1.º Completar y afianzar la teoría expuesta hasta aquí; y secundariamente,

2.º descubrir nuevos recursos literarios no considerados por la preceptiva tradicional; y

3.º caracterizar el habla de algunos poetas y de algunas épocas por el uso más frecuente de ciertos medios expresivos.

Sospecho que los resultados que obtengamos han de prestar tal vez en el futuro una ayuda, acaso no del todo desdeñable, al desarrollo de la Estilística. Se nos presentará, si no me engaño, como evidente que ciertos poetas (Lope, Quevedo, Bécquer, A. Machado, Unamuno...) han utilizado en sus obras, con significativa abundancia, técnicas no clasificadas hasta ahora y cuyo desconocimiento podría dañar o impedir la clara comprensión de su estilo.

TIPOLOGÍA TELEOLÓGICA DE LOS PROCEDIMIENTOS POÉTICOS

Después de estas palabras a modo de preámbulo, nos toca realizar una primera ordenación de los procedimientos poéticos, según una tipología que nos vaya guiando luego en nuestra exposición. Y así, dividiremos desde ahora esos procedimientos en tres grandes zonas según su *finalidad*. Esta tipología teleológica no va a coincidir en modo alguno con la estructural que desarrollaremos después, en los sucesivos capítulos de este libro. Sin embargo, nos será entonces de mucha utilidad indicar ante cada tipo o subtipo estructural a qué orden teleológico pertenece. Por ello, nos conviene fijar antes tal orden.

Recordemos nuestro propósito fundamental. Lo que pretendemos es examinar la estructura de la poesía, comprobando la unidad
sustancial de todos los recursos líricos, en cuanto que todos ellos
significan una sustitución: tienen todos en lo esencial idéntica textura (modificante, modificado, sustituyente y sustituido) e idéntica
finalidad: afectar, mudar la significación de las palabras hacia la
individuación (haciéndolas así vehículo transmisor de la contemplación de una realidad anímica).

Pero tal individuación puede realizarse teóricamente de tres modos distintos, que se corresponden con los tres tipos de unicidad
que estimábamos en los contenidos de nuestra psique. Decíamos
que éstos eran únicos en la intensidad de sus ingredientes afectivos,
en la nitidez de sus ingredientes sensoriales [2] y en la complejidad
sintética con que se manifiestan en su conjunto o en cada uno
de sus elementos. Correspondientemente, el sintagma lírico puede
contener significaciones únicas: A) por comunicar nuestro conocimiento de la intensidad aproximadamente exacta con que se produce un fenómeno afectivo (el grado de mi amor, pongo por
caso); B) por transmitir con máxima justeza la nitidez de una
percepción sensorial (sea el grado de blancura que una mano posee), y C) por expresar sintéticamente la intuición de una complejidad sensorial o afectivo-sensorial o, en general, psíquica. En
la teoría se nos separan así los procedimientos poéticos en tres
zonas genéricas. Unos (A) servirán sobre todo para revelarnos en
su intensidad una realidad afectiva; otros (B) servirán principalmente para señalarnos con la mayor precisión la nitidez de una
percepción sensorial, y otros (C) tienen como finalidad más importante trasladarnos por vía sintética la visión de una realidad
anímica en toda su complejidad [3].

---

[2] Léase en la pág. 21 lo que digo en la nota 6 sobre el concepto de
sensorialidad que empleamos aquí.

[3] Aún cabría simplificar esta división tipológica de los procedimientos
poéticos en sólo dos grupos: un primer grupo propiamente *individualizador* (en el que se incluirán los dos que en el texto llamamos A y B) y
otro que apellidaríamos *sintetizador* (grupo C del texto).

He de advertir que esta división de los procedimientos poéticos en tres clases (A, B y C) se basa en su función *más descollante*. Sería ingenuo pretender, por ejemplo, que un procedimiento de tipo A o de tipo B no incluyese sintéticamente, a la par, en cierto modo, la complejidad de una carga psíquica. O a la inversa: que un procedimiento de tipo C no atendiese por alguna vislumbre a las funciones propias de A o de B.

Capítulo V

DOS PROCEDIMIENTOS DE TIPO C

LOS DESPLAZAMIENTOS CALIFICATIVOS Y LOS SIGNOS DE INDICIO

Por lo pronto, vamos a encararnos con un par de procedimientos de tipo C. Su conocimiento no será inútil porque, aparte de mostrarnos con claridad, según entiendo, qué cosa sean los procedimientos de esa naturaleza (los procedimientos sintetizadores C), se nos iluminará, acaso, un aspecto de la lírica contemporánea, que en alguna medida ha permanecido hasta hoy en la oscuridad. Además, quizá empecemos a reconocer como cierto, a través de esta indagación, lo que más arriba quedó dicho: cómo se hace imprescindible la construcción de una nueva Preceptiva menos conceptualista que la tradicional, o, si se quiere, más fundamentada en los datos de la intuición. En efecto, el descubrimiento de uno de los recursos que ahora vamos a escudriñar, el descubrimiento de los "signos de indicio", sólo ha podido ser realizado tras el análisis de la intuición que ese recurso procura en los lectores. El hecho de que tanto los "signos de indicio" como, en menor medida, los "desplazamientos calificativos" hayan pasado inadvertidos a la atención crítica, hemos de achacarlo tal vez al prejuicio lógico que, en general, suele presidir esta clase de investigaciones.

Algo más se nos hará visible. Los "signos de indicio" no parecen el resultado de una sustitución: semejan ser la transcripción de un suceso que el poeta nos narra sin artificio. Probar lo erróneo de esta impresión nuestra será introducir al lector en sana desconfianza hacia el peligroso tópico que aquí combatimos: la existencia de un lenguaje poético sin figuras. Precisamente, una parte del presente libro estará dedicada a deshacer tan arraigada creencia, que suponemos falsa. Discúlpese, pues, nuestra machacona insistencia a este propósito.

Sin más dilaciones, entremos en el tema.

1. LOS DESPLAZAMIENTOS CALIFICATIVOS

(En Juan Ramón Jiménez y en Federico García Lorca)

DESCRIPCIÓN DEL PROCEDIMIENTO

Es posible seguir a lo largo del siglo XX el sucesivo desarrollo de un recurso poético muy joven aún. Su nombre más adecuado habría de ser, quizá, el de "desplazamiento calificativo". Creo que tal recurso carece de antecedentes en la tradición literaria española; pero esta clase de afirmaciones son en todo caso aventuradas, y no podemos menos de lanzarlas con cierta prudente timidez [1].

---

[1] En este endecasílabo de Góngora:

entre espinas crepúsculos pisando

no hay un desplazamiento calificativo, sino simplemente una sinécdoque que por lo compleja pudiera equivocarnos. Lo que se pisa en tal verso son "espinas iluminadas por la luz del crepúsculo". Esa totalidad, que he entrecomillado, queda suplantada por una de sus partes (luz crupuscular) que, a su vez, actúa como parte de un todo (crepúsculo). Y ahora es ese todo ("crepúsculos") el que aparece en la expresión, en vez de su parte correspondiente (luces crepusculares). En suma: "crepúsculos" designa "espinas con luz de crepúsculo". Se trata, pues, de una sinécdoque de segundo grado.

Fuera de la literatura española, se rastrea el auténtico desplazamiento calificativo de modo ocasional en Milton: el gray-fly (el avispón) "winding her sultry horn" (va sonando su bochornosa trompa). En este caso el adje-

El hecho es éste: a partir de Juan Ramón Jiménez, o, por lo menos, a partir de su generación, se inaugura, según todas las señales, en la poesía hispánica, una especial técnica, que consiste en una cesión de atributos de carácter físico [2] acaecida en el interior de un objeto. El donativo puede realizarse de dos esenciales maneras. Cabe que el traslado se verifique de una parte a otra del mismo objeto, o entre una de esas partes y el todo. O sea, que la cualidad móvil se deslice horizontalmente y pase de una parte a otra de idéntico ser, o que se deslice verticalmente, ascendiendo desde la parte hasta la totalidad de que esa parte depende.

Antes de intentar a fondo un comentario explicativo de tal procedimiento, estimo discreto poner al lector, desde ahora, en contacto íntimo con algunos ejemplos en que este medio expresivo se manifiesta. La poesía contemporánea nos proporciona un abundante repertorio de ellos, especialmente rico en la obra juanramoniana y en la de Federico García Lorca. A estos dos poetas nos circunscribiremos.

Veamos primero el caso en que el atributo de la parte califica al todo. Sacaré a relucir únicamente dos fragmentos del autor de "Platero y yo". En uno de ellos el poeta nos describe un barrio de mala nota:

> *En los barrios desiertos, entornados y eróticos.*

Al decir "barrios entornados", se nos indica, incuestionablemente, el hecho de que las puertas de las casas, en barrios de esa índole, suelen hallarse entreabiertas. Pero las puertas son sólo uno entre los varios elementos de un barrio. Ha ocurrido, pues, en la expresión "barrios entornados" el fenómeno que pretendemos es-

---

tivo "sultry" (bochornosa) procede de la sofocante tarde de estío en que el avispón zumba.

En algún que otro raro autor podríamos hallar ejemplos parecidos; pero, de todos modos, sólo en la literatura contemporánea se produce sistemáticamente el procedimiento.

[2] Si el atributo viajero no es físico, el recurso es ya vulgar y propio de cualquier época: verbi gratia, llamar "católica" a una catedral.

clarecer: un atributo de la parte (puertas, estar entornadas) sufre dislocación y va a fijarse al todo, al barrio: "barrios entornados". Un comentario parejo exigiría el otro pasaje, antes aludido, del mismo poeta. Se nos describe un cielo tormentoso:

> Cerraban las puertas
> contra la tormenta.
> *En el cielo rápido,*
> entre dos portazos,
> chorreando dardos
> del yunque de ocaso,
> abría el relámpago
> sus sinfines trágicos.

Cuando aquí se habla de "cielo rápido", sabemos que se nos refiere a "cielo con rápidos relámpagos". El adjetivo "rápido", que corresponde, *sensu stricto,* a la parte, se aplica al todo, al cielo. Y pasemos ya al caso segundo, mucho más frecuente que el anterior. Hemos dicho que se origina cuando determinada zona de un objeto propaga a otra colindante alguna propiedad suya. Así, en un poema de Lorca, la amarillez que distingue el plumaje del canario, queda vista en su trino:

> el débil trino amarillo
> del canario.

De modo idéntico, en otra composición del poeta granadino, la especial blancura de ciertas razas humanas (sobre todo, nórdicas) se transmite a su lenguaje:

> Los caballeros
> están casados
> con altas rubias
> de idioma blanco.

O la pequeñez de los jazmines se aplica a la blancura que les es propia:

> ... jazmines
> con su blancura pequeña.

No faltan ocasiones en que el procedimiento se combina con la metáfora:

> Levantará el gallo
> su clarín de llama [3].

El gallo tiene la cresta roja, y ese color, realzado por la imagen "llama", se atribuye a su canto, a su "clarín": "clarín de llama", que vale por "rojo kikirikí".
He aquí otros ejemplos: el primero, de Juan Ramón, y el resto, de García Lorca (el comentario lo pongo en nota):

> y los blancos faroles
> mojan bajo la lluvia su tedio amarillento [4].

> ———

> Por el suelo, ya sin norma,
> brincan sus manos cortadas,
> que aún pueden cruzarse en tenue
> oración decapitada [5].

> ———

> Con la sola excepción
> de los días de fiesta.
> Estos son los mismos
> de nuestras madres viejas.
> Sus tardes son largas colas
> de moaré y lentejuelas [6].

———

[3] El ejemplo es de Juan Ramón Jiménez.

[4] Los faroles tienen, pues, dos propiedades, que mutuamente se contagian: tedio y amarillez.

[5] La oración no es, en rigor, decapitada; es a Santa Olalla a quien se le hizo sufrir esa tortura: movilización, por tanto, de una cualidad desde una región del objeto a otra.

[6] Ejemplo más complicado: El poeta nos dice que los días de fiesta son los mismos que vivieron nuestras viejas madres; que ningún cambio se ha verificado en ellos. En aquellos lejanos días de fiesta nuestras viejas madres llevaban, a la tarde, trajes de cola, grandes colas de moaré y lentejuelas. Hay, así, un todo (días de fiesta lejanos) que consta, entre otros, de dos términos: "tardes" y "mujeres (nuestras madres) con largas colas". El hecho de llevar cola es, pues, una cualidad de la parte (nuestras madres) que pasa a otra del mismo todo (la tarde).

EXPLICACIÓN DEL PROCEDIMIENTO

Ya hemos entrado, pues, en noticia de lo que sea este artificio. Pero conocer un fenómeno no es, simplemente, describirlo; es, sobre todo, interpretarlo, explicarlo. Y nosotros aún no sabemos por qué los desplazamientos calificativos resultan ser, de hecho, poéticos; esto es, ignoramos su explicación intemporal. Pero, además, tal recurso aparece en la literatura muy tardíamente, en el período contemporáneo. Dar con el motivo de tal aparición será explicar los desplazamientos desde otro sitio, mirarlos desde un punto de vista histórico.

Ocupémonos, ante todo, del primer aspecto, que es, sin duda, el que más nos urge. Para ello hemos de remontarnos al origen mismo de nuestra tesis. "¿Qué es poesía?", nos preguntábamos al principio de este trabajo. "Poesía", respondíamos, es la comunicación que el poeta establece verbalmente de un contenido anímico contemplado en su particularidad. Ahora bien: la "lengua" es, esencialmente, analítica, enumerativa, dijimos, en tanto que los estados de alma son sintéticos, globales. El poeta habrá, pues, de privar a la "lengua" de su torpe condición analítica si desea expresar con propiedad la realidad interior, si pretende no falsificar lo que esa realidad tiene de sintética. Tal es lo que logran los desplazamientos calificativos. Cuando miramos un canario de amarillas plumas y le oímos cantar, nuestra psique no analiza, no desarrolla linealmente en el tiempo lo percibido, no enumera; recibimos simultáneamente la impresión del sonido y la del color; por el contrario, al querer plasmar en "lengua" lo que hemos conocido, necesitamos desvirtuar nuestra sensación, descomponerla en partes, colocar esas partes en una sucesión temporal:

el trino del canario amarillo.

He ahí el *sustituido* que el poeta procura evitar. ¿Cómo lograrlo? ¿Cómo conseguir que la visión de la amarillez y la audición del trino nos llegue de golpe, en un instante único, de modo semejante a como nos llega la impresión? Si hacemos que el adjetivo "amarillo" sufra un desencaje, que salte de su lugar lógico (canario) y se instale en otro sitio, exactamente calificando a "trino", lo habremos alcanzado, hallándonos ante un *sustituyente* ("trino amarillo"):

> El (...) trino amarillo
> del canario.

Así, un solo sintagma ("trino amarillo") se encargará de darnos en una sola vez la doble percepción, auditiva y visual, pues la noción "amarillo" implica la noción "plumaje". Lo enumerativo o analítico de la "lengua" se ha anulado, y en su lugar asoma lo sintético o global de la poesía. El contenido de percepción se transmite ahora fielmente, la comunicación se cumple, y a este cumplimiento es a lo que llamamos emoción lírica.

Ahora bien: ¿qué elemento está actuando sobre el sustituyente, sobre la expresión "trino amarillo", para otorgarle ese poder sintetizador? Sería apresurado responder, sin más, que ese *modificante* es el vocablo "canario". Lo es, ciertamente, pero sólo en parte. La palabra "canario" es sólo uno de los ingredientes que integran el modificante, porque tal palabra modifica el sintagma en virtud de una experiencia nuestra que nos hace saber a los sonidos desprovistos de coloración y, en cambio, amarillo el plumaje de los canarios. El modificante, por tanto, no es ni sólo ese conocimiento ni sólo la voz "canario", sino la conexión solidaria de ambos elementos [7].

Prescindamos ahora del modificante; pensemos el sintagma "trino amarillo" aislado de su contexto. La sintetización expresiva se esfumará: nos hallaremos, pues, ante el *modificado*.

Pero el asunto encierra todavía una cuestión que hace muy poco prometíamos solucionar en la medida de nuestro alcance:

---

[7] En el texto no he sido del todo preciso, para evitar el uso de términos técnicos a los que no hemos llegado aún. Debo advertir, sin embargo, al menos en nota, que en el ejemplo citado el conocimiento de la amarillez de los canarios es un tipo de modificante que llamaremos después extrínseco.

¿por qué es en nuestra centuria (y no antes, a lo que parece) cuando se forja como sistemático este instrumento de expresión? Cada época es, en mi criterio, un sistema de relaciones entre sus diversas características, cuya última motivación consiste en un núcleo central o radical intuición que se responsabiliza del conjunto. En el período "contemporáneo" (y llamamos así al período que media entre el romanticismo y la segunda guerra mundial —véase el Apéndice "Poesía Contemporánea y Poesía Poscontemporánea"—), en el período contemporáneo, repito, ese centro de responsabilidad consiste en un agudo subjetivismo irracionalista, que trae consigo un nuevo modo de entender el mundo, y, sobre todo, el mundo humano. A lo largo de este libro hemos de comprobarlo extensamente, y, a veces, en su pormenor. Por de pronto, los desplazamientos calificativos evidencian esa irracionalidad subjetivista de que hablamos, ya que en su uso, el poeta atiende a la sintética *impresión* subjetiva con que el objeto se le ofrece más que al objeto mismo, al que la expresión no reproduce con fidelidad realista, *racionalista*.

DIFERENCIA CON LA SINESTESIA

En muchos casos, el desplazamiento calificativo es inconfundible con la sinestesia. Cuando Juan Ramón Jiménez llama "entornados" a unos barrios de mala nota, no es posible que surja dificultad alguna en la interpretación crítica. Pero otras veces precisamos recurrir a la finalidad del procedimiento para designarlo como "desplazamiento calificativo" y no como sinestesia, pues, en ocasiones, ambos tipos de sustitución coinciden formalmente, y sólo se distinguen por la intención que cada uno lleva. Así ocurre en ciertos sintagmas que antes hemos analizado. Las expresiones "trino amarillo del canario" y "altas rubias de idioma blanco", juzgadas únicamente por su forma no se diferencian en nada de otras sinestéticas tales como "colores chillones" o "se oye la luz" o "música áspera"; y sin embargo, los dos ejemplos primeramente citados, en lo que ahora nos importa, sólo en lo somero pudieran ser relacionados con los otros tres: son desplazamientos y no sinestesias. (En seguida matizaremos esta afirmación, que, en parte, sólo provisionalmente es manejable con tanta rotundidad.) Una coincidencia meramente formal no basta para que dos realidades se confundan. La palabra "operación" pronunciada por un médico es en la apariencia la misma que pronuncia un militar y la que pronuncia un matemático; con todo, esos tres vocablos no pueden mostrarse como más diferentes entre sí, porque cada uno de ellos apunta a una realidad disímil. Algo semejante ocurre en el caso que nos ocupa. La finalidad de la sinestesia en nada se asemeja a la que el desplazamiento calificativo persigue, y, en consecuencia, pese a la estructura que a veces en común adoptan, siguen existiendo dos artificios y no uno sólo. En la sinestesia, el adjetivo que irrealmente se atribuye al sustantivo está *siempre* simbolizando, de manera más o menos difusa, una cualidad real *de tal sustantivo*. Cuando sinestéticamente hablamos de los "colores chillones de un vestido", "chillones" alude vagamente a la inarmonía y exaltación que esos colores ostentan. En la expresión "trino amarillo del canario", en cambio, la amarillez concedida al trino no se refiere a ninguna propiedad de éste, sino al hecho de poseer tal aspecto cromático el plumaje del pájaro en cuestión. Para formularlo en nuestro lenguaje técnico: el desplazamiento calificativo es de tipo C y la sinestesia de tipo A o de tipo B. La función del primero es sintética; la función de la segunda, individualizadora.

Cierto que la realidad no suele ser tan simple como acabo teóricamente de sentar. Pues sucede que a menudo las dos funciones, la sintetizadora y la individualizadora, se superponen en una sola expresión, la cual se comporta así, por un lado, como un desplazamiento calificativo, sin dejar de ser, por el otro, una verdadera sinestesia. Pero esto no quiere decir que esos dos procedimientos sean el mismo, sino únicamente que ambos se cumplen al propio tiempo en idéntica frase. En el caso del "trino amarillo del canario" hemos presentado lo amarillo del trino como si únicamente se hallase ligado al color del plumaje. Hora es ya de completar y matizar nuestra observación del fenómeno. Agreguemos, pues, que evidentemente *también* "trino amarillo del canario" es una sinestesia; sentimos igualmente esa amarillez como simbolizadora de la alegría con que el canario emite su cántico. "Trino amarillo" equivale borrosamente a "trino solar, gozoso", como "colores chillones" se asimila a "colores resaltantes e inarmónicos". "Trino amarillo del canario" es, por consiguiente, una expresión compleja y de máxima condensación significativa, pues que transporta dos funciones tan distintas como son la A y la C. No es preciso añadir que cuando esto le ocurre a un instante lírico, su fuerza poética se agranda. Si el resto de las condiciones no sufre cambio, dos artificios ejercidos sobre un solo punto lingüístico valen siempre más (ello es perogrullesco) que una sustitución aislada.

2. LOS SIGNOS DE INDICIO

DESCRIPCIÓN DEL PROCEDIMIENTO

Estamos ya lo suficientemente lejos del modernismo para poder apreciar con cierta perspectiva lo que este movimiento haya aportado a la lírica española. Dentro de lo que ahora nos importa, veo concretamente utilizar en tal época un procedimiento poético de muy clara delimitación: recurso que llamaríamos "arte de la sugerencia". Consiste en insinuar veladamente algo, algo que permanece en la sombra, sin directo enunciado:

El conde, orgullo y gloria, las damas galantea
y a los nobles zahiere —madrigal y epigrama—
cuando un paje de lejos y por señas lo llama.
No lleva el paje escudo ni señorial librea.

—Venid, le dice quedo; seguidme... ¡adonde sea!
Sólo deciros puedo que es hermosa la dama...
Mas a oscuras el sitio está donde se os llama,
y aun quiere que el camino desconocido os sea.

Duda un momento el conde, y recela, no en vano,
que siniestra emboscada aeche sus arrojos...
Mas, aferrando al cinto los dorados puñales,

al paje que sonríe, resuelto da la mano...
Y el pajecillo rubio pone sobre sus ojos
un pañuelo bordado con las armas reales [8].

Este soneto de Manuel Machado nos ha introducido en una escena galante de fondo dieciochesco. La reina ha ordenado a su pajecillo que vaya discretamente en busca de cierto conde. El paje obra con la necesaria cautela y no revela el nombre de la alta señora. El poeta tampoco nos lo dice de un modo abierto. Precisamente la gracia de esta pieza se desprende de los sobreentendidos a que da pie. Los lectores deben adivinar lo que el poeta sólo nos deja penumbrosamente entrevisto. El autor abandona, como al desgaire, algunos *indicios* que nos ayudan a descubrir la totalidad del pensamiento tácito: el paje pone sobre los ojos del afortunado galán "un pañuelo bordado *con las armas reales*". Con esto nos basta para conocer la regia condición de la persona que ha tramado, tan prudentemente, la aventura.

Algo idéntico encuentro en tal otro soneto del mismo autor:

Antonio, en los acentos de Cleopatra encantado,
la copa de oro olvida que está de néctar llena.
Y, creyente en los sueños que evoca la sirena,
toda en los ojos tiene su alma de soldado.

La reina, hoja tras hoja, deshojando sus flores,
en la copa de Antonio las deja dulcemente...
Y prosigue su cuento de batallas y amores,
aprendido en las magas tradiciones de Oriente...

Detiénese... Y Antonio ve su copa olvidada...
Mas pone ella la mano sobre el borde de oro,
y, sonriendo, lenta hacia sí la retira...

Después, siempre a los ojos del guerrero asomada,
sella sus gruesos labios con un beso sonoro...
y da la copa a un siervo, que la bebe y expira... [9].

---

[8] "La corte", del libro *Alma.*
[9] "Oriente", del libro *Alma.*

Nos hallamos en presencia del mismo recurso poético. Tampoco aquí Manuel Machado narra los hechos a las claras y de modo franco; se vale nuevamente de ciertos *indicios* que nos colocan en la pista de aquéllos. Para expresarnos que Cleopatra ha querido envenenar a Antonio, su amante, y luego se ha arrepentido, el poeta ofrece sólo a nuestra mirada una serie de signos que indirectamente lo revelan: los signos que refieren la muerte del esclavo al beber una copa destinada a Antonio.

El procedimiento que acabamos de ver adquiere, con modificaciones simplificadoras, extraordinaria importancia en el arte cinematográfico. Si el cine quiere expresar, por ejemplo, que un buque ha naufragado, nos mostrará únicamente, quizá, las aguas del océano con algunos restos del barco o con manchones oleaginosos. El paso del tiempo quedará indicado acaso por el desprendimiento de unas hojas de calendario, si se trata de meses o de días, o por el movimiento de las manecillas de un reloj, si se trata de horas, etc.

Pero no sólo se utilizan los signos de indicio en la poesía y en el cine. En páginas anteriores queda dicho que los procedimientos de la lírica sirven a la par al chiste y al absurdo. A lo largo del presente libro hemos de comprobar esta afirmación numerosas veces. Atengámonos por ahora al artificio que nos ocupa. ¿Se dan en la comicidad los "signos de indicio"? Multitud de chistes están basados en su uso, que posee extraordinaria fuerza hilarante. Narraré aquí uno muy conocido:

> Un caballero de costumbres noctámbulas se siente cansado cierto día y decide no salir de casa e irse temprano a dormir. Muy entrada la noche, su esposa, que comparte en aquel instante su misma habitación, se despierta sobresaltada al escuchar un ruido en la escalera:
> —¡Mi marido! —exclama.
> El marido, al oírla, se arrojó por el balcón.

La risa adviene al adivinar, sólo por ciertas *sugerencias* que se nos hacen, el fondo implícito de los hechos: que los dos esposos se eran, recíprocamente, infieles; más aún: que el marido traicionaba a su cónyuge con una mujer casada.

EXPRESIÓN POÉTICA—7

TÉCNICA DE "ENGAÑO-DESENGAÑO"

Hablábamos de "signos de indicio" o "arte de sugerencia" como de algo propio de la época modernista, que hemos ejemplificado en dos sonetos de Manuel Machado. Pero si volvemos aún sobre esos sonetos, nos daremos cuenta de que hay en ellos, dentro de esa técnica general de insinuaciones, tan peculiar al período, un procedimiento muy específico, que nos conviene distinguir. Se trata de lo siguiente: el poeta nos lleva como de la mano a través de una representación que a propósito nos hace interpretar equivocadamente, gracias a una o varias expresiones francamente engañosas. Sumergidos ya de lleno en el error, termina el poema con un verso que vuelve del revés, pero sólo alusivamente, sirviéndose de "signos de indicio", todas nuestras suposiciones sobre el significado de cuanto se nos ha descrito. La finalidad, sin duda, del recurso en cuestión es la sorpresa, a que el individualismo contemporáneo se muestra de diversa manera aficionado (véase sobre ello lo que digo en el Apéndice "Poesía contemporánea y poesía poscontemporánea").

Analicemos desde este punto de vista los poemas citados. En el primero de ellos se nos da a entender que el protagonista es conducido a una emboscada preparada por sus enemigos. Distintas frases nos lo insinúan ("signos de indicio"): el conde galantea a las damas, pretendidas acaso por otros hombres, y, sobre todo, zahiere a los caballeros; es, además, orgulloso. Pero el poeta no se contenta con tan veladas sugestiones, sino que, en determinado instante, nos engaña de manera más taxativa:

> y recela, *no en vano*,
> que siniestra emboscada aceche sus arrojos.

He de añadir que el uso de estas expresiones que obligan descaradamente al error interpretativo es esencial al procedimiento. Por fin, el verso último nos sorprende con la insinuación que sabemos: no se trata de una emboscada, sino de una cita con la reina.

La estructura general de este recurso se repite en todos los casos. Comprobémoslo en el otro soneto: también en él hay engaño (pensemos a Cleopatra enamorada de Antonio, porque el poeta nos lo sugiere —"signos de indicio"—), seguido del desengaño final (averiguamos en el verso postrero que Cleopatra quiso envenenar a su amante). Y también el autor se encarga de subrayar el engaño con una expresión específica:

> La reina, hoja tras hoja, deshojando sus flores,
> en la copa de Antonio las deja *dulcemente.*

"Dulcemente" cumple aquí el oficio que cumplía el adverbio "en vano" anterior, y el que cumplirá la frase "souriant comme sourirait un enfant malade" en un soneto de Rimbaud que luego examinaremos. Se trata de no dejarnos escapar al fraude, para que la sorpresa final actúe con fuerza. Pues es eso lo que el procedimiento busca.

EXPLICACIÓN DEL PROCEDIMIENTO

Asediemos ahora con diversos propósitos el fenómeno que deseamos conocer. Tratemos de averiguar por qué el recurso nos mueve poéticamente. La contestación a tal pregunta se deducirá por sí sola si anticipadamente respondemos a otra doble: cuál sea la función que los signos de indicio, por un lado, y la sorpresa, por el otro, desempeñan. Empecemos por la primera parte de la interrogante: los signos de indicio.

Nos hallamos aquí frente a un caso semejante al de los "desplazamientos calificativos": un caso de tipo C, un instrumento expresivo que sirve para transferir sintéticamente la contemplación de una complejidad de nuestro ánimo; es decir, sin la bastarda alteración analítica con que la "lengua" disfraza los estados del alma, que, como hemos dicho con una frecuencia quizá excesiva, no son analizados, sino conocidos sintéticamente por nuestro espíritu. Los "signos de indicio" son de tipo C ya que transmiten un caudal de significación muy superior al que les es habitual en la "lengua". Decir, fuera del poema, que alguien pone sobre unos ojos cierto pañuelo con las armas reales no significa sino el simple hecho que se enuncia; la frase es un *modificado*: su sentido es normal, puramente lógico. Decir lo mismo dentro del soneto machadiano es, en cambio, expresar, además de lo anterior, otra cosa: que la reina, enamorada o encaprichada, ha buscado una cita clandestina. El *sustituido* será, a su vez, la frase analítica con que la "lengua" expresaría lo que de modo sintético, a través de un *sustituyente*, ha expresado el poeta. Y el *modificante* habría de ser, en consecuencia, el resto de la composición, puesto que a él hay que atribuir el enriquecimiento del alejandrino final.

Nuestra poética reacción ante ese verso último se debe, pues, a su economía expresiva. Pero afirmar tal cosa, sin más explicaciones, es afirmar incompletamente una verdad. Debemos repetir, si queremos ser exactos, lo que ya en otros lugares hemos dicho: que el carácter sintético del cierre poemático hace posible la comunicación en que la poesía consiste, porque sólo sintéticamente (y no analíticamente, como hace la "lengua") cabe transmitir sin falsía lo que es, de por sí, sintético: en este caso, un contenido de percepción.

En cuanto al fenómeno de la sorpresa baste, para su explicación detallada desde nuestro punto de vista, remitir al capítulo del presente libro que versa sobre la antítesis. Pues la sorpresa es poética, lo mismo que la antítesis, en cuanto que por medio de ella se intensifica individualizadoramente la significación. Al trasladarnos desde una significación en que estamos primero a su opuesta, a que sorprendentemente llegamos después, esta última es percibida, por contrastación, superlativamente y en realce desconceptualizador.

Pero otra cuestión queda pendiente aún. Hemos dado razón de la técnica de "engaño-desengaño" por el individualismo dandystico del período, afanoso siempre de pasmar con lo que sea. Pero ¿y los "signos de indicio" en cuanto tales? Según creo ver, dentro de la literatura española, los "signos de indicio" sólo aparecen con bulto definitivo, sistemáticamente, en el modernismo, no antes. ¿Cuál será la razón de ello? Evidentemente, este instrumento expresivo llega a las manos de Manuel Machado, y a las de otros poetas contemporáneos suyos, desde el ambiente formado en Francia alrededor de la época verlainiana. Podemos considerar el "Art Poétique" de Verlaine como la condensación, en cierto modo doctrinal, aunque bajo especie de poesía, de tal atmósfera: el poeta, nos dice Verlaine, debe evitar la "literatura", y preferir el matiz al color; lo impreciso, vago y desdibujado es, en el verso, mejor que lo que posee cuerpo y concreción, y lo que carece de peso preferible a lo que gravita. Se trata de insinuar, más que de decir ("toma la elocuencia y retuércele el cuello"). Si la sugerencia es la meta ideal hacia la que tiende esta poética de difuminaciones y velos, y si la época, por lo que sabemos, tiende a la sorpresa como recurso táctico del individualismo, ¿nos asombrará que ya en esas fechas apareciesen los "signos de indicio" junto al artificio engaño-desengaño antes descrito? Rimbaud, en efecto, escribe en esa técnica "Le dormeur du val":

C'est un trou de verdure où chante une rivière
accrochant follement aux herbes des haillons
d'argent; où le soleil, de la montagne fière,
luit: c'est un petit val qui mousse de rayons.

Un soldat jeune, bouche ouverte, tête nue,
et la nuque baignant dans le frais cresson bleu,
dort; il est étendu dans l'herbe, sous la nue,
pâle dans son lit vert où la lumière pleut.

Les pieds dans les glaïeuls, il dort. Souriant comme
sourirait un enfant malade, il fait un somme:
Nature, berce-le chaudement: il a froid.

Les parfums ne font pas frissonner sa narine;
il dort dans le soleil, la main sur sa poitrine,
tranquille. Il a deux trous rouges au côté droit.

Como en los dos poemas que antes hemos copiado de Manuel Machado, también aquí el último verso nos proporciona la sorpresa de trastornar el significado de todo el resto del soneto. Pues el poeta ni siquiera llega a decir que el "durmiente" está muerto (como en Machado no se nos decía que la reina había citado al Conde, o que Cleopatra había querido asesinar a Antonio): Rimbaud sólo registra que el soldado tiene dos agujeros en su costado: he ahí un "indicio" que el lector recoge para inesperadamente juntarlo a los otros que se nos han ido diseminando a lo largo del soneto y que ahora, de pronto, entendemos en su verdadero sentido: la boca abierta del soldado, su inmovilidad sobre la hierba, su palidez, el frío de su cuerpo, su imposibilidad de oler los perfumes, y, en fin, su misma tranquilidad, no proceden, como creíamos antes de llegar al verso final, del hecho de estar el soldado dormido, sino del hecho de estar muerto. Eran signos que, como en los otros casos ya estudiados, habíamos interpretado mal, porque así lo había deseado el autor, y que ahora comprendemos como "indicios" de una realidad que sólo se nos revela (pero tampoco de un modo declarado) en la postrer frase del poema.

El procedimiento no es, pues, otra cosa que uno de los múltiples medios de que se vale el poeta "simbolista" para, por una parte, maravillar, y, por la otra, para no afirmar brutalmente las cosas, sino para delicadamente sugerirlas. El problema se centra así, en otro más amplio. ¿De dónde procede este afán, que la poesía empieza a sentir con posterioridad al romanticismo, de sustituir lo preciso por lo impreciso, lo rotundo por lo borroso? Sospecho que el secreto está, precisamente, en el antirromanticismo del período en cuestión. El romanticismo amaba ciertamente la vaguedad, pero en otro sentido. En su técnica literaria propendió, no siempre, claro es, pero sí en significativa porción de sus manifestaciones, a buscar la grandeza, que es enemiga del matiz. La grandeza precisa de un lenguaje amplio y generoso, de desarrollo esencialmente elocuente, y cuyo pecado fundamental, a poco que el fondo deje de estar a la altura de la forma, será eso que llamamos "retórica", el gran ademán algo vacuo, la sonoridad un poco y a veces un mucho henchida de viento. En la poesía romántica se escucharán así, en demasiadas ocasiones, ayes, afirmaciones, sombrías resoluciones y gestos de "sublime" intención que nos parecen desproporcionados, sin justificación suficiente. Los poetas simbolistas estaban hastiados de tal desmesura y para evitarla recurrieron a lo contrario.

Si los poetas anteriores presentaban con harta frecuencia más continente que contenido en el sentido que dijimos, ahora la tendencia será, a la inversa, ofrecer más contenido que continente. Pues eso es lo que significa sugerir: decir poco para que el lector entienda mucho, al completar en su ánimo un significado que sólo a medias se nos señala. Frente a la desmesura romántica, la poesía simbolista y en buena parte la que luego le siguió estará por ello llena de mesura. Poetizar será para los escritores de esa tendencia, velar, encubrir vergonzantemente. Lo gárrulo se sustituye por lo tácito. De ahí que surgiesen de pronto los "signos de indicio", esos pudorosos "iceberg" que sólo nos dejan contemplar a nuestras anchas un levísimo punto de blancura, mientras adivinamos el inmenso bloque sumergido.

CAPÍTULO VI

LA IMAGEN TRADICIONAL, LA IMAGEN VISIONARIA Y LA VISIÓN

Pasemos ahora a la consideración de un procedimiento ya clasificado y sobremanera conocido, bien que sólo en alguna de sus posibles manifestaciones: la metáfora. (Para nuestros fines nos sobran los distingos tradicionales entre imagen, metáfora, comparación o símil, que son puramente cuantitativos, basados en la mayor o menor intensidad de la trasposición; usaremos aquí, pues, esos términos como sinónimos, a sabiendas del error cometido.) Es seguramente la metáfora, como dije, el procedimiento más estudiado entre todos los que constituyen el repertorio de que el poeta dispone. Incluso ha habido —y hay— gentes que hablan de él como si lo estimasen, si no único, el recurso más importante de la poesía. Acontece esto por una razón muy simple: la metáfora es —de eso no hay duda— el artificio más objetivamente discernible de cuantos nos revela la lectura rápida de unos versos. Otros instrumentos de expresión —no menos frecuentes que la metáfora— son más trabajosamente detectables, porque para percibirlos ha de entrar en juego, en muchos casos, la sensibilidad educada, que, desgraciadamente, no abunda, y a veces ello se precisa en grado sumo para contemplar en la poesía un artificio (démosle este nombre para entendernos) donde el común ve sólo "lenguaje directo", espejismo que quisiéramos desvanecer aquí, como en diversa ocasión hemos dicho.

Delante de nosotros está, pues, un amplísimo fenómeno, al que asignamos la denominación de metáfora. Su estructura resulta de entreverar o superponer dos planos: A y B. Así, en la metáfora *cabello = oro* ("cabello como el oro"), el plano B "oro" se infiltra en el plano A "cabello". Más adelante hemos de ver que esta cualidad (la superposición) la comparte la imagen con otra familia de recursos (no tomados en consideración por ninguna preceptiva, a mi juicio) que no son ya metáforas, pero que no hay más remedio que comprender como sus fraternales compañeros: serán las que nombraremos "superposiciones temporales", "espaciales", "significacionales" y "situacionales". Debemos, por eso, al menos, añadir un complemento a nuestra definición para separar a la imagen de sus coláteres: los elementos que en ella se juntan son dos objetos. Bástenos por ahora. Tiempo habrá de matizar estas afirmaciones.

Lo que nos proponemos de momento es obtener con el máximo rigor las notas peculiares de la imagen "contemporánea" con respecto a la que llamaríamos tradicional, labor que nos llevará al examen de las distintas clases de sustitución metafórica.

La tarea no es floja, porque contemporáneamente las figuraciones imaginativas no forman ante nuestra mirada un bloque homogéneo que nos sea lícito enfrentar directamente con el bloque mucho más compacto de las metáforas renacentistas. En los siglos áureos, las metáforas eran muy distintas entre sí, pero su conformación resultaba ser esencialmente idéntica. Hoy no sucede eso: las metáforas no ostentan en la actualidad una contextura singular, la misma para todas ellas, sino una contextura plural. Quiero decir que modernamente vemos escindirse el fenómeno imaginativo en tres ramas o clases de metáforas que se diferencian por su configuración: son las que en otro sitio [1] he denominado "imágenes visionarias", "visiones" y "símbolos".

---

[1] *La poesía de Vicente Aleixandre.* 2.ª edición, ed. Gredos, Madrid, 1956.

1. LA IMAGEN VISIONARIA Y LA IMAGEN
TRADICIONAL

LA IMAGEN VISIONARIA
Y LA IMAGEN TRADICIONAL

Comencemos nuestra penetración por el análisis de las imágenes visionarias. Su peculiaridad sólo destaca suficientemente sobre el fondo metafórico de la tradición; en consecuencia, se hace necesario que esbocemos aquí ese fondo.

En aquel mismo lugar[2] he intentado extraer la divergencia más notable que existe entre una imagen tradicional y una imagen visionaria. La imagen tradicional exhibe una estructura racionalista que difiere radicalmente de la estructura irracionalista que manifiestan las imágenes peculiares de nuestro siglo. Pronto veremos por qué apellido de "racionalista" al grupo tradicional, mientras califico de "irracionalista" al específicamente contemporáneo. Me urge, por razones de diafanidad en la exposición, atender antes a otra contrapuesta característica de aquel grupo con respecto a éste.

Las imágenes de nuestros abuelos podían ser de tres tipos principales. En el primer grupo, el más numeroso, con gran diferencia, colocaríamos a aquellas imágenes que se engendran en la semejanza física que media entre el plano real y el correspondiente evocado. Si el cabello rubio puede estar visto como oro en el siglo XVI (y en las épocas que continúan su tradición imaginativa), será a causa de que ambos elementos coincidan en lo dorado de su color. "Cristal" será el nombre poético de agua, porque tal parece la tranquila superficie de un lago o de un río lento. El plano real y el evocado se asimilan fundándose en notas que son comunes a sus respectivas formas. Cuando el poeta osaba acercar comparativamente dos términos disímiles (un pájaro y un arco iris, por ejemplo), no tenía más remedio que establecer distingos sin

[2] *Op. cit.*

número para que las lógicas mentes contemporáneas (incluyendo la del propio poeta) no se escandalizasen. El atrevimiento inicial quedaba inmediatamente paliado por una serie de calificativos y de negaciones:

> ... (El) pájaro de Arabia, cuyo vuelo
> arco alado es del cielo
> no corvo, mas tendido...
>
> (Versos 463-465 de la *Soledad Primera* de Góngora.)

El Fénix será un arco iris[3], pero un arco iris alado y tendido, un arco iris no corvo. La imagen reducía así el alejamiento de sus fronteras para armonizarse con la superficie por ella encubierta, y de este modo la semejanza aparencial entre la realidad y la evocación no quedaba ya destrozada.

A este primer grupo son también reducibles imágenes que, si bien equiparan objetos desemejantes en su figura concreta, están basadas, sin embargo, en algo en definitiva físico, que puede ser, por ejemplo, su función, o su finalidad, o su comportamiento. Lope dice de Lucinda que es:

> nieve en blancura y fuego en el efecto

y al confundir a Lucinda con el fuego, el poeta se fundamenta no en el parecido inmediato que exista entre esa mujer y ese elemento natural, sino en la función, el *efecto* que de ambos resulta: el hecho de abrasar. Cuando Góngora llama a las aves "cítaras de pluma" está haciendo lo mismo: la confusión por él establecida entre aves y cítaras sólo tiene en cuenta la realidad *física* de que ambas son emitidoras de sonidos musicales, no la forma de los dos términos comparados, que es muy distinta en cada caso.

En fin, cuando Jorge Manrique asegura que:

> nuestras vidas son los ríos
> que van a dar en la mar
> que es el morir

---

[3] Según la mayor parte de los comentaristas de *Las Soledades*, "vuelo" equivale a "alas", significado que el Diccionario de la Academia Española acepta también.

el símil se apoya en el comportamiento físico de vidas y ríos, pues ambos son fugaces y terminan en la aniquilación, sin que haya ni pueda haber parecido formal entre ellos.

En un segundo grupo alojaríamos aquellas imágenes tradicionales que se justifican en la semejanza moral o espiritual de dos seres: la mujer, para Lope

> es un ángel y a veces una harpía.

Es un ángel porque tiene, a ratos, su misma bondad; una harpía porque, en ocasiones, es tan perversa como ésta.

Y finalmente habríamos de insertar en un grupo tercero las imágenes tradicionales que emanan de la identidad en el valor con que dos miembros, el real y el evocado, se presentan. Así, cuando el dueño de un comercio dice que su dependiente es "una perla", está significando que ese subalterno *vale tanto* como el precioso objeto aludido.

Frente a estos tres tipos y sus posibles variantes se yergue la imagen contemporánea con un carácter, en principio, fundamentalmente diverso. Adviértase que las tres posibilidades de la imagen tradicional coinciden en un punto: la semejanza entre sus dos planos se basa siempre en una condición *objetiva* (física, moral o axiológica) que es previa al sujeto que las contempla y de tan abultado relieve que en cuanto éste se pone frente a aquélla no tiene más remedio que aceptarla. Pues hasta el caso aparentemente más dudoso, el caso en que el fundamento de la imagen es un valor, no hace excepción a esta regla. Ortega nos ha hablado de cómo los valores no son algo subjetivo, sino algo objetivo y además algo perfectamente determinable, si no carecemos del órgano de estimación necesario. Los valores son cualidades objetivas de los seres, bien que cualidades irreales (como la igualdad o la desigualdad)[4].

---

4 ORTEGA Y GASSET, JOSÉ: *Introducción a una estimativa*, en *Obras Completas*, tomo VI, ed. Revista de Occidente, Madrid, 1947, págs. 317 a 337 y especialmente págs. 327 a 331.

Si de aquí pasamos al examen de las imágenes visionarias, el panorama se torna resueltamente distinto. Pues el poeta contemporáneo llamará iguales a los términos A y B *en principio* no porque objetivamente se parezcan, en su figura material, en su configuración moral o en su valor (ya veremos las limitaciones y rebajas que a la rotundidad de esta primera afirmación es preciso imponer), sino porque despierten en nosotros, sus contempladores, un sentimiento parejo. Y así, un poeta de hoy podría referirse a un pajarillo pequeñuelo, en reposo y de color grisáceo, al escribir:

un pajarillo es como un arco iris

si el arco iris y el pajarillo le produjeran un efecto similar de ternura.

Sin embargo, la imagen visionaria, si quiere elevarse hasta el rango lírico, debe ser *universal,* esto es, debe resultar valedera para todos los hombres, o amplios grupos de ellos. Quiere esto señalar que todos los hombres o tales sectores han de poder sentir la legitimidad de la ecuación propuesta por el poeta. Por tanto, la igualdad "pajarillo = arco iris", si es poética, no estará acotada dentro de un sentimiento puramente particular, válido únicamente para la persona del autor, sino que ese sentimiento de ternura debe ser compartible y aceptable por otros seres humanos.

(Permítaseme un inciso. Lo dicho en el párrafo anterior no significa, por supuesto, que siempre, y ni siquiera con frecuencia, la palabra "arco iris" o la realidad "arco iris" nos produzcan ternura. Cualquier ser —y el arco iris no es ciertamente una excepción— tiene, en potencia, un grupo finito de posibilidades asociativas, y cada mirada humana que en él se interese estéticamente pone en actividad una de esas asociaciones posibles, *acaso la que menos frecuentemente se suscita en la contemplación normal.* El contexto del poema es, en este sentido, el filtro de que el poeta se vale para eliminar las otras asociaciones poéticamente inválidas en ese concreto instante. En nuestro caso, el diminutivo "pajarillo", puesto en conexión con el vocablo "arco iris", es el encargado de privar a este último término de las diferentes suscitaciones afectivas que sean en tal momento inadecuadas, para dejar superviviente tan sólo la idónea : se suprime, por ejemplo, el sentimiento que la grandeza o la amplia belleza exenta del objeto aludido pudiera provocar en nosotros. La representación estética (trátese de la contemplación de una belleza natural o de la contemplación de una belleza artística) es paradójicamente, en uno de sus aspectos, un acto de empobrecimiento de la excesiva riqueza asociativa, tal vez incluso con elementos contradictorios entre sí, que *duerme* en las criaturas reales, y, por consiguiente, en el lenguaje que las simboliza.)

Retomemos el tema. Decíamos que el sentimiento suscitado en común por los dos elementos de la imagen había de ser universal. Pero ese carácter universal de la imagen visionaria proclama que, contra lo que pensamos inicialmente, alguna semejanza objetiva tiene que mediar entre los dos seres relacionados (pajarillo, arco iris) para que en el sentimiento originado por ellos pueda coincidir (teóricamente) la totalidad de los hombres sensibles. Examinemos qué es lo que nos produce ternura en el pajarillo y luego hagamos idéntica indagación con respecto al arco iris.

En el caso del pajarillo, es precisamente su pequeñez en cuanto síntoma de *inocente* indefensión lo que nos conmueve ; en el caso del arco iris, se trata de algo en cierto modo parejo : lo que aquí nos mueve afectivamente es la pureza de sus colores, que parecen como lavados, como limpios, como *inocentes*. Notemos que al describir lo sentido en cada caso hemos necesitado acudir a la misma calificación esencial : al adjetivo "inocente". Esto nos indica que ambos seres (el pajarillo y el arco iris) se asemejan en poseer una cualidad, en efecto, objetiva, a la que metafóricamente llamamos "inocencia". El hecho de que este último vocablo ("inocencia") sea, como digo, metafórico, no resta valor al aserto ; pues metafórica o no la designación, no cabe duda de que la cualidad existe y que en esa cualidad el pajarillo y el arco iris se parecen.

¿Nos hallamos, en consecuencia, frente a un caso equivalente al de la imagen tradicional? De ningún modo, y ello por dos razones :

1.ª En la imagen contemporánea, la semejanza objetiva entre los dos planos es perceptible *tras el esfuerzo de un sutil análisis* ;

pero —obsérvese— sólo es visible tras ese esfuerzo, no antes, no en la lectura espontánea del instante poético en cuestión. Para la sensibilidad del lector, es, pues, *como si tal semejanza no existiera,* y por eso comencé por negarla. Nuestra emoción es independiente y *previa* al reconocimiento intelectual del parecido objetivo, que sólo alcanzamos a vislumbrar después, si ello nos complace, con la ulterior reflexión, la cual se hace superflua desde el punto de vista estrictamente estético.

En la metáfora tradicional ocurre justamente al revés: en ella el reconocimiento intelectual de la semejanza objetiva es *anterior* y condición necesaria de toda posible emoción poética, pues precisamente ésta depende de aquél. Si no sabemos que el cabello rubio se parece en su color al oro no podemos emocionarnos cuando el poeta identifica metafóricamente ambos objetos [5]. Adelantando aquí una terminología que sólo se hará comprensible al final del libro, diríamos que en la imagen tradicional la semejanza objetiva y su conocimiento por el lector es su *modificante extrínseco,* mientras que no lo es en la imagen visionaria, cuyo modificante extrínseco consiste en el *sentimiento* (no el conocimiento) por parte del lector del parecido *emocional,* y no del parecido objetivo.

2.ª Pero además, la imagen visionaria sólo exige de sus dos planos, el real y el evocado, ese *mínimo* parecido objetivo que hace posible una *gran* semejanza emocional entre ellos; o de otro modo: el parecido objetivo sólo existe en cuanto suscitador de una descarga emocional; por ello, no se percibe sino bajo forma de implicación, que sólo el análisis revela, en esa descarga.

Al poeta contemporáneo no le importará nada, en consecuencia, atenuar, al máximo incluso, el parecido objetivo perceptible desde luego por la razón, si esa disminución lleva consigo, precisamente, un aumento en la semejanza emocional. Quizá el mejor ejemplo de ello lo tengamos en este verso de Vicente Aleixandre, dirigido a una muchada desnuda:

---

[5] En la imagen tradicional, el análisis ejercido por la razón, rigurosamente anterior al efecto emotivo, por ejercerse sobre materia evidente no se manifiesta como tal, no nos damos cuenta de él.

Tu desnudez se ofrece como un río escapando.

El cuerpo desnudo de una muchacha tendida en una pradera puede objetivamente asemejarse a un río. Si a un poeta del siglo XVII, con suficiente arrojo, se le hubiese ocurrido imagen tan valiente, sin duda habría intentado disminuir la osadía de la comparación con negaciones o calificativos que intensificasen de algún modo el parecido objetivo (a la manera del ejemplo, antes citado, del gongorino "pájaro de Arabia"). Quizá el resultado hubiera sido entonces, más o menos, el siguiente:

> Tu desnudez se ofrece como un río
> que no escapase...,

o bien:

> Tu desnudez se ofrece como un río
> parado, quieto y con volumen sólido.

Pero Aleixandre, subrayemos, no hace esto, sino lo contrario: aleja aún más la semejanza física entre el río y la muchacha, al escribir con un atrevimiento sólo posible en nuestro siglo:

Tu desnudez se ofrece como un río *escapando*.

La muchacha inmóvil no se identifica con un río "quieto", sino, al revés, con un río "escapando". Lo que la imagen hubiese tenido de tradicional tiende así a desvanecerse, incrementándose, en cambio, su silueta visionaria. Porque el parecido que Aleixandre percibe entre ese desnudo y el río reside en la *impresión* que ambos seres le producen: una impresión de frescura, de algo que metafóricamente llamaríamos musicalidad (y cuyo implícito soporte objetivo sería, indudablemente, la *naturalidad* de las dos criaturas). Por supuesto, esa impresión de natural frescor, de silvestre oreo, la produce con más intensidad un río libre, un río "escapando", que no un río de estancadas aguas o de congelado volumen. Ello hace que el poeta se desinterese del parecido físico inmediatamente reconocible por la razón, para aumentar, en cambio, la semejanza emocional entre las dos esferas de la imagen, y por consiguiente, eso sí, la otra semejanza objetiva entre ellas, que, por más remota, no llega a hacerse consciente en la lectura y sólo se halla *implícita,* repito, en la emoción: *verbi gratia*: la elementalidad de los dos objetos comparados, el desnudo y el río que escapa.

Es afirmar lo mismo con otras palabras hablar, como hicimos más arriba, del carácter racionalista de la imagen tradicional y del irracionalista de la imagen visionaria. Pues, como acabamos de comprobar, la primera exige una intervención raciocinadora que no exige la segunda. Es más, cuando leemos

un pajarillo es como un arco iris

no sólo nos emocionamos sin averiguar por adelantado que el pajarillo y el arco iris se asemejan en su "inocencia", sino que nuestra emoción no precisa siquiera saber *racionalmente,* sino sólo *sentir* que ese par de seres nos parecen iguales porque los dos nos producen ternura. Aun en este caso, la emoción precede al análisis, el cual, igualmente, es lujo innecesario del que podemos prescindir. Una comparación nos pondrá en claro sobre la legitimidad de este nuevo modo de imagen. Pasamos por una habitación que huele a heno, y puede ocurrir que este olor, *sin que sepamos por qué,* nos ponga alegres. Un análisis del hecho nos mostraría acaso, por ejemplo, que en otro tiempo hemos percibido los efluvios del heno en momentos de gozo. El olor y el estado de ánimo placentero formaron en nuestra alma una representación sintética, indivisible, y ahora, al advenir uno de los elementos del conjunto unitario, adviene el otro. Pero esta explicación que doy es ajena por completo a nuestro gozo actual ante el olor del heno, que no la necesita para existir. Nos alegramos sin saber por qué, del mismo modo que al leer:

un pajarillo es como un arco iris

experimentamos la descarga estética sin conocer la causa de que la equiparación entre el pajarillo y el arco iris sea posible. La imagen visionaria es irracionalista, pero no caprichosa. La ausencia de arbitrariedad es en ella tan absoluta como en la imagen de otros tiempos.

Este carácter irracional de la imagen visionaria (y lo mismo diríamos de la visión y del símbolo, que, como después veremos, responden a sus mismas características esenciales) nos indica que la aparición de ésta en la literatura no podía producirse hasta que hubiese entrado en grave crisis el racionalismo estricto de los siglos anteriores [6]. La nueva posición vital del hombre contemporáneo que hemos esbozado páginas atrás [7] es, pues, la que ha producido el nuevo sistema imaginativo (y, en general, el nuevo aspecto de la poesía). Pero del mismo modo que la nueva posición vital no es sólo ruptura con una generación anterior, sino con toda una era que comienza acusadamente en Descartes y se dibuja más débilmente desde antes del Renacimiento, la nueva imagen (la nueva lírica) no rompe sólo con una escuela precedente, sino con todo un vasto período literario que se extiende, aproximadamente, desde el siglo XVI hasta el siglo XIX: en el romanticismo empieza ya a resquebrajarse. (Al hablar del símbolo machadiano tendremos ocasión de insistir sobre esta última cuestión.) De ahí se deduce la trascendental importancia de la poesía contemporánea para la historia de la poesía, y también, como consecuencia, la eminencia de su valor estricto. Pues no es lo mismo seguir (aunque sea con originalidad) caminos tradicionales que tener que trazar los caminos mismos. En igualdad de condiciones, la cantidad de empuje creador que el poeta contemporáneo ha precisado poner en actividad es necesariamente mayor, y ello influye correlativamente en nuestro aprecio estético, una vez llegada la hora del juicio crítico.

---

[6] Imágenes visionarias, símbolos y visiones los ha habido antes del período contemporáneo, aunque muy esporádicamente. Sin embargo, en este caso las excepciones vienen verdaderamente a confirmar la regla establecida y no a rebatirla. El símbolo y la imagen visionaria son visibles en San Juan de la Cruz, cuya obra, por su carácter místico, es un intento de bucear en lo más oscuro y escondido del alma. La visión, la imagen visionaria, y también el símbolo, se dieron en la lírica y en la fraseología popular, animadas desde siempre por un espíritu alógico. Se produce, como vemos, el fenómeno visionario siempre que un estadio cultural, una escuela, una clase de poesía o un poeta determinado, por uno u otro motivo, se colorea de irracionalismo.

[7] Véase la pág. 93.

IMÁGENES VISIONARIAS EN
EL LENGUAJE COLOQUIAL

En un conocido ensayo, Ortega se propuso investigar la imagen poética contemporánea. De su análisis extrajo la consideración de un proceso, cuyo inicio supone en Mallarmé, según el cual, el parecido objetivo entre los dos planos metafóricos va haciéndose cada vez más tenue y remoto, hasta un punto en que el "control" del lector, dice, se aniquila, y éste deja de percibir la semejanza. Si ello fuese verdad, o mejor, toda la verdad, los poetas contemporáneos hubiesen incurrido en error gravísimo, en arbitrariedad y aberración. Pero como sabemos, las cosas son otras, aunque la observación de Ortega se base, muy parcialmente, en un hecho cierto. Lo que Ortega no vio es que el creciente distanciamiento y disimilitud entre los objetos comparados iba siendo sustituido por otro género de equivalencias, perfectamente legítimas y experimentables: las del efecto producido en el lector por los términos equiparados. La imagen visionaria, lejos de ser fruto de un capricho incontrolable, resulta una genial innovación. De ningún modo es menos humana ni natural (permítaseme el uso de tan dudosa expresión) que la utilizada tradicionalmente. La prueba de esa "naturalidad" y "humanidad" (si fuese necesario probar algo en sí mismo evidente) la hallamos en el hecho de que ese mismo tipo metafórico es utilizado por el hombre precisamente cuando el hombre se manifiesta con más espontaneidad: en el lenguaje coloquial y en el sueño, e incluso, a veces, en el lapsus linguae. Veámoslo.

Todos hemos escuchado en boca de españoles, siempre tocados de terribilidad sexual, esta frase alucinante: "Fulana está como un tren". A un soldado le oí la siguiente pregunta retórica, dicha como "piropo", al paso de una esbelta muchacha: "¿dónde vas, camión?" En ambos casos, se trata de imágenes visionarias en estado puro. Una guapa chica, en principio y de modo directamente apreciable, no se parece nada a un "tren" o un "camión", como un "pajarillo" no se parecía nada, en ese mismo sentido, a un "arco iris". Pero a ciertos compatriotas nuestros, por lo visto, el tránsito de la gracia femenina les produce un *efecto* que por su maximalismo se asemeja al que un tren o un camión les suscita. Obsérvese que también aquí, como en los casos antes citados de poetas contemporáneos, la ecuación metafórica se basa en la emotividad y no en la similitud objetiva, pues esta sólo sirve de medio, imperceptible, además, por lejana y mínima, para el logro de aquella. Lo que un "camión" o un "tren" tengan de común con una linda muchacha es, en efecto, tan remoto y minúsculo que incluso se resistiría a un análisis que no sea escrupuloso y bien encauzado. Intentémoslo. De esa mujer ¿qué es lo que produce la fuerte impresión susomentada? ¿Y qué de ese tren o camión? Evidentemente, en la primera interrogante se trata de la *gran* belleza; en la segunda, de la *gran* aparatosidad y concomitancias sonoras (ruido, etc.). El punto de coincidencia aparece, pues, en el adjetivo de cantidad y consiste en *grandeza*. Pero como la grandeza en ambos casos se refiere a cosas tan discrepantes entre sí, el elemento comunitario, tapado por la discrepancia misma de los objetos en relación, se echa de ver menos aún que en los otros ejemplos visionarios, antes aducidos. Diríamos que es más visionario todavía, más valiente y "avanzado" que ellos, y tanto como el que más lo sea. Cuando Vicente Aleixandre escribe:

> Águilas como abismos,
> como montes altísimos,

crea dos imágenes muy semejantes a las coloquiales de que hicimos mención. También aquí la relación "águilas-abismos", "águilas-montes altísimos" se fundamenta sólo emotivamente, porque el parentesco objetivo no comparece en la intuición lectora de modo inmediato, sino sólo por implicación, que únicamente un análisis extraestético revelaría. Partamos de la percepción intuitiva. Tal como la palabra "águila" se nos da en el contexto, suscita en mí una impresión de fuerza y energía que se parece a la que me suscita el vocablo "abismos", o la expresión "montes altísimos". *Detrás* de esa impresión, que es lo único que cuenta en la creación y en la lectura, se halla el parecido objetivo, como un soporte no inteligible de la emoción. Quiero decir que ese soporte, aunque invisible, permite el montaje emocional, y sin él éste no se daría. ¿En qué se asemejan objetivamente un águila y un abismo, o un águila y un monte altísimo? El águila tiene vigor *grande,* y el abismo o el monte altísimo, por su magnitud, tienen asimismo grandeza. Se trata, pues, exactamente de lo mismo que veíamos en el caso coloquial anterior. Lo curioso es que el soldado que llama "camión" a una muchacha que le gusta, o la persona que dice de Carmen "que está como un tren", puestos frente a los dos versos aleixandrinos que hemos comentado, probablemente los declararían incomprensibles. Así de sorprendentes somos los hombres.

LA IMAGEN VISIONARIA
Y LA IMAGEN ONÍRICA

Pasemos ahora a las imágenes oníricas. El sueño, según lo entiende el psicoanálisis, aunque utiliza también metáforas de cariz gemelo a las que apellidábamos "tradicionales" (esto es, basadas en la semejanza objetiva inmediatamente perceptible de dos elementos), emplea característicamente otras imágenes que sólo por paralelismo con lo que ocurre en la lírica denominaríamos visionarias: imágenes que se fundamentan en la emoción parigual que dos términos suscitan en el soñador. Quisiera poner un ejemplo claro de ello: ha de permitírseme, en consecuencia, agrandar, algo caricaturescamente, los hechos, simplificándolos a la vez, para que su mayor tamaño y menor complejidad les confieran límites netos, claramente reconocibles.

Supongamos que la persona Z ha sido objeto de amenazas por parte de X; supongamos también que Z, en otro tiempo, hubiese presenciado un crimen en un encinar. Cabe que cierto día esa persona Z sueñe con una encina que le aterroriza. El análisis de tal sueño pudiera mostrarnos a las claras que la encina aterrorizante no es en el proceso onírico otra cosa que la representación imaginativa (o "contenido manifiesto") de una diferente realidad (o "contenido latente"): la persona de X [8]. Es evidente, pues, que el sujeto ha establecido oníricamente la relación imaginativa entre la persona de X y un árbol, no porque ambos seres ostenten objetivamente un parecido, sino en virtud de que ambos le suscitaron, en distintas épocas de su vida, un sentimiento semejante: terror.

Hasta aquí, la imagen visionaria y la imagen onírica de tal especie funcionan, en la apariencia, al menos, de igual modo. Sin embargo, seguramente los lectores habrán observado la esencial disparidad entre un fenómeno y otro. La emoción de que la imagen visionaria es sustentadora en poesía pretende ser *universal*. Quiero significar con ese adjetivo que, si la imagen está poéticamente lograda, todo hombre sensible ha de experimentar, aunque de modo oscuro, sin raciocinio, la semejanza emotiva que existe entre los dos planos de la metáfora, el real y el fantástico; por ejemplo, entre un pajarillo y un arco iris. Si ese emocional contacto no se experimenta de modo general, es que el artista, pese a su voluntad en pro, ha fracasado en su menester.

Ahora bien: ¿poseen universalidad las imágenes oníricas de esta clase? Evidentemente, no. El soñador de nuestro cuento asocia un árbol a un hombre, gracias a que en su vida, en su vida personalísima, intransferible, le aconteciera un hecho que sólo a él le ha atañido: contemplar con espanto un asesinato en un encinar. Si a todas las criaturas les hubiese sucedido algo idéntico y en todas se hubiese provocado un resultado psíquico igual (cosa, claro es, prácticamente imposible) la imagen sería válida para todas ellas. Pero como ello no ocurre, sólo al protagonista que hemos inventado (y quizá, casualmente, a alguna otra persona aislada) puede servirle esa imagen como representación de lo que ocasiona miedo.

En suma: las imágenes oníricas de que hablamos son, en principio, sólo individualmente serviciales; se vinculan valiosamente

---

[8] La encina se le presenta a Z en el sueño asociada a un sentimiento de terror porque en otro tiempo, como hemos dicho, Z asistió a una escena terrorífica (un crimen) en un encinar. Y ese árbol, a su vez, es en el proceso onírico representación figurada de X, porque también X, con sus amenazas, ha suscitado previamente terror en el sujeto.

a un solo ser: el que las sueña. Por el contrario, las imágenes visionarias se caracterizan por su universalidad; se dirigen sustantivamente al vasto grupo de los hombres, aunque accidentalmente algunos no lleguen a apreciarlas por una quiebra de su personal sensibilidad.

LA IMAGEN VISIONARIA
Y EL "LAPSUS LINGUAE"

Un resultado similar obtendremos al comparar la imagen visionaria con el *lapsus linguae*. Ambos fenómenos poseen idéntica raíz, y su diferencia será la misma que hemos observado entre el procedimiento poético y la manifestación onírica. Recuerdo que cierto amigo mío, novio de una muchacha a quien denominaré Rosario, se encontró una mañana con un compañero de estudios que llevaba de paseo a una hija suya de tres años, de nombre Clara. Mi amigo sabía perfectamente cómo se llamaba la niña, pero al acariciarla con ternura, le dijo, erróneamente, "Rosarito". Este *lapsus linguae* es, a todas luces, equiparable a la imagen contemporánea que conocemos. El sujeto de nuestra anécdota llamó Rosarito a Clara porque Clara le inspiró en aquel instante un sentimiento de ternura parecido (con las naturales diferencias) al que su novia le provocaba. La coincidencia que buscamos entre el par de actividades a cuyo análisis atendemos se nos evidencia si reducimos ambas a una fórmula única. En los dos casos (el poético, el psicológico) una persona (el poeta, el amigo de nuestra historia) ha otorgado a un ser (el pajarillo, Clara) el nombre de otro ser (arco iris, Rosario), *en principio* no porque tales criaturas se parezcan objetivamente, sino porque ellas le producen sentimientos aproximados. Sin embargo, los hechos que acabamos de relacionar no se confunden totalmente. La imagen visionaria es universal (ya sabemos lo que esa palabra significa), mientras el *lapsus linguae* es (como la metáfora de los sueños acostumbra) de índole particular. Sólo el protagonista del suceso narrado (o únicamente *por azar* otra persona en circunstancias de análogo personalismo) es capaz de vivir la relación emotiva que dio origen al error.

LA IMAGEN VISIONARIA
Y LA IMAGEN CÓMICA

Cambiemos ahora de puntos de vista, y preguntémonos cuál sea uno de los efectos que a veces produce la poesía "contemporánea" (y más concretamente sus imágenes) a ciertos lectores escasamente avezados a ella. No sé si otros poseerán la misma experiencia que yo poseo a este respecto. Sé decir que he visto con alguna frecuencia que lectores tales se reían al encararse, por ejemplo, con un poema de Lorca.

Pero la risa no es un fenómeno inmotivado. Algo, pues, habrá en la estructura de esa poesía que permita de algún modo incorrecto la hilaridad, a primera vista por completo inexplicable.

La más leve meditación sobre el asunto nos lleva a este primer resultado de enunciación casi superflua: aquellos individuos veían las imágenes visionarias de la lírica lorquiana *como si fuesen imágenes cómicas*. Este punto de partida, aunque de faz aparentemente obvia, nos va a descifrar el enigma que la sorprendente risa ha planteado. Sólo nos falta examinar qué cosa sea una imagen cómica; o con giro más exacto: en qué se distingue una imagen cómica de una imagen poética.

La cosa no parece grave: ya en un libro mío anterior [9] intenté, de paso, obtener la diferencia entre ambos tipos de imágenes que más adelante [10] hemos de esclarecer quizá por completo. El poeta busca, ante todo, la adecuación entre lo comparativo y lo comparado. El humorista hace casi lo contrario. Precisamente es la desmesura del símil el estimulante de la carcajada. Cuanto mayor sea (dentro de ciertos límites) la distancia entre la realidad y la evocación, más grotesco será el resultado.

---

[9] *La poesía de Vicente Aleixandre.*
[10] Véase el Capítulo XIII, págs. 318-319.

Es decir: la metáfora cómica atenúa la analogía entre los objetos comparados, mientras la poesía procura incrementarla, establecerla al máximo. Ahora bien: un lector que no perciba la equivalencia emocional de los planos visionarios ¿qué ve en esa suerte de figuraciones? Sólo la desemejanza física, el alejamiento formal de sus dos esferas, realidad y evocación: contempla las metáforas visionarias *con la misma estructura de las metáforas cómicas,* y, por consiguiente, se ríe.

LA SUSTITUCIÓN EN LA IMAGEN TRADICIONAL Y EN LA VISIONARIA

Miremos ahora la imagen desde el punto de vista que a nosotros nos concierne de modo más directo. Hemos visto ya en la página 68 que la metáfora es un fenómeno de sustitución. No voy a repetir aquí, pues, lo que allí quedó dicho. Cabe, sí, preguntarnos en este lugar qué clase de sustitución encontramos en la metáfora. ¿Sirve este procedimiento para expresar el grado exacto de un afecto (tipo A), para trasmitir en toda su nitidez una percepción sensorial (tipo B) o alude a la complejidad de un contenido psíquico (tipo C)?

Estamos ya en condición de responder a estas cuestiones. La imagen tradicional era, sustancialmente, aunque no siempre [11], claro es, sensorial, pertenecía al tipo B, puesto que se basaba la mayor parte de las veces en la semejanza física de los objetos; y cuando no era exactamente así (véase la página 107) se trataba en ciertos casos de algo asimilable a ello, desde nuestro punto de vista. Cuando un poeta renacentista llamaba "cristal" al agua, "oro" al cabello, "perlas" a los dientes, o "nieve" a un blanco cutis femenino, se proponía, ante todo, trasladarnos en su nitidez una percepción de esa índole: nos expresaba la peculiar coloración de una determinada piel, de un determinado pelo, el singular brillo de unos dientes o de un agua.

---

[11] En ocasiones, la imagen tradicional es de tipo A. Si yo digo: "Juan es un asno" expreso el grado de mi desprecio por Juan.

Pero el caso de la imagen visionaria es diferente. Lo que la imagen visionaria nos da a entender no es, en principio, la nitidez de una percepción sensorial, puesto que nada sensorial une la esfera de realidad con la esfera de evocación, sino la intensidad en el sentimiento que un objeto nos provoca. La imagen visionaria no pertenece, pues, al tipo B, sino al tipo A. En una frase tal:

un pajarillo es como un arco iris,

el plano fantástico ("arco iris") lo que hace es establecer el grado aproximadamente justo de nuestro *sentimiento* ante un pajarillo. Viene a decirnos el poeta: "ese grado emocional es el mismo que un arco iris suele originar en nuestro ánimo".

¿A qué conclusiones nos llevan estos resultados (que el análisis de la visión y en cierto modo el análisis del símbolo no harán sino confirmar)? Diríamos, de inmediato, que la lírica, que no es más que una particularización de la cultura en sentido general, ha sufrido en su evolución, como no podía ser menos, el proceso mismo de ésta hacia un subjetivismo o idealismo cada vez más agudo. Pero si nos fijamos más en lo que es una imagen visionaria, lo dicho aparece con bulto más destacado y ejemplar. En efecto: el subjetivismo o idealismo extremado hace que el mundo no importe sino como productora de reacciones psíquicas. Esto es, el mundo como tal desaparece y es sustituido por sus efectos en mí. Como consecuencia, si soy poeta puedo hacer una metáfora en que el mundo no cuente y sí mi emoción ante él. ¿Qué valor tendrá, pues, en tal caso, que A y B (el plano real y el evocado) se parezcan o no? A y B son lo repudiado: el mundo. Sobre el parecido o no parecido de A y B, que declaro ininteresante, primarán mis interesantísimas afecciones. Si A y B me producen sentimientos parejos, puedo emparejar a A y B en una ecuación imaginativa, ya que resultan similares en lo que a un campeón del idealismo como yo soy le merece más crédito. La imagen visionaria es, pues, el resultado, no sólo del irracionalismo contemporáneo, según hemos visto antes, sino del subjetivismo. Esto quiere decir, que esa imagen es dos veces resultado del subjetivismo: inmediata y mediatamente, puesto que el irracionalismo, que también la produce, es, a su vez, consecuencia del idealismo subjetivista.

2. LA VISIÓN

Hasta aquí no hemos hecho otra cosa que encarar la imagen tradicionalmente usada con una de las especies que privan en la lírica "contemporánea". No pensemos, sin embargo, que el repertorio metafórico actual se agota en la imagen visionaria. Queda afirmado más arriba que en los versos contemporáneos son discernibles otras dos operaciones imaginativas tan importantes estadísticamente como aquélla: el símbolo y la visión.

La fisonomía de este último fenómeno, analizado por mí en otra parte [12], es enteramente peculiar, hasta el punto de parecernos la visión un hecho difícilmente clasificable como metáfora. Si llamamos metáfora únicamente a la superposición o yuxtaposición de dos *seres* dispares que el poeta confunde en uno sólo, la visión, evidentemente, no es una metáfora. En la visión no encontramos ya un plano real sobre el que otro, evocado, se cierne. No podemos realizar una *traducción,* como en cierto sentido resultaba hacedero en la imagen tradicional y en la que hemos llamado visionaria. Del mismo modo que cuando Góngora decía "oro" nosotros interpretábamos "cabello rubio", un poeta contemporáneo podía aludir a un arco iris para hablarnos de un pajarillo. En ambos casos, bajo la diversa clase de imagen, existe una esfera de realidad. Tal esfera no existe en las visiones, donde veo la simple *atribución de cualidades o de funciones irreales a un objeto.* A partir de Bécquer, en cuyas rimas comienza a manifestarse, la visión se instaura en la poesía española, y su abundancia se vuelve característica desde los alrededores de 1925, sobre todo en la escuela de aproximación "supra-realista". Cuando el autor de *Sombra del Paraíso* se dirige a un ser humano diciéndole:

---

[12] La visión fue usada antes en la poesía popular. Véase mi libro ya citado, pág. 144.

Sí, poeta; arroja de tus manos este libro que pretende encerrar en sus pági-
    nas un destello de sol,
y mira la luz cara a cara, apoyada la cabeza en la roca,
mientras tus pies remotísimos sienten el beso postrero del poniente,
y tus manos alzadas tocan dulce la luna
y tu cabellera colgante deja estela en los astros [13].

nos ha introducido una típica figuración de ese orden. Es una
visión porque el poeta concede a un objeto real (cuerpo humano)
cualidades que no puede poseer (tamaño cósmico), sin que esa fantasía (persona de dimensiones más que gigantescas), a distancia
de lo que ocurre en los otros tipos de imagen, encubra ninguna
esfera de realidad. Es ella misma una realidad tocada de algunas
propiedades irreales. No es máscara bajo la cual se esconde un
rostro de perfil diferente, sino que se trata del mismo rostro real,
bien que deformado en alguno de sus elementos. Tal es muchas
veces la causa de que a un lector no avezado pueda resultarle ininteligible la poesía "contemporánea". Busca una traducción para
las visiones, un objeto real, distinto, al que referirlas. Es éste un
simple error de enfoque, provocado por la costumbre de leer la poesía de escuelas anteriores.

    Pero si debajo de una visión no hay un objeto real, habrá, sin
duda, *algo* real que la justifique, pues el hombre sólo está interesado en la realidad, y nunca en lo irreal puro, que le es, por absurdo, inexpresivo. Lo irreal sólo cuando sirve de medio para expresar indirectamente lo real se halla en condiciones de adquirir
aptitudes poéticas. Ha estado, sin embargo, de moda entre críticos
y teóricos de la poesía contemporánea creer que la irrealidad en sí
misma puede ser estéticamente interesante. Pero como ello no es
verdad, lo que llamamos visiones han de querer decir algo, y algo
posible en el mundo humano auténtico. Ahora bien: ese algo que
quieren decir lo quieren decir de un modo tan especial que ello ha
dado pie a los equívocos irrealistas a que acabo de referirme. En
efecto: en las visiones, la cualidad o función irreal b que atribuimos al objeto real A es, en principio y exclusivamente, un aparato

---

[13] "El poeta", de *Sombra del Paraíso*.

de afecciones, pues tiene como única misión la de producir en mí una impresión Z, único dato que mi intuición lectora contiene. Pero si b, el elemento irreal, puede emocionarme de ese modo Z se debe a que el objeto real A posee *de veras* ciertas cualidades a_1 a_2 a_3... que suscitan en mí la misma emoción Z que me suscita b. En suma: el poeta ha atribuido a A la cualidad o función irreal b porque desde el punto de vista subjetivo, o sea, desde la emoción recibida Z, tanto da mentar b como mentar el complejo calificativo o funcional a_1 a_2 a_3..., de que verdaderamente el objeto A es portador. Digamos, aunque sea de paso y entre paréntesis, que las visiones, como las imágenes visionarias, sólo se han hecho, pues, posibles en un instante cultural de signo marcadamente subjetivista, en que lo de menos sea el mundo objetivo (A con cualidades que no son b) y lo de más la impresión que ese mundo produzca en mí (Z). Mas volvamos a nuestra cuestión.

Si b, la cualidad irreal, es atribuida a A en cuanto que A tiene de veras el conglomerado de propiedades a_1 a_2 a_3..., no hay duda de que b *representa* a ese conglomerado, o sea, que lo *expresa* implícitamente a través de sus resultados afectivos Z. El análisis de Z, pues, nos lo descubrirá, de un modo característicamente borroso e indeterminado, como luego diré. Pero fijémonos bien en esto: la congregación a_1 a_2 a_3 no aparece en Z de modo evidente; al revés, está tapada por la propia emoción Z, oculta en su interior; en otros términos: está *implicada* en Z, metida en su cerrada *plica*, invisible por tanto. De ahí que sea necesario el análisis si, llevados por una curiosidad extrapoética, deseásemos conocer la justificación en la realidad A del término irreal b. El elemento irreal b expresa, pues, algo real: a_1 a_2 a_3... Pero, como adelantábamos, tal expresión se produce de un modo muy particular, que ha inducido a graves errores interpretativos. En efecto: el ingrediente real a_1 a_2 a_3..., justificativo del irreal b, no es inmediatamente perceptible en nuestra intuición Z. Desde el punto de vista de ésta, que es lo único de que el lector tiene noticia clara, *no existe*, puesto que no se le *ve*. Nos explicamos que, equivocándose, tantos críticos negasen su existencia. Pero si en nuestra intuición no aparece la serie a_1 a_2 a_3... ¿qué función *estética* cumple tal serie? Una función esencial: permitir que *b* nos mueva a la intuición o emoción *Z*, pues sin la apoyatura real a_1 a_2 a_3..., *b* sería experimentado como absurdo [14]. Usando una terminología que sólo más adelante tendrá sentido, diré que a_1 a_2 a_3... permite el *asentimiento* a *b*.

No sé si el lector habrá podido seguir con facilidad las anteriores reflexiones, tal vez demasiado abstrusas. Descendamos a ejemplos concretos. Cuando leemos el pasaje aleixandrino arriba transcrito:

Sí, poeta; arroja de tus manos este libro que pretende encerrar en sus páginas un destello de sol,
y mira la luz cara a cara, apoyada la cabeza en la roca,
mientras tus pies remotísimos sienten el beso postrero del poniente,
y tus manos alzadas tocan dulce la luna
y tu cabellera colgante deja estela en los astros.

recibimos una impresión *Z* de grandeza, originada en la cualidad irreal *b*, desmesura física, que se atribuye al objeto real *A*, un cierto hombre, puesto en comunicación con lo natural. De esa intuición o impresión *Z* de grandeza no pasaremos, en tanto que seamos sólo lectores. Para avanzar hacia un más allá especulativo y ya no estético, debemos dejar de ser lectores propiamente tales y convertirnos en otra cosa: en críticos. Esto es, debemos separarnos de nuestra intuición, extrañarnos de ella y examinarla, desde fuera, como algo ajeno a nosotros. Entonces es cuando ha sonado la hora de contemplar al tamaño cósmico (*b*) de un cuerpo humano como expresivo de algo (*a* ...) realmente poseído por ese cuerpo (*A*). Entonces y sólo entonces nos damos cuenta de que la desmesura física (*b*) representa la grandeza espiritual (*a*) de quien "apoyada la cabeza en la roca" comulga así con la naturaleza. En este ejemplo, la cualidad atribuida, *b* (tamaño cósmico), se conexiona, al menos en nuestra formulación, con una sola cualidad real *a* (fuerza de un espíritu). Pero generalmente no ocurre así, y por eso en el esquema anterior hablé de un conglomerado a_1 a_2 a_3...

---

14 Véase el Apéndice "Poesía contemporánea y sugerencia".

y no de un solo término *a*. Aduzcamos un ejemplo claro de ello, tomado también de la obra aleixandrina. En el Paraíso:

> los hombres por un sueño vivieron, no vivieron,
> eternamente fúlgidos como un soplo divino.

A un cuerpo humano *A* el poeta le concede aquí una cualidad irreal *b*, la fulguración. "Hombres fúlgidos" es así una visión, que me impresiona de un modo *Z*: Ante esos cuerpos experimento, digamos, admiración. Ahora bien: como lector, esto es, intuitivamente, no puedo saber más. Ignoro por qué el poeta dice de esos cuerpos que fulgen. No me ocurre aquí lo que me ocurría en la imagen tradicional, cuando ante el plano evocado *B*, oro, yo sabía muy bien (y necesitaba saberlo para emocionarme) que con esa irrealidad se pretendía dar a entender lo rubio de un color. Aquí, por el contrario, *no sé*, de buenas a primeras, lo que la expresión irreal "fúlgidos" signifique y tenga dentro de sí; no veo, sin más ni más, las cualidades a_1 a_2 a_3... de que esos cuerpos son indudablemente portadores. Si quiero penetrar hasta esa base real oscurecida y taponada debo, como dijimos ya, abandonar el acto estético y analizar nuestra intuición. Hagámoslo. ¿Qué cualidades reales de esos cuerpos me producirían ese mismo efecto *Z* de admiración que advierto en mí al imaginar unos cuerpos fúlgidos? Y es ahora, tras esta pregunta y el consiguiente análisis, cuando nos damos cuenta de que el brillo perenne está condensadoramente reflejando varias cualidades *meliorativas* de esos cuerpos, cualidades que *groseramente* inferiríamos como una dulce felicidad (a_1), una prístina, inagotable inocencia (a_2), una gloriosa juventud (a_3) y belleza (a_4), etc. La emoción que despierta en nosotros ese fulgor corpóreo se aproxima, en efecto, a la que tales condiciones en su conjunto acarrean.

Pero añadamos algo esencial, sólo apuntado, y muy de pasada, más arriba. En las visiones, el complejo real a_1 a_2 a_3... que implícitamente se mienta con la cualidad o función irreal *b* no sólo no aparece inmediatamente en la intuición, tal como queda dicho, sino que tras el análisis extraestético tampoco asoma con claridad, sino con una confusión, borrosidad e indeterminación que son absolutamente características. Repásense los casos anteriores para comprobarlo. O este otro, de una pieza que se titula "El Poeta".

Para ti que conoces cómo la piedra canta.

¿Qué significa Aleixandre en este verso al decir visionariamente que *A*, "la piedra", "canta", *b*? Como en los otros ejemplos, no lo sabemos de inmediato, y sólo podremos alcanzarlo a través del análisis de la emoción *Z* que experimentamos. *Como esa emoción tiene signo positivo*, las cualidades reales a_1 a_2 a_3... de la piedra que así se sugieren *serán positivas también*. En rigor, apenas podemos añadir nada más a este resultado, pues todo lo que digamos por encima de ello, amenaza con ser una "exageración", todo lo leve y hasta necesaria que se quiera, de lo que, en efecto, se implica en nuestra intuición lectora. Pero decididos a traicionar así lo que en verdad nos es dado, especificaríamos algo más, pues conociendo la obra completa de Aleixandre, esa traición deja de serlo, en cierto modo. Y así concluiremos que el cántico de la piedra expresa difuminada, "inconfesablemente", su naturalidad o elementalidad (a_1), sentida como algo altamente valioso.

Resumiendo todo lo anterior: las visiones se caracterizan por tres notas fundamentales: 1.ª La cualidad irreal *b* aparentemente no pretende sino impresionarnos de un modo *Z*, de manera que, a primera vista, se trata de una pura irrealidad que, no sabemos cómo ni por qué, resulta emocionante, esto es, poética. De esta primera propiedad de las visiones viene, como he insinuado, el error de creer que ciertas expresiones de la poesía contemporánea sólo tienen sentido poético, no reducible a lenguaje discursivo. 2.ª Pero un análisis de nuestra emoción, y *a posteriori*, por tanto, de ella, descubre siempre un lazo entre lo irreal *b* y ciertos ingredientes reales a_1 a_2 a_3... de *A*. 3.ª Mas esos ingredientes no aparecen nítidamente en el análisis, sino con una difuminación o imprecisión que justamente caracterizan a las visiones. Quiero decir que donde no se da esa niebla y percepción brumosa no hay visión, aunque formalmente parezca ésta existir. Por ejemplo, si yo digo "mano nívea" atribuyo a "mano" una cualidad irreal, ser "nívea". Pero eso no es visión, sino metáfora tradicional, porque el significado *real* del adjetivo "nívea", adjetivo *irreal* cuando aplicado a "mano", 1.º comparece en la impresión lectora misma, sin análisis, y ello tan esencialmente que tal comparecimiento es condición *sine qua non* del goce estético. (Y así no nos emocionamos si no sabemos sin ninguna vacilación que "nívea" alude claramente a la extremada blancura de esa mano.) Y 2.º No hay, pues, *vaguedad* en lo que "nívea" quiera decir de "mano", al contrario de lo que pasa en las auténticas visiones.

Ahora bien: hay un caso en que las visiones pierden ese peculiar desdibujamiento de su significado "realista": cuando se lexicalizan, esto es, cuando entran en el lenguaje ordinario, convertidas en dichos. Pues hay que advertir que aunque las visiones son propias de la poesía culta contemporánea, como fruto de su irracionalismo y subjetivismo, se han dado, en otra proporción, siempre que un ámbito semejante no racional las ha podido cobijar y alentar. Así, en la poesía popular [15], que siempre ha tenido una dimensión irracionalista; o en el lenguaje coloquial, por el mismo motivo. Pongamos un ejemplo diáfano de esto último, y comprobemos cómo, al lexicalizarse, las visiones pierden su carácter de tales, justamente al perder la indeterminación significativa. Todos hemos oído hablar de que cierta mujer va vestida con "colores chillones". Los colores no chillan. "Colores chillones" es así una visión, concretamente, una sinestesia. (Aprovecho la oportunidad para aclarar que todas las sinestesias son casos particulares de visiones, pero sólo eso. Quiero decir que las visiones son un fenómeno de mucha mayor amplitud. La crítica conocía la particularización "sinestesia" del fenómeno, pero no el fenómeno mismo: ni en cuanto a su vastedad, ni, lo que importa más, en cuanto a su estructura.) Sigamos. ¿Qué quiere decir "colores chillones"? La respuesta *no se hace esperar* y es, además, *contundente*: "colores chillones" significa "colores vivos" o mejor, sobre todo en su origen, "colores vivos e inarmónicos". La lexicalización, evidentemente, ha privado a esta visión de sus tres características esenciales, más arri-

---

[15] Véase en la pág. 478 de este libro una canción popular montada sobre una visión.

ba anotadas, pues en la conversación no usamos en principio las palabras para provocar vagas emociones, sino para decir algo concreto. Pero justamente lo palmario que se hace aquí el significado "realista" de ese irreal "chillido" muestra con bulto mayor la verdad antes enunciada sobre el trasfondo de significación últimamente real que toda visión tiene. Porque la primera vez y sólo la primera vez que alguien dijo "colores chillones" se expresó "visionariamente" (como pasa también en la frase: Juana está "como un tren"). Y en tal circunstancia, quien oyó esa creación idiomática podría haber hecho el siguiente análisis, idéntico en su formato a los nuestros anteriores: "El chillido (b) produce en mí una impresión desagradable (Z), que es la misma que ciertas cualidades de tales colores me causan. Yo no sabría decir sin análisis cuáles son esas cualidades; pero realizado éste las encuentro, aunque de un modo vago: se trata de cualidades con una negatividad del mismo tipo que el poseído por el chillido. Digamos, *algo así como* viveza (a_1) y falta de armonía (a_2)".

Nada de esto necesita *esforzadamente* decirse quien hoy escucha tal frase, porque al ser usada ésta como un tópico, y por tanto, con intenciones "representativas" (Bühler), conceptuales, ha necesitado concretar y sacar a un primer plano ese sentido último que al comienzo sólo existía, no sólo *implicado,* sino además de forma sumamente inconcreta, una vez extraído de su *plica* o *explicado.* Todo esto quiere decir que "colores chillones" fue una visión y ha dejado de serlo, como "reanudar" fue y ya no es, de hecho, metáfora. Y de nuevo nos sale al paso la paradoja: personas sin costumbre lectora de poesía contemporánea, que entienden perfectamente y emplean el giro "colores chillones", pueden extrañar y declarar acaso hermético el verso de Jorge Guillén:

carmines cantan: nubes,

que posee, no obstante, en principio idéntica configuración y "extrañeza". La "canción" (b) de esos "carmines" (A) despierta en mí un agrado entusiasta (Z), a cuyo través puedo entrar analíticamente del modo que sabemos, hasta hallar las cualidades reales de tales

colores, a las que el poeta *irracionalmente* alude: belleza (a_1),
armonía (a_2), viveza (a_3), etc.

Pasemos ya a la cuestión tipológica. Las visiones ¿son procedimientos de tipo *A, B* o *C*? Hemos visto que tales recursos en la
mayoría de los casos, o *si hablamos con rigor, tal vez en todos,*
sugieren difusamente y en síntesis todo un grupo de propiedades
(a_1 a_2 a_3) ínsitas en su objeto. Las visiones parecen ser, pues, de tipo
C. Pero nótese que las sugieren indirectamente en cuanto globalmente suscitadoras de una descarga emocional. Esto nos indica que
lo importante en las visiones no es tanto su carácter sintético, cuanto su carácter afectivo. Las visiones resultan manifestarse así como
un procedimiento de tipo *A*.

Después de separar con todo cuidado los conceptos de imagen
visionaria y de visión, he aquí que hemos llegado a un punto en
que ambos fenómenos coinciden: si la imagen visionaria nace de
la semejanza en el sentimiento que dos objetos ocasionan, la visión tendrá ese mismo origen. De ahí su parentesco. No hay, pues,
una diferencia esencial; la diferencia es sólo de configuración.
Mientras en la imagen visionaria (y en la tradicional) un *ser* fantástico desplaza a otro de la realidad (el arco iris al pajarillo, el oro
al cabello), en la visión cierta *cualidad* fantástica usurpa el puesto
de otra u otras realmente poseídas por el objeto: la altitud física
ocupa el lugar de la altitud espiritual, y la luz, el lugar de la belleza juvenil, de la inocencia, de la felicidad, etc., de unos seres.

Esta semejanza fundamental entre la visión y la imagen visionaria se nos hará más evidente aún si pensamos que con frecuencia las visiones pueden transformarse en imágenes visionarias con
sólo variar su contextura. En lugar de "hombres fúlgidos", el poeta podía haber dicho "hombres como luces". Imagen tal sería
visionaria porque los cuerpos humanos no se parecen en nada material ni espiritual ni de valor a las luces, y sí en algo emotivo:
esos cuerpos sugieren en nosotros un sentimiento análogo al que
las luces nos despiertan.

Ahora bien: ¿podríamos señalar en la visión "hombres fúlgidos" la presencia del lírico cuadrilátero (modificante, modificado,

sustituyente y sustituido) que, según hemos dicho, nunca falta en un instante poético? Nada más sencillo. La palabra "fúlgidos" dentro del poema es el *sustituyente* en cuanto alude a todo un grupo de cualidades que nos produce, en su conjunto, un determinado grado de un determinado sentimiento. Esa palabra fuera del poema no tiene ya ese sentido: significa sólo que algo, como el fuego, o el sol, tiene luz: he ahí el *modificado*. El *modificante* será, pues, el elemento que otorga a "fúlgidos" esa individualizada significación en el interior de la pieza; o sea, la palabra "hombres" unida a nuestro conocimiento de que los cuerpos humanos carecen en la realidad de fulgor. El *sustituido*, por último, estará formado por la frase con que la lengua expresaría impropiamente lo que el poeta nos dice con mayor propiedad. Algo así como esto: "erais eternamente juveniles, gozosos e inocentes y me llenabais de pasmo, de entusiasmo, de dicha".

LAS VISIONES EN LA COMICIDAD

Comprobemos una vez más que los procedimientos de la lírica tienen uso igualmente en la comicidad, y agreguemos ahora que en este último sector de la expresión es posible la aparición del recurso con un adelanto cronológico característico, en relación a la poesía, por razones que se harán obvias tras la lectura del capítulo XIII de este libro. Antes del período contemporáneo (si esta denominación abarca la obra de Bécquer y la de los poetas prebecquerianos) la visión se dio únicamente, dentro de la lírica, en la zona popular, no en la culta. Sin embargo, en la poesía cómica culta aparece algo muy próximo a la visión, ya que no una visión propiamente dicha (había que investigar despacio este pormenor), en la composición de Quevedo que se titula "Boda de negros". En sucesivos versos el poeta ha ido reiterando el adjetivo "negro". Y en la estrofa duodécima escribe:

> A la mesa se sentaron
> donde también les pusieron
> *negros* manteles y platos,
> *negra* sopa y manjar negro.

Ni los manteles ni los platos ni la sopa son negros en la realidad, aunque pudieran serlo. No se trata, pues, técnicamente, de una visión; pero sí de algo que, como he dicho, le es esencialmente afín.

Naturalmente, la comicidad contemporánea abunda en verdaderas visiones. En la revista de humor "La Codorniz", leo un artículo, firmado con el seudónimo de "Don Fernando", que empieza así:

Pollo sanísimo

Cuando llevamos a casa aquel pollo, que habíamos comprado vivo, todos coincidimos en afirmar:
—¡Es un pollo sanísimo! ¡Hay que ver la vivacidad que tiene!
Llegó el momento de matarle y optamos por el procedimiento más rápido: colocarle el cuello sobre la madera de picar carne y cortarlo de un solo y limpio hachazo.
Así lo hicimos, y la cabeza quedó cortada con extraordinaria limpieza.
Todos nos quedamos estupefactos, y a la vez aterrados, al comprobar que el resto del cuerpo permanecía como si nada le hubiese ocurrido. El cuerpo del pollo guillotinado cayó al suelo y empezó a pasear tranquilamente por la cocina.
—¡Ya decía yo que ese pollo estaba sanísimo! —comentó la muchacha.
Etcétera.

("La Codorniz", 5 de junio de 1955).

Nótese la visión: un gallo está tan sano (justificación cómica de la visión) que luego de ser decapitado sigue en pie como si nada le hubiese ocurrido. (Cualidad irreal atribuida.)

CAPÍTULO VII

EL SÍMBOLO

1. SÍMBOLOS SIMPLES Y SÍMBOLOS CONTINUADOS

Dentro de la consideración de la imagen contemporánea, únicamente nos resta alcanzar lo que un símbolo sea. En mi libro *La poesía de Vicente Aleixandre* he buscado un nuevo planteamiento y definición al concepto de símbolo expuesto por Baruzi [1], primero, y después, siguiendo una senda diversa, por Dámaso Alonso [2]. Estos autores sólo contemplaban en el símbolo el porte continuativo que *a veces* puede éste adoptar, y en consecuencia, todo el problema se reducía para ellos a hallar el punto de divergencia entre el desarrollo alegórico y el simbólico. Nuestro enfoque será radicalmente distinto. El símbolo puede, sin duda, ocupar la totalidad del poema o una parte considerable de él (varios versos, varias estrofas); *pero puede también* (y es lo más frecuente) *privarse de tal extensión.* Para nosotros no es, pues, ese hecho (la continuidad) la característica esencial de las figuraciones simbólicas, sino otro más entrañablemente ligado a la naturaleza del símbolo que no con-

---

[1] JEAN BARUZI: *Saint Jean de la Croix et le problème de l'expérience mystique,* 1.ª ed., París, 1924; 2.ª ed., 1931, pág. 223.

[2] DÁMASO ALONSO: *La poesía de San Juan de la Cruz,* Consejo Superior de Investigaciones Científicas, Instituto Antonio de Nebrija, Madrid, 1942, págs. 215-217.

sideraron los autores antes aludidos: que su plano real no aparece
en la intuición, que es de suyo puramente emotiva, sino en el análisis extraestético de la intuición. Ante un símbolo *B* nos conmo-
vemos, sin más, de un modo *Z*, y sólo si indagamos *Z* (cosa sobrante desde la perspectiva puramente poética o lectora) hallaremos el conglomerado significativo a_1 a_2 a_3 (al que en el símbolo
podemos llamar plano real "*A*"), que antes no se manifestaba en
nuestra conciencia por estar implicado y cubierto por la emoción
Z de que hablamos. Por eso precisamente he puesto la letra *A* entre comillas. En suma: la emoción *Z* que el símbolo *B* nos causa es
envolvente e implicitadora del plano real "*A*", esto es, del complejo a_1 a_2 a_3. Este complejo, una vez *des-cubierto* en el acto crítico
de sajar el núcleo emotivo *Z*, no lo percibimos tampoco de un modo claro, sino esencialmente confuso. De esta lucubración puramente teórica y como fantasmal, descendamos a lo concreto. En
un pasaje aleixandrino se nos habla de un ser humano que sediento de confusión con lo absoluto de la materia se arroja al mar desde una roca:

> Yo os vi agitar los brazos. Un viento huracanado
> movió vuestros vestidos iluminados por el poniente trágico.
> Vi vuestra cabellera alzarse traspasada de luces,
> y desde lo alto de una roca instantánea
> presencié vuestro cuerpo hendir los aires
> y caer espumante en los senos del agua:
> vi dos brazos largos surtir de la negra presencia
> y vi vuestra blancura, oí el último grito
> cubierto rápidamente por los trinos alegres de los ruiseñores del
>   [fondo.
>   ("Destino trágico", de *Sombra del Paraíso*).

Esos alegres "ruiseñores del mar" son evidentemente simbólicos.
Pero, según decimos, el lector no puede saber de manera inmediata
e intuitiva lo que un símbolo, en este caso los "ruiseñores" mari-
nos (*B*), simboliza o representa. Lo que sí percibe de ese modo
es únicamente la emoción *Z* provocada. Aquí se trata, por ejemplo, de un sentimiento como de gloriosa alegría (*Z*). Cuando nuestro ánimo es el de meros lectores no nos paramos a pensar en el

sentido (a_1 a_2 a_3), desarrollable lógicamente, que tal sentimiento interioriza, cubre y solapa. Pero claro es que ese sentido existe, aunque borroso y subyacente a la emoción, y puede ser alcanzado por punción analítica. Realizada ésta, y precisando lo que es por naturaleza impreciso diríamos que se trata del *triunfo* (a_1) de la naturaleza unitaria al recibir en su seno absoluto una criatura que viene a perderse en su total existir; y también, la *gloria* (a_2) de esa misma criatura en trance de universal comunión con la materia a la que se incorpora victoriosamente. He ahí, pues, el plano real "*A*" del símbolo de los ruiseñores (esto es, los elementos a_1 a_2), teniendo en cuenta que ni aún tras el análisis un plano real simbólico puede delimitarse con la claridad que aquí pedagógicamente le otorgamos. Pues todo símbolo es siempre un foco de indeterminaciones y entrevistas penumbras, cosa en la que el símbolo viene a coincidir con la imagen visionaria y con la visión, que en ello manifiestan pertenecer al mismo linaje de aquél.

En efecto: a través de la descripción que acabo de realizar, los lectores habrán observado el parentesco próximo de las tres especificaciones metafóricas contemporáneas. Las tres se nos ofrecen como meras variantes de un fenómeno único al que daremos el nombre global de fenómeno visionario, por el aspecto plástico que adquiere la imagen cuando desconocemos, o sólo conocemos afectivamente, su última significación. Pues en tal caso, la imagen, que aparentemente no está ya al servicio de un sentido, cobra, aparentemente también, independencia, y nos obliga a mirarla a ella misma, en vez de que a su través miremos ese sentido de que sería portadora. Con más brevedad: en el fenómeno visionario, la materia metafórica ya no es transparente, sino opaca, y por eso se la ve, por eso se visualiza (es visionaria), con característica energía.

Se nos juntan así ya todas las notas que en común posee el trío imaginativo de referencia: opacidad o plasticidad, función intuitivamente sólo emotiva (Z) y borrosidad de los ingredientes razonables (a_1 a_2 a_3...), cuando éstos son extraídos, a través de un análisis extraestético de la masa emocional Z que los oculta y supone. Y ahora veamos las diferencias entre los tres órdenes metafóricos. Lo primero que advertimos es que tales diferencias se ofrecen como puramente instrumentales, en cuanto que son diferencias de medios y no de fines. En la imagen visionaria hay un plano real A y un plano imaginario B, enunciados por el poeta y presentes con nitidez en la intuición ("un pajarillo —A— es como un arco iris" —B—; "águilas —A— como abismos" —B—); en la visión no hay un plano u objeto imaginario B que suplanta a un plano u objeto real A, sino que, como sabemos, se trata de una cualidad irreal b (por ejemplo, "cantar") que se atribuye graciosamente a A (por ejemplo, "la piedra"); en el símbolo, A no aparece en la intuición, sino, repito, en el análisis de la intuición. Más breve: en la visión no hay B; en el símbolo no hay propiamente A; y en la imagen visionaria hay las dos cosas, A y B.

Pero lo importante no es la disimilitud entre las tres variaciones que es sólo formal, sino su coincidencia, que es sustantiva. Para destacar con vigor la sustancial comunidad podríamos decir que en los tres casos hay "simbolización", (así, entre comillas, pero en el sentido técnico y riguroso que atribuimos aquí a esta palabra), ya que en los tres se da 1.º, un elemento irreal (B, en la imagen visionaria y en el símbolo propiamente dicho —al que representaremos sin comillas—; b, en la visión), que, 2.º, suscita un sentimiento Z, dentro del cual, 3.º, implicado e invisible, existe un conglomerado real a_1 a_2 a_3, que es lo propiamente "simbolizado", y cuyo carácter, 4.º, consiste en la difusión y bruma con que se ofrece. Y así, en la imagen visionaria, el plano B "simboliza" ciertas cualidades a_1 a_2 a_3 del plano A con las que B objetivamente coincide, bien que de modo remoto e imperceptible; en la visión, es la cualidad irreal b la que "simboliza" las cualidades a_1 a_2 a_3 de A; y en el estricto símbolo, B simboliza (esta vez sin comillas) ese mismo conjunto, al que en este caso hemos llamado "A" (entrecomillado, para indicar su implicitación).

Veamos ya en concreto lo "simbólico" y lo "simbolizado" en las frases "un pajarillo es como un arco iris" (imagen visionaria); "la piedra canta" (visión); y "los trinos alegres de los ruiseñores del fondo" (símbolo, sin comillas). En la primera, la expresión

"arco iris" (*B*) "simboliza" la "inocencia" (a_1), la "indefensión (a_2)
y la gracia" (a_3) del pajarillo (*A*). En la segunda, la expresión
"canta" (*b*) "simboliza" la valiosa elementalidad (a_1) de la piedra
(*A*). En la tercera, los "ruiseñores" y sus "alegres" "trinos" (*B*)
simbolizan el triunfo de la naturaleza unitaria (a_1) y la gloria (a_2)
de quien se arroja al mar desde una roca. En este último caso,
sabemos que a_1 a_2 a_3 constituyen, en su conjunto, el plano real
"*A*". Afirmemos con fuerza todo esto, pero teniendo muy presente,
insisto, que en el fenómeno visionario lo esencial, por ser lo intuitivo e inmediatamente operante, es el elemento emocional *Z*, aunque, repito, éste deba la posibilidad de su existencia estética a
la preñez simbólica que *imperceptiblemente* conlleva.

Retornemos ya al símbolo en su sentido más estrecho. Para
ilustrarlo elegí antes, adrede, un ejemplar sin desarrollo, por dos importantes motivos: en primer lugar, por razones estadísticas: los
símbolos no continuados son, con mucho, los más frecuentes; y
en segundo término, para hacer ver, con claridad y de entrada,
que los símbolos no se caracterizan por su continuidad, y por tanto, no tienen por qué ser definidos por la índole de ésta. Pero, naturalmente, el símbolo continuado se produce también. Copio un
soneto de Unamuno:

> Este buitre voraz de ceño torvo
> que me devora las entrañas fiero
> y es mi único constante compañero
> labra mis penas con su pico corvo.
>
> El día en que le toque el postrer sorbo
> apurar de mi negra sangre, quiero
> que me dejéis con él, solo y señero,
> un instante, sin nadie como estorbo.
>
> Pues quiero, triunfo haciendo mi agonía,
> mientras él mi último despojo traga,
> sorprender en sus ojos la sombría
>
> mirada al ver la suerte que le amaga,
> sin esta presa en que satisfacía
> el hambre atroz que nunca se le apaga.

Aquí el buitre (*B*) nos da una impresión de repulsión (*Z*), y con esa vaguedad que distingue a los símbolos, y tras un análisis, lo reconocemos como representante de alguna obsesión angustiosa del protagonista poemático. Así, sin más precisiones. En efecto: ¿Se trata de una angustia metafísica o de una angustia menos trascendental? ¿Es acaso agonía religiosa, temor al no ser, o, simplemente quizá, dolor provocado por la pérdida de un ser querido o (¿por qué no?) por un afán material insatisfecho? A la vista del soneto, *y sin otros datos* (como los que nos proporciona el resto de la obra unamunesca, que es un grito y aspiración patética a la vida eterna, de la que, sin embargo, duda) no lo podríamos deducir nunca. Y no por torpeza, sino porque el plano real "*A*" específico del símbolo, en cuanto éste se desconecte y aísle de otras composiciones del mismo autor, es siempre imposible de determinar. Como antes dijimos, sólo de un modo brumoso se nos entrega. Es como si lo mirásemos a través de una lente con un ligero desenfoque.

2. EL SÍMBOLO EN LA POESÍA DE ANTONIO MACHADO

Nuestro trabajo se ha ceñido hasta ahora a la consideración de una sola raza de símbolos, bien que en dos variaciones o modalidades distintas: símbolos simples y símbolos continuados. En lo que resta del capítulo nos proponemos, en cambio, registrar un orden simbólico completamente diferente, que se produce, sobre todo, inicialmente, en Antonio Machado. Hemos de examinar, pues, algo a fondo, la obra de este escritor.

Se trata, en parte de su obra, como es sabido, de un poeta de la naturaleza; concretamente, un poeta del paisaje castellano. Cuando nos acercamos a sus versos por vez primera sentimos la extraña impresión de hallarnos ante una lírica monda de artificio, en que, mágicamente, las palabras más simples se cargan de la más activa emoción. El milagro empieza por desconcertarnos: los álamos, la fuente, el agua, la brisa, el poniente, la primavera, el monte, casi

con su desnudo enunciado, al parecer, se mudan en elementos llenos
de sentido, que en nuestro corazón resuenan hondamente y nos lo
rozan en lo más secreto.

¿Podríamos explicar ese prodigio? Estas páginas van a inten-
tarlo, pues el hecho nos importa doblemente: desde nuestro punto
de vista general teórico, ya que hemos afirmado la inexistencia de
la poesía puramente enunciativa, como la que Machado, en muchos
momentos de su obra, parece exhibir; y desde el otro ángulo de
más recogimiento y acotación en que ahora estamos; esto es, desde el estudio y la consideración del símbolo.

EL SÍMBOLO MONOSÉMICO Y EL BISÉMICO

Todo se reducirá, acaso, a un análisis profundo de nuestras
impresiones. Si elegimos un poema como objeto de indagación,
debemos tomar el que nos parezca más sencillo, más libre de artificios, más espontáneo, o, si se quiere, más "directo": aquel que
no trasluzca a la observación inmediata o externa procedimiento
alguno al que achacar la totalidad de la emoción transmitida. He
aquí la pieza XXXII de "Soledades, Galerías y otros poemas":

> Las ascuas de un crepúsculo morado
> detrás del negro cipresal humean.
> En la glorieta en sombra está la fuente
> con su alado y desnudo Amor de piedra
> que sueña mudo. En la marmórea taza
> reposa el agua muerta.

Pocas composiciones de tan breve extensión habrán movido
nuestras almas tanto como ésta. Percibimos una emoción de me-
lancólica y contenida gravedad, que avanza con lentitud y se va
adensando de modo creciente hasta el último verso. Pero ocurre que la emoción experimentada no puede explicarse por la imagen "ascuas humeantes del crepúsculo", ni por la personificación
"Amor de piedra que sueña", ni siquiera por el símil implicado

en "agua muerta" [3]. Todo ello cumple un oficio sin duda secundario, subalterno. Pero lo secundario, lo subalterno, exige dependencia a algo principal, cuya existencia no se vislumbra aquí. Si descontamos esos inocentes recursos, que en rigor hemos reconocido como subordinados, el poema se reduce a una descripción, a una simplicísima descripción. Fijémonos bien; no hay más que esto: al fondo, unos cipreses crepusculares; luego, una glorieta sombría con su fuente, y para terminar, un estanque. Eso es todo. Y sin embargo...

El poema no parece mostrar, en efecto, ningún procedimiento *esencial,* ninguna esencial "sustitución" que haya originado esa magia poética. ¡He aquí, por fin —dirá acaso algún lector de este libro—, un ejemplo de poesía emanada desde un lenguaje que en última consideración habríamos de llamar "directo"!

Sin embargo, tal lenguaje es todo menos "directo". Para probarlo, necesitamos traer a la claridad la emoción que hemos sentido, traduciéndola a un plano lógico. Ese análisis tal vez nos muestre la desconfianza que debemos a nuestra percepción ordinaria cuando ésta nos advierta la "desnudez" de un pasaje lírico.

Ante todo: nuestro sentimiento al terminar la lectura fue de pesadumbre. Esa pesadumbre, que se inicia ya al comienzo de la pieza, y que va acentuándose progresivamente, se condensa, sobre todo, en el verso postrero:

reposa el agua muerta.

Es para nosotros como el último redoble de un tambor funeral, un redoble más intenso que los anteriores, más doliente que ellos, opacamente, desilusionadoramente prolongado después en nuestra alma. Sentimos que, cansadamente, el poeta ha dicho "agua muerta" pensando en el agua quieta de un estanque, pero contemplando ese agua como paradigma o modelo de todo lo quieto, de todo lo "muerto": la ilusión, la humana esperanza, la felicidad. Entre los elementos sin vida, el poeta entresaca uno y

---

[3] "Agua muerta" no puede interpretarse como una visión. Resulta simplemente de la comparación tácita entre un agua parada y un organismo muerto.

nos lo muestra, pero sólo para que veamos en él un ejemplo que es generalizable.

La traducción que acabo de hacer es, indudablemente, tosca e incompleta. No podía ser de otro modo, porque la única expresión legítima de lo que un poema contiene es el poema mismo. El contenido de la poesía es inefable en palabras no poéticas, que resultan impropias para apresarlo, como sabemos. Las nuestras, versión lógica, en conceptos, de lo que es intuición en Machado, son también impertinentes y sólo quedan justificadas por el uso que vamos a hacer de ellas, después de conocer su pobreza y nula pretensión.

Volvamos a nuestro tema. Unos versos sencillos se nos han aparecido, de pronto, con más "trasfondo" de lo sospechable. Tras su significado aparente, se esconde una significación complementaria, distinta. Resulta, pues, que "agua muerta" (*B*) no alude sólo al agua de un estanque, sino también, y sobre todo, en lo hondo, a "ilusión muerta" (*a₁*), a "muerto, cansado existir" (*a₂*). "Agua muerta" es, así, una expresión simbólica: bajo ella tropezamos, y además sólo tras un análisis extraestético, con un plano real "*A*" (*a₁, a₂*) difusamente inteligible.

Sin embargo, este símbolo difiere en algo de los que hemos analizado hasta ahora. Ante aquéllos, el lector sabía muy bien a qué atenerse: Unamuno sólo por metáfora nos hablaba de un buitre; era sólo el nombre con que el poeta designaba el especial grado de una especial angustia suya. Ni por asomos llega a creerse el lector que, efectivamente, don Miguel hablase "en serio": interpreta esa ave como una evocación imaginativa, como un modo de hablar, un modo de entenderse.

Aquí, en cambio, nos hallamos frente a un fenómeno que discrepa en un punto esencial del anterior. Con "agua muerta", Machado intenta sugerir una emoción de gravedad que lleva implícito, invisible y borroso un significado simbólico ("muerta ilusión", "cansado existir", etc.); pero no hay duda de que alude también *realmente* al agua parada de un estanque. En este caso, no podemos menos de juzgar que en "agua muerta" se produce un ejemplo de bisemia: un solo significante conlleva, simultáneamente, dos grupos de significaciones: "agua de estanque", por un lado; y por otro, "muerta ilusión", etc.

No se piense que toda metáfora se fundamenta en la bisemia; sólo podríamos considerarlo así si pensamos la metáfora diacrónicamente, en un diccionario de términos poéticos, donde "oro" significaría un determinado metal y un determinado cabello rubio. Pero sincrónicamente, en un poema dado, "oro" no posee esa doble significación; la significación es única: o alude "oro" a "metal" o alude a "cabello". La metáfora corriente no es, pues, bisémica, sino monosémica, como tampoco es bisémico el símbolo "buitre" que Unamuno emplea en el soneto antes citado.

Dos especies de símbolos hemos llegado a precisar. La primera, de naturaleza monosémica, divisible, a su vez, en otro par de subgrupos: el de los símbolos monosémicos simples (los ruiseñores del fondo aleixandrinos) y el de los símbolos monosémicos continuados (el buitre de Unamuno). Y al lado de esa primera especie monosémica, se da la especie bisémica (el "agua muerta" de Machado) [4],

---

[4] Como en todo el capítulo sólo voy a considerar el símbolo bisémico de Machado, no está de más indicar someramente aquí que en este poeta se da también con alguna frecuencia el símbolo monosémico. Un poema puede consistir en una cadena de símbolos de esta clase:

1 *Crear fiestas de amores*
2 *en nuestro amor pensamos,*
3 *quemar nuevos aromas*
4 *en montes no pisados,*
5 *y guardar el secreto*
6 *de nuestros rostros pálidos,*
7 *porque en las bacanales de la vida*
8 *vacías nuestras copas conservamos,*
9 *mientras con eco de cristal y espuma*
10 *ríen los zumos de la vid dorados.*
....
11 *Un pájaro escondido entre las ramas*
12 *del parque solitario*
13 *silba burlón. Nosotros exprimimos*
14 *la penumbra de un sueño en nuestro vaso...*
15 *y algo que es tierra en nuestra carne siente*
16 *la humedad del jardín como un halago.*

que como veremos también admite partición en símbolos bisémicos encadenados y símbolos bisémicos no encadenados.

El aspecto enigmático con que se nos presentó, en principio, la lírica del poeta sevillano comienza ahora a disiparse. Empezamos a entender por qué los versos de A. Machado no enseñan, por lo general, a primera vista, procedimiento alguno al que deban su temblor emotivo. Y es que el carácter bisémico del símbolo machadiano proporciona a éste una extraña peculiaridad: lo disfraza, o, como se dice en términos bélicos, lo "camufla", y pasa ante nuestros ojos sin que reconozcamos en él su carácter imaginativo. Nuestra sensibilidad recibe implícitamente el plano real encubierto por la emoción, pero nuestra inteligencia no lo reconoce

---

Si queremos conocer el significado lógico de estos famosos versos, hemos de ir traduciendo a plano real cada uno de los términos simbólicos. He de disculparme, una vez más, ante mis lectores de la rudeza e impropiedad del traslado. Necesito dibujar crudamente lo que en el poema (por ser simbólico) sólo está insinuado de un modo difuso. Descontando, pues, lo que hay en ella de grosero, nuestra versión del poema es la siguiente: "En nuestro amor pensamos (verso 2) lograr candorosas, puras realizaciones del amor (v. 1) en ascensiones a realidades claras (v. 4), donde consumir nuestros espíritus en extáticos goces (v. 3). De todos estos sueños y de su fracaso (que empalidece nuestros rostros) guardamos el secreto (v. 5 y 6), y miramos, inmóviles, las bacanales de la vida, las alegrías de la existencia que otros disfrutan, sin participar en ellas (v. 7 y 8). Un pájaro (nuestro propio yo, desdoblado críticamente), que conoce nuestro secreto escondido entre las ramas (v. 11) del parque solitario (nuestra alma), donde nosotros en soledad vivimos, puesto que nos hemos separado de las alegrías humanas (v. 12), se ríe de nuestra tragedia con un silbido burlón (v. 12 y 13). Nosotros exprimimos el sueño de lo que hubiéramos querido ser, menos aún, la penumbra de ese sueño, en nuestro vaso —esto es, sentimos dolorosamente nuestro fracasado ensueño de dicha— (v. 14), en lugar de exprimir, como hacen los que participan de la vida real, del banquete de la existencia, el zumo dorado de la vid (v. 9 y 10). Y algo que es en nuestra carne materia, muerte, comulga con la materia, con la muerte, y presintiendo la muerte siente (v. 15) la humedad terrena del jardín como un consuelo a tanta amargura (v. 16).

Pasemos por alto —repito— lo que tiene de ruda la traducción, y fijémonos únicamente en que no hay un solo elemento del poema que no encubra una realidad diferente. ¡Y aún se habla de Machado como del mejor ejemplo de "poeta directo"!

como tal, porque se detiene en el sentido lógico que el símbolo posee. Diríamos que el sentido lógico del símbolo nos impide la vislumbre y como vaga y no razonada sensación de que exista otro sentido no lógico a su lado. En efecto: lo fácilmente que se nos entrega el primero halaga nuestra inercia y nos roba la atención para el segundo. Al encontrar ya una significación (la significación lógica) a las palabras del poeta, nuestra inquietud inquisitiva se satisface y nuestra labor de penetración cesa. Usando una metáfora, algo inexacta, podríamos afirmar que la significación lógica, primaria, del símbolo produce en nosotros el fenómeno de la fisiocromía. La bisemia tiene, en efecto, un viso fisiocrómico, se parece al color verde de algunos animales, que los defiende de las miradas enemigas en los medios de tal coloración.

LOS SIGNOS DE SUGESTIÓN

El significante "agua muerta" soporta, pues, dos cargas de significación y una de ellas es simbólica. Pero, ¿por qué ocurre esto? ¿Qué ha pasado en el poema para que por su simple presencia la expresión "agua muerta" se erija en símbolo?

La solución de este problema requiere adelantar aquí, compendiosamente, un conocimiento que por su importancia prometo tratar de nuevo más adelante. Nos interesa, en efecto, contemplar lo que sucede en el signo cuando está afectado por el fenómeno de la reiteración. Elijamos una palabra cualquiera: el adjetivo "pobre". En la frase "Antonio es pobre, pobre, pobre, pobre", es evidente que, en su último enunciado, el vocablo "pobre" no significa lo mismo que en su enunciado inicial: al repetirse, la significación asciende hasta un grado rigurosamente superlativo, cuya intensidad desborda a la del propio calificativo "pobrísimo". Sucede así porque la calificación primera destila en la segunda buena parte de su contenido, y ésta, ya enriquecida, golpea, a su vez, con todo su grueso volumen sobre la tercera, a la que insufla, en gran medida, su caudal. Al terminar la serie, el adjetivo postrero se halla denso, pletórico de sustancia heredada.

Mas lo que acabamos de mostrar para el adjetivo vale para toda palabra. Cuando decimos: "¡no, no y no!", la simple negación se trueca en más absoluta; si alguien expresa que desde una cima ve "flores, flores, flores, flores", alcanza también para ese sustantivo lo que llamaríamos, por metáfora, "superlativización": el sintagma ya no alude vagamente a "flores", sino concretamente a una gran cantidad de ellas, a un inmenso jardín. Llegamos a deducir, de este modo, que toda reiteración posee virtudes intensificadoras del significado.

Pero ¿qué relación puede guardar todo esto con la bisemia del símbolo? Leamos de nuevo el poema. Nuestro análisis debe comenzar desde el primer verso:

> Las ascuas de un crepúsculo morado.

La palabra *crepúsculo* se nos asocia a representaciones de lo que se extingue, de lo que se muere, y así ese vocablo se tiñe de un iris melancólico y comienza a introducirnos en una atmósfera de tristeza, de acabamiento. He elegido la palabra "crepúsculo" por especialmente expresiva, pero algo análogo acontece al sustantivo "ascua" y al adjetivo "morado". El primero, asociado a "crepúsculo", sugiere la noción de apagamiento; el segundo, la noción de enlutado dolor. A idéntico efecto contribuye el ritmo, con sus tres fúnebres, pausadísimos golpes, que sugieren pesadumbre:

> − ́ − − − ́ − − − ́ −

Sigamos leyendo:

> detrás del negro cipresal humean.

Insisten de nuevo, tercas, las oleadas de lo oscuro: "negro", "cipresal", "humean". Las coloraciones son sombrías; los significados irracionales, fúnebres. Recordemos que los cipreses son árboles propios de los cementerios, por lo que nuestra imaginación los une a la idea de la muerte. Nótese, además, cómo los acentos del endecasílabo recaen sobre esas palabras, realizándolas, intensificándolas (y esto sucede en todo el poema): "negro", "cipresal", "humean". En el verso siguiente:

En la glorieta en sombra está la fuente

advertimos que la glorieta está "en sombra"; en la expresión que lo continúa:

con su alado y desnudo Amor de piedra
que sueña mudo

si hay un Amor, es un Amor "de piedra", un Amor sumido en quietud implacable, en sueño inerte ("sueña mudo").

Suenan ya las postreras notas:

En la marmórea taza
reposa el agua muerta

y no se abandona la técnica iniciada: lo marmóreo de la taza, al darnos una sensación de pesantez, de inmovilidad, de muerte, colabora en el ámbito sombrío y grave que el poema ha sabido evocar; ámbito que se completa con el reposo del agua y que sobre todo culmina en la expresión "agua muerta".

¿Cómo interpretar tales hechos? No hay duda: los seis versos citados incurren en el fenómeno de la reiteración, aunque en este caso la reiteración adopte un especialísimo modo que la sustrae a nuestro conocimiento inmediato. En efecto: lo que se repite no es aquí el significado lógico de los vocablos, como ocurre en la serie "pobre, pobre, pobre", sino la significación que inconscientemente se nos asocia a la mayoría de los signos que forman el poema. La palabra "cipresal", y en general todas las palabras que más arriba hemos comentado, no repiten el concepto "crepúsculo" sino el halo de significación irracional que a éste acompaña: el sentimiento de la muerte o la correlativa emoción de pesadumbre y desengaño. Sin embargo, las consecuencias de esta peculiarísima reiteración son las mismas que destacábamos en la reiteración normal: la intensificación, la superlativización de lo reiterado. El doliente desencanto, el tinte funeral que borrosamente sombrea las palabras "crepúsculo", "ascua" y "morado" ingresa en los vocablos "negro",

"cipresal" y "humean" del segundo verso, acrecentando el nimbo
simbólico de idéntica especie que bajo ellos mismos late. A su vez,
este cúmulo de acentuada significación recae sobre el verso tercero, aumentando el poder evocador de la palabra "sombra" en él
alojada. Sucesivamente, en constante progresión, la onda va creciendo, hinchándose por dentro, preñándose, hasta descargar one-
rosamente sobre la última expresión del poema: "agua muerta".
"Agua muerta" pasa así a encubrir un copioso, rebosante sentido
simbólico.

A estos signos que repiten un mismo significado irracional o
asociado los llamo "signos de sugestión", y como hemos visto son
los motivadores más frecuentes del símbolo bisémico. Pero los signos de sugestión se nos manifiestan, asimismo, como símbolos,
aunque se trate de símbolos sumamente tenues, cuya eficacia depende de su encadenamiento en un sistema. Sin embargo, cuando
los desglosamos de éste, la cutícula simbólica se mantiene, aunque
sólo como mera posibilidad o en potencia.

La mayor parte de las palabras poseen, en efecto, posibilidades
de esa índole, bien que no todas en idéntica proporción: en general, colores como el candoroso "blanco", el fúnebre "negro", el
sanguíneo "rojo" contienen una fuerza evocadora mayor que el
"anaranjado", por ejemplo. Los elementos o partes de la naturaleza (crepúsculo, noche, mañana, tarde; viento, montaña, cielo)
ofrecen probablemente también como posibilidad más energía de
asociación inconsciente que los objetos de la técnica humana (mesa,
silla, cazuela, etc.), aunque en éstos no falta. En ciertos casos, la
tarea del poeta, como hemos visto en la composición que acabamos
de comentar, no es otra que establecer el contacto entre varios vocablos *con idéntica dirección* en su latente simbolismo. Al poema
de ese modo logrado se le puede llamar "desnudo" sólo porque la
totalidad del complicado mecanismo permanece invisible en su doble haz: de un lado, la bisemia del símbolo favorece, como sabemos, el ocultamiento del recurso; de otro, no se nota tampoco la
presencia del conjunto sugestionador porque la especial reiteración
que conlleva no salta a la vista, y sólo un análisis como el realizado puede destacarla.

EXPLICACIÓN DEL SÍMBOLO BISÉMICO

Hemos hablado bastante del símbolo bisémico, lo hemos examinado bajo diferentes perspectivas, pero aún no conocemos la causa de su lirismo. Intentemos averiguarla.

La expresión "agua muerta" (y en general, todo símbolo bisémico) contiene poesía porque transmite *tal como es* la percepción de una realidad anímica; o sea, una realidad anímica en su sintética complejidad. El poeta ha visto imaginativamente un estanque y ha sentido tristeza, cansancio vital, encubridores de un pensamiento tal como "todo es mortal y yo he de morir". Pero la visión del estanque, la tristeza, el cansancio, etc., con su implicación de funesta consideración y vaticinio, no se han dado en el poeta sucesivamente, sino con simultaneidad, y además con interdependencia. Ahora bien: como hemos venido repitiendo, la "lengua" no puede transmitir lo simultáneo en cuanto tal porque su carácter analítico se lo impide; la "lengua" ha de disponer todos sus elementos en sucesión. ¿Qué hacer, pues? Destruir, modificar la "lengua" a través de un recurso cualquiera de tipo C. Machado, en efecto, ha acudido al símbolo bisémico.

Si volvemos de nuevo la mirada hacia el poema en cuestión, no tardaremos en percatarnos de que es así: el *sustituyente* está formado por el sintagma "agua muerta" dentro de su contexto; es decir, por ese sintagma con el complejo contenido que en él advertíamos, donde íntimamente se fusiona el significado "agua estancada" con el significado "muerta ilusión", "cansado existir", etc., con sus consiguientes implicitaciones. El *modificado* se hallará representado, a su vez, por ese mismo sintagma, pero ese sintagma fuera del poema, con su significación, por tanto, simple: la significación única de "agua estancada". Veo, por otra parte, el *sustituido* en la frase analítica, ya expresada en estas mismas páginas, que se corresponde con la global del sustituyente. ¿Y el *modificante*? No es difícil deducirlo: el *modificante* ha de ser aquel conjunto de palabras que, desde el interior de la composición, proporciona a "agua muerta" esa riqueza, esa plenitud de sentido; a saber, los "signos de sugestión", relacionados en sistema: "ascua", "crepúsculo", "morado", "negro", "cipresal", "humean", "sombra", "piedra", "sueña", "mudo" y "reposa".

UNA CLASE ESPECIAL DE SÍMBOLOS
BISÉMICOS: EXPRESIONES ABREVIADAS

En lugar de seguir desarrollando rectilíneamente nuestras ideas en torno a las figuraciones rigurosamente simbólicas, vamos a introducir aquí un leve quiebro, que no dejará de sernos provechoso. No es inútil, en efecto, poner en contacto el símbolo bisémico con otro fenómeno que, aunque parece distinto, le es, en grave medida, familiar.

Usa Machado con alguna frecuencia una suerte de expresiones que, provisionalmente, llamaríamos "abreviadas", cuyo destino es sugerir en nosotros una carga de significación de mayor cuantía que la lógicamente expuesta, pero completando la dirección conceptual que ésta inicia. Es preferible que el lector se percate de tal procedimiento directamente, sin otro preámbulo de nuestra parte. Copio un poema titulado "El viajero", donde Machado evoca la figura de un hermano suyo que regresa al hogar tras larga ausencia:

Está en la sala familiar, sombría,
y entre nosotros, el querido hermano
que en el sueño infantil de un claro día
vimos partir hacia un país lejano.

Hoy tiene ya las sienes plateadas,
un gris mechón sobre la angosta frente;
y la fría inquietud de sus miradas
revela un alma casi toda ausente.

Deshójanse las copas otoñales
del parque mustio y viejo.
La tarde, tras los húmedos cristales,
se pinta, y en el fondo del espejo.

El rostro del hermano se ilumina
suavemente. ¿Floridos desengaños
dorados por la tarde que declina?
¿Ansias de vida nueva en nuevos años?

¿Lamentará la juventud perdida?
Lejos quedó —la pobre loba— muerta.
¿La blanca juventud nunca vivida
teme que ha de cantar ante su puerta?

¿Sonríe al sol de oro
de la tierra de un sueño no encontrada,
y ve su nave hender el mar sonoro,
de viento y luz la blanca vela hinchada?

Él ha visto las hojas otoñales,
amarillas, rodar, las olorosas
ramas del eucalipto, los rosales
que enseñan otra vez sus blancas rosas...

Y ese dolor que añora o desconfía
el temblor de una lágrima reprime,
y un resto de viril hipocresía
en el semblante pálido se imprime.

Serio retrato en la pared clarea
todavía. Nosotros divagamos.
En la tristeza del hogar golpea
el tic-tac del reloj. Todos callamos.

De nuevo observamos la apariencia "enunciativa" o "desnuda" de la última estrofa. Sin embargo, ya más cautelosos, confiamos, sin duda, menos que al principio en la validez de un juicio apresurado. Dentro de la composición, ese fragmento postrero es muy emotivo, y aun diríamos sin vacilar que el endecasílabo final encierra, como en cápsula, toda la fuerza del poema, al que vivifica y otorga más valor. No obstante, este verso zaguero, como los tres anteriores, semeja hallarse limpio de retórica. ¿Hay aquí procedimiento?

Lo hay. Pero para dar con él, hemos de recurrir a la misma técnica que hemos utilizado ya y que aún utilizaremos muchas veces a lo largo de este libro: el análisis de nuestra intuición de lectores. Sólo a través de la sensibilidad se nos hace posible asir, cuando invisible, el mecanismo de un poema. ¿Qué hemos sentido al leer la última frase del pasaje copiado, tras las estrofas que le anteceden? Si no se nos exige una traslación fiel de nuestro sen-

timiento, faena ésta imposible, adelantaríamos, en principio, que
con el sintagma "todos callamos" el poeta, aunque implícitamente
y sólo a través de la encubridora emoción, ha expresado, más o
menos, lo siguiente: "todos callamos porque nos sabemos sujetos
a cambio, a vejez, a muerte".

A la frase poética a que aludimos se adosa, pues, como ocurre
en el símbolo bisémico, un contenido mayor que el lógicamente
manifiesto. Tal contenido, al obligarse a un espacio mínimo, se
encuentra como contraído, como concentrado, rebosando, por así
decirlo, la vasija que lo encierra. "Todos callamos" es un significante en miniatura, si consideramos la masa de significación tras
él disimulada.

Se nos ha hecho, pues, evidente que, en el interior del poema,
"todos callamos" posee, además del lógico, un significado extraló-
gico, que fuera del poema no posee. Pero ¿de dónde llega ese
añadido, ese volumen de inesperada significación? La respuesta es
perogrullesca: no puede venir sino del poema mismo. Toda la cuestión se reduce así a encontrar en los versos anteriores el origen
de ese significado extraordinario. Leemos la composición atentos
a nuestro propósito, y no tardamos en percatarnos de que toda
ella está rafagueada por signos de sugestión que evocan la amena-
zante temporalidad de la existencia humana y la pesadumbre que
esa temporalidad despierta en el hablante del poema:

Temporalidad

   "en el sueño infantil de un claro día",
   "hoy tiene ya las sienes plateadas",
   "un gris mechón sobre la angosta frente".
   "Deshójanse las copas otoñales
   del parque mustio y viejo".
   "¿Lamentará la juventud perdida?
   Lejos quedó —la pobre loba— muerta."
   "Él ha visto las hojas otoñales,
   amarillas, rodar, las olorosas
   ramas del eucalipto, los rosales
   que enseñan otra vez sus blancas rosas..."
   "...en la pared clarea
   todavía..."
   "...golpea
   el tic-tac del reloj..."

Pesadumbre
{
"Casa... sombría."
"Angosta frente."
"Alma casi toda ausente."
"Floridos desengaños."
"¿Lamentará la..."
"Y ese dolor que añora o desconfía
el temblor de una lágrima reprime."
"Semblante pálido."
"Serio retrato."
"Tristeza del hogar."
}

Son como dos riachuelos de significación que desembocan en la frase última, "todos callamos", ampliando, modificando su sentido consuetudinario.

La conformación del procedimiento es, pues, esencialmente idéntica a la rastreada en el símbolo bisémico: se reduce a un sistema de signos sugestionadores que vierten su difuso sentido irracional en un signo posterior, al que modifican. La única diferencia que puede apreciarse entre ambos procedimientos es ésta: mientras en el símbolo bisémico la naturaleza de las dos cargas de significación difiere fundamentalmente, en la que hemos llamado "expresión abreviada" las dos significaciones son de naturaleza idéntica y una de ellas completa a la otra. La discrepancia no es, pues, sustantiva, y podemos, sin grave riesgo, incluir entre los símbolos este recurso que hemos empezado por separar de ellos.

LA METÁFORA, ORIGEN DE
LA EXPRESIÓN ABREVIADA

Pero no siempre las expresiones abreviadas emanan de una cadena sugestionadora. A veces son consecuencia de una o varias metáforas anteriores. La poesía de Machado nos brinda este ejemplo:

Con el incendio de un amor, prendido
al turbio sueño de esperanza y miedo,
yo voy hacia la mar, hacia el olvido
—y no como a la noche ese roquedo

al girar del planeta ensombrecido—.
No me llaméis, porque tornar no puedo [5].

La emoción que experimentamos reside principalmente en la
concentración expresiva de estos tercetos. El lector ha de entender
mucho más de lo que el poeta aparenta decir, ha de suplir ciertos
elementos que sólo están insinuados. Cuando leemos:

—y no como a la noche ese roquedo
al girar del planeta ensombrecido—,

nosotros interpretamos, dentro de su contexto: "y no como a la
noche ese roquedo al girar del planeta ensombrecido, que vuelve
a retornar con la primera luz de la mañana". Cuando el último
verso afirma:

No me llaméis, porque tornar no puedo,

sabemos que sugiere: "No me llaméis, porque tornar no puedo,
ya que de la muerte, adonde voy, no se puede tornar." (Nótese cómo
nuestra versión desaloja toda posibilidad de poesía: prueba parcial
de que la poesía nace, precisamente, en este caso, del carácter
sintético con que el sintagma aparece.)

Henos, pues, frente al fenómeno de la abreviación. Pero aquí
las expresiones abreviadas no se desprenden de anteriores signos
de sugestión acumulados, sino de un par de metáforas ("mar",
"olvido") erigidas sobre un mismo plano de realidad: la muerte.
"Yo voy hacia la mar, hacia el olvido" es el sistema imaginativo
que el poeta elige para declarar que parte, de modo inexorable,
hacia la muerte. La inteligencia por el lector de esas figuraciones
le prepara para entender luego toda la carga de significación absor-
bida por los endecasílabos del último terceto:

Y no como a la noche ese roquedo...
No me llaméis, porque tornar no puedo.

---

[5] "Los sueños dialogados: III".

ALIANZA DE CONTRARIOS EN
CIERTOS SÍMBOLOS BISÉMICOS

Después de esta excursión por los alrededores o contornos del símbolo bisémico, volvamos de nuevo a su centro mismo. Analizábamos antes el símbolo del "agua muerta" y anotábamos su complejidad, esa cualidad que le es propia de apuntar hacia dos diferentes campos de significación. De propósito quise entonces reducirme a comentar uno de los ejemplos más sencillos que Machado usa. Hora es ya de que el lector compruebe otras sorprendentes posibilidades del procedimiento. En efecto: hallamos en la poesía machadiana versos en que se interfieren dos significados absolutamente contrarios, que el lector recibe, sin embargo, sintéticamente, formando un unitario todo. La pieza XXXVII de *Soledades, Galerías y otros poemas* nos ilustrará de modo suficiente:

Abril florecía
frente a mi ventana.
Entre los jazmines
y las rosas blancas
de un balcón florido,
vi las dos hermanas.
La menor cosía,
la mayor hilaba...
Entre los jazmines
y las rosas blancas,
la más pequeñita,
risueña y rosada
—su aguja en el aire—,
miró a mi ventana.

La mayor seguía,
silenciosa y pálida,
el huso en su rueca
que el lino enroscaba.
Abril florecía
frente a mi ventana.

Una clara tarde
la mayor lloraba
entre los jazmines
y las rosas blancas,
y ante el blanco lino
que en su rueca hilaba.

¿"Qué tienes —le dije—,
silenciosa pálida"?
Señaló el vestido
que empezó la hermana.
En la negra túnica
la aguja brillaba;
sobre el blanco velo,
el dedal de plata.
Señaló a la tarde
de abril, que soñaba,
mientras que se oía
tañer de campanas.
Y en la clara tarde
me enseñó sus lágrimas...
Abril florecía
frente a mi ventana.

Fue otro abril alegre
y otra tarde plácida.
El balcón florido
solitario estaba...
Ni la pequeñita
risueña y rosada,
ni la hermana triste,
silenciosa y pálida,
ni la negra túnica,
ni la toca blanca...
Tan sólo en el huso
el lino giraba
por mano invisible,
y en la oscura sala
la luna del limpio
espejo brillaba.
Entre los jazmines
y las rosas blancas
del balcón florido,
me miré en la clara

> luna del espejo,
> que lejos soñaba.
> Abril florecía
> frente a mi ventana.

El poema opera, principalmente, a través de un trío de descargas expresivas que ocurren en las reiteraciones del estribillo, sobre todo en la última (versos 19-20, 41-42 y 65-66). Examinemos, pues, nuestro sentimiento ante los dos postreros hexasílabos de la composición, donde hemos dicho que la poesía se concentra más:

> Abril florecía
> frente a mi ventana.

El análisis se hace difícil por la complejidad de la impresión recibida. Traducir esa impresión equivale aquí, más que en otro sitio, a simplificarla, a traicionarla. Extraeríamos de una masa mayor dos gruesos ingredientes de ella, en algún modo opuestos, pero paradójicamente aliados por síntesis en nuestro ánimo. 1.º Ese abril que florece en vida de las dos muchachas y que sigue floreciendo después de su muerte surge en nosotros como símbolo de la impasibilidad de la naturaleza frente al humano sufrimiento y hace referencia, por tanto, al escaso o nulo valor absoluto de éste, lo cual, a su vez, tiene consecuencias emotivas en el lector. 2.º Mas vista desde otro lado, su traza se dibuja con un signo adverso al anterior: contemplamos una luz blanda, dulce, pura, sin término: una iluminación redentora. Esas dos impresiones, que en nuestra exposición (por su carácter lógico) resultan inconciliables, no se contraponen, repito, en nuestra psique: allí se complementan. Si quisiéramos dar una imagen más fiel de lo que nuestro ánimo registra al leer esos versos, indicaríamos que nuestra mirada ha advertido una muerte en suavísimo, festival, angélico delirio de luz; y que algo de atroz, sin embargo, adivinamos bajo ese leve florecer delirante: cierta insensibilidad para el padecer de los hombres, olvidados al fondo de su aniquilamiento, y por tanto, sin sentido ni valor.

¿Cómo ha logrado el poeta esa complicadísima síntesis, más que nunca inefable? El procedimiento nos es ya conocido: Ma-

chado se ha servido aquí, como en un poema antes estudiado (el
poema de "El viajero"), de dos sistemas distintos, aunque en con-
jugación, de signos sugestionadores. Sorprendemos, no obstante, una
novedad: tales sistemas se oponen ahora entre sí, son de matiz
contradictorio; mientras de uno diríamos que es peyorativo, afir-
maríamos para el otro su carácter meliorativo. El primero resulta
de reiteradas alusiones fúnebres; el segundo, de continuas refe-
rencias a elementos candorosos, inocentes. He aquí el sistema primero:

> La mayor seguía,
> silenciosa y pálida...
>
> ....
>
> Una (...) tarde
> la mayor lloraba.
> ¿Qué tienes, le dije,
> silenciosa pálida?
> Señaló el vestido
> que empezó la hermana.
> En la negra túnica,
> la aguja (...)
>
> ....
>
> mientras que se oía
> tañer de campanas.
> Y en la (...) tarde
> me enseñó sus lágrimas
>
> ....
>
> El balcón...
> solitario estaba.
> Ni la pequeñita,
>
> ....
>
> ni la hermana triste,
> silenciosa y pálida,
> ni la negra túnica...
> Etc.

Y he aquí el segundo sistema:

> Abril florecía...
> Entre los jazmines

y las rosas blancas
de un balcón florido
vi las dos hermanas.
Entre los jazmines
y las rosas blancas
la más pequeñita,
risueña y rosada...

....

Una clara tarde
la mayor...
entre los jazmines
y las rosas blancas
y ante el blanco lino...

....

la aguja brillaba...
sobre el blanco velo
el dedal de plata.
Señaló a la tarde
de abril...

....

Y en la clara tarde...

....

Fue otro abril alegre
y otra tarde plácida.
El balcón florido...

....

Entre los jazmines
y las rosas blancas
del balcón florido
me miré en la clara
luna del espejo...

....

El cariz antagónico de estas dos series se refleja de extraño modo en el estribillo sobre el que vierten: la dualidad se recibe ahora, al leer tal estribillo, por vía sintética, y su efecto consiste en ese misterio (nacido parcialmente de la complejidad de un conjunto formado por elementos en cierto modo contradictorios), en ese temblor o hechizo que nos embarga; hechizo, temblor, misterio que, de otra parte, nos sale al paso con frecuencia al atravesar por la obra que estudiamos. Es, sin duda, su más íntima vibración, su más entrañable latido; una de sus aportaciones esenciales a la lírica española.

Asombrará un poco que el misterio, en sentido contemporáneo, no aparezca con anterioridad, al menos de modo sistemático, en nuestras letras, salvo la excepción de Gustavo Adolfo Bécquer y, antes, de San Juan de la Cruz y algunas canciones de la lírica tradicional, pero hay que tener en cuenta que España se incorporó un poco tarde a la evolución de la poesía europea posterior al romanticismo. A partir de Baudelaire donde ya se registra (léase "La mort des Amants"), la poesía europea "descubre" ese sentimiento que la escuela simbolista agudiza. En España, el modernismo, más próximo a la poesía del Parnaso que a la poesía de los simbolistas, raras veces supo tener temblor de ala y fue Machado quien, como he dicho, poseyó el secreto de ese tipo de expresión. Así es como Rubén Darío retrata al poeta sevillano:

> Misterioso y silencioso
> iba una y otra vez.

LOS SÍMBOLOS DE LA SOLEDAD

El misterio del poema XXXVII de Machado que hemos comentado no es sino un caso especialmente agudo de lo que, por supuesto, es normal en la bisemia simbólica, cuya frecuencia e importancia en Machado es preciso encarecer. Entre esta clase de símbolos, hay uno que el poeta se complace en reiterar a todo lo largo de su obra. Cualquier aficionado a sus versos ha de notar como peculiares ciertos pasajes que describen, en medio de un silencio, el sonido del viento o del agua. No sobrará aducir algunas citas antes de iniciar nuestro comentario:

Y todo el campo un momento
se queda mudo y sombrío
meditando. Suena el viento
en los álamos del río [6].

Yo en la tarde polvorienta
hacia la ciudad volvía.
Sonaban los cangilones de la noria soñolienta.
Bajo las ramas oscuras caer el agua se oía [7].

¡El jardín y la tarde tranquila!
Suena el agua en la fuente de mármol [8].

La calma es infinita en la desierta plaza,
donde pasea el alma su traza de alma en pena.
El agua brota y brota de la marmórea taza.
En todo el aire en sombra no más que el agua suena [9].

Calló la voz y el violín
apagó su melodía.
Quedó la melancolía
vagando por el jardín.
Sólo la fuente se oía [10].

Todos esos fragmentos nos dejan una misma sensación: una sensación de silencio, de soledad. La causa de esa sensación no es difícil de adivinar. He observado con alguna frecuencia que la absoluta desnudez de un paisaje (natural o pictórico) no suele producir en el contemplador una sensación de soledad tan intensa como cuando es perceptible, en medio de la desolación, un elemento *aislado* (por ejemplo, un hombre o un árbol), y es que, claro está, la soledad se manifiesta ante lo *solo*. Paradójicamente diríamos que un paisaje absolutamente desértico no posee soledad en sentido estricto, o es más difícil que ésta se nos patentice con suficiente vigor. De parejo modo, se siente como más acusado el

---

[6] *Soledades, Galerías y otros poemas*: XI.
[7] *Op. cit.*: XIII.
[8] *Op. cit.*: XXIV.
[9] *Op. cit.*: XCIV.
[10] *Campos de Castilla*: "A Juan Ramón Jiménez".

silencio cuando interrumpido por un sonido único; tal lo que
ocurre en los versos de Machado que acabo de copiar. Machado
utiliza, pues, el murmullo del viento o del agua como símbolo del
silencio y a la vez como símbolo de la soledad, ya que inconscientemente solemos asociar lo silencioso a lo solitario.

Ello significa que en el símbolo pueden coexistir varios estratos de realidad que se superponen: el sonido del viento se ofrece
a una observación más inmediata como símbolo del silencio; pero
también se nos revela vagamente, después de una indagación más
detenida, como símbolo de la soledad. Este descubrimiento nos
invita a proseguir el análisis en la misma dirección. ¿No existirán
otras zonas, todas ellas reales, más hundidas aún? Tomemos una
de las composiciones de donde antes he entresacado una estrofa:

> En medio de la plaza y sobre tosca piedra,
> el agua brota y brota. En el cercano huerto
> eleva, tras el muro ceñido por la hiedra,
> alto ciprés la mancha de su ramaje yerto [11].
>
> La tarde está cayendo frente a los caserones
> de la ancha plaza en sueños. Relucen las vidrieras
> con ecos mortecinos de sol. En los balcones
> hay formas que parecen confusas calaveras.
>
> La calma es infinita en la desierta plaza,
> donde pasea el alma su traza de alma en pena.
> El agua brota y brota de la marmórea taza.
> En todo el aire en sombra no más que el agua suena [12].

---

[11] Mi buen amigo Rafael Ferreres, en su reseña a la primera edición
del presente libro, objetaba a mi análisis del poema machadiano que empieza "las ascuas de un crepúsculo morado", el hecho, para él evidente,
de que D. Antonio nunca utilizaba el ciprés en sentido fúnebre. Aunque
así fuera, la sensibilidad nos dice que en el poema citado ese árbol está
empleado como vago evocador de la muerte. Pero ni siquiera es cierto que
Machado hiciese una excepción a su sistema poético en la mencionada composición; pues claramente se ve en el poema que acabo de reproducir el
uso funeral del ciprés, como insinúo en el comentario que va a continuación en el texto y como notará quizá el lector sensible. Más adelante
hemos de ver además otro caso de lo mismo (véase la nota 13 a este capítulo).

[12] *Soledades, Galerías y otros poemas:* XCIV.

El contenido de este poema podríamos formularlo aproximadamente así: "el mundo está muerto, no hay vida en él". El
poeta no dice propiamente estas palabras: nos las da a entender
sólo. Se limita a presentarnos una ciudad inmóvil, detenida, donde nada acontece, donde nada semeja vivir: la plaza está "en
sueños"; el sol es "mortecino"; las formas humanas, quietas en
los balcones, "parecen confusas calaveras"; una infinita "calma"
se enseñorea de todas las cosas; un ciprés alto eleva su ramaje
"yerto". Machado superpone a la ciudad, en cierto modo, la visión
de un cementerio, o mejor, proyecta sobre aquélla rasgos propios
de éste. Cuando el lector llega al verso antes comentado:

en todo el aire en sombra no más que el agua suena

experimenta, en primer término, como hemos dicho, una emoción
de silencio y soledad; pero comprende, al mismo tiempo, cuál
es la significación de esa soledad y de ese silencio: es la soledad
y el silencio de lo definitivamente extinguido.

Debajo de las realidades silencio y soledad yace, pues, otra más
subrepticia aún: cierta contemplación fúnebre del mundo, en que
todo reposa como en un ataúd. Pero nuestro análisis puede llegar
todavía más lejos, si nos preguntamos por el motivo psicológico de
esa sombría visión. No hay duda: Machado nos trasmite a su través algo más íntimo: la contemplación de un estado de alma melancólico, un desaliento, un desánimo que sentimos como propios
del hablante poemático. He aquí, por fin, la última esfera real,
de la que emanan todas las otras: cinco estratos se han revelado
así a nuestro análisis:

Evocación: *Sonido del agua.*

Realidades aludidas: *Silencio.*
Soledad.
Visión de un mundo quieto: muerto.
Estado de alma melancólico.

Hemos llegado a una conclusión que nos interesa desarrollar: el hecho de que en Machado, algunas veces, el tema poético (por ejemplo, la visión de una ciudad inmóvil) no es, en última consideración, otra cosa que el *símbolo* de una diferente realidad afectiva (que, en el caso particular señalado, podríamos algo vagamente concretar en palabras como "tristeza", "desánimo", etc.). Pero, naturalmente, este fenómeno puede ser generalizado, pensando que, con alguna frecuencia (sobre todo, en la poesía contemporánea, o, más ampliamente, en la poesía posterior al romanticismo), es posible rastrear en la lírica este mismo modo de plasmación emocional que vemos en Machado: la consideración del tema como "correlato objetivo" de los sentimientos contemplados por el poeta. El tema, en estos casos, no lleva el papel principal en la realización creadora, sino que su función es, a pesar de las apariencias, secundaria. Se limita a servir de *medio* o mero soporte de las emociones, que protagonizan en realidad, aunque de manera racionalmente imperceptible, la obra. Las emociones son entonces, desde el punto de vista puramente racional, algo así como "eminencias grises", cuyo secreto mandato organiza y dispone el entramado lógico o argumental de las composiciones. Diríamos, abultando un poco la cosa, que no es el tema quien busca ahora la adecuada emoción, como tradicionalmente sucedía, sino que, al revés, es la emoción quien se arroja a buscar el tema adecuado. Se trata, en cierto modo, de un giro completo en la operación artística, que pasa de un relativo objetivismo racionalista a un relativo subjetivismo irracionalista, como, por otro lado, le ocurre a la cultura en general, a partir de los últimos años del siglo XVIII. Pero la "humillación" temática a favor de las emociones simbolizadas, que vemos en Machado, es, en realidad, uno de los procesos esenciales del siglo XX, lo que quiere decir que tras Machado no hizo sino crecer en intensidad. La obra de este poeta significa así un primer paso tan sólo hacia el destronamiento del tema en la poesía, destronamiento que se hace total (al menos teóricamente) en la escuela suprarrealista, donde el absolutismo emocional llega a una cima no sobrepasable.

Volviendo a Machado, anotamos que en esta técnica de la temática simbólica hay algo más que subjetivismo a secas. Hay, paradójicamente, también, y de modo esencial, algo así como "vergüenza" de ese mismo subjetivismo, tan declaradamente ingenuo o espontáneo en una zona significativa, del período romántico. Se trata de subjetivismo, pero, en cierto sentido, vergonzante. El escritor romántico usaba demasiadas veces el subjetivismo de una manera que llamaríamos impúdica. El poeta inmediatamente posterior no es menos subjetivo, sino, al contrario, lo es más. Pero se ha dado cuenta de que la eficacia artística acrece cuando el autor se impone una distancia con respecto a su obra. Uno de los medios de que se sirve para lograr esto es, repito, el trasvasamiento de las subjetivas emociones hacia soportes objetivos, que se tornan así en simbólicos, lo que además tiene la ventaja de condensar el sentimiento, al evitar la grandilocuencia propia de un cierto aspecto del arte romántico. Pues el símbolo bisémico, al concentrar dos sentidos bajo el mismo significante (el literal o lógico y el subyacente emotivo de carácter extrarracional), se manifiesta como algo que, utilizando un neologismo un poco cómico, llamaríamos "minilocuente". Si la grandilocuencia consiste en un exceso de continente y un defecto de contenido, lo que por contraposición hemos denominado "minilocuencia" consistirá en lo contrario: se tratará de la "sugestión" o sugerencia, tan peculiar de la poesía postbaudelairiana.

La aparición del símbolo y del tema simbólico representarán, por tanto, en la poesía, de un modo muy visible, el aspecto que toma el subjetivismo (que el romanticismo no hizo sino iniciar) una vez que los poetas reaccionaron contra el impudor y la grandilocuencia que caracterizaban, más específicamente aún, las producciones de ese movimiento, en un sector suyo sumamente visible.

PUDOR Y TÉCNICA DE LA IMPLICACIÓN

Tal reacción se nota no sólo en el uso del símbolo, sino también en otros aspectos de la poesía postromántica, que no quiero dejar de señalar aquí, aunque ello me obligue a un paréntesis fuera de nuestro tema estricto. Me refiero a la "esencialidad" de la poesía contemporánea, por un lado, y por otro, a un tipo de "correlato objetivo", distinto del símbolo, que precisamente estrena prácticamente también Machado dentro de la literatura española. En cuanto a lo primero (la esencialidad), vemos a la poesía contemporánea en oposición a toda grandilocuencia, al tender a la implicitación de cuantos elementos pueden ser suplidos por la capacidad imaginativa de un posible lector especializado, lo cual lleva consigo, como contrapartida ciertamente onerosa, la pérdida de un público "normal", para quedarse el autor a solas con un público "artista": la famosa "minoría" que tanto placía a Juan Ramón Jiménez y tan insatisfechos dejaba ya a algunos poetas de la generación del 25, que empezaron a darse cuenta del carácter levemente monstruoso de la discriminación lectora. Ejemplo de esta tendencia a la implicitación es el propio símbolo, que deja al lector con el encargo de entender lo que el material simbólico sugiere: eso que hemos denominado "plano real". Pero ciertamente el símbolo sólo es un caso particular de la implicitación, fenómeno creciente a lo largo del siglo. En Machado los ejemplos no faltan. He aquí dos:

> ¿Por qué, decidme, hacia los altos llanos
> huye mi corazón de esta ribera,
> y en tierra labradora y marinera
> suspiro por los yermos castellanos?

> Nadie elige su amor. Llevóme un día
> mi destino a los altos calvijares
> donde ahuyenta al caer la nieve fría
> la sombra de los muertos encinares.

> De aquel trozo de España, alto y roquero,
> hoy traigo a tí, Guadalquivir florido,
> una rama del áspero romero.

> Mi corazón está donde ha nacido,
> no a la vida, al amor, cerca del Duero.
> ¡El muro blanco y el ciprés erguido!

Entre el verso penúltimo y el último de este soneto, es palmario que se ha roto la continuidad lógica y que ciertos elementos conceptuales han quedado subsumidos, hundidos bajo la expresión, de modo que no ha sido el autor, sino que es el lector el encargado de explicitarlos en su mente. En el poema, en efecto, no se nos indica que ese amor de que habla aquí Machado sea el de su mujer, ni tampoco que su mujer ha muerto y está enterrada en Soria (los "altos llanos" a los que se alude en la pieza). De decir: "no a la vida, al amor, cerca del Duero", se pasa directamente, saltándose cuanto acabamos de mentar, a evocar el cementerio. Y nótese además (nuevo modo de implicitación) que tal cementerio tampoco se nombra, sino que se sugiere, dándonos de él sólo dos notas: "el muro blanco y el ciprés erguido" [13]. Esta última técnica (reducción de un objeto a alguna de sus características) es peculiar a la descripción impresionista, y, en general, a la descripción "contemporánea" (véase el Apéndice "Poesía contemporánea y Poesía poscontemperánea").

Tomemos otro ejemplo de Machado:

XXX

> Algunos lienzos del recuerdo tienen
> luz de jardín y soledad de campo,
> la placidez del sueño
> en el paisaje familiar soñado.
>
> Otros guardan las fiestas
> de días aún lejanos;
> figurillas sutiles
> que pone un titerero en su retablo...
> ....
> Ante el balcón florido,
> está la cita de un amor amargo.

---

[13] Como se ve, Machado usa el ciprés en sentido fúnebre más de una vez (reléase la nota 11, que va al pie de la página 162).

> Brilla la tarde en el resol bermejo...
> La hiedra efunde de los muros blancos...
>
> A la revuelta de una calle en sombra,
> un fantasma irrisorio besa un nardo.

El protagonista de este poema repasa en su memoria algunos recuerdos. Unos son plácidos, tienen "luz de jardín y soledad de campo"; otros son delicadamente festivos. De pronto asoma en la memoria otro recuerdo, esta vez trágico: el recuerdo de un amor fracasado:

> Ante el balcón florido
> está la cita de un amor amargo.

También aquí el autor se calla (implicitación) que esa "cita" de la que habla se halle en el mismo plano que los elementos anteriores, que sea un miembro más de la serie de recuerdos que ha planteado en las dos primeras estrofas; ni siquiera, al usar el verbo, utiliza el pretérito: el recuerdo se actualiza ("está"), sin aviso alguno por parte del poeta. Es preciso que el lector adivine, supla, lo que el poeta solamente ha "insinuado". Por otra parte tampoco se nos dice en el poema que ese "fantasma" sea el amante desdeñado, ni que besa el nardo en irrisoria sustitución de la mujer que no le quiere.

A la misma tendencia de implicitación pertenece la supresión de la anécdota, que se puso de moda en España [14] entre los poetas del 25, pero que se halla ya en el propio Bécquer y que Machado se jactaba de haber adelantado como técnica en sus *Soledades, Galerías y otros poemas*. Cuando Bécquer escribe:

> Cuando me lo contaron sentí el frío
> de una hoja de acero en las entrañas;
> me apoyé contra el muro, y un instante
> la conciencia perdí de donde estaba.

---

[14] En la poesía francesa la supresión de la anécdota es anterior.

Cayó sobre mi espíritu la noche;
en ira y en piedad se anegó el alma...
¡Y entonces comprendí por qué se llora,
y entonces comprendí por qué se mata!

Pasó la nube de dolor... con pena
logré balbucear breves palabras.
¿Quién me dio la noticia? Un fiel amigo...
¡Me hacía un gran favor!... Le di las gracias.

(Rima XLII)

nos hace desconocer a propósito el fondo anecdótico de los hechos: lo que a él le importa destacar no es la anécdota (el contenido de la "noticia"), sino la impresión que la anécdota (sea la que fuere) produce en su ánimo: reacción sentimental que pormenorizadamente nos presenta. De eso se trata: de dar al lector equivalencias emocionales de hechos más o menos eludidos. Repasando la obra de Machado, los ejemplos saltan a la vista en seguida. He aquí uno:

La calle en sombra. Ocultan los altos caserones
el sol que muere; hay ecos de luz en los balcones.

¿No ves, en el encanto del mirador florido,
el óvalo rosado de un rostro conocido?

La imagen, tras el vidrio de equívoco reflejo,
surge o se apaga como daguerrotipo viejo.

Suena en la calle sólo el ruido de tu paso;
se extinguen lentamente los ecos del ocaso.

¡Oh angustia! Pesa y duele el corazón... ¿Es ella?
No puede ser... Camina... En el azul, la estrella.

(XV)

En este poema lo que importa es la creación simbólica de un ambiente de entresueño y apagamiento que traduce y objetiva una emoción (dolor, gravedad, angustia), sin que el entramado anecdótico asome más que como alusión vaga ("¿es ella?"). Evidentemente, el sentimiento que los versos expresan está provocado por *algo* que ha ocurrido entre una cierta mujer y el personaje que habla en la composición. Pero eso que ha ocurrido (por ejemplo, la ausencia irreparable de ella) se elude, y su único resto es una interrogación alusiva ("¿es ella?") y un aura emocional, que, además, como es uso en Machado, según ya sabemos, diríamos que aparentemente se despersonaliza y fija en el molde objetivo de una representación sucesivamente simbólica: "La calle en sombra", "el sol que muere", vidrio de equívoco reflejo", "se extinguen lentamente los ecos del ocaso", etc. Representaciones todas que sugieren tristeza o reprimida angustia, pero sin adscribirlas al yo más que de manera mediata.

He elegido este poema como ejemplo porque nos sirve también para ilustrar el otro tipo de correlato objetivo al que antes aludíamos, que, prácticamente inicial en Machado para la literatura española [15], sigue en uso creciente después en ella hasta nuestros mismos días. Me refiero al desdoblamiento del yo del personaje poemático en un "tú" al que el poeta se dirige:

> Suena en la calle sólo el ruido de *tu* paso

Tal "paso" es, sin duda, el paso del mismo protagonista que habla en los versos; protagonista que, al quedar desdoblado en interlocutor, ofrece sus sentimientos como púdicamente "enajenados". Léanse, escritas en la misma técnica, las piezas machadianas que llevan, en las "Poesías completas", los números XXV, XXVII, LXIX, LXX, LXXVIII, LXXIX, LXXXIV y LXXXIX. Con posterioridad a Machado, es frecuente el procedimiento: Aleixandre, Cernuda, Hierro, Gaos, etc., lo incorporan a sus hábitos expresivos.

En ocasiones no es un "tú", sino un "nosotros" lo que surge en Machado (y en la poesía de postguerra este recurso se hace

---

[15] En la poesía francesa el artificio se remonta, por lo menos, a Baudelaire:

> *Que diras-tu ce soir, pauvre âme solitaire,*
> *que diras-tu, mon coeur, coeur autrefois flétri,*
> *à la très-belle, à la très-bonne, à la très-chère,*
> *dont le regard divin t'a soudain refleuri?*

aún más usual que el anterior). Señalemos en *Soledades, Galerías...* los poemas XXVIII, XXXVI y LXXXVIII. Otras veces la táctica objetivizante de Machado consistirá en un diálogo entre una realidad natural y el protagonista poemático: la tarde (poema XLI), la noche (poema XXXVII), un alba de la primavera (poema XXXIV), una fuente (poema VI), o la tarde de abril (poema XLIII), de forma que el protagonista habla de sí mismo sin necesidad de recurrir al empleo del vitando yo [15 c]. Todo ello no excluye ciertamente que nuestro poeta pueda servirse del procedimiento objetivizante que llamaríamos "normal" de la poesía de todos los tiempos (especialmente desarrollado después, dentro de nuestras letras, con posterioridad a la guerra): la creación de un personaje que, generalmente, no pretende encubrir, ni aún simbólicamente, la persona del hablante lírico, como ocurría en los casos anteriores: poemas I, XXXI, LXXXI, CVI, CVII, CVIII, CXIII, CXIV, CXVII, CXXXI, etc.

Pero si volvemos sobre el poema XV de Machado aún notaremos en él otro curioso artificio de despersonalización que le es peculiar, pues el verso penúltimo nos muestra las emociones y realidades personales como abstraídas del sujeto y colocadas fuera de él: Machado escribe: "Oh angustia", no "oh angustia mía"; "el corazón", no "mi corazón". De muchos modos, pues, la distancia psíquica se impone en la poética contemporánea.

LA VISIÓN DEL MUNDO DE MACHADO
Y LOS SÍMBOLOS DE LA SOLEDAD

Pero nos conviene retornar al símbolo machadiano, prosiguiendo el curso de nuestras ideas desde el mismo lugar donde lo inte-

---

[15 c] Ejemplo:

Me dijo un alba de la primavera:
Yo florecí en tu corazón sombrío
ha muchos años, caminante viejo
que no cortas las rosas del camino.
Etc.

(XXXIV)

rrumpimos. Estábamos estudiando un símbolo repetido una y otra vez en la obra del poeta: el sonido del viento y del agua. La frecuencia de su uso nos hace pensar que acaso se halle en íntima vinculación con su visión del mundo.

¿Cómo ve Machado la realidad? Reparemos en los vocablos que utiliza con más insistencia: el adjetivo "muerto" es uno de ellos:

> Ciudades muertas, tarde muerta, fragancias muertas, agua muerta, plaza muerta, etc.

Abunda aún más en sus versos el calificativo "viejo":

> Calles viejas, pueblos viejos, tarde vieja, orilla vieja, piedra vieja, caminante viejo, viejo aroma, viejos lirios, morada vieja, dolor viejo, infinito viejo, alma vieja, viejo falucho, mula vieja, vieja aldea, campanas viejas, rosa vieja, amarguras viejas, lágrimas viejas, etcétera.

Y todavía son más peculiares (hasta el punto de que es raro el poema en que faltan) palabras como "sueño" y sus derivados ("soñar", en los distintos tiempos y personas: "soñoliento"):

> Tarde soñolienta, noria soñolienta, soñoliento llano, sueñan los frutos de oro, yo voy soñando caminos, grave sueño mío, grave soñar de la llanura, donde el agua sueña, caminos tiene el sueño, las campanas sueñan, nosotros exprimimos la penumbra de un sueño en nuestro vaso, Amor de piedra que sueña mudo, las hojas (...) son humo verde que (...) sueña, la honda gruta donde fabrica su cristal mi sueño, yo te busqué en mi sueño, luna del espejo que lejos soñaba, sueño florido lleva el manso viento, el mar es un sueño sonoro, el sueño bajo el sol que aturde y ciega, soñaba la mula, agua que sueña, el sueño maduro de apuesto galán, espejo de mis sueños, cristales de mi sueño, el demonio de mi sueño, desde el umbral de un sueño me llamaron, caminos de los sueños, luz en sueños, golondrinas (...) soñando, pobre hombre en sueños, la mano que tú querías retener en sueños, ancha plaza en sueños, etc.

He obtenido estas listas hojeando, sin ningún rigor, el primer libro del poeta, *Soledades, Galerías y otros poemas*. Mi escrutinio ha sido tan superficial y rápido que sin ninguna duda se habrán escapado a mi atención muchísimos otros ejemplos. Pero con los transcritos tenemos más que suficiente para deducir la especial visión de la vida que Machado exhibe en su lírica. El léxico de un poeta, esto es, la selección que hace de los elementos reales es siempre un indicio sólido de su gesto vital, de su intuición de las cosas. Y hemos visto que nuestro poeta elige entre los términos de la realidad aquellos que expresan el cansancio, el detenimiento, lo muerto, lo viejo, lo soñoliento de las criaturas. Únicamente nos hemos detenido a examinar tres series de palabras (los adjetivos "muerto" y "viejo" y algunos derivados de "sueño"). Pero a la misma conclusión nos conduciría el recuento de otras voces que más o menos reflejan un significado similar al de aquéllas: los calificativos "lento", "desierto", "ruinoso", "sombrío", "triste", "mudo", etc.; verbos como "dormir"; substantivos como "quimera"; vocablos casi todos ellos copiosamente diseminados en la obra machadiana. Y aún sería más interesante haber destacado el crecido número de veces que nuestro autor incurre en el tema de la tarde, del atardecer. Sólo en *Soledades, Galerías y otros poemas* pueden verse las piezas que llevan los números I, IV, V, VI, VII, XI, XIII, XV, XVII, XIX, XXIV, XXV, XXVII, XXX, XXXII, XXXVIII, XLI, XLIII, XLV, XLVI, XLIX. LI, LIV, LV, LXX, LXXIV, LXXVI, LXXVII, LXXIX, LXXX, XCI y XCIV.

Diríamos, pues, que el protagonista de la poesía de Machado parece sentir un desaliento ante la vida, un desánimo, una tristeza que se refleja simbólicamente en tal poesía. Símbolo de ese estado de ánimo es la contemplación de las cosas como "muertas", como "viejas", como "dormidas", como "soñolientas", como "mudas", como "lentas", como "quietas" [16].

¿Y la tarde? ¿Qué es la tarde para Machado sino la hora del día que mejor puede simbolizar la quietud, esto es, el lento apagamiento del alma del poeta, la suave melancolía sin término de su espíritu?

---

[16] Se trata de una norma general, valedera para muchos poetas. La tristeza suele simbolizarse en poesía por medio de la lentitud o la quietud, del mismo modo que lo hace el cuerpo humano o la música, por ejemplo.

Notemos que esta contemplación de una naturaleza absorta, suspensa, también se da, *verbi gratia,* en Azorín. Será, pues, algo que se sale de lo específicamente machadiano para caracterizar a algunos miembros de una generación, la generación llamada del 98, la generación del desastre español, aunque en cada uno de los escritores en ella incursos que la usen tal característica posea rasgos especiales. Porque para darnos esa visión del mundo no sólo influirían causas generales, externas, circunstanciales, sino también motivos internos, individuales. En Machado, el agnosticismo del poeta, que se revela de modo explícito en el poema LXXVII ("Siempre buscando a Dios entre la niebla") y en el LXXVIII ("¿Y ha de morir contigo el mundo mago...?"), y de modo tácito en el LXXIX ("¿Qué buscas, poeta, en el ocaso?"), parece ser el origen personal de su cosmovisión: de su tono grave, tanto como del tema fundamental de su obra (la temporalidad del mundo y del hombre), y de otros derivados (como la fantasmalidad e irrealidad de un orbe probablemente sin justificación trascendente).

Tan extenso comentario nos ayudará ahora a comprender mejor el sentido del símbolo antes estudiado y la razón de su frecuencia: hemos dicho ya que nuestro poeta, en varia ocasión, se sirve simbólicamente del agua o del viento para expresar lo silencioso, lo solitario, lo muerto de un ámbito. Ese símbolo no es, pues, otra cosa que una intensa manera, un modo más de ponernos ante esa personal visión del mundo que hemos llegado a esquematizar. Un mundo donde la vida no se ofrece como tal, donde todo humano rumor está en trance de acabamiento o ha sido suprimido: sólo el sonido de los elementos naturales queda superviviente y podría en él percibirse. En medio de la quietud y de la mudez del contorno el viento pasa, el agua corre. En el silencio, escuchamos el fluir de una corriente, el leve transcurso de una delgada brisa. Y se nos sugiere así con tal fuerza la soledad, el silencio, la extinción, que el poeta no se resiste a reincidir en el empleo de tan enérgico símbolo: y una y otra vez, con ligeras variantes, oímos de los labios de Machado:

en todo el aire en sombra no más que el agua suena.

LOS AMBIENTES FANTASMALES EN BÉC-
QUER Y EN MACHADO. DEPENDENCIA
ENTRE AMBOS Y DIFERENCIA ESENCIAL

Parece como si la vista del poeta, al posarse sobre los objetos, arrancara de ellos todo dinamismo. Naturalmente, el hombre, como hace poco acabo de insinuar, no se sustrae a esta norma poética. Machado ve en el hombre un espectro de hombre:

> Oh dime, noche amiga, amada vieja,
> que me traes el retablo de mis sueños
> siempre desierto y desolado, solo
> con mi fantasma dentro... [17].
> Yo en este viejo pueblo, paseando
> solo, como un fantasma [18].

El hombre mira, requiere, desea; pero desea en vano; jamás alcanza su propósito, su afán. El ser humano puede ser visto así como un irrisorio fantasma que en vez de besar a una mujer de carne y hueso, besa un nardo, en ansia de inalcanzable amor:

> Ante el balcón florido
> está la cita de un amor amargo.
>
> Brilla la tarde en el resol bermejo...
> La hiedra efunde de los muros blancos...
>
> A la revuelta de una calle en sombra,
> un fantasma irrisorio besa un nardo [19].

¿Se relaciona, pues, Machado, en este aspecto, con la poesía romántica de escuela? Es innegable que los románticos gustaban también mucho del aparato sobrenatural. Sin embargo, una discrepancia fundamental advierto entre los espectros románticos y los del autor contemporáneo. Eran aquéllos la simple transcripción lite-

---

[17] *Soledades, Galerías y otros poemas*: XXXVII.
[18] *Campos de Castilla*: "Noche de verano".
[19] *Soledades, Galerías y otros poemas*: XXX.

raria de supersticiosas tradiciones; se basaban en la *realidad* de unas creencias populares. En cambio, los fantasmas machadianos no se fundamentan en nada religioso: son meros símbolos, bien del hombre que, sumergido en el sueño, no tiene verdadera existencia (véanse las dos primeras citas), bien de la frustración del humano aspirar a otro mundo más perfecto, redimido de dolor y de sombra (poema del "fantasma irrisorio"), etc.

No obstante, encuentro un antecedente muy claro a las fantasmagorías de nuestro poeta. La lírica de Bécquer había iniciado ya en el pasado siglo una espectralización del mundo con este carácter puramente simbólico. Es Bécquer el cantor de mujeres incorpóreas, imposibles:

> Yo soy un sueño, un imposible;
> vano fantasma de niebla y luz;
> soy incorpórea, soy intangible,
> no puedo amarte. ¡Oh ven, ven tú! [20].

¿Se tratará de un auténtico influjo o de una casual coincidencia? Yo me inclino a creer lo primero, por una razón muy simple: existen dos poemas de Machado (y precisamente dos poemas espectrales) que exhiben una directa, incuestionable relación con la Rima LXXI. La comparación que enseguida estableceremos entre las tres composiciones nos revelará las siguientes cosas: 1.º Que la rima de Bécquer ha dejado huella en los versos de don Antonio. 2.º Que la diferencia entre ambos poetas es la misma que separa el siglo pasado del presente. 3.º En consecuencia, nuestro análisis podrá obtener quizá una de las características de la poesía contemporánea con respecto a la poesía romántica.

La rima de Bécquer es ésta:

> No dormía; vagaba en ese limbo
> en que cambian de forma los objetos,
> misteriosos espacios que separan
> la vigilia del sueño.

---

[20] Rima XI.

Las ideas que en ronda silenciosa
daban vueltas en torno a mi cerebro,
poco a poco en su danza se movían
con un compás más lento.

De la luz que entra al alma por los ojos
los párpados velaban el reflejo,
mas otra luz el mundo de visiones
alumbraba por dentro.

En este punto resonó en mi oído
un rumor semejante al que en el templo
vaga confuso, al terminar los fieles
con un amén sus rezos.

Y oí como una voz delgada y triste
que por mi nombre me llamó a lo lejos,
y sentí olor de cirios apagados,
de humedad y de incienso.

Entró la noche, y del olvido en brazos
caí, cual piedra, en su profundo seno:
dormí, y al despertar exclamé: "¡Alguno
que yo quería ha muerto!"

Copiemos ahora los dos poemas de Machado a que me he referido:

Y era el demonio de mi sueño, el ángel
más hermoso. Brillaban
como aceros los ojos victoriosos,
y las sangrientas llamas
de su antorcha alumbraron
la honda cripta del alma.

—¿Vendrás conmigo? —No, jamás; las tumbas
y los muertos me espantan.
Pero la férrea mano
mi diestra atenazaba.
—Vendrás conmigo... Y avancé en mi sueño
cegado por la roja luminaria,
y en la cripta sentí sonar cadenas
y rebullir de fieras enjauladas [21].

---

[21] *Soledades, Galerías y otros poemas:* LXIII.

Desde el umbral de un sueño me llamaron...
Era la buena voz, la voz querida.
Dime: ¿vendrás conmigo a ver el alma?
Llegó a mi corazón una caricia.
Contigo siempre... Y avancé en mi sueño
por una larga, escueta galería,
sintiendo el roce de la veste pura
y el palpitar suave de la mano amiga[22].

El trío de composiciones (la de Bécquer y las dos de Machado) coinciden en un punto esencial: las tres tienen como tema el sueño o ensueño del poeta, desde el cual oye éste cómo le llama un ser misterioso. Pero si comparamos la rima de Gustavo Adolfo con cada una de las composiciones contemporáneas, por separado, el parentesco aumenta. Hay que relacionar, ante todo, los elementos concretos de estos versos:

Y oí como una voz delgada y triste
que por mi nombre me llamó a lo lejos,

con los de estos otros:

Desde el umbral de un sueño me llamaron.
Era la buena voz, la voz querida.

Pero aún es mayor la semejanza entre la rima LXXI y el otro poema de nuestro autor. He aquí una estrofa de la rima:

Y oí como una voz delgada y triste
que por mi nombre me llamó a lo lejos,
y sentí olor de cirios apagados,
de humedad y de incienso.

Y aquí una estrofa de la pieza machadiana:

—Vendrás conmigo... Y avancé en mi sueño
cegado por la roja luminaria,
y en la cripta sentí sonar cadenas
y rebullir de fieras enjauladas.

---

[22] *Op. cit.*: LXIV.

La analogía es notable. En ambos casos se oye una voz fantasmal, en medio del sueño. En el poema de Bécquer, esa voz le llama delgadamente; en el de Machado, la voz dice: "Vendrás conmigo." En los versos del poeta contemporáneo hay una roja luminaria; en los del ochocentista hay cirios. Notemos además cómo la disposición sintáctica es casi idéntica. Compruébese:

> Y sentí olor de cirios apagados,
> de humedad y de incienso [23].

> Y en la cripta sentí sonar cadenas
> y rebullir de fieras enjauladas [24].

En los dos ejemplos, la materia se dispone en un par de versos; en los dos la oración comienza por una cupulativa "y" que inicia el endecasílabo; y en ambos se da el verbo "sentir" en la primera persona del singular del pretérito indefinido.

No cabe duda: la rima de Gustavo Adolfo dejó su impronta en la pareja de composiciones machadianas que hemos considerado.

Pero precisamente lo evidente del contagio nos va a servir para caracterizar estilísticamente a Machado con respecto a Bécquer; y a la par, nos servirá para caracterizar en un aspecto la poesía contemporánea con respecto a la inmediatamente anterior.

Y es que, a pesar de todos los parecidos, los versos del poeta de nuestro siglo nos suenan de muy distinto modo que los del poeta del siglo pasado. Hemos de determinar el motivo de tal impresión. En las dos composiciones de Machado, el sueño desde el cual se oye la misteriosa voz no está descrito como el sueño fisiológico: se trata de otra clase de sueño, un ensueño casi metafísico, muy machadiano, como un volverse hacia adentro la conciencia, como una absorción de ésta por lo más hondo del alma. En cambio, los versos de Gustavo Adolfo aluden específicamente al acto del duermevela. El poeta se ha esmerado en que nos percatemos bien de ello:

---

[23] Rima LXXI de Bécquer.
[24] Poema LXIII de *Soledades, Galerías y otros poemas,* de Machado.

No dormía; vagaba en ese limbo
en que cambian de forma los objetos,
misteriosos espacios que separan
la vigilia del sueño.

Tres estrofas nada menos dedica Bécquer a esta descripción. Ya notamos una primera diferencia entre ambos poetas. En el autor de las Rimas toda la fantasía está justificada por una *realidad* psíquico-fisiológica; justificación que no hallamos en el poema de Machado. Pero la separación se ahonda al considerar la última estrofa del poema becqueriano:

Entró la noche, y del olvido en brazos
caí, cual piedra, en su profundo seno:
dormí, y al despertar exclamé: "¡Alguno
que yo quería ha muerto!"

Como si no bastara la motivación racional de la fantasía que las tres primeras estrofas de la rima manifiestan, el poeta nos ofrece en estos cuatro versos postreros una justificación nueva que complementa a la inicial. "¡Alguno que yo quería ha muerto!", nos dice Gustavo Adolfo; se explica con esta frase la audición de aquella voz fantasmal y de aquel sobrenatural olor de cirios, humedad e incienso. Bécquer no ha hecho otra cosa que describirnos un fenómeno, raro en la realidad psicológica, pero, al parecer, según algunos creen *o pueden creer,* existente: lo que hoy se denomina "telepatía". Notamos, en cambio, que Machado no intenta hallar en el irreal delirio de sus versos ninguna relación *inmediata* con la esfera de lo real.

¿Qué conclusiones podríamos extraer de este análisis? El romanticismo había deshecho el equilibrio renacentista entre intuición y razón, a favor, claro está, del primero de tales elementos. Pero todavía quedaban diáfanas señales de la importancia que los artistas áureos concedieron a lo racional. Los románticos no se atrevieron aún a romper totalmente las amarras que los ataban a la tradición. Los escritores del siglo XIX se embarcaron, sí, en una gran aventura; pero hubiese sido demasiada exigencia pedir de ellos la total renuncia al pasado. Aunque Bécquer representa un poderoso empuje hacia la total liquidación de la poética renacentista, todavía se vislumbra en sus versos la huella de lo tradicional; en la rima LXXI tal huella no puede ser más clara: consiste, precisamente, en esa intentada justificación racional del elemento maravilloso. En el autor de las Rimas se refugia, pues, en este aspecto, uno de los últimos reductos racionalistas, ya en plena agonía. Un paso más, y todo un aspecto de la estética tradicional se habrá hundido. Y en ese instante es, precisamente, cuando surge Machado y, en general, la poesía contemporánea, fundamentalmente nacidos de esa irracionalidad de la que brota el símbolo. Pues es evidente que la presencia de ese "demonio", de ese ángel benigno o protervo en los poemas de don Antonio si no está, como en Bécquer, justificada por una realidad psicológica (más o menos extraordinaria), deberá tener una justificación de otro orden. Y, en efecto, como ya dije, así ocurre: se encomienda a esos seres extrahumanos una misión simbólica. El "demonio" machadiano sería símbolo de los apetitos oscuros, de los deseos mezclados, inconfesables de su alma, como "la buena voz, la voz querida" lo sería de las zonas blancas, puras o inocentes de ella.

El análisis anterior confirma de este modo las afirmaciones a que, por un camino distinto, llegábamos más arriba [25]: la lírica contemporánea es el resultado de prolongar y acrecentar hondamente dos elementos que se hallaban ya en la base del romanticismo: el individualismo y el irracionalismo. Sólo que, al ser acrecentados, estos elementos, no sólo se ofrecen de otro modo, sino que trastornan todo el sistema de relaciones en que se insertan, de manera que el arte contemporáneo, lejos de ser romántico, se nos aparece, de algún modo perfectamente determinable, como su opuesto. (Léanse los Apéndices "Poesía contemporánea y poesía poscontemporánea" y "Poesía contemporánea y sugerencia".)

---

[25] El análisis que hemos hecho anteriormente sobre la imagen visionaria, la visión, el símbolo y los desplazamientos calificativos, nos lleva, en efecto, a idéntica conclusión.

Capítulo VIII

SAN JUAN DE LA CRUZ, POETA "CONTEMPORÁNEO"

1. LOS COMENTARIOS EN PROSA DE SAN JUAN A SUS VERSOS

Aunque las imágenes visionarias y los símbolos son propios del irracionalismo y subjetivismo "contemporáneos", han podido darse, antes, en San Juan de la Cruz, precisamente por el irracionalismo que todo impulso místico supone. Los comentarios en prosa del autor a sus versos se nos hacen entonces especialmente interesantes, y ello tanto cuando el análisis de San Juan acierta de lleno en la comprensión de la verdadera estructura de sus imágenes como tales imágenes poéticas, que al ocurrir lo opuesto. Pues hay que decir, aunque sin novedad alguna, que a veces la interpretación mística que el propio poeta nos da de sus maravillosas liras nada tiene que ver con lo que tales liras expresan cuando las tomamos simplemente como trozos de excelente poesía. Se plantea así un delicado problema. ¿Qué tenía San Juan en la cabeza cuando escribía esos desconcertantes fragmentos líricos? ¿El sentido místico o el poético? La respuesta a esta pregunta no es fácil, pues ocurre que alguna que otra estrofa del "Cántico espiritual" es poéticamente ininteligible, y, evidentemente, si no posee sentido poético, sólo puede tener, ya de arranque y desde su propósito inicial, el místico y alegórico que San Juan le atribuye fuera de texto. Ejemplo: el Amado y la amada entran en las "subidas cavernas de la

piedra" "que están bien escondidas", y allí el Amado muestra y da
a la amada todo esto:

> El aspirar del aire,
> el canto de la dulce filomena,
> el soto y su donaire,
> en la noche serena
> con llama que consume y no da pena.

A continuación viene la estrofa a que me refiero como estéticamente insensata:

> Que nadie lo miraba,
> Aminadab tampoco parecía,
> y el cerco sosegaba
> y la caballería
> a vista de las aguas descendía.

Pero aunque carezca de sentido poético, lo tiene místico. La estrofa, en pretensión del autor, dice cinco cosas, una por línea:

> La primera, que ya su alma [la de la amada] está dormida
> y ajena de todas las cosas. La segunda, que ya está vencido y
> ahuyentado el demonio. La tercera, que ya están sujetadas las
> pasiones y mortificados los apetitos naturales. La cuarta y la quin-
> ta, que ya está la parte sensitiva e inferior reformada y purifi-
> cada, y que ya está conformada con la parte espiritual; de ma-
> nera que no sólo no estorbará para recibir aquellos bienes espiri-
> tuales, mas antes se acomodará a ellos porque aun de los que
> ahora tiene participa según su capacidad.

Y aludiendo más concretamente a los dos últimos versos, que
son los que especialmente carecen de asequibilidad artística, añade
San Juan:

> Por las "aguas" entiende aquí los bienes y deleites espiri-
> tuales que en este estado goza el alma en su interior con Dios.
> Por la "caballería" entiende aquí los sentidos corporales de la
> parte sensitiva, así interiores como exteriores; porque ellos traen
> en sí los fantasmas y figuras de sus objetos. Los cuales en este
> estado dice aquí la Esposa que descienden "a vista de las aguas"
> espirituales; porque de tal manera está ya en este estado de ma-

trimonio espiritual purificada y en alguna manera espiritualizada
la parte sensitiva e inferior del alma, que ella con sus potencias sensitivas y fuerzas naturales se recoge a participar y gozar en su manera de las grandezas espirituales que Dios está co-
municando al alma en lo interior del espíritu.

Ningún lector que no haya pasado antes por el texto doctrinal
puede entender las "aguas" de la última estrofa del "Cántico" como "los bienes y deleites espirituales" de que goza el alma con
Dios; y menos aún, la "caballería" como "los sentidos corporales
de la parte sensitiva, así interiores como exteriores", etc. Pero si
prescindimos de esos apuntalamientos de la prosa, y nos remitimos
al poema como tal ¿qué sacamos en limpio? Hemos de repetir,
aunque ello escandalice a más de uno, que en limpio, lo que se
dice en limpio, no sacamos nada. No hay, a mi juicio, intelección
poética posible de esos versos. Afortunadamente, un fracaso estético tal es ave rara en el hermosísimo poema, sin duda uno de los
más continuamente intensos de nuestra lengua. Y si yo ahora he
sacado a relucir ese fallo ha sido para hacer ver al lector que San
Juan de la Cruz, cuando escribía la composición susodicha, y otras
del mismo estilo, tenía en su mente, sin ningún género de duda,
una trabada concepción de teología mística que se proponía exponer líricamente.

Ahora bien ¿qué significa entonces el hecho palmario de que
en algunos versos la significación poética ande por un lado y la
puramente doctrinal por otro bastante distinto? Antes que nada
comprobemos el aserto. Dice el Esposo:

> A las aves ligeras,
> leones, ciervos, gamos saltadores,
> montes, valles, riberas,
> aguas, aires, ardores,
> y miedos de las noches veladores,
>
> por las amenas liras
> y canto de sirenas os conjuro
> que cesen vuestras iras
> y no toquéis el muro
> porque la esposa duerma más seguro.

¿Qué siente ante estas estrofas un lector despreocupado de los comentarios y su reducción conceptual? Por supuesto, entiende que habla Dios (el Esposo) al alma, de él transida y enamorada. Y entiende que Dios, el Esposo, conjura a las cosas todas del mundo, concretadas *conjunta y simbólicamente, v sin determinación específica*, en aves, leones, ciervos, gamos, etc., a que no interrumpan la paz espiritual de la Esposa, el alma, que de todo se ha desinteresado y deshecho por concentración reposada y honda en el único Amor que serenamente la llena. Veamos ahora lo que nos dice San Juan:

> En estas dos canciones pone el Esposo Hijo de Dios al alma Esposa en posesión de paz y tranquilidad, en conformidad de la parte inferior con la superior, limpiándolas de todas sus imperfecciones, y poniendo en razón las potencias y razones naturales del alma, sosegando todos los demás apetitos.

Hasta aquí, aunque forzándonos un poco, podríamos estar vagamente de acuerdo. Pero San Juan prosigue luego pormenorizando del siguiente modo:

> Llama "aves ligeras" a las digresiones de la imaginativa (...); a las cuales dice el Esposo que las conjura por las "amenas liras", etc.; esto es (...) que cesen sus inquietos vuelos, ímpetus y excesos; lo cual se ha de entender así en las demás partes que habemos de declarar aquí, como son:
>
> leones, ciervos, gamos saltadores.
>
> Por los leones entiende las acrimonias e ímpetus de ia potencia irascible (...). Y por los ciervos y gamos saltadores entiende la otra potencia del alma que es la concupiscible, que es la potencia del apetecer, la cual tiene dos afectos: "el uno de cobardía y el otro de osadía". Eu los afectos de cobardía "es comparada a los ciervos" que son muy cobardes y encogidos. En los afectos de osadía "es comparada esta potencia a los gamos", los cuales tienen tanta concupiscencia en lo que apetecen, que no sólo a ello van corriendo, mas aun saltando, por lo cual aquí los llama saltadores (...).
>
> Montes, valles, riberas.

Por estos nombres se denotan los actos viciosos y desordenados de las tres potencias del alma que son memoria, entendimiento y voluntad; los cuales actos son desordenados y viciosos cuando son en extremo altos (montes) y cuando son en extremo bajos
y remisos (valles) o aunque no lo sean en extremo, cuando de-
clinan hacia uno de los dos extremos (riberas).

> Aguas, aires, ardores,
> y miedos de las noches veladores.

También por estas cuatro cosas entiende las aficiones de las
cuatro pasiones que (...) son dolor, esperanza, gozo y temor...
Por las "aguas" se entienden las afecciones del dolor que afligen
al alma, porque así como agua se entran en el alma (...). Por los
"aires" entiende las afecciones de la esperanza, porque así como
aire vuelan a desear lo ausente que se espera (...). Por los "ardores" se entienden las afecciones de la pasión del gozo, las cuales inflaman el corazón a manera de fuego (...). Por los miedos
de las noches veladores se entienden las afecciones de la otra pasión que es el temor, las cuales en los espirituales que aún no
han llegado a este estado de matrimonio espiritual suelen ser muy
grandes (...).
Pues a todas estas cuatro maneras de afecciones de las cuatro
pasiones del alma conjura también el Amado, haciéndolas cesar
y sosegar, por cuanto Él da ya a la Esposa caudal en este estado
y fuerza y satisfacción en las "amenas liras" de su suavidad y
"canto de sirenas" de su deleite.

Como puede comprobarse cotejando entre sí los dos ensayos de
trasposición lógica, el nuestro y el de San Juan, ambas interpretaciones, aunque con alguna genérica concomitancia, muestran una
vasta zona diferencial, que consiste, sobre todo, en la especificación que nuestro místico realiza de cada término enumerado en el
poema: leones, ciervos, gamos, etc. Pienso que nadie sería capaz
de colegir a las "aves ligeras" como las "digresiones de la imaginativa"; a los "leones", como "las acrimonias e ímpetus de la
potencia irascible"; a los "ciervos" y "gamos" como "la potencia del apetecer" (y menos el matiz lógico a que San Juan desciende de que los ciervos expresen los afectos "cobardes" de ese apetecer, mientras se reserva a los gamos la representación de los afectos "osados" del mismo). Tampoco me parece posible entrar en

sospecha de que los "montes", "valles" y "riberas" mencionen "los actos viciosos y desordenados de las tres potencias del alma que son memoria, entendimiento y voluntad". Y si ello es así, más remotos andaremos aún de la delicadísima diferenciación que el autor establece: que los "montes" supongan el desorden y vicio por exceso de tales potencias; los "valles", su desorden y vicio por defecto; las "riberas", su desorden y vicio que sin ser del todo extremosos, vayan hacia uno de los dos opuestos límites mencionados. Y en fin, asimismo nos declaramos incapaces de entrar en que las "aguas" hayan de traducirse por las "afecciones" del "dolor"; los "aires", por las "afecciones" de la "esperanza"; y los "ardores", por las afecciones de la "pasión del gozo". De todo ello, pues, únicamente, podríamos ver, aunque desde lejos y sin el pormenor de tecnicismo acuciante que le viene a conceder el comentario cuando leído entero, que los "miedos de las noches veladores" sean "las afecciones de la otra pasión que es el temor".

Recojamos ahora la pregunta que nos hicimos más arriba: ¿cómo se explica la distancia entre la interpretación alegórica, tan concreta, precisa y minuciosa de San Juan y la nuestra global, sólo genérica y vaga —en la hipótesis de que esta última sea la fiel al poema mismo—? ¿Intuía San Juan al escribir su poema lo mismo que nosotros? En mi opinión, hay que pensar que sí, que San Juan forzosamente, aunque su pretensión posterior e incluso previa al poema fuese diferente, cuando escribía y en cuanto que escribía sus versos imaginaba y sentía lo que nosotros imaginamos y sentimos al leerlos. Pero entonces ¿qué significa su versión doctrinal, y sobre todo, la versión doctrinal de esos pocos pasajes en que no cabe otra que la que él da? Yo me hago la siguiente reconstrucción del acto creador de nuestro poeta. San Juan se halla en posesión, antes de empezar su poema, de una experiencia y teoría místicas perfectamente definidas, cuyo esquema general y a veces cuya condensación pormenorizada sigue en su trabajo lírico. De ahí que el hilo conductor del "Cántico" sea, en efecto, místico, no sólo para los comentarios, sino también para nosotros; y de ahí que existan estrofas, como la última, la de la "caballería", donde sin duda el poeta está vertiendo con mucha minucia y concreción,

su tesis religiosa. Mas, sin perder de vista esa tesis, en lo que tiene de genérica ideación, y sobre todo, la experiencia de la que ella
nacía, el enorme poeta que había en San Juan, con frecuencia, como en la estrofa que nos ha detenido, diríamos que trabajaba por
su cuenta, en relativo y sólo relativo olvido de la exigentísima determinación doctrinal, a la que no dejaba de tener presente, sin
embargo, de un modo oscuro, remoto y como entresoñado. Y es
esa libertad del entresueño la que le permitía el vasto vuelo lírico,
la emanación florida y arrebatada de su fragante verso, humanamente imposible de alcanzar, en mi criterio, si el poeta hubiese de
ir traduciendo, con fría paciencia y concepto a concepto, la concepción racional que, por debajo, y de un modo general, daba solidez y camino a su emoción lírica. Y luego, una vez rematado el
poema, vendría el momento de declararlo y precisarlo; esto es, de
retrotraerse y retornar a su intencional origen, previo al acto poético creador, para lo cual era necesario aprisionar cada figura retórica y aún cada palabra en un alvéolo lógico que, en relación con
otros, le infundiese doctrina coherente. Y claro es, había, en unas
ocasiones, que forzar algo y, en otras, que forzar bastante o mucho esas palabras y esas figuras para que cupiesen en la estrecha
celda a la que se las destinaba. Y prueba de que ello es así la tenemos, si no me equivoco, en unas frases muy significativas del
prólogo que San Juan puso al "Cántico espiritual".

> Por haberse, pues, estas canciones compuesto en amor de abun-
> dante inteligencia mística, no se podrán declarar al justo, ni mi
> intento será tal, sino sólo dar alguna luz general (pues V. R. así
> lo ha querido); y esto tengo por mejor, porque los dichos de
> amor es mejor declararlos en su anchura para que cada uno de
> ellos se aproveche según su modo y caudal de espíritu, que abre-
> viarlos a un sentido a que no se acomode todo paladar. Y así,
> aunque en alguna manera se declaran, no hay para qué atarse a
> la declaración; porque la sabiduría mística (la cual es por amor,
> de que las presentes canciones tratan) no ha menester distintamen-
> te entenderse para hacer efecto de amor y afición en el alma.

Nos desconcierta, en un primer asomo, que San Juan diga de
sus comentarios que sólo pretenden dar una "luz general" de los
versos, y no una interpretación "al justo", ya que nosotros hemos

visto, al parecer, lo opuesto; que la versión en prosa es por demás severa en su concreción y rigor. Pero leído con atención todo el párrafo, entramos en mayor y mejor inteligencia de él, y nuestra extrañeza se esfuma. Pues io que quiere expresar en realidad el autor es que sus versos rebosan lo que la letra doctrinal dilucida; que hay en ellos más, y que ese *más* es inefable, oscuro y no se "entiende" "distintamente", por lo que "no hay para qué atarse a la declaración". Lo que él hace en el comentario, viene a decir, es entregar una guía o plano que sirva para que no nos perdamos en cuanto al argumento (llamémoslo así) o "luz general".

La parte del prólogo que acabo de comentar nos interesa también, y aún más, desde otro punto de vista; a saber, en cuanto supone una intuitiva y relativa toma de conciencia por parte del autor de lo que las imágenes de esta Poética sean estructuralmente. Pues bien claro nos dice San Juan, según venimos de subrayar, que sus líricos "dichos de amor" no han menester "distintamente entenderse". Ahora bien: no entenderse distintamente unos versos, unas imágenes, en el sentido preciso en que no se entienden de ese modo los versos y las imágenes de San Juan, era cosa nueva y nunca vista en la época que nuestro carmelita vive, y aún siglos después. Y es que San Juan, sin buscarlo, como ocurre a la postre en toda ocasión, tratándose de arte, sino al revés, forzado por la inefabilidad de los estados místicos, según él mismo nos deja entender en ese párrafo, como poeta encontró algo que constituía nada menos que una genial revolución, sólo repetida en grande y de modo sistemático en la época contemporánea. Y ese algo que encontró fue nada menos que las imágenes visionarias y los símbolos; ello es, un nuevo concepto de lo que poesía sea. Cuando Verlaine citaba un poco sonambúlicamente a Góngora como afín a su poética ("a batallas de amor campo de pluma"), hacía algo que sólo remotamente tenía sentido. Hubiera incurrido en sentido más próximo y pleno si, conociendo la obra de San Juan, la hubiese mencionado. Porque San Juan de la Cruz es, rigurosamente, un poeta "contemporáneo".

2. IMÁGENES VISIONARIAS Y SÍMBOLOS EN LA POESÍA
   DE SAN JUAN DE LA CRUZ

IMÁGENES VISIONARIAS EN LA POE-
SÍA DE SAN JUAN DE LA CRUZ

En efecto: lo es, y lo es, repito, rigurosamente, pues San Juan cuando escribe sus versos los concibe de un modo idéntico en lo sustancial a como los concibiría un poeta postbaudeleriano. Su técnica "contemporánea" es incluso más avanzada que la de Rubén Darío, y por esa razón, sólo en Antonio Machado, pongo por caso, hallaríamos en tal aspecto que habría que llamar "cronológico" y de posición en un desarrollo, parangón o par suficientes. Y no sé si me alargaría a afirmar que en cierto modo San Juan aún sobrepasa a Machado en ese tenor, porque son registrables en aquél con más decisión, ejemplaridad y frecuencia que en éste, ya que no los símbolos (que San Juan usa, sin embargo, con plenitud, pero no con más plenitud que Machado), sí las imágenes visionarias. Pero precisamente, las imágenes visionarias significan un momento más adelantado que los símbolos en el crecimiento y maduración de lo contemporáneo. No sería difícil demostrarlo.

Investiguemos dos estrofas del "Cántico espiritual":

Mi amado, las montañas,
los valles solitarios, nemorosos,
las ínsulas extrañas,
los ríos sonorosos,
el silbo de los aires amorosos.

La noche sosegada
en par de los levantes de la aurora,
la música callada,
la soledad sonora,
la cena que recrea y enamora.

He ahí, en cadena, una promoción, increíble, dada su fecha, de imágenes visionarias: el Amado (A) se identifica con: "las montañas" (B_1), "los valles solitarios, nemorosos" (B_2), "las ínsulas extrañas" (B_3); "los ríos sonorosos" (B_4); "el silbo de los aires amorosos" (B_5); "la noche sosegada en par de los levantes de la aurora" (B_6); "la música callada" (B_7); "la soledad sonora" (B_8); y "la cena que recrea y enamora" (B_9). Nueve metáforas en total. Analicémoslas, una por una, aunque algunas sólo en nota al pie de página, y comparemos nuestras sucesivas interpretaciones con las que el autor nos propone. La cosa tiene interés. Comencemos ordenadamente por la primera:

> Mi amado, las montañas.

Yo diría esto: el Amado (A) y las montañas (B) no se parecen en nada objetivo, aparentemente y de modo inmediato: ni en lo físico o moral, por supuesto, ni en el valor. Pero el Amado produce en mí, tal como puedo imaginármelo, una impresión de grandeza y poder sumos (Z) que, en lo humano, me producen también las montañas. Atravesando ahora esa impresión Z que la lectura me ha dado por modo intuitivo, encuentro, sí, el parecido objetivo a_1-a_2-a_3, que al leer y sólo leer no he entendido "distintamente" (para usar la expresión del autor). Y este parecido objetivo que media entre A y B consistiría en que Dios es omnipotente y la montaña posee dimensiones y solidez física incontrastables y eminentes, pues que exceden al hombre de manera suprema. No hay, pues, como adelanté, vacilación posible: nos hallamos ante una imagen visionaria.

Escuchemos ahora los comentarios:

> Las montañas tienen altura, son abundantes, anchas y hermosas, floridas y olorosas. Esa montaña es mi Amado para mí.

Nótese que, en este caso, lo que el autor enseña y lo que nosotros hemos propuesto encajan con bastante exactitud, sólo que él no ha descrito la intuición poética como tal para luego penetrarla intelectualmente, tal como nosotros hicimos, sino que, prescindiendo del elemento emocional Z, directamente ha realizado aquello último, dándonos, sin más, unas notas de semejanza objetiva a_1 (altura), a_2 (abundancia) a_3 (anchura) y a_4 (hermosura), que, al menos sustancialmente, vienen a ser las mismas que más arriba precisábamos. Pues la "abundancia", y sobre todo, la "altura" y la "anchura" valen por la "grandeza y poder sumos" a que nos hemos referido. Obsérvese asimismo que San Juan, al traducir la significación poemática, tropieza con el carácter vago de ésta, y como no la puede concretar, porque, según sabemos, el fenómeno visionario es de suyo inconcreto en su "simbolismo", no tiene más remedio que acudir a una enumeración que, en su conjunto, aprese el evanescente cuerpo huidizo, y nos habla así de "altura", "abundancia", "anchura" y "hermosura". Justamente como hacemos nosotros, incluso en notación abstracta, cuando al representar lo "simbolizado" por el fenómeno visionario usamos no una cifra a, sino una nominación compleja a_1 a_2 a_3... Por tanto, se nos patentiza que el autor ha tenido que utilizar aquí, para descubrir el sentido recóndito de su imagen, un método que no puede ser sino el nuestro, *pues no hay otro*. Esto es, partir de la intuición Z, intrínsecamente irracional, y buscar tras ella, analíticamente, su *oculta* causalidad: el complejo a_1 a_2 a_3... San Juan hace esto sin duda, porque sólo haciéndolo se puede llegar al resultado que obtiene. Pero es igualmente notorio que nuestro místico, al realizar tal acto, no se percata de su novedad, y da por sentado, implícitamente, que su labor es idéntica a la de un crítico que investigase una imagen petrarquista. Y claro está que no se puede seguir la misma vía para decir que "oro" (*B*) expresa lo rubio (*a*) de un cabello (*A*) que para decir que "las montañas" (*B*) expresan lo alto, abundante, ancho, hermoso, florido y oloroso (a_1 a_2 a_3...) del Amado (*A*). En este último caso, al revés de lo que sucede en el primero, el plano *B* no ofrece explícita sino implícitamente la realidad a_1 a_2 a_3 a la que alude, y, consiguientemente, ese plano requiere, para ser entendido con claridad (cosa innecesaria, como sabemos), una explicitación de lo implicitado, que, en cambio, sobra en la otra metáfora, por ser ella, de por sí, explícita, en tal sentido.

La destreza del análisis de San Juan se afina aún en el verso siguiente:

los valles solitarios, nemorosos.

Antes de oírle a él, intentemos nosotros una indagación, cuyo resultado doy como en telegráfica abreviatura. Reacción emocional *Z*: ante la relación *A-B* (Amado y valles solitarios, nemorosos) siento sosiego, bienestar (*Z*). Escrutación racional: *A* y *B* se parecen en esto: Dios me apacigua y deleita porque es Padre mío y sé que me ama y protege de todo mal; de otra parte, esos valles, por su soledad, impiden cualquier perturbación, y así cuanto es desagradable: experimentaré entonces calma y deleite (*Z*); por su nemorosidad, son húmedos y frescos: experimentaré, pues, igualmente, placidez (*Z*). Los elementos a_1-a_2-a_3 serán aquí, en suma, lo que esos valles y el Amado tienen en común de amparo (a_1) y beneficio (a_2).

Y ahora abordemos el texto del propio autor:

> Los valles solitarios son quietos, amenos, frescos, umbrosos de dulces aguas llenos, y en la variedad de sus arboledas y suave canto de aves hacen gran recreación y deleite al sentido, dan refrigerio y descanso en su soledad y silencio. Estos valles es mi Amado para mí.

Como dije de antemano, se muestra San Juan aquí dueño de una comprensión, portentosa para la época, de la índole de su verso. No se contenta con analizar con gran exactitud las cualidades de *B* (los valles) que producen la emoción intuitiva *Z*, sino, lo que es más extraño, esta vez llega a definir taxativamente ésta, pues habla de que tales valles, *B,* dan "refrigerio" y "descanso", y "deleite" y "recreación" al sentido. Esto es: percibe, de hecho, lo que esa clase de imágenes tiene de esencialmente emotiva, y sabe penetrar con destreza en la cerrada masa de tal emoción, para buscar y hallar, tras ella, la remota significación que allí, por modo implícito, se encierra. Pero no está de más repetir que todo ello es ejecutado por nuestro tratadista sin conciencia de que el método al que se somete difiere del requerido por las imágenes al uso en su tiempo. Fuera de este lado irreflexivo de su tarea, pudiéramos de ella colegir que San Juan, poeta de la primera mitad del siglo XX, es, en tal pasaje y en algunos otros de parecido corte, crítico, cosa más sorprendente aún, de la segunda mitad de ese mismo siglo.

Lo dicho vale, en cierto modo, para el heptasílabo que va a continuación:

las ínsulas extrañas,

pues, situado ante él, quiere, asimismo, San Juan definir la emoción, *Z*, que produce. Sólo que su descripción, en este caso, al hacerla consistir en "gran novedad y admiración" no se corresponde del todo, en mi criterio, con lo que sentimos: una sensación de misterio, que las "ínsulas extrañas", regiones como incomprensibles (a_1) y, por tanto, inexplicables (a_2), nos proporcionan, en coincidencia con el Amado, misterioso también, por los mismos motivos. Pero, por lo demás, todo el resto del párrafo doctrinal es muy atinado:

> las ínsulas extrañas están ceñidas con la mar, y allende de los mares muy apartadas y ajenas de la comunicación de los hombres (a_1); y así en ellas se crían y nacen cosas muy diferentes de las de acá, de muy extrañas maneras (a_2) y virtudes nunca vistas de los hombres, que hacen gran novedad y admiración a quien las ve (Z). Y así, por las grandes y admirables novedades y noticias extrañas, alejadas de conocimiento común (a_2) que el alma ve en Dios, lo llama "ínsulas extrañas".

Más no siempre, por supuesto, los comentarios del Santo convienen con el nuestro: a veces se recuestan bastante (o por completo) en lo alegórico y puramente doctrinal. Así, ante el verso:

los ríos sonorosos.

Para nosotros *Z* se configura aquí como una impresión de vida en plenitud, porque el agua que suena es agua viva, agua que tiene ímpetu y brega (a_1 a_2): como toda existencia. Y así Dios, que es la Vida mayúscula.

Pero San Juan, en cambio, escribe:

> Los ríos tienen tres propiedades: la primera, que todo lo que encuentran lo embisten y anegan; lo segundo, que hinchen todos los bajos y vacíos que hallan delante; la tercera, que tienen tal sonido, que todo otro sonido privan y ocupan. Y porque en esta

comunicación de Dios que vamos diciendo, siente el alma en Él todas estas tres propiedades muy sabrosamente, dice que su Amado es los "ríos sonoros".

Y nos hace saber a continuación el autor que, en efecto, en cuanto a la primera propiedad, el alma se siente embestida del espíritu de Dios como de un torrente que anagase todas sus acciones y pasiones pasadas. En cuanto a la propiedad segunda, el alma experimenta que ese agua divina "hinche los bajos de su humildad y llena los vacíos de sus apetitos". Y por fin, en cuanto a la propiedad tercera, se trata de que el alma se hinche del sonido de Dios, que la llena de bienes: grandeza, fuerza, poder, deleite y gloria.

Y vamos ya al endecasílabo que cierra la lira, de análisis más complicado:

> el silbo de los aires amorosos.

Nos produce otra vez una sensación de misterio, pero ahora un misterio penetrante y alado (Z). Veamos por qué. El "silbo de los aires amorosos" tiene algo de llamamiento (a_1), lo cual, por tratarse de un acto intencional de comunicación inteligente, conlleva, a su vez, espiritualidad (a_2) —de ahí lo alado de nuestra impresión— e inexplicabilidad (a_3) —de ahí la emoción de misterio—, pues que sentimos inexplicable la espiritualización de un elemento puramente físico y natural. Y a continuación apuntamos esto: Dios también nos llama (a_1) amorosamente con la Gracia, asimismo espiritual (a_2) e inexplicable (a_3). Esa Gracia de Dios es lo que en último y recóndito sentido se "simboliza", pues, en el "silbo de los aires amorosos".

La tesis del autor no se aparta de la expuesta aunque sí se redondea con elementos alegóricos de doctrina, más visibles en el texto completo, que sólo fragmentariamente copio:

> Dos cosas dice el alma en el presente verso (...): aires y silbo. Por los aires amorosos se entienden aquí las *virtudes* y *gracias* del Amado (a_1 a_2), los cuales mediante la dicha unión del Esposo embisten el alma y amorosísimamente se comunican y tocan en la

sustancia de ella. Y al silbo de estos aires llama una subidísima
y sabrosísima inteligencia de Dios y de sus virtudes, la cual re-
dunda en el entendimiento del toque que hacen estas virtudes de
Dios en la substancia del alma (...).

(...) Es de notar que así como en el aire se sienten dos cosas,
que son toque y silbo o sonido, así en esta comunicación del esposo se sienten otras dos cosas, que son sentimiento de deleite e
inteligencia. Y así como el toque del aire se gusta en el sentido
del tacto y el silbo del mismo aire con el oído, así también el
toque de las virtudes del Amado se siente y goza con el tacto
de esta alma, que es en la substancia de ella, y la inteligencia de
las tales virtudes de Dios se siente en el oído del alma, que es
el entendimiento [1].

---

[1] Por no cansar al lector dejo en nota el resto del análisis. La estrofa
segunda comienza con el verso:

La noche sosegada.

Sensación *Z* de espiritualizada nocturnidad pacífica. Se representa así,
en nuestro sentir, la incomprensibilidad (a_1) de Dios por el alma; incomprensibilidad, sin embargo, benigna (a_2) y no inquietante (a_3). El alma reposa en eso mismo que no entiende, y se sabe protegida en el profundo seno
ignoto.

San Juan en su comentario dice, aproximadamente, lo mismo. Repárese
de nuevo en la exactitud de sus palabras:

"Este sueño espiritual que el alma tiene en el pecho de su Amado,
posee y gusta todo el sosiego y descanso y quietud de la pacífica noche
y recibe justamente en Dios una abisal y oscura inteligencia divina, y por
eso dice que su Amado es para ella 'la noche sosegada'".

en par de los levantes de la aurora.

Prescindiendo en este caso de nuestro método riguroso de análisis doy
paso a continuación directamente a la simbolización de los componentes es-
condidos a_1-a_2-a_3. Se trata de una noche sosegada. Mas en esa noche, o
sea, en esa quieta y no alarmante ignorancia del alma, está ya a punto de
asomar la vislumbre del divino conocimiento. Otra vez el comentario con-
curre con nosotros:

"Pero esta noche sosegada dice que no es de manera que sea como oscura noche, sino como la noche junto ya a los levantes de la mañana, id est,
comparejada con los levantes; porque este sosiego y quietud en Dios no le
es al alma del todo oscuro como oscura noche, sino sosiego y quietud en
luz divina, y llama bien propiamente aquí a esta luz divina "levantes de la

LOS SÍMBOLOS EN LA POESÍA
DE SAN JUAN DE LA CRUZ

Tras las anteriores consideraciones, queda claro, a mi juicio, que San Juan de la Cruz utiliza ya, en su poesía, imágenes visio-

aurora" (...); porque así como los levantes de la mañana despiden la oscuridad de la noche y descubren la luz del día, así este espíritu sosegado y quieto en Dios es levantado de la tiniebla del conocimiento natural a la luz matutinal del conocimiento sobrenatural de Dios, no claro, sino, como dicho es, oscuro, como noche "en par de los levantes de la aurora (...). Esta soledad y sosiego divino ni con toda claridad es informado de la luz divina, ni deja de participar algo de ella."

El verso siguiente:

la música callada,

insiste en lo mismo anterior. "Callada" vale por "noche", y "música" vale por los "levantes de la aurora". Es evidente aquí para todo aquel que conozca por experiencia algo del proceso creador poemático, que el autor, dentro de la atmósfera de los dos versos que van antes y sometido aún a su significado, experimenta una asociación rigurosamente sinestética entre la oposición cromática del fragmento antecedente (noche y aurora) y la oposición auditiva actual: música, pero callada. En consecuencia, el sentido poético de este heptasílabo no puede diferir, en un esquema substancial, de lo que se dice con anterioridad, aunque la diferenciación expresiva añada algo que enriquece y da complejidad al significado simbólico, más borroso aún, por más rico, de lo que suele ser en las figuraciones visionarias. Pues "música callada", por lo paradójico de la proposición, apunta al misterio divino y como que lo ofrece en cuanto tal; y además, la expresión alude al susurro de la voz de Dios en lo más hondo del alma: Dios es allí una melodía tan íntima que de puro íntima es silenciosa.

El comentario esta vez corta por la calle del medio y opta por no entrar en tantas complicaciones. Pero recoge bien uno de los estratos significacionales de la imagen:

"Llama a esta música "callada" porque (...) es inteligencia sosegada y sin ruido de voces; y así se goza en ella la suavidad de la música y la quietud del silencio."

La soledad sonora,

desde el punto de vista lector, supone una asociación del mismo giro que las otras, con lo que debe ponerse aquí cuanto he dicho para el verso re-

narias en su más rigurosa configuración. Probemos ahora que
tampoco le fue ajeno el uso del símbolo.

Por lo pronto, tenemos un símbolo continuado a todo lo largo
de "La noche oscura":

> En una noche oscura,
> con ansias en amores inflamada,
> oh dichosa ventura,
> salí sin ser notada,
> estando ya mi casa sosegada.
>
> A oscuras y segura,
> por la secreta escala disfrazada,
> oh dichosa ventura,
> a oscuras y en celada,
> estando ya mi casa sosegada.
>
> En la noche dichosa,
> en secreto, que nadie me veía,
> ni yo miraba cosa,
> sin otra luz ni guía
> sino la que en el corazón ardía.
>
> Aquesta me guiaba
> más cierto que la luz del mediodía,
> adonde me esperaba
> quien yo bien me sabía,
> en parte donde nadie parescía.

---

cién analizado. "Soledad" es, en efecto, ausencia, hueco y, por tanto, silencio. La frase va, por, como sinónima de "silencio sonoro", que a su
vez, aunque parezca, en primer acercamiento, lo contrario, no discrepa, en
su sentido, de "música callada".

Conste que cuantos análisis llevo hasta aquí hechos, han sido ejecutados
con total independencia y antes de la lectura, por mi parte, del comentario de San Juan, al objeto de evitar contaminaciones falseadoras de la espontaneidad receptiva. Digo esto porque no deja de ser sorprendente escuchar, tras lo dicho por mí, la primera frase del texto doctrinal:

"La soledad sonora, lo cual es casi lo mismo que la "música callada."

Como el verso último de nuestro fragmento tiene, desde nuestra intención, menos interés, podemos interrumpir aquí nuestro análisis.

Oh noche que guiaste,
oh noche amable más que el alborada,
oh noche que juntaste
Amado con amada,
amada en el Amado transformada.

En mi pecho florido,
que entero para él sólo se guardaba,
allí quedó dormido,
y yo le regalaba,
y el ventalle de cedros aire daba.

El aire de la almena,
cuando yo sus cabellos esparcía,
con su mano serena
en mi cuello hería
y todos mis sentidos suspendía.

Quedéme y olvidéme,
el rostro recliné sobre el Amado,
cesó todo, y dejéme,
dejando mi cuidado
entre las azucenas olvidado.

El propio poeta aclara el significado de la composición en su
línea general: "En que canta el alma la dichosa ventura que tuvo
en pasar por la oscura noche de la fe, en desnudez y purgación
suya a la unión del amado". La noche de la estrofa inicial, sigue
diciendo, difiere de la noche de la estrofa segunda, porque aquella
es la noche del sentido y esta la noche del espíritu. La primera noche representa la "privación y purgación de todos sus apetitos sen-
suales, acerca de todas las cosas exteriores del mundo y de las que
eran deleitables a su carne, y también de los gustos de su voluntad". La noche segunda o noche del espíritu consiste en "desnudar el espíritu de todas las imperfecciones espirituales y apetitos
de propiedad en lo espiritual".
El comentario, como suele, va reduciendo con tenacidad a alegoría y nítida delimitación lo que es para nosotros símbolo, y
por tanto, imprecisión y bruma. Ciertamente, entendemos el poema como un poema místico, y la noche la interpretamos como
ascética privación de las cosas del mundo, y de los apetitos del

alma y del cuerpo. Pero, ello, sin esa cisoria determinación a que
San Juan, cuando habla desde la doctrina, acostumbra, y sin esa
parcelación diferenciadora y miembro a miembro que caracteriza
a la alegoría y no al símbolo. Por ejemplo: para nosotros la primera noche y la segunda no son dos noches sino una, y las dos
conjuntamente aluden, pero secretamente, irracionalmente (véase el
Apéndice "Poesía contemporánea y sugerencia") a la voluntaria privación de todo deleite, físico o espiritual; privación que purga y
conduce al Amado.

Y dentro de ese símbolo grande que ocupa toda la composición,
hay otros más simples, como éste:

> En mi pecho florido
> que entero para él sólo se guardaba,
> allí quedó dormido,
> y yo le regalaba
> y el ventalle de cedros aire daba.

> El aire de la almena,
> cuando yo sus cabellos esparcía,
> con su mano serena
> en mi cuello hería,
> y todos mis sentidos suspendía.

Ese "ventalle de cedros" y ese "aire de la almena" significan simbólicamente, en efecto, a nuestra sensibilidad lectora, el toque misterioso y sutil de la Gracia, que "suspende el sentido" extáticamen-
te. Por desgracia, el texto doctrinal se interrumpe en el comentario
de la tercera estrofa, y en este caso no podemos contrastar nuestra
interpretación con la que el autor nos hubiese dado.

Simbología idéntica a la fundamental del poema anterior se percibe en el titulado "Aunque es de noche", por lo que podemos
ahorrarnos el comentario de la nocturna imagen que lo radica y
añadir simplemente que también reconocemos como símbolo la
"fonte" o "fuente" con que el poema nos estremece. Ese "agua"
es Dios, en cuanto irremediable necesidad nuestra y apetito profundo. A su vez la "Llama de amor viva" contiene también un
símbolo: la llama es la iluminación amorosa interior, una vez llegado el espíritu a la unión más alta.

SAN JUAN DE LA CRUZ,

POETA DEL SIGLO XX

Creo que no es preciso detenernos más en estos análisis para concluir que, en efecto, en la poesía de San Juan de la Cruz, y por el lado de sus imágenes, hay, decididamente y del todo, un sustancial cambio, de cariz revolucionario, en la concepción misma de lo poético. Y que ese cambio que él introdujo es exactamente el mismo que trajo, pero sólo siglos después, la poesía que técnicamente llamamos "contemporánea". Frente a la poesía últimamente racional (en cierto sentido) de su tiempo, y del que le sigue durante tres centurias, la poesía últimamente irracional que San Juan nos ofrece. La primera, para ser disfrutada, y por tanto, para existir, requiere hacerse inmediatamente inteligible, en cuanto a lo que está expresando de la realidad. La segunda, la de San Juan (y la de los poetas "contemporáneos"), no necesita de tal requisito: hace efecto sin que averigüemos previamente la referencia "realista" (o sea, racional), en que nuestra emoción, sin embargo, descansa y de la que recibe el ser. Se trata, en verdad, de dos modos contrarios de arte. En uno, antes "sabemos" y luego nos emocionamos. En otro, nos emocionamos de entrada, y únicamente después, y por consiguiente, en un acto superfluo desde el punto de vista estético, podemos, si nos entra esa curiosidad, hallar las razones o apoyaturas realistas del sentimiento o intuición que se nos ha dado. En estilo más rápido y vulgarizador: toda la poesía, desde Homero hasta los románticos, inclusive, pide una clara comprensión de lo que se quiere decir lógicamente con ella. La de San Juan y los "contemporáneos" puede ser y es gozada sin ser, en ese sentido, "entendida". Es asombroso que San Juan, en el siglo XVI, haya podido ejecutar por sí solo tan gigantesca y radical enmienda a la estética de su momento histórico, vuelta por él rigurosamente del revés. Pero es más asombroso todavía verle hasta cierto punto consciente de su genial innovación. Recordemos lo que dice en el fragmento antes trascrito del Prólogo al "Cántico Espiritual": que sus canciones

aunque en alguna manera se declaran, no hay para qué atarse
a la declaración; porque la sabiduría mística (la cual es por amor,
de que las presentes canciones tratan) no ha menester distintamente entenderse para hacer efecto de amor y afición en el alma.

Esto es: mis versos, por ser "dichos de amor" y tratar de experiencias místicas, de por sí inefables, no necesitan, para producir
efecto, ser entendidos distintamente. Subrayemos y reiteremos lo
que este increíble párrafo evidencia: que San Juan estaba al corriente no sólo del irracionalismo sustancial de su poesía, sino
también de que la causa de tal irracionalismo estribaba en el irracionalismo del contenido mismo que ella expresa.

Nuestro autor se dio cuenta, pues, del fenómeno en que su lírica consiste. De lo que no se percató es del cariz revolucionario
que tal fenómeno supone. Y ello, aparte de otras posibles motiva-
ciones, porque para él el arte no era nada y lo era todo Dios, la
religión, el perfeccionamiento espiritual. Lo que le importa de sus
canciones es lo que tienen de "místicas", no lo que tienen de "poéticas". Pero ocurre que desde el punto de vista místico, el autor,
aunque muy personal, no era un revolucionario, porque no podía
serlo: la mística viene a ser, de hecho, un proceso esencialmente
invariable, indiferente de algún modo al fluir de la historia y aún
al matiz de la confesionalidad del sujeto. Y como lo que le interesa a San Juan, vuelvo a decir, es lo expresado (el misticismo)
y no la expresión (la poesía) no podía tener ojos para lo que ésta
aportaba como gran novedad.

La pormenorizada investigación de nuestro trabajo, aunque fati-
gosa tal vez, no ha sido, pues, inútil, porque se desprende acaso
de ella la explicación de esa sensación de novedad, cercanía y frescor que los versos de San Juan nos proporcionan, y, en último término, la explicación, hasta donde ello cabe, de la índole misma en
que su genialidad reposa. Claro es que a aquella sensación coope-
ran otros ingredientes de la obra poética que consideramos, algunos de los cuales fueron ya vistos muy certeramente por Dámaso
Alonso, en su libro sobre el poeta. Limitémonos, y a la carrera, a
dos aspectos en que Dámaso Alonso no reparó. El primero de ellos
sería la ausencia de mitología. Nótese, por lo pronto, que también

aquí San Juan de la Cruz se instala del lado de acá, junto a nosotros y muy lejos de su siglo; pero además, visto el poeta en su tiempo, la falta de arrastre mitológico nos descansa y refrigera de lo que para nuestra sensibilidad es más aburrido y sordo de aquella poesía, casi toda ella petrarquista, que le rodeaba por todos los sitios. Aquí y allá puede haber toques mitológicos en San Juan, pero son sólo eso, toques, y por serlo, cosa en él incluso sorprendente y graciosa. La lista es breve: el "canto de sirena", la "dulce filomena", las "ninfas de Judea", y no sé si alguna expresión más. Nos sentimos oreados y a espaldas de la escayola grecorromana de tanto verso del período, que podía por otras razones, y *pese* a su mitolomanía, ser de gran mérito. Pero San Juan es otra cosa: es un contemporáneo nuestro. No sólo en su desprecio por la mitología, y mucho más aún en el uso de imágenes visionarias y símbolos, tal como hemos visto, y de su importantísima consecuencia, de que no hemos hablado: la sensación verbal y expresiva del misterio. También en la índole de su arrebato emocional. No sé si soy incomprensivo para Fray Luis de León, pero yo no veo en la literatura española anterior al romanticismo, o aun anterior al siglo XX, ningún poeta que en ese punto venga a ajustar tanto con ciertos poetas del siglo XX, en algunas de sus composiciones: "Campos de Soria", de Machado, o ciertos poemas muy significativos de Guillén y de Aleixandre. Ese tipo de arrebato luminoso que caracteriza a San Juan no lo tiene nadie en su tiempo, ni antes ni después, y sólo, de otro modo, vuelve a existir para España en esos tres poetas que he señalado. De otro modo, repito. Dejemos a un lado a Machado, por ser en él muy ocasional el fenómeno. En Guillén, el arrebato tiene luz, pero más en cristal o en bloque resplandeciente: algo como a punto del estallido. En el Aleixandre de "Sombra del Paraíso", la luz se extiende con más amplitud y como en visión de inmensidad cósmica. En San Juan, insisto, ello se realiza de diversa manera. Hay vuelo y luz, pero vuelo y luz que templan en una atmósfera delicada, blanda de aire fino, enamorado, sutil.

En ese adelantarse hasta nosotros reside, a mi juicio, el carácter único de la genialidad de San Juan. Se me dirá que también Góngora coincidió, al menos en algún aspecto importante, con la

generación española de 1925; y que Quevedo es un poeta de 1950.
No hay duda: ello es así. Pero esas tangencias, parecidos y proxi-
midades de Góngora y Quevedo con ciertas generaciones de nuestro siglo tienen otro cuño, son otra cosa, y otra cosa menos anómala, inexplicable y sorprendente. Digámoslo de una vez: otra cosa,
en ese sentido, menos genial, pues el largo y ancho valor de esos
autores rebosa por otros lados de su obra. La diferencia entre el
contacto con nosotros de San Juan, y el de Góngora o Quevedo
es de simple y fácil exposición. Góngora y Quevedo nos tocan y
se nos acercan, *pero desde su siglo*. Quiero decir que aunque los
sintamos afines, los sentimos afines *también* a su propio tiempo
histórico. Son del siglo XVII y se nos parecen. Eso es todo. Lo
raro y genial de San Juan es, por el contrario, que San Juan *en
sus versos* no tiene nada que ver con su siglo XVI y tiene que verlo todo con nuestro siglo XX. San Juan en el quinientos es la belleza del "patito feo", una incongruencia casi monstruosa. No me extraña que Menéndez Pelayo no lo sintiese humano, sino angélico,
algo como un milagro, pues este crítico que sólo tenía al lado en
cuanto a la poesía un postromanticismo español en notable retraso con la sensibilidad ya "contemporánea" de otros países, a
la que él incomprendía, pese a su mucha sabiduría y talento crítico, no podía ver en San Juan, aunque admirativamente, más que
eso: su incoherencia con toda la poesía de "los hombres". Por supuesto: "los hombres" que él conocía o reconocía como poetas.
Para nosotros, San Juan es, por el contrario, humano, humanísimo,
más humano aún, en algún sentido esencial, que otros poetas del
Siglo de Oro, pues que se parece más a lo que, en consideración
inmediata, nos es el modelo mejor de humanidad: a saber, un
contemporáneo nuestro.

Capítulo IX

LAS SUPERPOSICIONES

CINCO MODOS DE SUPERPOSICIÓN

No es nueva para nosotros la afirmación de que en toda imagen (hasta en la imagen que denominábamos visión) se asimilan dos objetos diferentes. Cuando Góngora denomina "oro" al cabello rubio, el objeto "oro" se cierne sobre el objeto "cabello"; cuando Aleixandre nos describe una criatura humana de dimensiones cósmicas, no hace sino establecer, aunque de otro modo muy distinto, la relación entre la desmesura física y la desmesura espiritual de un determinado ser. La metáfora es, por consiguiente, un fenómeno de "superposición". Ahora bien, el fenómeno de la superposición no se agota en la metáfora: abarca todo un grupo de recursos. La metáfora es únicamente uno de ellos; una entre las posibles variantes que el vasto procedimiento ostenta. Haber ignorado hecho tan evidente constituye una de las deficiencias de la Preceptiva tradicional. No me sorprende que la Retórica hubiese desconocido la existencia de *superposiciones temporales,* ya que éstas se dan solamente en la lírica contemporánea; ni que hubiese estado ciega para las *superposiciones espaciales* y las *significacionales,* cuya rareza tengo por segura; pero ¿cómo entender que las *superposiciones situacionales,* tan abundantes en la literatura de todas las épocas y de todos los países, jamás hubiesen llamado la atención de los preceptistas?

La superposición es, pues, un instrumento expresivo de enorme amplitud. Alcanza a incluir, por lo pronto, las cinco modalidades que acabo de enumerar: la "metafórica", la "temporal", la "espacial", la "significacional" y la "situacional", y quizá otras en que yo no he reparado. La primera y la última (la "metafórica" y la "situacional") son las más importantes desde el punto de vista estadístico; mas la segunda (la "temporal") tiene, al menos, el interés de señalarnos una peculiaridad de la actual poesía. A su consideración dedicaremos nuestro inicial esfuerzo.

1. LA SUPERPOSICIÓN TEMPORAL

TIEMPO FUTURO SOBRE TIEMPO PRESENTE: EN ANTONIO MACHADO

Leyendo la lírica contemporánea me he encontrado, en alguna ocasión, con piezas o fragmentos de piezas en que la sensación temporal adquiría una importancia decisiva. No me detuve entonces a indagar más profundamente en el hecho vislumbrado y di por indudable que la presencia del tiempo, cuando puesta bruscamente en relieve, era suficiente para promover una descarga estética. El asunto, como digo, no me preocupó demasiado por aquella época, y sólo más adelante el análisis de un soneto de Antonio Machado me abrió los ojos sobre el contorno exacto del problema. He aquí el soneto en cuestión:

> ¡Esta luz de Sevilla! Es el palacio
> donde nací, con su rumor de fuente.
> Mi padre en su despacho. —La alta frente,
> la breve mosca y el bigote lacio—.
>
> Mi padre aún joven. Lee, escribe, hojea
> sus libros y medita. Se levanta:
> va hacia la puerta del jardín. Pasea.
> A veces habla solo. A veces canta.

> Sus grandes ojos de mirar inquieto
> ahora vagar parecen, sin objeto
> donde puedan posar, en el vacío.
>
> Ya escapan de su ayer a su mañana;
> ya miran en el tiempo, ¡padre mío!,
> piadosamente mi cabeza cana [1].

El verso final proyecta sobre los anteriores una como súbita ternura compasiva, que por sí mismos no poseían. Esto nos dice que en tal pasaje ha de estar actuando un *modificante* sobre un *sustituyente*. Hemos de comprobar si ello es cierto.

Nuestro primer cuidado ha de ser el examen del procedimiento que Machado usa en el cierre poemático. El poeta nos dice que los ojos de su padre:

> ya miran...
> piadosamente mi cabeza cana.

Mas ¿es el poeta *ya* un viejo?, ¿es su cabeza, en aquel instante, *ya* cana? Lo es en el momento de componer el soneto (y ello resulta un ingrediente en la descarga emotiva). Pero no lo es en la descripción misma del poema, en la que se actualiza un pasado. Precisamente lo que nos emociona es que el padre "*aún joven*" vea a su hijo *ya viejo,* que se *superpongan dos tiempos distintos,* el presente (padre joven) y el futuro (hijo viejo), del mismo modo que en la metáfora se superponen dos objetos diferentes ("oro" y "cabello rubio", por ejemplo). El recurso se manifiesta, pues, como parecido a la metáfora y a la vez como desemejante con respecto a ella. Ambos artificios se parecen genéricamente y se distinguen en lo específico: se parecen en ser ambos el resultado de superponer dos esferas que la realidad mantiene separadas. Se distancian por la naturaleza de tales esferas. En el soneto de Machado no son *objetos,* sino *tiempos* los que se superponen. No se trata, por consiguiente, de una metáfora, sino de una *superposición temporal.*

---

[1] *Nuevas canciones*: "Sonetos": IV.

La misión del procedimiento, en este caso, es transmitirnos, con intensidad casi insuperable, la impresión del "fugit irreparabile tempus", la impresión de la instantaneidad del vivir y el correlativo sentimiento de melancolía. ¿Cómo lo hace? Diríamos que *suprimiendo* las zonas intermedias entre la juventud del padre y la vejez del hijo, pero con tal ímpetu que los dos hechos, que en realidad andan muy lejos de ser sincrónicos, se superponen en una imaginaria simultaneidad: el padre es joven, repito, cuando el hijo es *ya* viejo. Tal medio expresivo otorga conmovedora plasticidad a la opinión común de que la vida "no dura". Y es esa plasticidad lo que nos conmueve.

El análisis que acabamos de hacer nos revela la sustitución que el procedimiento realiza. El *modificante* yace en toda la primera parte de la composición, pero, sobre todo, en el segundo cuarteto; y más exactamente, donde se lee: "Mi padre, aún joven". Forman el *sustituyente* los versos:

> Sus... ojos...
> ya miran...
> piadosamente mi cabeza cana,

en cuanto, situados dentro del poema, actualizan el futuro envejecimiento. Esos mismos versos, leídos sin su contexto, son el *modificado*. Y tendríamos el *sustituido* en una expresión genérica como: "Piensas ya, padre mío, que dentro de años mi cabeza se pondrá cana."

Meses después del anterior descubrimiento, me hallaba releyendo un poema propio, cuando, en medio de la más grande sorpresa, hallé que ese poema, titulado "Cristo adolescente", utilizaba el mismo artificio que veíamos en Machado. Lo copio por tratarse de un caso de contorno muy dibujado:

> Oh Jesús, te contemplo aún niño, adolescente.
> Niño rubio dorándose en luz de Palestina.
> Niño que pone rubia la mañana luciente,
> cuando busca los campos su mirada divina.

En el misterio a veces hondamente se hundía,
mirando las estrellas donde su Padre estaba.
Un chorro de luz tenue al cielo se vertía,
al cielo inacabable que en luz se desplegaba.

Otras veces al mundo mirabas. De la mano
de tu madre pasabas con gracia y alegría.
Pasabas por los bosques como un claror liviano.
Por los bosques oscuros donde tu Cruz crecía.

Niño junto a su madre. Niño junto a su muerte,
creciendo al mismo tiempo que la cruda madera.
Me hace llorar la angustia, oh Cristo niño, al verte
pasar por ese bosque, junto a la primavera [2].

Es evidente que el poeta, en el verso duodécimo:

por los bosques oscuros donde tu Cruz crecía,

está viendo simultáneamente dos tiempos distintos: un tiempo
presente, en que el árbol es aún árbol, y un tiempo futuro en el
que ese árbol se convertirá en cruz, en la Cruz de Cristo [3].

TIEMPO PASADO SOBRE TIEMPO PRESENTE: EN GUILLÉN, EN ALEIXANDRE Y EN DÁMASO ALONSO

Cuando me hube convencido de que la superposición temporal
no era un hecho literario aislado, singular, reducido a una sola

---

[2] Del libro *Subida al Amor*.

[3] Lo que el recurso intenta en este caso es mostrar el grado de injusticia que padeció Cristo, abultando poderosamente a nuestros ojos su inocencia (ya que vemos a Cristo en su edad temprana, pero al propio tiempo víctima de crucifixión). La sustitución que se origina es la siguiente: Sustituido: "árbol que va a ser cruz"; sustituyente: la palabra "cruz" dentro del poema, en cuanto esa palabra actualiza el futuro martirio, presentándonos así, en toda su crudeza, como hemos dicho, la injusticia de la crucifixión. El modificado es la palabra "cruz" fuera del poema, significando únicamente "cruz". Y el modificante, nuestro conocimiento de la historia de Cristo unido al vocablo "crecía", indicador de que esa cruz de que se nos habla no es aún una verdadera cruz.

manifestación; que su existencia se había dado, por lo menos, en dos ocasiones, me pareció natural que los casos se multiplicaran a la menor búsqueda. Como mi propósito no era presentar una colección completa de ejemplos contemporáneos, mi escrutinio ha sido rápido, y confieso que nada metódico. Digo esto por si algún lector interesado deseara ofrecernos algún día un examen más riguroso del asunto. Creo que ese estudio contribuiría mucho a aclararnos un aspecto de la prosa y de la poesía de nuestro siglo. Porque sospecho a la prosa novecentista (tan salpicada de lirismo) convicta del mismo recurso que afecta a la poesía. Sería principalmente extraño que la obra de Azorín se viese libre de él. (Por lo pronto, no lo está completamente: en unas páginas tituladas "Las nubes" se insinúa, bien que tímidamente, la superposición temporal, y lo mismo acontece en las que llevan el título de "Una ciudad y un balcón".)

Mi indagación fue feliz a pesar de su ligereza. Pude comprobar, sobre todo, la *continuidad* con que a lo largo del siglo se mantuviera el procedimiento. No sólo se ensayó éste en los dos extremos contemporáneos, en la generación más joven y en la más vetusta; las superposiciones temporales se han dado también en la obra de los grandes poetas de entreguerras, lo mismo en la de Jorge Guillén que en la de Vicente Aleixandre y Dámaso Alonso. No debe esto sorprendernos: toda nuestra centuria está empapada de la preocupación temporal, como nadie ignora; y ello en todas partes. Es que, en definitiva, el hombre de hoy está marcado por el historicismo; es ya un lugar común del pensamiento contemporáneo la idea de que el ser del hombre no es inmóvil naturaleza sino esencialmente fluencia, cambio: historia.

El más superficial contacto con los ejemplos extraídos nos va a enseñar un costado del fenómeno que aún no hemos tenido ocasión de conocer. Lo mismo en el poema machadiano que en el titulado "Cristo adolescente", el fenómeno ha consistido en la visión de un tiempo futuro dentro de un tiempo presente. Ahora vamos a percibir otra posibilidad: que un instante pretérito se aloje en un instante actual.

Nuestra atención se fija primero en un poema de Guillén:

¡Tablero de la mesa,
que, tan exactamente
raso nivel, mantiene
resuelto en una idea
su plano: puro, sabio,
mental para los ojos
mentales! Un aplomo,
mientras requiere el tacto,
que palpa y reconoce
cómo el plano gravita
con pesadumbre rica
de leña, tronco, bosque
de nogal. El nogal
confiado a sus nudos
y vetas, a su mucho
tiempo de potestad
reconcentrada en este
vigor inmóvil, hecho
materia de tablero
siempre, siempre silvestre [4].

El poeta contempla una mesa viendo en ella el árbol que exis-
tió un día. Como anunciábamos, no se trata ya de un tiempo futuro instalado sobre otro presente (tal en los casos anteriores), sino
de una época pasada (nogal en forma de árbol) que se acomoda
sobre la actual (nogal hecho mesa). El tablero sigue siendo tronco,
sigue siendo bosque. En el tablero se agazapa y acecha la potestad
del tronco que fue, la potestad del bosque. Perdura, por tanto, en
él su cualidad pretérita: ser silvestre.

Un poema de Aleixandre, coetáneo del guilleniano anterior, se-
duce nuestra mirada con un tipo de superposición rigurosamente
idéntico a aquél. Se nos habla de un violín:

> donde el cedro aromático canta
> como perpetuos cabellos [5].

La coincidencia no puede ser mayor: en el violín, el poeta
sigue percibiendo el árbol de donde el instrumento musical saliera.

[4] "Naturaleza viva", de *Cántico*.
[5] "Noche sinfónica", de *La destrucción o el amor*.

Un tiempo pasado (cedro en cuanto árbol) se incrusta en un tiempo presente (cedro en cuanto violín), puesto que este segundo plano sufre la impregnación del primero. La esfera que llamaríamos irreal (cedro como árbol) traspasa a la esfera de realidad (cedro como violín) una de sus propiedades: tener sus ramas y sus hojas formando "cabellos" (metáfora, a su vez, que alude a la peculiar configuración de esas arborescencias). De este modo, el poeta ve en el violín los perpetuos "cabellos" del cedro: sus ramas y sus hojas.

Por la importancia y extensión que alcanza en el poema, tiene más interés todavía para nosotros otra superposición temporal que se exhibe en una composición del mismo autor, escrita bastantes años después. El poeta visita la ciudad de Granada, donde su amada naciera. Le enseña ésta los lugares en que transcurrió su niñez, su pubertad, su juventud, y en virtud de la evocación que tales lugares le despiertan parece aquél contemplar sucesivamente a la amada como niña, como púber, como adolescente. Pero su acompañante no es ya ni siquiera exactamente joven. La pieza en su conjunto es, pues, una superposición temporal a gran escala: un pretérito (mujer en años infantiles, luego púberes, adolescentes, jóvenes) se introduce en un momento actual, en que la amada no es ya, del todo, una muchacha.

Copio a continuación el poema, para mejor inteligencia de lo dicho:

Cabal estaba su juventud
cuando en su viaje vino hacia mí la amada, del Sur, en el día primero.

Pero no es su graciosa presencia de lejos llegando
lo que hoy canta mi vida.
Soy yo el que ahora vengo
de allá, del antiguo país que de niña la viera.

Porque suave está todavía el corazón del amante
de la pura caricia de su rostro encendido
allá en la ciudad que a la amada tuviera en las primeras horas.

Allá la amada aguardaba entre el aura misma de su niñez presurosa.
Su infancia empujaba su juventud, se anticipaba esperándome.

Y así, bajo el mismo cielo inocente de sus ojos tempranos,
pude besar en un día su rostro infantil, su núbil rostro, su adolescente
    rostro,
su juvenil rostro adorado que hacia mí maduraba.

Una niña en el borde de la ciudad se adelanta.
Me ofrece su mano. De mi mano me enseña
la ciudad que la tuvo. De mi mano ahora crece.
"Mira allí el parque claro,
allí el balcón, los árboles, el viento".
Y con su mano me muestra el claustro absorto,
el cerrado jardín, la fuente pura,
el camino diario, donde su pie muy leve apenas se posa con la luz inicial
    de la vida.

Cogida de mi mano, marchamos, y la niña crece.
Miradla púber en la clara mañana.
Me señala el rosal, los grises muros largos que día a día roza,
la yedra misma desnuda que acepta su esfumada penumbra cuando pasa
    ligera.
Allí el colegio imposible,
la casa umbría, el brusco son de otra fuente.
Ciudad de fuentes, envuelta en su melodía sin tiempo.
Lenta ciudad bajo la irisada niebla fresquísima.

Y la niña crece de mi mano. Tiene
ahora la sombra nueva en los ojos. Entrado ha en su adolescencia apuntada.
Mirad sus formas. El viento las roza,
las dibuja, mientras inocente me mira, y todavía señala
con su dedo gentil la estatua grave
donde jugó, el césped virgen donde apenas posó su tersa mejilla en las
    tardes de estío,
y las nubes, las mismas nubes veloces
que pasaron como luz sobre su busto naciente
y que hoy rozan amables su figura que fuera.

Todavía de mi mano, crece al fin. ¡Ah, miradla,
cuán hermosa, cuán dulce! Ahora sólo
es aquella que yo vi cuando vino del Sur en aquel día primero.
No lo sabe. Separa su mirada: "Ahora marcho.
Ya me voy. Voy... Y en el viaje
conoceré a aquel que me aguarda" [6].

---

[6] "Visita a la ciudad (Granada)", de "Poemas varios", en *Poesías com-*
pletas, ed. Aguilar, Madrid, 1960.

Nótese cómo la pieza logra su más conseguida granazón en el sorprendente y misterioso final; ocurre esto porque el procedimiento considerado se hace aún más claro, más evidente, en esa zona donde la amada anuncia como *futuro* un suceso acaecido *años atrás*: su viaje para conocer al poeta (al poeta que tiene en aquel momento a su lado).

En el libro *Hijos de la Ira,* de Dámaso Alonso, hay una larga composición montada también, toda ella, sobre una superposición temporal de amplio desarrollo. El autor ve a su madre como una niña, e incluso junto a esa niña se ve a sí propio en edad pueril: primero es un hermanito mayor de ella; después, un hermanito menor. La contrastación de los dos planos, el real (ancianidad de la madre y madurez del hijo) y el evocado o irreal (niñez de ambos), provoca en el lector un lancinante sentimiento de herida ternura, comunicación de la carga afectiva experimentada antes por el poeta: es precisamente la ternura lo que a éste le impele a llamar niña a su madre, lo que le lleva a contemplarla bajo alma, cuerpo y hasta vestidura infantiles:

No me digas
que estás llena de arrugas, que estás llena de sueño,
que se te han caído los dientes,
que ya no puedes con tus pobres remos hinchados, deformados por el
    veneno del reúma.

No importa, madre, no importa.
Tú eres siempre joven,
eres una niña,
tienes once años.

Oh, sí, tú eres para mí eso: una candorosa niña.
Y verás que es verdad si te sumerges en esas lentas aguas, en esas aguas
    poderosas,
que se han traído a esta ribera desolada.
Sumérgete, nada a contracorriente, cierra los ojos,
y cuando llegues, espera, espera allí a tu hijo.
Porque yo también voy a sumergirme en mi niñez antigua,
pero las aguas que tengo que remontar hasta casi la fuente,
son mucho más poderosas, son aguas turbias, como teñidas de sangre.
Óyelas, desde tu sueño, cómo rugen,
cómo quieren llevarse al pobre nadador.

¡Pobre del nadador que somormuja y bucea en ese mar salobre de la
memoria!
... Ya ves: ya hemos llegado
... ...
... ...
Y ésta es la realidad, la única maravillosa realidad:
que tú eres una niña y que yo soy un niño.
¿Lo ves, madre?
No se te olvide nunca que todo lo demás es mentira, que esto sólo es
verdad, la única verdad.
Verdad tu trenza muy apretada, como la de esas niñas acabaditas de
peinar ahora,
tu trenza en la que se marcan tan bien los brillantes lóbulos del trenzado,
tu trenza en cuyo extremo pende, inverosímil, un pequeño lacito rojo;
verdad tus medias azules, anilladas de blanco, y las puntillas de los pantalones que te asoman por debajo de la falda;
verdad tu carita alegre, un poco enrojecida, y la tristeza de tus ojos.
... ...
... ...
Ah, niña mía, madre,
yo, niño también, un poco mayor, iré a tu lado,
te serviré de guía, te defenderé galantemente de todas las brutalidades
de mis compañeros, te buscaré flores,
me subiré a las tapias para cogerte las moras más negras, las más llenas
de jugo,
te buscaré grillos reales, de esos cuyo cri-cri es como un choque de cam-
panitas de plata
... ...
... ...
¿O es que prefieres que yo sea tu hermanito menor?
Sí, lo prefieres.
Seré tu hermanito menor, niña mía, hermana mía, madre mía.
¡Es tan fácil!
Nos pararemos un momento en medio del camino,
para que tú me subas los pantalones,
y para que me suenes las narices, que me hace mucha falta (porque estoy
llorando, sí, porque ahora estoy llorando).
No, no debo llorar porque estamos en el bosque.
Mira, esa llama rubia, que velocísimamente repiquetea las ramas de los
pinos,
... ...
... ...
no es fuego, no es llama, es una ardilla.
¡No toques, no toques ese joyel, no toques esos diamantes!

....
....
¡Las maravillas del bosque! Ah, son innumerables; nunca te las podría
    enseñar todas; tendríamos para toda una vida...
... para toda una vida. He mirado de pronto y he visto tu bello rostro
    lleno de arrugas,
el torpor de tus queridas manos deformadas,
y tus cansados ojos llenos de lágrimas que tiemblan.
Madre mía, no llores: víveme siempre en sueño.
Vive, víveme siempre ausente de tus años, del sucio mundo hostil, de
    mi egoísmo de hombre, de mis palabras duras.
....
....
No tengas miedo, madre. Mira, un día ese tu sueño cándido se te hará
    de repente más profundo y más nítido.
Siempre en el bosque de la primera mañana, siempre en el bosque nuestro.
....
....
Madre, no temas. Dulcemente arrullada, dormirás en el bosque el más
    profundo sueño.
Espérame en tu sueño. Espera allí a tu hijo, madre mía [7].

LA YUXTAPOSICIÓN TEMPORAL

Igualmente inadvertido a la atención crítica ha sido otro artificio (propio de la poesía contemporánea), que si discernible del
anteriormente considerado, se le emparenta bastante. No se trata
ya de la superposición de dos instantes de tiempo, pero sí de su
yuxtaposición. El poeta mira el transcurso de una realidad cualquiera y percibe como súbita o casi súbita la transformación que
en ella sólo es realizable en un período temporal mucho mayor. Lo
mostraré primero en dos composiciones del inglés Rupert Brooke,
que doy en una versión de José Luis Cano, retocada por mí; y
luego lo mostraré en un instante de José Hierro. El primero de los
poemas de Brooke se titula "La Colina".

---

[7] "La madre".

Sin aliento alcanzamos la colina,
y allí el viento veloz nos derribó.
Al sol, reímos y la dulce hierba
besamos. Exclamaste: "Un momento vivimos
del éxtasis la gloria.
Pero el viento y el sol, la tierra permanecen, y las aves
no cesarán su juvenil canción
cuando tú y yo, los dos, seamos viejos..."
Y yo añadí: "Cuando la muerte llegue
todo esto nuestro acabará
y seguirá la vida quemando a otros amantes,
a otros labios. ¡Mi amor,
tú y yo tenemos nuestro cielo que en este instante brilla!
—Es, sí, lo más hermoso de la tierra,
que aprende aquí su más honda lección.
La vida es nuestro grito. Sin perder la fe en ella,
coronados de rosas, hemos de caminar serenamente
hacia la oscura noche."
(Pues nuestra juventud lucía así su orgullo,
nos gustaba reir, enunciar cosas bellas y extrañas.)
Y de pronto gritaste. Te vi correr. No estabas ya a mi lado.

Los amantes, felices en medio de la naturaleza, entonan un himno a la gloria del instante que viven. Sin tristeza, casi por frivolidad, por esteticismo ("nos gustaba reír, enunciar cosas bellas y extrañas") hablan de la fugacidad de aquella plenitud vital y amorosa. De pronto la amada da un grito, corre. "No estabas ya a mi lado", dice el poeta. Y es que los años han pasado súbitamente sobre la amada, sumiéndola en la muerte. Lo que había de ocurrir mucho después, el poeta lo describe como instantáneo, y de este modo la impresión de la fugacidad humana se logra en un colmo de patetismo. (Añadiré que a ese efecto colabora otro procedimiento que en este mismo capítulo he de designar con el nombre de "superposición situacional": los amantes se expresan en un diálogo anterior como no creyendo realmente sus propias palabras —"nuestra juventud lucía así su orgullo, nos gustaba reír, enunciar cosas bellas y extrañas"— que, sin embargo, son confirmadas inesperadamente por el sorprendente verso final.)

El otro poema del mismo autor dice así:

El amor de los muertos

Él era un poeta maldito y famoso
y ella una mujer tan bella como el sol.
Ninguno de ellos sabía que estaba ya muerto.
Ignoraban los dos que su tiempo se hallaba concluso,
que sus himnos eran sólo silencio,
y sus miembros, que tan maravillosamente habían servido al amor,
polvo sólo, corrompida fragancia.

Un día, hace ya mucho tiempo,
se precipitaron uno contra el otro,
sus labios se buscaron y ardieron en un beso,
y cada uno en los ojos de su amante
quiso ver su leve rostro alado
y en el infinito abrazo sintieron
labios y pecho arder
en la boca y pecho del otro.

Rodilla con rodilla cruzaron riendo
las calles del infierno, en una sola llama confundidos...
cuando súbitamente sintieron enfriarse los vientos,
estrechamente abrazados,
y helarse el aire en labio y pecho.
Y con mortal sorpresa percibieron
la súbita vaciedad de los ojos.

La primera estrofa presenta dos amantes muertos; la segunda los describe cuando estaban aún vivos. La tercera es la que nos importa. Unidos en el amor, "confundidos en una sola llama", absortos en la mutua contemplación, ni cuenta se dan de que se han muerto, "cuando súbitamente sienten enfriarse los vientos", helarse la respiración y la súbita vaciedad de los ojos. La yuxtaposición temporal se instala en esta última frase:

la súbita vaciedad de los ojos,

pues ese vacío no se produce en la realidad con la rapidez que el poema ofrece.

La pieza de José Hierro a que me he referido antes se titula significativamente "Acelerando", y muestra con más claridad aún la misma técnica:

Aquí, en este momento, termina todo,
se detiene la vida. Han florecido luces amarillas
a nuestros pies, no sé si estrellas. Silenciosa
cae la lluvia sobre el amor, sobre el remordimiento.
Nos besamos en carne viva. Bendita lluvia
en la noche, jadeando en la hierba,
trayendo en hilos aroma de las nubes,
poniendo en nuestra carne su dentadura fresca.
Y el mar sonaba. Tal vez fuera su espectro.
Porque eran miles de kilómetros
los que nos separaban de las olas.
Y lo peor: miles de días pasados y futuros nos separaban.
Descendían en la sombra las escaleras.
Dios sabe a dónde conducían. Qué más daba. "Ya es hora
—dije yo—, ya es hora de volver a tu casa".
Ya es hora. En el portal, "Espera", me dijo. Regresó
vestida de otro modo, con flores en el pelo.
Nos esperaban en la iglesia. "Mujer te doy". Bajamos
las gradas del altar. El armonio sonaba.
Y un violín que rizaba su melodía empalagosa.
Y el mar estaba allí. Olvidado y apetecido
tanto tiempo. Allí estaba. Azul y prodigioso.
Y ella y yo solos, con harapos de sol y de humedad.
"¿Dónde, dónde la noche aquella, la de ayer...?", preguntábamos
al subir a la casa, abrir la puerta, oír al niño que salía
con su poco de sombra con estrellas,
su agua de luces navegantes,
sus cerezas de fuego. Y yo puse mis labios
una vez más en la mejilla de ella. Besé hondamente.
Los gusanos labraron tercamente su piel. Al retirarme
lo vi. "Qué importa, corazón". La música encendida,
y nosotros girando. No: inmóviles. El cáliz de una flor
gris que giraba en torno vertiginosa.
Dónde la noche, dónde el mar azul, las hojas de la lluvia.
Los niños —quiénes son, que hace un instante
no estaban—, los niños aplaudieron, muertos de risa:
"qué ridículos, papá, o mamá". "A la cama", les dije
con ira y pena. Silencio. Yo besé
la frente de ella, los ojos con arrugas
cada vez más profundas. Dónde la noche aquella,

en qué lugar del universo se halla. "Has sido duro
con los niños". Abrí la habitación de los pequeños,
volaron pétalos de lluvia. Ellos estaban afeitándose.
Ellas salían con sus trajes de novia. Se marcharon
los niños —¿por qué digo los niños?— con su amor,
con sus noches de estrellas, con sus mares azules,
con sus remordimientos, con sus cuchillos de buscar pureza
bajo la carne... Dónde, dónde la noche aquella,
dónde el mar... Qué ridículo todo: este momento detenido,
este disco que gira y gira en el silencio,
consumida su música...

El protagonista del poema contempla su vida pasada y su vida
futura, desde fuera, digamos, del tiempo mismo, en algo como una
"acelerada" película en que los años se sucediesen vertiginosos, o
mejor, en que se yuxtapusiesen años separados y discontinuos, con
supresión de los intermedios. Tras la primera cita amorosa de la
pareja, la muchacha vuelve a su casa, y sale de ella inmediatamente, dispuesta y vestida para el matrimonio. Se casan. Al regresar al
hogar, se encuentran con un hijo. Otros aparecen de pronto: los
varones se afeitan ya; las hembras están ya con el atuendo de novia. Y tras esto, esos mismos hijos se hallan lejos de sus padres,
independizados y en otra edad.

Como se ve, este poema de Hierro no difiere, en su procedimiento general, de los que hemos sacado de la obra de Rupert
Brooke: tiempos discontinuos se acercan hasta yuxtaponerse: la
primera cita de los protagonistas y el momento de ir a casarse; la
boda y la aparición del primer hijo; y luego, la adultez de los hijos todos, su matrimonio y su definitivo alejamiento de la casa
paterna.

Nótese la diferencia entre este artificio y el que hemos llamado
"superposición temporal". En la "superposición", el presente y el
futuro o pasado se presentan como simultáneos; en la "yuxtaposición" no hay simultaneidad, sino tangencial aproximación de dos
épocas que en la realidad no se ofrecen en esa vecindad colindante.
Por lo demás, la finalidad de este último procedimiento es esencialmente la misma del primero: darnos la sensación de la rapidez
de la vida, mostrarnos *hasta qué punto* sentimos la vida como

patética brevedad. Prescindo del análisis del cuadrilátero de la sustitución, por su paralelismo con el que hemos visto en la superposición temporal.

2. LA SUPERPOSICIÓN ESPACIAL

Cuando nos acercamos a la obra poética de John Keats, lo primero que nos asombra en ella es su actualidad. ¿Es posible que este poeta haya nacido en 1795? ¡Pero si parece en muchos momentos un poeta de hoy! ¿A qué se debe esta impresión nuestra? Sin duda, a muy variadas razones, cuya exposición no viene al caso. Mas en uno de sus poemas más famosos ("Ode to a grecian urn") se trata de algo que nos importa sobremanera:

> Thou, still unravish'd bride of quietness!
> Thou, foster-child of Silence and slow Time,
> sylvan historian, who canst thus express
> a flowery tale more sweetly than our rhyme:
> What leaf-fringed legend haunts about thy shape
> of deities or mortals, or of both,
> in Tempe or the vales of Arcady?
> What men or gods are these? What maidens loath?
> What mad pursuit? What struggle to escape?
> What pipes and timbrels? What wild ecstasy?
> Heard melodies are sweet, but those unheard
> are sweeter; therefore, ye soft pipes, play on;
> not to the sensual ears, but, more endear'd,
> pipe to the spirit ditties of no tone;
> fair youth, beneath the trees, thou canst not leave
> thy song, nor ever can those trees be bare;
> bold Lover, never, never canst thou kiss,
> though wining near the goal-yet; do not grieve,
> she cannot fade, though thou hast not thy bliss,
> for ever wilt thou love, and she be fair!
> Ah, happy bough! that cannot shed
> your leaves, nor ever bid the Spring adieu;
> and happy melodist, unwearied,
> for ever piping songs for ever new;
> more happy love! more happy, happy love!
> For ever warm and still to be enjoy'd,

for ever panting and for ever young;
all breathing human passion far above,
that leaves a heart high sorrowful and cly'd,
a burning forehead, and a parching tongue.
Who are these coming to the sacrifice?
To what green altar, o mysterious priest,
lead'st thou that heifer lowing at the skies,
and all her silken flanks with garlands drest?
What little town by river or sea-shore.
or mountain-built with peaceful citadel,
is emptied of its folk, this pious morn?
And, little town, thy streets for evermore
will silent be; and not a soul to tell
why thou art desolate, can e'er return [8].

---

[8] Tú, novia intacta aún de la quietud, prohijada del silencio y de las lentas horas, selvática rapsoda, que refieres un cuento florido, con dulzura mayor que en nuestra rima: ¿qué leyenda, ceñida de verdor, tiembla en tu forma? ¿Será de dioses o mortales, o de ambos? ¿En el Tempe o en valles de Arcadia? ¿Quiénes son esos hombres o dioses? ¿Qué doncellas resisten al loco perseguir? ¿Qué pugna es esa, huyendo? ¿Qué flautas y tambores? ¿Qué éxtasis salvaje?

Las músicas oídas son bien dulces, pero más dulces son las inauditas. Seguid sonando, pues, oh caramillos blandos, no al sentido, más tiernas en el alma suenen siempre canciones sin sonido. Doncel, bajo los árboles, abandonar no puedes ya tu canto y no podrán tampoco desnudarse esas ramas; enamorado audaz, no podrás besar nunca aunque tan cerca estés; mas no te apenes: ella no puede marchitarse; tu ventura no alcanzas, pero siempre amarás y será siempre hermosa.

Ah, felices, felices ramas, que vuestras hojas no podéis esparcir, ni de abril despediros. Y músico feliz, que no te cansas nunca de modular canciones siempre nuevas. Pero más feliz, más feliz ese amor venturoso, cálido siempre y no gozado aún y jadeante siempre y joven para siempre: todos alientan lejos de la pasión humana, que deja al corazón tan saciado y tan triste, la frente como el fuego y la lengua abrasada.

¿Quiénes son esas gentes que al sacrificio acuden? ¿A qué altar de verdores, oh extraño sacerdote, esa ternera guías, que muge hacia los cielos, con los flancos sedeños cubiertos de guirnaldas? ¿Qué pequeña ciudad, de la playa o del río, o alzada en la montaña, con una ciudadela muy pacífica, quedóse sin su gente esa mañana devota? Ya tus calles, oh ciudad, para siempre se verán silenciosas, y ni un alma a decirnos por qué estás tan desierta, podrá ya volver nunca.

El poeta contempla una urna griega, donde están representadas algunas escenas campestres: unas muchachas huyen de los hombres que las persiguen; un joven toca su caramillo bajo los árboles; otro hace el amor a una doncella; un grupo de personas acude al sacrificio de un ternerillo. Pero Keats, en lugar de localizar este escenario en la urna griega y en el siglo XIX (presente del poeta), lo ve lejos, *en otro espacio,* en un campo de la propia Grecia, y en otro tiempo, en el tiempo clásico. Estaremos, pues, en presencia de una superposición espacio-temporal, donde el plano real es la pintura de la urna contemplada en el siglo pasado, y el plano de evocación, una escena campestre en la Grecia clásica. Ahora bien: lo patético de esta compleja figuración se origina por las infiltraciones y trasvasamientos de un plano a otro: las propiedades de la esfera de realidad (el estatismo de las figuras pintadas, y, en consecuencia, la perennidad de sus actitudes) pasan a la esfera de evocación (lo que proporciona a ésta parte de ese hálito mágico que nosotros percibimos en forma de impresión estética): el caramillo hace sonar una *perpetua* canción sin notas; los árboles están *siempre* verdes, en una primavera *inmutable*; y el enamorado adora sin descanso a una hermosa muchacha *que jamás envejece.* (Este fenómeno se da, por supuesto, en otros tipos de superposición. En la superposición imaginativa o metáfora es perfectamente conocido. Cuando Góngora, o un poeta cualquiera de tradición renacentista, llama "volante nieve" a la blanca pluma de una ave, el adjetivo "volante" que califica al plano evocado, procede del plano real "pluma blanca". Por otra parte, y para aludir sólo a lo que ya conocemos, en la pág. 212 de este libro hemos visto algo semejante referido a una superposición temporal.)

La fuerte emoción del poema se engendra en la superposición espacio-temporal (que ocupa la totalidad de la pieza); pero sobre todo nace en lo que la superposición tiene de espacial. El hecho de que la escena ocurra en tiempos lejanos, aunque contribuya quizá también al efecto total, es mucho menos importante. (Si la urna hubiese sido contemporánea del poeta, no se modificaría gran cosa la intensidad poemática.) No debe confundirnos el hecho de que la Oda esté cargada de una poética sensación de tiempo. Porque, paradójicamente, esa sensación no la produce el aspecto temporal del recurso, sino su aspecto espacial: los seres que no envejecen o las hojas de los árboles que no se marchitan, etc., son cualidades propias de un *espacio* real (la urna) que se propaga a otro evocado (el griego). Podemos, en consecuencia, apellidar a esta superposición de espacial, y prescindir de su otro lado, el lado temporal, que también existe, aunque con menos importancia [9].

3. LA SUPERPOSICIÓN SITUACIONAL

Hemos sugerido páginas atrás, y lo hemos comprobado parcialmente, que dentro de la genérica superposición, los dos planos coincidentes pueden ser de muy distinta naturaleza: en ciertas ocasiones se funden en uno dos objetos (superposición imaginativa o metáfora); otras veces los que se juntan son dos instantes (superposición temporal), dos lugares (superposición espacial), dos situaciones (superposición situacional) o dos significados (superposición significacional). Sabemos ya en qué consisten las tres primeras posibilidades; ignoramos aún qué cosa sean la superposición "situacional" y la "significacional", aunque el nombre que hemos asignado a tales hechos lo declara de modo suficiente: llamamos superposición situacional a la visión simultánea que el poeta realiza de dos situaciones diversas, una de ellas real, la otra ilusoria. Cabrán, pues, dentro del procedimiento un par de principales direcciones: una en que la situación ilusoria es engañosamente tomada por alguien como real; otra en que ese "alguien" formula la situación irreal únicamente como deseo, y no como realidad efectiva.

---

[9] Por tratarse de un procedimiento que ocupa todo el poema, el análisis de los cuatro elementos de la sustitución es complicado y nos llevaría mucho tiempo. Prescindo de él para mayor brevedad. Sólo quiero indicar, por su especial interés para nosotros, que el modificante, en este caso, es el título de la composición ("Oda a una urna griega"). Ese título es, en efecto, el signo que nos permite entender como *figura* lo que podría tener otras interpretaciones. El hecho de ser modificante el título de una composición es frecuente, y por eso en esta nota he querido llamar la atención del lector.

El artificio en cuestión desborda con mucho las fronteras estrictas de un período. Fue empleado en todos los tiempos: en Juan Ramón Jiménez —lo veremos muy pronto— se produjeron casos de contorno especialmente diáfanos. Pero la continuidad en el empleo del recurso nos sorprende menos que su frecuencia. En los versos de cualquier poeta, antiguo o moderno, rastrearíamos un crecido número de ejemplos; y sin embargo, según hemos adelantado, los preceptistas los ignoraron con una ceguera tan inexplicable como tenaz.

SITUACIÓN ILUSORIA TOMADA COMO REAL

De los dos modos en que el artificio se bifurca vamos a atender sólo, por su carácter ejemplar, a uno de ellos, el más eficaz para el actual gusto estético, aunque paradójicamente sea, de hecho, el menos transitado a lo largo de la literatura: me refiero al caso en que alguien concede realidad a la situación que el lector sabe ilusoria. La ilustración más perfecta de este caso me la han proporcionado las "Historias para niños sin corazón", de Juan Ramón Jiménez. Los tres únicos poemas que de tal libro se hallan representados en la "Antología Poética" que el propio Juan Ramón publicara, se erigen sobre esa técnica. Sin embargo, sufriríamos un error de bulto si de aquí osáramos deducir una paralela abundancia del recurso en las otras obras del mismo autor. Es curioso, en efecto, señalar lo insólito del procedimiento en el poeta de Moguer.

Del trío poemático a que he hecho mención, elijo sólo una pieza, quizá la más interesante desde nuestro punto de vista:

Le han puesto al niño un vestido
absurdo, loco, ridículo;
le está largo y corto; gritos
de colores le han prendido
por todas partes. Y el niño
se mira, se toca, erguido.
Todo le hace reír al mico,
las manos en los bolsillos.
La hermana le dice —pico
de gorrión, tizos lindos

los ojos, manos y rizos
en el roto espejo—: "¡Hijo,
pareces un niño rico!"
Vibra el sol. Ronca, dormido,
el pueblo en paz. Sólo el niño
viene y va con su vestido,
viene y va con su vestido.
En la feria están caídos
los gallardetes. Pititos
en zanguanes... Cuando el niño
entra en casa, en un suspiro
le chilla la madre: "¡Hijo
—y él la mira callandito,
meciendo, hambriento y sumiso,
los pies en la silla—, hijo,
pareces un niño rico!"
Campanas. Las cinco. Lírico
sol. Colgaduras y cirios.
Viento fragante del río.
La procesión. ¡Oh, qué idílico
rumor de platas y vidrios!
Relicarios con el brillo
de ocaso en su seno místico.
...El niño entre el vocerío
se toca, se mira... "¡Hijo,
le dice el padre bebido
—una lágrima en el limo
del ojuelo, flor de vicio—,
pareces un niño rico!"
La tarde cae. Malvas de oro
endulzan la torre. Pitos
despiertos. Los farolillos,
aún los cohetes con sol vivo,
se mecen medio encendidos.
Por la plaza, de las manos,
bien lavados, trajes limpios,
con dinero y con juguetes
vienen ya los niños ricos.
El niño se les arrima,
y radiante y decidido,
les dice en la cara: "¡Ea,
yo parezco un niño rico!" [10].

---

[10] "El niño pobre".

Por cuatro veces suena en la pieza el estribillo "hijo, pareces un niño rico"[11], y por cuatro veces arrecia en él la lírica emoción. Tal es el dato que, en principio, se nos brinda y del que tenemos que partir.

¿Qué le pasa, pues, al estribillo? Dejemos para después el análisis de su última aparición y atengámonos de momento a sus tres primeros enunciados.

Lo evidente es esto: en el estribillo se esconde una superposición situacional, con dos planos; plano A: la hermana, la madre y el padre del niño le creen elegantísimo; plano B: nosotros conocemos que sucede lo inverso: que el muchacho está irrisoriamente trajeado.

¿Pero es esto suficiente motivo de poesía? ¿Qué ocurre en la frase por la mera existencia en ella de esos dos campos situacionales? La respuesta ya no es difícil. Al conllevar dos situaciones, el sintagma se hinche de significación, se halla en plétora de sentido, y esa plenitud se debe a haber adquirido el verso una masa de significación que no poseía fuera del poema. Arrancado de la composición en que consta, el estribillo sólo encierra el significado A: que el niño parece rico. En cambio, dentro de su contexto, el sintagma ofrece una doble significación. Sin perder la significación lógica A, se enriquece con otra B extralógica; a saber: nuestro conocimiento de que el niño lleva un atuendo desaforado, chillón.

Todo ello nos dice que el sintagma en cuestión es poético por apresar sintéticamente una realidad compleja (procedimiento de los que llamábamos C). O en otra fórmula: por destruir el carácter analítico con que la "lengua" falsea nuestra aprehensión de esa misma realidad. El poeta ha contemplado dos hechos simultáneos (el ilusorio y el real), imposibles de transmitir tal como son, en su simultaneidad, por medio de "lengua". Y así, con una expresión única o *sustituyente* el poeta apresa lo que la "lengua" sólo lograría comunicar a través de dos diferentes expresiones o *sustituido*, y,

---

[11] En su último enunciado, el estribillo sufre una leve variación, como habrá observado el lector.

por tanto, con evidente fraude de la verdad anímica, que es global y no enumerativa. Ahora bien: si sacamos el sustituyente fuera de su contexto, nos hallaríamos ante el *modificado,* porque su esencial bisemia habría de desvanecerse.

Sólo nos falta ya completar lo dicho con el hallazgo del *modificante.* ¿De dónde procede el súbito enriquecimiento del sintagma con un plano B? No hay en ello ninguna dificultad: el plano B está provocado, existe en nosotros por noticia de los primeros versos del poema:

> Le han puesto al niño un vestido
> absurdo, loco, ridículo;
> le está largo y corto; gritos
> de colores le han prendido
> por todas partes.

Tal será, pues, el modificante.

Todo esto vale, según anunciábamos, para las tres primeras apariciones del estribillo. Pero si quisiéramos examinar su cuarto y último enunciado, nos encontraríamos con que nuestra impresión era esta vez más compleja que en las anteriores. Un análisis más apurado nos haría comprender que esta mayor complejidad deriva de un más copioso apilamiento de estratos situacionales. Siguen existiendo los que acabamos de indagar, el A y el B. Pero se nos ofrece un tercero C: que el niño, al oír tan reiterados elogios, acaba haciéndoles caso y convenciéndose de la inmejorable apariencia de sus vestidos. El estribillo, por consiguiente, a través de la nueva vía situacional, se concentra más aún, y de esa elevada concentración nace la superior intensidad de nuestro sentimiento.

Hemos hablado más arriba de la frecuencia del recurso, de su empleo en las épocas más diversas. En efecto, el artificio se da en Lope:

> huir el rostro al claro desengaño,
> beber veneno por licor suave,
> olvidar el provecho, amar el daño;
> creer que un cielo en un infierno cabe,

dar la vida y el alma a un desengaño.
Esto es amor: quien lo probó lo sabe [12].

Se da en Quevedo (cuando habla de un arroyo):

De vidrio en las lisonjas divertido,
gozoso vas al monte; y, despeñado,
espumoso encaneces con gemido.
No de otro modo el corazón cuitado,
a la prisión, al llanto se ha venido,
alegre, inadvertido y confiado [13].

O de una fuente risueña:

Tú de su imagen eres siempre avara,
yo pródigo de llanto a tus corrientes,
y a Lísida del alma y fe más rara.
Amargos, sordos, turbios, inclementes
juzgué los mares, no la amena y clara
agua risueña y dulce de las fuentes [14].

Se da en Bécquer:

Yo soy un sueño, un imposible,
vano fantasma de niebla y luz;
soy incorpórea, soy intangible,
no puedo amarte. —¡Oh ven, ven tú! [15]

---

[12] Esos versos muestran seis distintas superposiciones situacionales. Por ejemplo, en el verso "beber veneno por licor suave", existen estos dos estratos: A) el amante ingiere una bebida creyendo que es licor suave; B) no es licor suave sino veneno.

[13] Los planos situacionales son: A) el corazón cuitado del poeta ha ido "alegre, inadvertido y confiado" a la prisión, al llanto; B) pero debiera haber ido triste, desconfiado.

[14] El poeta califica de "amena", "clara", "risueña" y "dulce" el agua de las fuentes. Ahí tenemos el plano A. Pero simultáneamente el lector percibe, como al trasluz, el plano B: que esas aguas son en verdad, por sus efectos, todo lo contrario: amargas, sordas, turbias e inclementes.

[15] Situaciones superpuestas: A) Bécquer pide el amor de esa mujer incorpórea, diciendo: "¡Oh ven, ven tú!"; B) conocemos que ese deseo no puede cumplirse, porque la aérea dama lo ha comunicado con anterioridad: "no puedo amarte", dijo al poeta.

Se da en Antonio Machado:

> Poetas con el alma
> atenta al hondo cielo,
> en la cruel batalla
> o en el tranquilo huerto,
> la nueva miel labramos
> con los dolores viejos,
> la veste blanca y pura
> pacientemente hacemos
> y bajo el sol bruñimos
> el fuerte arnés de hierro.
> El alma que no sueña,
> el enemigo espejo,
> proyecta nuestra imagen
> con un perfil grotesco [16].

Y hasta lo hallamos en el teatro. Una comedia del escritor inglés contemporáneo Priestley, *Time and the Conways,* la usa en toda su última parte. Para hacer brotar la superposición, el autor se ha servido de un eficaz recurso: el primer acto nos introduce en la vida de unas muchachas; el segundo ocurre bastantes años después; pero en el acto tercero la acción se retrotrae a un tiempo anterior, y vuelven a asomar ante nuestros ojos las mismas mujeres en mayor juventud. Es decir: el acto tercero se refiere a unos hechos que cronológicamente anteceden a los del acto segundo, aunque sean posteriores a los del primero. De este modo, cada vez que en la tercera jornada uno de los personajes formula con la mayor firmeza un propósito suyo para lo porvenir (lo que sucede a menudo) nosotros sabemos, por el segundo acto, que este propósito no se ha de realizar nunca, y las descargas poéticas se hacen así frecuentes. Empleando nuestra terminología, diríamos que el acto segundo es el *modificante* del tercero.

(De esa superposición de situaciones que hay en la obra se desprende un vaho temporal que impregna la sensibilidad de los

---

[16] Plano A: nuestra imagen es vista, es interpretada, como grotesca; plano B: no es, en realidad, grotesca.

oyentes, una acusada impresión de tiempo. Pero ello no es más que una consecuencia, importante sin duda, del procedimiento esencial que hemos considerado.)

Idéntica técnica veo en otras obras teatrales. Por ejemplo, en *Death of the salesman*, de A. Miller. También aquí el trastorno en la exposición cronológica de los hechos acarrea la superposición situacional (con correspondiente efecto temporal), porque los espectadores conocen de antemano como fracasados en el futuro los deseos que a cada paso manifiesta el personaje.

De otra parte, si la estratificación de situaciones en un solo signo es frecuente en la poesía, como hemos intentado mostrar, lo es más aún, mucho más aún, en la comicidad, sobre todo en la comicidad del teatro, donde el recurso es conocido bajo el nombre de *equívoco*.

4. LA SUPERPOSICIÓN SIGNIFICACIONAL

Cabe que yo esté en un error, pero creo ver en la obra de Vicente Aleixandre la aparición de un procedimiento nuevo, al que llamo "superposición significacional" a falta de nombre más correcto y preciso. Consiste en el empleo de una palabra o de un sintagma que mira hacia dos horizontes de significación, pero dos horizontes nada vagos, perfectamente definidos (y esto nos dice que no se trata de un símbolo bisémico) y que son entre sí de naturaleza completamente diversa (y esto nos dice que no se trata de un superposición situacional). El vocablo afectado por tal recurso contiene el sentido que le es ordinario, pero a la par encierra un sentido anómalo, insuflado por otros signos poemáticos que son su modificante.

Sólo por una vez acertó el autor de *Sombra del Paraíso* a utilizar tan virginal artificio, cuya insólita traza se dibuja claramente en la pieza titulada "El alma". El alma a la que el poeta alude es, paradójicamente, el cuerpo. No hay un alma separada del cuerpo, se nos indica, sino que el cuerpo es, a la vez, alma; es el alma misma hecha tangible. Esta concepción del último Aleixandre no puede extrañar a ningún lector suyo que conozca la creciente espiritualización de la materia que asiste al desarrollo de su obra. El poema de que hablo pertenece al libro *Historia del Corazón*:

El día ha amanecido.
Anoche te he tenido en los brazos.
Qué misterioso es el color de la carne.
Anoche más suave que nunca.
Carne soñada.
Carne casi soñada.
Lo mismo que si el alma al fin fuera tangible.
Alma mía, tus bordes,
tu casi luz, tu tibieza conforme...
Repasaba tu pecho, tu garganta,
tu cintura: lo terso,
lo misterioso, lo maravillosamente expresado.
Tocaba despacio, despacísimo, lento,
el inoíble rumor del alma pura, del alma manifestada.
Esa noche abarcable; cada día, cada minuto, abarcable.
El alma con su olor a azucena.
Oh, no: con su sima,
con su irrupción misteriosa de bulto vivo.
El alma por donde navegar no es preciso,
porque a mi lado extendida, arribada, se muestra
como una inmensa flor; oh, no, como un cuerpo maravillosamente investido.

Ondas de alma... alma reconocible.
Mirando, tentando su brillo conforme,
su limitado brillo que mi mano somete,
creo,
creo, amor mío, realidad, mi destino,
alma olorosa, espíritu que se realiza,
maravilloso misterio que lentamente se teje,
hasta ser como un cuerpo,
hasta ser un cuerpo,
comunicación que bajo mis ojos miro formarse,
organizarse,
y conformemente brillar,

trasminar,
trascender,
en su dibujo bellísimo,
en su sola realidad de cuerpo advenido:
oh dulce realidad que yo aprieto, con mi mano, que por una manifestada
    suavidad se desliza.

Así, amada mía,
cuando desnuda te rozo,
cuando muy lento, despacísimo, regaladamente te toco.
En la maravillosa noche de nuestro amor.
Con la luz, para mirarte.
Con bella luz porque es para ti.
Para engolfarme en mi dicha.
Para olerte, adorarte,
para, ceñida, trastornarme con tu emanación.
Para amasarte con estos brazos que sin cansancio se ahorman.
Para sentir contra mi pecho todos los brillos,
contagiándome de ti,
que, alma, como una niña sonríes
cuando te digo: "alma mía"...

La comprobación del fenómeno no requiere mayor esfuerzo de nuestra parte, porque el recurso resulta estar suficientemente claro. Es en el final del poema, exactamente en su último verso, donde se produce: la expresión "alma mía" no tiene allí el significado que le es habitual; o mejor dicho, tiene el significado habitual, pero además tiene otro que no le corresponde habitualmente.

Los amantes suelen llamar "alma mía" al objeto de su amor. Este cariñoso apelativo es ya metafórico, pero esa imagen se ha repetido tanto a lo largo del tiempo que en nuestra sensibilidad casi no suena como tal. Se halla, pues, en vías de lexicalización, y su sentido equivale, aproximadamente, al que "amor mío" posee.

Cuando Aleixandre exclama: "alma mía", en el último versículo de su poema, quiere decir también eso: "amor mío". Pero simultáneamente el poeta nos está significando con tales palabras algo completamente diferente: que el cuerpo de la amada es espíritu, es *alma*. Esta significación segunda se desprende, como sabemos, de una serie de frases, que a lo largo del poema han ido reiterando la idea de que el cuerpo y el alma son una misma cosa. Esas frases, en su conjunto, constituyen, pues, el *modificante* de la expresión postrera. Helas aquí:

Carne casi soñada.
Lo mismo que si el alma al fin fuera tangible.
Alma mía, tus bordes...
....
Tocaba despacio, despacísimo, lento,
el inoíble rumor del alma pura, del alma manifestada.
Esa noche abarcable; cada día, cada minuto, abarcable.
....
El alma...
se muestra... como un cuerpo maravillosamente investido...
alma olorosa, espíritu que se realiza
hasta ser como un cuerpo,
hasta ser un cuerpo...
Que, alma, como una niña sonríes
cuando te digo: "alma mía".

A su vez, el *modificado* está constituido por el sintagma "alma mía" fuera del poema, con una significación simple o lógica; mientras el *sustituyente* es ese mismo sintagma sumergido en su contexto; o sea, con la doble significación que he procurado señalar. Y, por último, el *sustituido* estaría formado por una enumeración analítica de un par de frases, cada una de las cuales retuviera uno de los dos sentidos que se condensan en el sustituyente. Por ejemplo:

"cuerpo mío, eres alma".

Exponer ahora por qué este medio expresivo nos emociona no sería sino repetir lo que hemos dicho con anterioridad. La explicación que hemos dado a la superposición situacional (y antes a los desplazamientos calificativos, a los signos de indicio y al símbolo bisémico) vale también para el recurso que ahora indagamos, puesto que todos estos artificios coinciden en su función sintética C, que destruye el orden analítico de la lengua y consiente que sea fiel la transferencia al lector de lo que el poeta contempló de manera enteriza.

He hablado de la absoluta rareza del fenómeno. Me refería, claro está, a la poesía. Porque si nos acercamos al chiste, hallamos lo inverso: por todas partes cunden en la expresión cómica estas superposiciones significacionales, hasta el punto de integrar el fondo acaso más común al que acuden los profesionales del ingenio. ¿Qué es "jugar con las palabras", sino hacer que en ellas se apilen dos ideas diferentes, aprovechando sus diversas acepciones lingüísticas? Los "juegos de palabras" son, pues, superposiciones de esa índole, viejas compañeras del humano reir.

Un ejemplo nos servirá de ilustración. En la comedia de Pedro Muñoz Seca titulada *Usted es Ortiz* se narra la ingeniosa treta que un tal Amaranto ha urdido para conseguir casarse con la inconsolable (y rica) viuda de Ortiz: fingir que en su cuerpo ha encarnado el espíritu del difunto. Uno de los personajes, Valentina, es escéptica, y sólo se convence de la reencarnación cuando Amaranto le habla de algo que sólo podría conocer el muerto. He aquí el diálogo que Valentina y Amaranto entablan:

> VALENTINA.—Perdóname. Es que yo creía que tú no eras tú.
> AMARANTO.—¿Por quién me habías tomado?
> VALENTINA.—Por el otro. Yo creía que los muertos no volvían jamás, yo creía que tú no eras tú. Que eras un vivo. Yo sólo veía en ti a Amaranto.

La frase "que eras un vivo" encierra un juego de palabras, porque en ella la palabra "vivo" se emplea en dos sentidos completamente diferentes: uno real (que Amaranto era sólo Amaranto y no el difunto Ortiz) y otro figurado (que Amaranto era un sinvergüenza, un "vivo"). Notaríamos, sin embargo, una diferencia con el caso poético antes analizado, pues en el chiste, Valentina expresa la superposición sin conciencia de ella, y es el espectador quien la reconoce como tal, mientras en la poesía el protagonista que habla en el texto y el lector coinciden en el conocimiento intuitivo de la bisemia.

CAPÍTULO X

DINAMISMO SINTÁCTICO, RITMO Y MATERIA FÓNICA EXPRESIVOS

DINAMISMO SINTÁCTICO EXPRESIVO

Para que exista poesía, dijimos, es menester que además de conceptos se nos comunique, por medios puramente verbales, percepciones sensoriales o sentimientos (o ambas realidades anímicas). Ahora bien: uno de los procedimientos para lograrlo es hacer que la sintaxis, el dinamismo sintáctico, el ritmo o la materia fónica de las expresiones se adapten rigurosamente a la representación lírica correspondiente, como he procurado señalar en un libro mío varias veces mencionado [1]. Porque, en tales casos, es esa materia fónica, ese ritmo o ese dinamismo quien nos obliga a una percepción sensorial.

Empecemos a probarlo en el dinamismo sintáctico, por tratarse de un recurso nunca estudiado en este aspecto. Puede el dinamismo sintáctico ser un instrumento muy directo de poesía; es decir, puede actuar expresivamente. El mejor ejemplo de ello lo tenemos,

---

[1] *La poesía de Vicente Aleixandre*, ed. Gredos, Madrid, 1956. Véanse los capítulos XVI, XVII y XIX, titulados, respectivamente: "Adecuación del ritmo a la representación poética", "Adecuación de los sonidos del verso a la representación poética" y "Adecuación de la sintaxis aleixandrina a la representación poética".

quizá, también en un poema de Aleixandre, perteneciente al libro *Historia del Corazón*. Se titula "Mano entregada":

Pero otro día toco tu mano. Mano tibia.
Tu delicada mano silente. A veces cierro
los ojos y toco leve tu mano, leve toque
que comprueba su forma, que tienta
su estructura, sintiendo bajo la piel alada el duro hueso
insobornable, el triste hueso adonde no llega nunca
el amor. Oh carne dulce que sí se empapa del amor hermoso.

Es por la piel secreta, secretamente abierta, invisiblemente entreabierta.
por donde el calor tibio propaga su voz, su afán dulce;
por donde mi voz penetra hasta tus venas hondas,
para rodar por ellas en tu escondida sangre,
como otra sangre que sonara oscura, que dulcemente oscura te besara
por dentro, recorriendo despacio como sonido puro
ese cuerpo, que ahora resuena mío, mío, poblado de mis voces profundas,
oh resonado cuerpo de mi amor, oh poseído cuerpo, oh cuerpo sólo sonido
        de mi voz poseyéndole...

Por eso, cuando acaricio tu mano, sé que sólo el hueso rehusa
mi amor —el nunca incandescente hueso del hombre—.
Y que una zona triste de tu ser se rehusa,
mientras tu carne entera llega un instante lúcido
en que total flamea, por virtud de ese lento contacto de tu mano,
de tu porosa mano suavísima que gime,
tu delicada mano silente, por donde entro
despacio, despacísimo, secretamente en tu vida,
hasta tus venas hondas, totales, donde bogo,
donde te pueblo y canto, completo, entre tu carne.

Antes de proceder al análisis de esta composición, necesito exponer, muy a la ligera, algunas de las conclusiones a que en otro lugar he llegado sobre el dinamismo expresivo. Parece evidente que la acumulación en una frase (o en un período) de ciertas partículas comunica velocidad a la expresión; y que la acumulación de otras, al contrario, la retarda. Las primeras poseerán, así, un dinamismo positivo, mientras las segundas estarán cargadas de dinamismo negativo. No puedo entretenerme en pormenores sobre qué clase de partículas y en qué condiciones son las que ejercen este dinámico influjo. Para lo que ahora nos toca investigar nos basta

con conocer el principio general de que yo he partido en mi trabajo: aquellas palabras que aportan nociones nuevas al discurso
tendrán cargas de dinamismo positivo; las que no hacen esto sino
que simplemente reiteran o modifican de un modo u otro nociones
anteriores o sirven exclusivamente para ligar entre sí las diversas
partes de la oración impregnarán al sintagma que las contenga de
dinamismo negativo. Nos importa advertir, concretamente, que
dentro de este último grupo habrán de ser incluidos los adjetivos
y también las reiteraciones de palabras, puesto que las reiteraciones no introducen ninguna novedad en la frase. Lo propio les sucede
a los verbos subordinados. Si yo digo "paseo cuando hace sol", no
estoy enunciando dos conceptos bien diferenciados, "pasear" y "hacer sol", sino solamente uno, "pasear", limitado por el otro, "hacer
sol". Por consiguiente, la subordinación colorea negativamente el
dinamismo de los verbos.

Después de estas consideraciones, estamos preparados ya para
lanzar una mirada escrutadora sobre el poema que he copiado antes. Su tema es muy simple: el poeta acaricia la mano de la amada,
y *poco a poco,* le va transmitiendo su calor, su vida, que rueda
por sus venas:

como otra sangre que sonara oscura, que dulcemente oscura te besara
por dentro, recorriendo despacio como sonido puro
ese cuerpo...

La *morosidad* es, así, un elemento sobresaliente de la representación poética. En este dato aún se insiste:

tu delicada mano silente, por donde entro
despacio, despacísimo, secretamente en tu vida...

Veamos ahora lo que ocurre en el aspecto sintáctico de la
composición. El más somero análisis nos revela un hecho que no
deja de pasmarnos. La sintaxis total del poema, de arriba abajo,
desde el comienzo hasta el final, no hace sino reflejar esa morosidad
del significado. Quiero decir que la sintaxis del poema, en su conjunto, es retardataria, morosa, y nos da una acentuada impresión
de lentitud psíquica.

Detengámonos, por lo pronto, a ver de cerca esa sintaxis, con objeto de explicarnos el motivo de nuestra impresión.

Para obtener un máximo de rapidez en el examen prescindamos de momento de la estrofa que abre la pieza. Un primer hecho advertimos: en todo el resto de la composición sólo existen dos verbos principales, "es" y "sé", en las estrofas segunda y tercera, de los que dependen veinte verbos subordinados. El fenómeno que pretendemos indagar se nos aclara repentinamente. Si sólo hay dos verbos principales en dieciocho largos versículos (cuya medida oscila entre catorce y treinta y tantas sílabas) no puede sorprendernos la lentitud sintáctica de todo el poema. Pero hay más. Hay mucho más.

Los efectos poéticos suelen lograrse por la cooperación de un complejo de causas. Debemos volver nuestra mirada hacia la estrofa primera, que habíamos abandonado. Toda ella es una pura reiteración. Reiteración de las palabras y de las ideas:

> Pero otro día toco tu mano. Mano tibia.
> Tu delicada mano silente. A veces cierro
> los ojos y toco leve tu mano, leve toque
> que comprueba su forma, que tienta
> su estructura.

En sólo tres versículos la palabra "mano" está escrita nada menos que en cuatro ocasiones. Pero el poeta se ha servido también del poder dilatorio del adjetivo. Si en el primer instante en que aparece el concepto "mano" tiene éste un enunciado simple, en el segundo le acompaña un adjetivo ("mano tibia"), y en el tercero, dos ("tu delicada mano silente"). Por otra parte, el verbo "tocar" está expresado un par de veces, y aun se reitera bajo la especie sustantiva "toque", y, luego, al decir "comprueba su forma" y "tienta su estructura" (y observemos que aquí "forma" y "estructura" son, a su vez, sinónimos). Y si seguimos leyendo, veremos que antes de terminar la estrofa inicial, nos habremos encontrado con nuevas repeticiones, cargadas también de adjetivos:

> el duro hueso
> insobornable, el triste hueso...

Lo mismo sucede en la segunda estrofa. Según avanzamos en la lectura, vamos dando con palabras que están reiteradas de una u otra manera: secreta, secretamente; abierta... entreabierta; sangre, sangre; oscura, oscura; sonara, sonido, resuena, resonado; voces, voz; mío, mío; cuerpo, cuerpo, cuerpo; poseído, poseyéndole, etc.

Y aún es más interesante en este sentido la estrofa última, que es una especie de resumen reiterador de la idea general que preside el poema y aun de los vocablos concretos expresados anteriormente.

En suma: bajo el influjo de un doble tiroteo (riqueza en verbos subordinados, abundancia de reiteraciones y de adjetivos) la sintaxis se ha hecho lentísima. Y ese embarazado movimiento oracional no es otra cosa que un reflejo del significado poemático (la lentitud de la representación), al que rinde un sorprendente servicio. Recordemos:

> tu delicada mano silente, por donde entro
> despacio, despacísimo, secretamente en tu vida.

En este punto convendría decir algo sobre cierto asunto que ahora sólo me es lícito insinuar entre paréntesis. Se trata de esto: hemos dicho antes que el poema "Mano entregada" nos produce una impresión de lentitud psíquica, impresión que nos viene proporcionada desde una doble fuente: desde el tema y desde la sintaxis. Ahora bien: ¿por qué el poeta utiliza como tema la lentitud? Contestar a esta pregunta puede tener un alcance general.

La modesta experiencia que de lector poseo me lleva a pensar que esa lentitud es puramente simbólica: es la traducción de otra tácita realidad: la melancolía del poeta. ¿Qué es la melancolía sino una cierta inmovilidad del alma, que hasta se traduce en inmovilidad corporal? Cuando estamos abatidos tendemos a permanecer quietos, con la mirada fija en un punto del espacio, y como hipnotizado todo nuestro ser; la expresión del rostro se congela y el cuerpo aspira a una suerte de estatismo. Pues bien: la poesía, basándose en esta humana reacción, acostumbra, *como nuestro cuerpo*, a simbolizar la tristeza por medio de la lentitud.

Lo hemos visto no hace mucho en la lírica de Antonio Machado, donde tantas veces los estados dolientes del alma se proyectan a paisajes quietos, silentes. Lo podríamos ver también en las prosas de Azorín, donde acontece algo semejante. Todo ello no es sino el reflejo de una norma general, como hemos dicho, que formularíamos en la ecuación:

melancolía = quietud, lentitud [2].

RITMO Y MATERIA FÓNICA EXPRESIVOS

Pero lo que hemos probado para el dinamismo de la sintaxis es aún más frecuente en el ritmo y en la materia fónica de las expresiones, lo cual es de sobra sabido; no voy a insistir en ello. Ya la más vieja Preceptiva conocía parcialmente el fenómeno y le asignaba un nombre: onomatopeya. Pero Dámaso Alonso ha vuelto a considerarlo desde un nuevo punto de vista, ha ampliado enormemente sus límites con una hondura que dudo pueda ser por ahora superada, y lo ha denominado más certeramente y también más comprensivamente "imágenes del significante".
Ejemplo de ritmo onomatopéyico:

Galopa, caballo cuatralbo, jinete del pueblo.

Ejemplo de materia fónica expresiva:

Allí el limonero que sorbe al sol su jugo agraz en la mañana virgen.

Para producir la sensación de agriedad a que el tema alude, el poeta se vale de varios sonidos consonánticos en combinación:

---

[2] Claro está que no siempre ocurre así. *No siempre la melancolía* se refleja poéticamente en quietud. Y al contrario: no siempre las representaciones temáticas (o sintácticas) de lo quieto indican tristeza. Analizar la poesía es analizar *lo complicado,* y las reglas generales que de la poesía extraigamos pueden, de hecho, quedar desvirtuadas en un momento dado por los ingredientes diversos que en cada poema intervienen.

grupos s-rb ("sorbe"); gr-z ("agraz"); rg ("virgen"), y sonidos ve-
lares ("jugo", "virgen"). El éxito mayor en esta representación sonora es el sintagma "jugo agraz", centro apoyado por dos palabras ("sorbe" y "virgen"), que son como un par de notas que re-
duplican la intensidad de aquél.

Otras veces es el dinamismo lo que aparece evocado por los
sonidos. En un caso concreto, será el dinamismo de un cuerpo
poderoso y maligno:

> ...duro cuerpo de lumbre tenebrosa, pujante,
> que incrustaste tu testa en los cielos helados...

Consonante seguida de erre ("lumbre", "tenebrosa", "incrus-
taste"), la velar *jota* de "pujante" y sobre todo la sucesiva insistencia en dentales sordas ("incrus*taste* *tu* *testa*"), que parece como
la reiteración en el movimiento que ese cuerpo realiza, son los
núcleos que obtienen un triunfo tan evidente. (Como repetiré muy
pronto, contribuye al mismo efecto el uso de dos adjetivos seguidos —tenebrosa, pujante—, que es también un peculiar modo de
reiteración, parejo al que existe en la *t* del sintagma "incrus*taste* *tu* *testa*".)

CASOS DE REITERACIÓN Y DE
ENCABALGAMIENTO EXPRESIVOS

Dentro del mismo hecho veo ciertos casos de reiteración y
encabalgamiento. La economía de este libro no me concede otra
cosa que un ligerísimo esbozo del tema.

A veces, en efecto, la reiteración de una palabra sirve para
expresar la simple repetición de un fenómeno; por ejemplo, la
caída persistente de la lluvia:

> Era una tarde en que llovía, llovía, llovía, llovía.

o el progresivo desarrollo de un acontecimiento; así, el rubor de
una niña:

> La niña se puso rosada, rosada, rosada.

(Hay casos en que no es una palabra la que se repite para expresar un movimiento, sino que basta con repetir una categoría gramatical o un sonido: véanse los ejemplos anteriores de "tenebrosa, pujante" y de "incrus*tas*te *t*u *t*es*t*a".)

E igual ocurre con los encabalgamientos. En un poema de Juan Ramón Jiménez el encabalgamiento nos da la impresión del ir y venir de una muchacha meciéndose:

> Tú te mecías indolentemente blanca y
> blanca...

Y en otra composición del mismo autor veo hasta dos ejemplos seguidos de encabalgamiento congruentes con su tema:

> Y los trajes ligeros, hijos del paisaje
> mate, daban a la hora una nostalgia de eterna
> fugacidad sin nombre, que después volvería
> a la nostalgia, como una belleza en pena.

En la cima del segundo verso queda colgando la palabra "eterna". La pausa que todo fin de verso impone parece una como vaga alusión a esa "eternidad" a que el significado del adjetivo alude. Y algo semejante acaece con el vocablo último del tercer verso: "volvería": los ojos del lector tienen que "volverse" en busca del alejandrino siguiente.

No es ésta, naturalmente, más que una de las múltiples posibilidades del encabalgamiento. Incluso existen casos en que tal recurso no tiene una misión directa, sino indirecta. Por ejemplo: "deslexicalizar" una imagen tópica, gastada. (Porque aunque, según creo, nunca se ha reparado en ello, existe una "deslexicalización" de la metáfora como existe una lexicalización de la misma.) Aunque me salga del tema, no resisto a la tentación de decir en este punto unas palabras. Cuando hablamos de que una nación "se ha puesto en pie de guerra" nadie ve plásticamente la imagen en que esa expresión consiste, pues el constante uso ha anulado su vigor tropológico. Pero el encabalgamiento (u otro artificio distinto [3]) puede repristinar la metáfora, volverla a su estado primigenio:

> ... Y como un muerto puesto en pie
> de guerra... [4].

Ello ocurre porque la pausa de fin de verso nos impide absorber de golpe todo el bloque significativo de la frase, llevándonos a partirlo en dos trozos que entendemos por separado. Nos damos primero cuenta de lo que significa "ponerse en pie", y sólo luego advertimos el sentido del sintagma que completa la comparación: "de guerra".
En este caso, el resultado de la deslexicalización es poético. Mas no siempre ocurre así: el procedimiento, en ciertas condiciones, puede acarrear humor:

> Era tan piadoso como un Monte
> de Piedad...

No puedo explicar ahora en su pormenor las causas varias de que estos versos nos hagan reír. Lo haré de manera compendiosa, atendiendo sólo a una. El efecto del encabalgamiento en el presente caso es la deslexicalización de la metáfora con que se designan ciertas casas de empeño: "Monte de Piedad". Ahora bien: nos reímos precisamente de esa metáfora al advertir de pronto su desmesura. El símil nos parece cómico, porque sabemos que fundar una casa de empeño no es un acto tan heroicamente virtuoso como parecería denotar el nombre metafórico con que la institución se reviste.

LAS "IMÁGENES DEL SIGNIFICANTE" SON IMÁGENES VISIONARIAS

Todos los tipos de expresividad que hemos estudiado en este capítulo pueden englobarse en lo que Dámaso Alonso (véase su

---

[3] En las págs. 293 y ss. se verá un ejemplo de deslexicalización metafórica, producida por otro recurso: la ruptura del sistema lógico.
[4] BLAS DE OTERO: *Redoble de conciencia.*

Poesía española) ha denominado certeramente "imágenes del significante". Sin conocer aún la obra citada de este autor, y ya en la primera edición de mi libro *La poesía de Vicente Aleixandre*, había utilizado yo la palabra "imágenes" para referirme a tales procedimientos. Hoy puedo ser más preciso: estas imágenes son, rigurosamente, imágenes visionarias. El plano real A estaría constituido por el significado, y el plano imaginario B, por el significante. Y digo que son visionarias estas imágenes porque su actuación en nosotros es irracional. El elemento B, en cuanto unido al elemento A, produce en nosotros una impresión Z, antes de que nuestra razón conozca el parecido objetivo entre A y B. Los sonidos (B) de este verso de Góngora:

> el congrio que viscosamente liso
> las redes burlar quiso,

nos dan una sensación (Z) de viscosidad, análoga a la que en otro orden nos produce el congrio (A). ¿Por qué? Sin duda por la aliteración de la *ese*. No tendría sentido, claro es, hablar de semejanza objetiva inmediata entre la esfera A (el concepto de congrio) y la esfera B (la materia fonética del verso, con su aliteración de la *ese*). Pero si analizamos nuestra impresión Z de viscosidad, podemos llegar a la determinación de la objetiva similitud. ¿Cuál es la causa de que congrio y la sucesión de eses nos impresionen de ese modo? El congrio, por ser resbaladizo (*a₁*), resulta viscoso; el sonido de la *ese*, en cuanto que puede prolongarse, nos conduce igualmente (en el contexto) a esa sensación (*a₁*): la prolongable *ese* parece *resbalar* (*a₁*); tal resbalamiento se traduce, en nosotros, y desde el interior del endecasílabo citado, en una impresión viscosa. Pero nótese que esta objetiva semejanza no la percibimos en la lectura, sino sólo tras una extraestética recapacitación. Exactamente lo que hemos creído probar para las imágenes visionarias. Sin ningún género de duda, en mi opinión, nos hallamos aquí frente a imágenes de ese mismo tipo. Es importante observar que las imágenes del significante constituyen la única especie de irracionalidad verbal en sentido estricto que la poesía anterior a la contemporánea se permitía, precisamente porque era la única que no llamaba sobre sí la atención en cuanto tal. Al pasar así inadvertida, forzosamente había de hacerse tolerable.

LA SINTAXIS, EL RITMO Y LA MATERIA FÓNICA EXPRESIVOS COMO SUSTITUCIÓN

Tras la digresión que antecede, volvamos a nuestro tema: la sintaxis, el ritmo y la materia fónica expresivos. ¿Son estos casos de expresividad resultado de una sustitución lingüística? A primera vista diríamos que no. Sin embargo, una reflexión más detenida nos lleva al juicio contrario.

Desde Saussure sabemos que la característica fundamental del signo consiste en su *arbitrariedad*. El signo es arbitrario puesto que un mismo concepto pudo haber sido designado con las más diversas palabras, y de hecho la confrontación de los distintos idiomas nos muestra que así, en efecto, ocurre. En latín se dijo "arbor" a lo que en inglés se dice "tree", en francés "arbre" y en español "árbol". Pero además de arbitrario, el signo de lengua es *inmotivado*: nada hay en el significante "árbol" que nos sugiera el objeto a que ese significado se refiere. En cambio, los instantes poéticos que antes hemos analizado como expresivos nos muestran una motivación: la sintaxis o el ritmo o la materia fónica, etc., del verso, están íntimamente vinculados a la representación correspondiente. En otros términos: se trata de casos en que el significante está motivado por la índole de su sentido. Diremos entonces que ha habido una sustitución: los signos *motivados* de la poesía reemplazan a los signos *inmotivados* de la lengua; o más concretamente: signos que arrastran representaciones sensoriales reemplazan a signos puramente lógicos.

Claro está que en el lenguaje ordinario hay onomatopeyas, palabras que parecen pintar acústicamente los objetos a que aluden. En este caso están, en todos los idiomas, los nombres y verbos de ruidos. (En español, "chascar", "teclear", "rasgar", "susurro", "pitido", "grito"...) Pero también hay que incluir en tal categoría vocablos de distinta naturaleza: "lúgubre", "cándido", "nítido", "caricia", "zig-zag", etc. (Al expresar en la página 64 que la "lengua" es genérica, aludíamos, de pasada, a esta aparente excepción. Y la llamo aparente porque al tratarse de "lengua", y por tanto, de un tópico idiomático, permanecemos *prácticamente* insensibles a su emanación sensorial y atentos sólo al ingrediente conceptual que posee.

De ahí que para que la expresividad de esta clase se haga visible en grado suficiente no basta con la existencia de una voz onomatopéyica aislada; se precisa todo un conjunto, toda una cadena de palabras onomatopéyicamente semejantes, cuya acumulación en un texto dibuje con notorio relieve el conjunto de la representación requerida. No es bastante la palabra "jugo" con su agria *jota* para darnos la impresión de agriedad. Debe de reforzarse esa palabra con otras de índole pareja: "sorbe", "agraz", "virgen":

> allí el limonero que sorbe al sol su jugo
> agraz en la mañana virgen

Si no existe ese eslabonamiento intensificador, la expresividad permanece puramente virtual. Y tal es lo que ocurre, repito, en el lenguaje que llamamos "lengua" [5].

[5] De aquí se desprende con facilidad que en la cita del limonero (y *mutatis mutandis,* en los demás ejemplos de sintaxis, ritmo o materia fónica expresivos, etc.), el modificante de "jugo" es el conjunto formado por "sorbe", "agraz" y "virgen"; y al revés: el modificante, por ejemplo, de "agraz" serían esas otras palabras. De otra parte, no resulta difícil deducir que el sustituyente, en este caso, está constituido por cada uno de tales vocablos en el poema, fuera del cual constituyen el modificado; y que serán sendos sustituidos las expresiones que, careciendo de tan eficaces sonidos, resulten sinónimas de aquellas otras poéticas que hemos considerado. Tal las que se hallan en letra redonda dentro de la frase:

Allí el limonero que toma *al sol su* líquido inmaturo *en la mañana* limpia.

CAPÍTULO XI

CUATRO PROCEDIMIENTOS CONOCIDOS POR LA PRECEPTIVA TRADICIONAL

En el presente capítulo nos vamos a ocupar de cuatro procedimientos ya conocidos por la Preceptiva tradicional: el contraste, la reiteración, la gradación y la ironía. Sin embargo, nuestros análisis de ellos tendrán una finalidad en nada semejantes a la buscada por los antiguos retóricos. Lo que a nosotros nos importa no es describirlos, sino entenderlos, examinar por qué tales recursos se acompañan de emoción estética; o sea, dar con el motivo de que la poesía los use.

1. EL CONTRASTE

Comencemos por el estudio del contraste, llamado también, como es notorio, "antítesis". Es sabido que existe un contraste cuando en un mismo sintagma se juntan dos términos que de un modo u otro se oponen. Contraste es la unión de "blanco" y de "negro", de "muerte" y de "vida", de "vigilia" y de "sueño". Es evidente que la poesía se sirve a veces del contraste como medio expresivo, sobre todo en ciertos períodos (pensemos en el petrarquismo y su secuela, siglos XVI y XVII). Nosotros necesitamos averiguar por qué el contraste posee expresividad, o lo que es lo mismo: hemos de encontrar qué es lo que produce expresividad en el contraste.

Para lograrlo, se hace imprescindible un esbozo de lo que sean las condiciones de nuestro conocimiento de la realidad. Nos es posible la percepción de los objetos porque la realidad se nos aparece como múltiple, como variada. Si no fuera así, si la realidad formase un todo compacto, absolutamente homogéneo, nuestros ojos no hubiesen nunca aprendido a captarla. Tal afirmación parece válida para todas las facciones de lo real. Un hombre que desde su nacimiento hubiera vivido robinsonescamente en una isla desierta, no podría aprehender su propia psicología, porque no tendría términos de comparación a los que referirse para decir: "soy apasionado, soy inteligente, soy malo". Nuestro discernimiento entre los diferentes grados de la inteligencia, del apasionamiento o de la bondad no son otra cosa que el resultado de confrontar entre sí inteligencias, apasionamientos y bondades de intensidad diversa. De modo semejante, si un único color tiñese la totalidad de los seres que constituyen el mundo, nuestra mente sería incapaz de percibirlo, porque, por ejemplo, el concepto de "lo azul" sólo se forma en nosotros por su diferencia con las otras coloraciones, la verde, la roja, la amarilla... En otras palabras: "azul" es para nuestra mirada el color "no amarillo", "no rojo", "no verde", etc.

Ello quiere decir que más que ver objetos, vemos oposiciones entre objetos. Ahora bien: *cuanto más fuerte sea esa oposición, más nítida, más individualizada será la representación que de las cosas nos forjemos.* Un color blanco muy puro resalta más, lo vemos mejor, al lado del negro que junto a un blanco grisáceo, y el color rojo destaca con más vigor frente al verde que frente al anaranjado [1]. Notemos que, aunque en realidad se trate del mismo color (blanco o rojo), no lo es para nosotros, porque para nosotros ese color actúa con un valor diferente en cada caso. El hecho de que tal fenómeno sea una ilusión de los humanos sentidos no rebaja en un ápice su importancia.

---

[1] Por eso dicen los artistas que los colores complementarios "se exaltan".

Si aplicamos lo dicho a la expresión poética, se nos hará evidente que el contraste representa una sustitución lingüística. Cuando Garcilaso escribe:

el blanco lirio y colorada rosa

la blancura del lirio y lo cruento de la rosa se convierten en más intensos que de ordinario, se individualizan, aparecen en su unicidad precisamente porque se dan en mutua oposición, precisamente porque contrastan, del mismo modo que, según acabamos de afirmar, dentro de un cuadro el valor del blanco se hace mayor, lo conocemos con una nitidez más individualizadora al lado del negro que al lado de un color blancuzco. Esto equivale a indicar que "blanco" es, en el endecasílabo garcilasiano, el modificante de "colorada" y que, a su vez, "colorada" es el modificante de "blanco". Ambos epítetos se tornan así en sustituyentes, de los cuales podríamos obtener el modificado, sin más que filtrar de ellos su modificante, el adjetivo vecino con el que contrastan; o sea, sin más que pensarlos fuera del poema. No es necesario añadir que los respectivos sustituidos los hallaríamos en sintagmas genéricos como "muy blanco" y "muy colorada", dichos independientemente uno de otro.

DESCOMPOSICIÓN DE UN SINTAGMA EN SUS PARTES POR OBRA DEL CONTRASTE

Deseo hacer notar que, como todo recurso, también el contraste puede cumplir una función secundaria, además de la principal cuyo análisis acabamos de hacer. Y así, cabe que la presencia del contraste, en algún momento, posea un oficio deslexicalizador con respecto a uno de sus términos, una palabra compuesta, por ejemplo, de cuya complejidad hemos perdido conciencia a fuerza de uso.

Cuando Unamuno inventó por analogía una forma como "des-nacer", sus lectores, para hacerse cargo de la significación que tal forma conlleva, necesitaban descomponerla en sus ingredientes ("des-nacer") y compararla con otras voces como "deshacer", "desnutrir", etc. Realizaban así informuladamente un análisis y una comparación. Cuando la forma nueva está recién creada es, pues, preciso para su comprensión que el oyente tenga conciencia (una conciencia que puede ser muy difusa) de las partes en que esa palabra se desdobla. Pero cuando la forma de ese modo discriminada va entrando en la "lengua", los hablantes pierden poco a poco tal conciencia, y empiezan a considerar el conjunto como un bloque unitario, no analizable. Ahora bien: en ciertos casos, por obra y gracia de un artificio expresivo (en nuestro caso, el contraste), puede el sintagma volver a su estado primitivo, remontando en un instante toda su historia. Fijémonos en este verso de Lope: (la mujer)

> quiere, aborrece, trata bien, maltrata.

Cuando pronunciamos el verbo "maltratar", no tenemos conciencia (o la tenemos en muy escasa proporción) de los elementos que lo forman ("mal-tratar"). Pero como el poeta ha colocado delante de ese verbo otro determinado por un adverbio (el adverbio "bien") de significación exactamente contraria al que entra en el compuesto "maltratar", se efectúa una especie de catalización semántica y el lector se ve obligado a realizar un análisis de este último verbo y descomponerlo en sus dos porciones: "mal-tratar". La expresividad del vocablo es mucho mayor entonces porque se ha verificado en él una sustitución: al desdoblarse en sus ingredientes, "mal" y "tratar", el verbo traslada levemente su sentido hacia una mayor individualización. No es lo mismo en nuestro estado de lengua decir "maltratar" que decir "tratar mal". Pues bien: "mal-tratar" tendría un valor intermedio entre ambas formas; un valor, por tanto, matizadísimo [2]; pero además y sobre todo, fuera de la "lengua" y por tanto fuera de toda conceptualización.

---

[2] El modificante de la expresión sería, pues, "trata bien"; el sustituyente, "mal-trata", en la significación individualizada a que nos hemos referido en el texto; el modificado, "maltrata" fuera del poema, exento de su modificante, y el sustituido, una frase más amplia que explicase ese matiz de modo analítico.

2. LA IRONÍA

La ironía, como todos saben, es un recurso que consiste en dar a entender lo contrario de lo que se dice. ¿Significa la ironía una individualización de lo mentado? ¿Hay en la ironía lo que venimos llamando "sustitución"? Pensemos en una frase como "Pedro es un ángel", referida, por ejemplo, a un gran criminal de todos conocido. En este caso notamos que, ante todo, se trata de una metáfora vuelta del revés. El escudriño de esa expresión nos conviene, porque, en principio, puede llevarnos mejor que otra cualquiera a entender la esencia de lo irónico.

¿Qué se pretende decir con ella? Un análisis superficial contestaría lo siguiente: "con ella se pretende decir que entre el hombre normal y Pedro hay la misma distancia que entre el hombre normal y un ángel." Y luego tal análisis proseguiría así: "El tipo de sustitución en este caso es evidentemente el mismo de la metáfora. Si en una metáfora normal, no irónica, decimos *Pedro es un ángel* se nos individualiza la bondad de Pedro porque vemos esa bondad tan angélica como cabe en lo humano. Al ser irónica la expresión, la individualización persiste, pero los grados de bondad se truecan ahora en grados de perfidia."

A pesar de su aparente lógica, pronto caemos en la cuenta de que estas conclusiones no son completamente legítimas. Cabe decir de alguien que "es buenísimo" para expresar que ese alguien es sumamente malvado. Ya no estamos frente a una metáfora. Si nuestro análisis anterior fuese cierto, la frase citada equivaldría a esta otra: "X es malísimo". Ahora bien: tal sintagma *es aún genérico*, y por tanto no parece que la ironía conlleve en este caso individualización, sustitución. Y sin embargo, nosotros la sentimos expresiva, sentimos que a su través se nos ha singularizado la maldad de X.

Algún error habremos padecido, pues, en nuestras reflexiones de hace un instante. En efecto: la indagación precedente pecó de ligera. No es del todo exacto afirmar que la ironía mide en grados negativos lo que se expresa aparentemente en grados positivos.

Lo cierto es esto otro: en la ironía, los grados negativos superan a los positivos. Decir irónicamente "X es buenísimo" no puede equivaler a "X es malísimo", sino a un superlativo que desborde gravemente a este último. Tal es lo que nuestra sensibilidad registra. Lo que no sabemos todavía es la causa de que ocurra así Nos toca, pues, explicarnos lo que ya intuitivamente conocemos. Tal explicación no puede ser más simple. Se trata del mismo fenómeno indagado por nosotros más arriba: el contraste. Si estamos a oscuras durante largo rato, y de pronto se enciende la luz, sentimos esa luz como deslumbradora, como mucho más intensa que si pasamos a ella desde una tenue claridad. Y al contrario: habituados a un gran fulgor notaremos como absoluta negrura lo que tiene escasa iluminación. Pensemos en lo que sucede cuando entramos de pronto en un cuarto donde se filtra poca luz. Al principio no vemos nada, y sólo luego comienza la visibilidad. Más tarde casi percibimos con nitidez los objetos que antes nos eran absolutamente invisibles.

Es que, como afirmábamos, el contraste es un poderoso intensificador. Pero ¿qué es sino contraste, absoluta oposición, la ironía? Cuando decimos "es buenísimo" irónicamente nuestro auditorio ha de pasar a los antípodas de ese pensamiento, y además no conceptualmente al salir de los términos de la "lengua", y la violenta oposición que se produce entre lo lógicamente dicho y lo verdaderamente mentado superlativiza individualizadoramente el significado a que llega, como se superlativiza la oscuridad de una habitación cuando arribamos a ella desde un solar mediodía de junio [3].

---

[3] Es ocioso indicar cuál sea el modificante y cuál el modificado, el sustituyente y el sustituido en una ironía como "Juan es buenísimo". El modificante es nuestra conciencia de que la expresión ha sido pronunciada irónicamente. Con más precisión: el modificante es aquel conjunto de signos poemáticos que nos ha llevado a esa conciencia. El sustituyente se nos aparece como la frase "Juan es buenísimo" con la significación contraria que le hemos atribuido en el texto. Porque, tomada la frase en su sentido habitual, lógico, es decir, fuera de la acción del modificante, tendríamos el modificado. Y el sustituido habría de ser, en fin, una frase genérica como "Juan es muy malo".

3. LA REITERACIÓN

Volvamos ahora los ojos hacia el hecho de la reiteración. Su estudio se hace imprescindible en este libro porque sin duda ha de contribuir a aclararnos múltiples procedimientos poéticos que, aunque aparentemente inconexos entre sí, constituyen en su esencia un fenómeno único del que son tan sólo variantes. En la página 145 hemos visto cómo la repetición de una palabra cualquiera acarrea una intensificación de su significado. Añadamos aquí que tal intensificación es individualizadora y, por tanto, origina un sustituyente. Si comparamos el sentido de esta frase:

Antonio es pobre, pobre, pobre, pobre,

con el que puedan tener otras, tal "Antonio es pobre" o "Antonio es muy pobre" se evidenciará lo que acabamos de decir. En los dos últimos casos formulamos una generalización; no individualizamos la especial pobreza que a Antonio se atribuye, puesto que ambas expresiones pueden designar, con igual acierto, otras pobrezas que no son de parejo grado. En cambio, el significado de la frase "Antonio es pobre, pobre, pobre, pobre" se acerca mucho más a la individualización, porque, como hemos sugerido al hablar del símbolo bisémico, las sucesivas reiteraciones han inoculado todo su contenido en el último término de la serie, y así, ese adjetivo postrero ya no significa "pobre" sino algo que en intensidad desborda al mismo superlativo "pobrísimo", con la ventaja poética de su desconceptualización. El significado recto o modificado ha avanzado, pues, hacia un punto de intensidad superlativa, prácticamente singular, que sería el sustituyente, obtenido a través de un modificante: el resto de la sucesión calificadora. Y a su vez, el sustituido lo tendríamos en una frase como "Antonio es muy pobre", de carácter genérico y conceptual.

Hasta aquí nos hemos detenido en el examen de lo más simple: la reiteración de una palabra capaz de grado, el adjetivo. Pero el comentario anterior es aplicable también, como sabemos, a los demás casos: a la reiteración de adverbios, verbos, sustantivos, etc. Frases como "ven, ven, ven, ven" o "no, no, no, no", o "veo flores, flores, flores" lo están indicando de modo inequívoco.

LA RIMA Y EL RITMO COMO REITERACIÓN

Creo haber mostrado, someramente pero con suficiente rigor, que la reiteración altera, por medio de sustituciones, el significado de las palabras hacia el punto de la individualización desconceptualizadora, de la posible comunicación poética. Si esto es así, les sucederá lo propio a todos aquellos procedimientos que puedan ser a ella reducidos. Tal es lo que veo en la rima. ¿Qué es rimar dos palabras sino hacer que se repita su parte más significativa, la que existe a partir del acento? La prueba de que la rima no es otra cosa que reiteración la hallamos en aquel viejo precepto de la retórica práctica que aconseja evitar en la prosa las rimas cercanas. Cuando en un escrito de prosa tropezamos con un par de palabras que consuenan experimentamos una molestia, porque sentimos la impresión de que el escritor *ha repetido un vocablo,* y por tanto, la impresión de que el estilo es *pobre.* Nos llevaría muy lejos explicar el distinto efecto de esta clase de reiteraciones en la poesía. Porque en la poesía el procedimiento reiterador lo que hace es acentuar el significado de las voces que riman, abultarlo, ponerlo en relieve. Por comparación con el caso "pobre, pobre, pobre, pobre", diríamos que ese significado adquiere grado superlativo.

Lo propio acaece en el ritmo. También cabe incluir el ritmo dentro del sector reiterativo, y, en consecuencia, hallar para el ritmo un tipo de sustitución semejante al encontrado para la rima. Lo que se reitera en este recurso es la disposición acentual de una unidad rítmica, que puede ser, según los casos, más o menos extensa. El significado de los vocablos heridos por el ritmo sale así a un mayor volumen, a un color más vivaz, se destaca con más ímpetu. De esta forma se verifica un leve cambio en tal significado, parejo al que rastreábamos en el de las palabras tocadas por la rima.

LOS ESTRIBILLOS COMO REITERACIÓN

Ampliemos ahora cuanto hemos dicho para la reiteración de un significante simple; extendamos nuestras afirmaciones y pensemos que la repetición de una palabra, de una de sus partes o de su disposición acentual no son más que casos particulares de la repetición de un sintagma: habremos dado entonces con la significación profunda de los estribillos. Tal vez sea el estribillo uno de los procedimientos poéticos más antiguos, y en este sentido, uno de los más primitivos. En él suele parcialmente basarse la emoción de nuestras canciones tradicionales, como es bien notorio; en él ha venido apoyándose la lírica neopopular contemporánea, la de Federico García Lorca y la de Rafael Alberti. Cuando leemos en el *Libro de música para vihuela, intitulado Orphenica lyra,* de Miguel de Fuenllana:

> Niña en cabello,
> vos me matastes, vos me habéis muerto.
> Riberas de un río
> vi moza virgo.
> Niña en cabello,
> vos me habéis muerto.
> Niña en cabello,
> vos me matastes, vos me habéis muerto,

notamos que si el estribillo ("vos me matastes, vos me habéis muerto") al comienzo de la lectura se parece mucho a un piropo, a una galante exageración, la última vez que se repite nos hiere la sensibilidad de muy distinta manera: nos da la impresión de un sentimiento profundo. Reduciendo a un esquema muy simplista (y por tanto, reflejando con mucha torpeza la realidad) el significado del estribillo en su primera aparición, obtendríamos una frase semejante a ésta: "Niña en cabello: sois tan hermosa, que al veros me quedé admirado de vuestros encantos". En cambio, nuestro esquema sería muy distinto si quisiéramos reflejar en él la significación del estribillo la última vez que se reitera: "Niña en cabello: os amo sin esperanza, y ese amor me hace sufrir horriblemente". He exagerado adrede la diferencia. Olvidemos lo que nuestra fórmula tiene de rígida. Veremos entonces que se ha verificado en el signo, al reiterarse, una sustitución parecida a la que encontrábamos en la serie "pobre, pobre, pobre, pobre".

El comentario que acabo de hacer ha tratado de aislar el poder emotivo que posee, sin ayuda ajena, por sí mismo, el procedimiento de la reiteración sintagmática. Pero, naturalmente, como sucede casi siempre en la lírica, tal recurso suele ir apoyado en otros distintos que acentúan su eficacia expresiva. Sin necesidad de acudir a nuevos ejemplos, nos daremos cuenta de que en el anterior, en el de la "niña en cabello", el estribillo "vos me matastes, vos me habéis muerto" es además de reiteración una hipérbole, porque en realidad el poeta no ha fallecido. Y si ahora atendemos únicamente al fenómeno de la reiteración notaremos aún que éste se produce de dos formas diversas. De un lado, se repite el estribillo completo ("vos me matastes, vos me habéis muerto"). De otro, no tardamos en reparar que tal estribillo es, a su vez, el resultado de reiterar dos veces el concepto "ser muerto". "Vos me matastes" es sinónimo de "vos me habéis muerto".

Tales confluencias de diversos procedimientos acostumbran a darse en los estribillos de una u otra forma. Tomemos un par de ejemplos diáfanos:

> A Salamanca, el escolarillo,
> a Salamanca irás.

> Irás a do no te vean,
> ni te escuchen, ni te crean,
> pues a las que te desean
> tan ingrato pago das.

> A Salamanca, el escolarillo,
> a Salamanca irás.

El estribillo ("A Salamanca, el escolarillo, — a Salamanca irás"), en su primera aparición, no posee ni asomos de tristeza; en su aparición última, sin embargo, está lleno de melancolía. No tiene dificultad hallar la causa de ese fenómeno. A los efectos de la reiteración en sí se une el significado de la estrofa segunda. Es la apesadumbrada estrofa segunda ("irás a do no te vean...") la motivadora principal del cambio afectivo que percibimos en el estribillo, puesto que en éste viene a verterse la significación de aquélla. Lo mismo ocurre en otra canción:

> Miraba la mar
> la malcasada,
> que miraba la mar
> cómo es ancha y larga.
>
> Descuidos ajenos
> y propios gemidos
> tienen sus sentidos
> de pesares llenos.
> Con ojos serenos
> la malcasada,
> que miraba la mar
> cómo es ancha y larga.
>
> Muy ancho es el mar
> que miran sus ojos,
> aunque a sus enojos,
> bien puede igualar.
> Mas por se alegrar
> la malcasada,
> que miraba la mar
> cómo es ancha y larga.

La tristeza de la estrofa final es mucho mayor que la visible en la primera, de la cual sólo es una reiteración. La diferencia estriba en los versos intermedios, cuyo significado aflictivo es recogido luego por los cuatro versos postreros, por el estribillo.

LA REITERACIÓN DEL SIGNIFICA-
DO: PARALELISMO Y CORRELACIÓN

Hay veces en que la reiteración no afecta a la materia fónica de las palabras, como hemos visto hasta ahora, sino sólo al significado de ellas. Cuando nos emocionamos, solemos servirnos de este procedimiento en el lenguaje usual para traducir con más fidelidad nuestro especial estado de ánimo. Si alguien se siente colérico, no es raro que propine al objeto de su irritación una serie de calificativos que, aunque no lo parezcan a primera vista, son, en el fondo, sinónimos: las palabras "cochino", "imbécil", "estúpido", "sinvergüenza", etc., dichas así, una tras otra, en un momento de enfado, representa sólo la diversa manifestación fónica de un solo concepto, que podría ser "me irritas". La afectividad ha despojado, pues, a tales signos de sus correspondientes significados lógicos para inculcarles un significado único, que la enumeración sucesiva repite y, por consiguiente, acentúa. Cuando alguien dice: "me has destruido, me has aniquilado", la idea de destrucción se pone en grado superlativo al reiterarse; y lo mismo sucede si afirma, valiéndose de la reiteración, "me lo has quitado todo, no me has dejado nada". En todos los casos se producen sustituciones: un significado en grado positivo asciende al grado superlativo.

La lírica puede utilizar y de hecho utiliza este mismo sistema para cargar emotivamente la expresión. Lo hemos visto no hace mucho con la frase "vos me matastes, vos me habéis muerto", en que la idea de morir quedaba realzada, superlativizada. Cuando una canción anónima se refiere a Guillén Peraza con los siguientes versos:

> No eres Palma,
> eres retama,
> eres ciprés
> de triste rama,

utiliza un procedimiento similar. El lector siente la reiteración ("retama" y "ciprés de triste rama" son elementos utilizados en sentido análogo), aunque se trate de una reiteración enmascarada por el fenómeno imaginativo, y de este modo se cumple la finalidad que tal medio expresivo posee: cambiar, sólo en cuestiones de matiz o de una manera profunda, el significado correspondiente.

Pues bien: en la correlación y el paralelismo [4] veo algo semejante; también la correlación y el paralelismo son, en última instancia, reiteración del significado, aunque esa reiteración sea sólo
parcial: un género próximo en que los varios elementos enumerados coinciden [5].

4. EL CLÍMAX O GRADACIÓN

Hemos de plantearnos aquí el complejo problema del clímax,
uno de los más eficaces procedimientos poéticos. Consiste el clímax
en una enumeración escalonada de términos, todos los cuales coinciden en marcar una misma dirección hacia el punto expresado
por el último elemento de la serie. Supongamos al poeta en trance de insinuarnos la idea de que el hombre ha de convertirse en
"nada" con la muerte:

> Goza, cuello, cabello, labio, frente,
> antes que lo que fue en tu edad dorada
> oro, lilio, clavel, marfil luciente,
>
> no sólo en plata o vïola truncada
> se vuelva, mas tú y ello juntamente
> en tierra, en humo, en polvo, en sombra, en nada [6].

Para terminar afirmando que la belleza corporal humana ha de
trocarse en nada, Góngora se ha servido de una gradación, comenzando por presentar ante nuestros ojos elementos materiales que
poco a poco se adelgazan, se esfuman hasta desaparecer por com-

---

[4] Para la descripción de los fenómenos "correlación" y "paralelismo",
véase el libro de DÁMASO ALONSO y CARLOS BOUSOÑO titulado *Seis calas en
la expresión literaria española*, Biblioteca Románica Hispánica, ed. Gredos,
segunda edición, Madrid, 1956.

[5] Lo mismo ocurre en otros procedimientos. Han de reducirse a reiteración los recursos llamados por las Retóricas "epanadiplosis", "concatenación", "poliptoton", etc., etc.

[6] Soneto XLIV de Góngora.

pleto. Cierto que la gradación, en el presente caso, no consiste exactamente en esto (ya que "humo" es, en el proceso de evaporación de lo material, un elemento posterior a "polvo"), sino más bien en una escala que va desde lo menos despreciable a lo más despreciable y vano. (Dentro de este segundo sentido, es evidente que "humo" ha de ir antes que "polvo", puesto que sentimos a "polvo" como elemento más despreciable que "humo". Y ello probablemente ocurre porque una tradición —religiosa, poética, etc.— ha considerado el polvo como el término irremediable de la vida humana: "Polvo eres, polvo serás, y en polvo te has de convertir".)

El ejemplo que hemos tomado a préstamo de la lírica gongorina nos va a señalar la esencia de toda gradación climática. Reparemos en algo importante: el poeta, desde el principio, quería sugerir en sus lectores la idea de que el hombre ha de cambiarse en "nada". Para ello, ha ido arrojando sus flechas contra un blanco de tal modo que sus primeros disparos no acertaban exactamente en el corazón de la diana, pero poco a poco se acercaban a ella, hasta que la flecha final fue certera. En cada uno de los términos graduales flotaba un concepto común, el concepto genérico de lo insignificante, de un modo cada vez más claro. ¿Podríamos incluir, pues, el clímax dentro de la reiteración? Debemos andar con tiento al hacerlo. Evidentemente, el concepto de lo insignificante queda reiterado, pero de cierto modo, con unas características muy especiales que hacen de la gradación un recurso lleno de individualidad. Si miramos el problema desde otro ángulo, nos daremos cuenta de lo peligroso que sería meter apresuradamente este procedimiento en el previo cajón de lo reiterativo. Volvamos a leer el verso de Góngora:

en tierra, en humo, en polvo, en sombra, en nada.

Sabemos que el poeta ha de terminar la serie con el concepto "nada", imponderable vapor que irisa cada uno de los elementos anteriores. En ese camino hacia la meta final, "humo" es más que "tierra"; en un sentido lo contiene, añadiéndole algo: se trata de un término más certero. Repite más afinadamente el significado que en el poema tiene "tierra" (ser un objeto sin valor) al despojarle de su corporeidad. Lo mismo sucede con los elementos postreros. Observamos que "polvo" realiza con respecto de "humo" lo que "humo" hace con relación a "tierra"; y lo mismo podríamos decir de "sombra" y de "nada". "Nada" contiene así a todos los demás elementos. Los tiene desnudados, mondos, en su interior. Si llamamos a al término primero de la serie (esto es, a "tierra"), el término "humo" había de ser designado con una suma algebraica $a + x$; "polvo" sería, a su vez, el resultado de añadir a "humo" una pequeña cantidad y: "polvo" $= a + x + y$; le ocurre lo propio a "sombra": habríamos de agregar a "polvo" una leve cifra z: "sombra" $= a + x + y + z$. Y por fin, "nada" estaría formado por la suma anterior más un término q. Resulta entonces que el endecasílabo analizado:

en tierra, en humo, en polvo, en sombra, en nada,

podría ser representado por el siguiente esquema:

tierra	humo,	polvo,	sombra	nada,
(a)	(a+ x)	(a+ x + y)	(a + x + y + z)	(a + x + y + z + q)

Visible es la reiteración: cada uno de los términos graduados tiene un factor común: el ingrediente a; y aun se repite cuatro veces el ingrediente x; tres, el ingrediente y; y dos, el ingrediente z. La diferencia con el proceso específicamente reiterativo salta también a la vista. En este último, el esquema sería:

a, a, a, a, a:

reiteración pura y simple de un término [7].

---

[7] En otro lugar (*La poesía de Vicente Aleixandre*) he mostrado que la reiteración posee un dinamismo negativo. Añadamos que la gradación ascendente posee dinamismo positivo; la descendente, dinamismo negativo (caso del verso de Góngora citado). Ello se debe a que el clímax ascensional implica entusiasmo, y ya sabemos que el entusiasmo engendra velocidad expresiva. Y lo contrario ocurre en el clímax descendente.

Ahora bien: al poseer todos los elementos un factor común en su significado, se verifica dentro del clímax el fenómeno sustitutivo que para la reiteración encontrábamos. Pero, además, nos hallamos en presencia de una sustitución de otro orden, que la serie climática lleva consigo. Acordémonos de la teoría saussuriana sobre el "valor" de las palabras. El valor de una palabra depende sólo de los vocablos que se le oponen: los vocablos se limitan recíprocamente dentro del mismo estado de lenguaje. Entendemos lo que significa "polvo" porque en nuestra mente existe un depósito de signos, implícitamente asociados a aquél, que limitan su valor desde ángulos distintos: "polvoriento", "polvareda", "arena", "lodo", etc. Si tomamos ahora un conjunto de términos graduados de menor a mayor, tal el verso:

en tierra, en humo, en polvo, en sombra, en nada,

observamos que la dirección misma de la serie (hacia "nada" en este caso) está limitando *más de lo normal* el valor de cada uno de sus miembros. Todos pasan a ser así representaciones cada vez más acentuadas de lo insignificante y vano. A cada una de las unidades, colocada entre dos fuegos, sólo le resta el valor intermedio entre la precedente y la siguiente. "Humo" poseerá un valor equidistante de "tierra" y de "polvo". "Polvo", a su vez, distará de "humo" lo que le separa de "sombra", y "sombra" se hallará tan lejos de "polvo" como de "nada". Se ha producido, de este modo, un cambio individualizador en el valor de las palabras.

Hemos llegado a determinar, pues, que todo clímax supone dos tipos de sustitución: uno que el proceso reiterativo proporciona; otro que la gradación misma introduce en el valor de los signos [8].

---

[8] El modificante de "nada" será así el conjunto de los términos anteriores:

en tierra, en humo, en polvo, en sombra.

Por consiguiente, según consideremos a la palabra "nada" dentro o fuera del poema, nos hallaremos frente al sustituyente o frente al modificado. Y, en fin, el sustituido sería el concepto "nada" superlativizado, por ejemplo: "absolutamente nada".

Capítulo XII

LA RUPTURA DEL SISTEMA

UN PROCEDIMIENTO DES-
ATENDIDO POR LA RETÓRICA

Hemos dicho capítulos atrás que la disciplina llamada Preceptiva se ha movido, durante siglos, ignorando en parte el objeto
de su investigación. Con loable meticulosidad, se diría que al mi-
croscopio, esa ciencia examinó multitud de hechos literarios, hasta
delgadísimos, sutilísimos pormenores. Supo apreciar con finura ex-
quisita delicados matices dentro del ámbito que desde el comienzo
se propuso. Pero desgraciadamente, tal ámbito no era, como hemos
comprobado ya varias veces, *todo* el ámbito que hubiera sido necesario esclarecer. Veteranos prejuicios, por otra parte muy explicables, sobre todo la pretensión de llevar por vías puramente lógicas
el deslindamiento de las categorías poéticas, estaban impidiendo,
desde la antigüedad, la visión del panorama completo, del cual era
percibida sólo una estrecha franja, mientras otra esperaba su revelación. No he intentado realizar en este libro esa revelación sino
parcialmente. Pretendo mostrar que tras el conocido hay un vasto
territorio inexplorado; que, además de los procedimientos señalados por la Preceptiva, existen otros que la Preceptiva no señala, y
que son, sin embargo, tan importantes, en todos los sentidos, como
aquéllos.

El presente capítulo, como otros anteriores, se propone, precisamente, el estudio de uno de esos recursos descuidados, aunque muy parcialmente alguna de sus múltiples modalidades haya podido ser encubierta con el nombre tradicional de "paradoja". Lo hemos de bautizar con un nombre genérico, "ruptura del sistema", porque este procedimiento se presenta bajo formas muy variadas (que se corresponden con las diversas clases de sistema deshecho), y se hacía preciso un rótulo que las encubriera a todas.

DESCRIPCIÓN DEL PROCEDIMIENTO

Nos conviene, ante todo, fijar con cierta seguridad el sentido que en este caso damos a las palabras "sistema" y "ruptura". "Sistema" significa aquí "norma" (norma de nuestro instinto o de nuestra razón, de nuestro sentido de la equidad, de nuestra experiencia, hasta de nuestras convenciones), arraigada con fuerza *en la generalidad de los hombres*. El análisis de un tal sistema descubre en él dos elementos, A y *a,* tan íntimamente vinculados, que cuando se produce el término A o radical, aparece en el sistema, normalmente, el término asociado *a.* Mas puede el poeta destrozar súbitamente esa esperada relación A-*a,* si cambia *a* por *b,* de suerte que en vez del usual emparejamiento A-*a* surja un emparejamiento diverso A-*b.* Cuando tal acaece decimos que el sistema A-*a* se ha *roto,* que hay una *ruptura* en ese sistema. El desgarrón producido, si no conduce al chiste o al absurdo, conducirá, indefectiblemente, a la poesía.

En tal artificio, el modificante suele estar situado, de manera parcial, en el interior del poema. Pero no siempre ocurre así, y ello tiene un resultado, para nosotros importante, que nos interesa señalar.

Sospecho que no está de más recordar en este sitio algo que ya dijimos en las primeras páginas del presente volumen. Establecíamos allí la diferencia sustantiva entre las dos facciones del lenguaje —la "lengua" y la "poesía"—. Tal diferencia se ofrece, pensábamos, doble. Desde el punto de vista de su contenido, la "lengua" es puramente conceptual, mientras la "poesía" transmite, aparte de conceptos, representaciones sensoriales o sentimientos o ambas realidades psíquicas. Pero, además, consideradas desde su configuración, ambas formas de lenguaje se disocian por esto: en la "poesía" hay un *modificante*, mientras en la "lengua" ese modificante no existe. Naturalmente, ambas características, interna y externa, se manifiestan, como sabemos, ligadas en una relación de dependencia: es el modificante quien proporciona a la poesía su carácter intuitivo, en oposición al carácter puramente lógico de la "lengua".

Era necesario decir de nuevo lo anterior, para no interpretar torcidamente lo que a continuación va a seguir. Hasta ahora hemos logrado siempre determinar el signo de "lengua" *modificado* por el poeta, porque a todo lo largo de este libro venimos manejando procedimientos en que el sustituyente se logra a través de un modificante situado, al menos parcialmente, dentro de la composición misma. La operación de hallar ese modificado era, en consecuencia, para nosotros, una tarea sin dificultad: nos bastaba, en efecto, con pensar el sustituyente fuera de su texto, donde no podía ser alcanzado por la acción del modificante. En la ruptura del sistema tal es también el caso más frecuente. Sin embargo, no podemos desconocer la existencia en ese recurso del caso opuesto, a pesar de su naturaleza relativamente inusual: el caso en que el modificante actúa enteramente desde el exterior del poema: desde la psique del poeta y desde la psique de sus lectores.

La consecuencia que tiene esta situación extraordinaria del modificante consiste en la imposibilidad de encontrar un modificado existente *en la realidad del lenguaje*. No nos vale ya, en efecto, recurrir al medio que antes utilizábamos; no nos vale arrancar el sustituyente del contexto en que se inserta: sustraerle al contagio del modificante que el poema contiene. No: al enajenarse del poema, el sustituyente no pierde su índole de tal, porque sigue siendo afectado por el modificante, que no está en el poema, sino en la conciencia de quien lo concibe o de quien lo lee.

Para dar con el modificado hemos, pues, de suponer que ese modificante no existiera, aunque tal suposición exija un esfuerzo de nuestra fantasía. De otro modo: cuando el modificante es externo al decurso lingüístico, el texto de poesía sólo tiene su correspondiente modificado en un texto de lengua *imaginable*, pero no *realizable*.

Hechas estas salvedades, sólo me resta indicar la capitalísima importancia de la ruptura del sistema. Fue usada la "ruptura" en la poesía culta y en la poesía popular, en poetas antiguos y en poetas modernos y contemporáneos y a veces en proporción nada despreciable. Su ignorancia hacía así poco menos que imposible el conocimiento estilístico completo de algunos escritores, tales como Quevedo, Bécquer o Unamuno, que lo utilizan con peculiar generosidad.

Como hemos sugerido hace muy poco, el procedimiento en cuestión puede adoptar un sinfín de modalidades diferentes, según sea el sistema quebrantado. Nosotros sólo nos vamos a ocupar ahora de algunas clases de ruptura especialmente características o especialmente ejemplares. No dejamos de entender, sin embargo, todo el provecho que se puede sacar de una indagación más minuciosa.

RUPTURA EN UN SISTEMA DE
VINCULACIONES ENTRE CONTRARIOS

Si un poeta, al describirnos el paso de una bella muchacha por una playa, dice:

> llegabas no rauda, sino deleitable,

experimentamos un poético placer que está producido por un desgarramiento del sistema que en este caso forman las vinculaciones entre contrarios. Al escuchar la primera parte del sintagma, A ("no rauda, sino"), esperamos (porque una norma lógica lo prescribe) que a continuación se exprese un adjetivo, *a*, del mismo campo y de sentido opuesto al que "rauda" pertenece, un adjetivo del campo dinámico: por ejemplo, "lenta" ("no rauda, sino lenta"). Pero en lugar de "lenta" surge en el sintagma el adjetivo "deleitable" (*b*), que sentimos sorprendentemente expresivo. La razón de su expresividad no es difícil de obtener. Al leer la frase "no rauda, sino deleitable" (A-*b*), ya intuitivamente percibimos que el segundo calificativo ("deleitable") está enriquecido en su significación con respecto a su uso normal. Si luego nos detenemos a indagar en qué consiste tal enriquecimiento, hallamos que el poeta ha querido expresar más o menos esto: "llegabas no rauda, sino lenta, y esa lentitud te convertía en un ser deleitable para mis ojos, que podían recrearse morosamente en tu belleza".

En la frase poética aludida ("no rauda, sino deleitable") ha ocurrido, pues, un fenómeno de "transparencia". En efecto: el vocablo "deleitable" resulta un vocablo "transparente", porque parece como si a su través leyéramos un vocablo distinto, el vocablo "lenta", cuyo significado se acumula al de aquél. La palabra "deleitable" es así como un cristal tras el que se dibujase todo un panorama de distinta significación; o como esas fotografías del cine que permiten la visualidad de otras diferentes.

El hecho de la transparencia acontece por una razón muy sencilla. El esquema A-*a* ("no rauda, sino lenta") pervive tras el esquema A-*b* ("no rauda, sino deleitable"), porque una costumbre de asociación lógica entre contrarios lo ha impreso *indeleblemente* en nosotros. La verdad de nuestra afirmación se advierte todavía con más claridad en el chiste. El chiste, por supuesto, utiliza también la ruptura de idéntico sistema. Por ejemplo: alguien pregunta a un artista la opinión que le merecen sus críticos. "Yo", contesta displicentemente el pintor, "divido a los críticos en *dos clases*: *los malos y los que me elogian*". Evidentemente, la frase subrayada nos muestra la ruptura de un sistema semejante al anterior: hay en ella (como en "no rauda, sino deleitable") una asociación entre opósitos ("buenos", "malos") destruida por el humorista, esta vez con finalidad no poética, sino cómica. Al oír "los malos y los..." aguardamos que a continuación sobrevenga el adjetivo "buenos". Pero esta palabra no aparece, y sólo se halla *implicada por transparencia* en el sintagma sorprendente "los que me elogian": el pintor ha querido significar que sólo son buenos para él los críticos que le halagan; esto es, *que quienes le halagan son buenos*.

(Ya he dicho que en un capítulo de esta misma obra [1] procuraremos explicarnos la razón de que a un mismo procedimiento puedan responder dos efectos tan diversos como la poesía y el humor. Dejo, pues, a un lado, por ahora, ese problema.) De la misma especie es el siguiente chiste. Un funcionario pregunta a una muchacha: "¿Es Vd. casada o feliz?" También aquí tras el adjetivo feliz se trasluce la palabra "soltera", o diciéndolo de otro modo, los dos sentidos, "feliz" y "soltera", se acumulan en el mismo significante.

Pero volvamos al ejemplo lírico "no rauda, sino deleitable", cuya indagación no hemos terminado aún. Nos falta lo más importante. No sabemos todavía por qué ese ejemplo es poético, aunque quizá lo haya visto el lector, por su paralelismo con casos ya resueltos. Ante todo: el procedimiento que le afecta es, sin duda, de tipo C, puesto que sintéticamente se expresa por su medio una complejidad anímica. Intentemos ahora reconstruir el acontecimiento lírico desde su etapa primera, desde el momento previo a la creación.

Lo que ha sucedido es esto: el poeta ha visto (quizá sólo con la fantasía) la lentitud de una muchacha, y *a la vez* ha experimentado deleite. Hemos dicho innumerables veces que hay poesía cuando se comunica *verazmente* la contemplación de un contenido anímico. En nuestro caso habrá, pues, poesía si se logra transmitir la visión de la lentitud *al mismo tiempo* que el sentimiento de deleite a ella correlativo, puesto que tal simultaneidad se ha dado en la impresión. Para ello, el poeta necesita de un procedimiento que suspenda el carácter enumerativo, desvirtuador, de la "lengua". La "lengua" sólo sabría decir: "(la bella muchacha pasaba) no rauda, sino lenta, y su lentitud me producía deleite" (sustituido). Ya hemos visto cómo la ruptura del sistema obtiene el resultado apetecido. Por medio de ella, una palabra ("deleitable"), alterándose sustancialmente, pasa de significar sólo "deleitable" (modificado) a significar de golpe "lenta" y "deleitable" (sustituyente) en una síntesis que no es la simple suma de los elementos que la componen.

---

[1] Véase el capítulo XIII.

Y esta alteración, como siempre sucede, se origina por la simple existencia de un modificante, que en este caso se halla parcialmente en el poema y parcialmente fuera de él, porque el modificante resulta ser el adjetivo "lenta", tácito, dentro del sistema "no rauda, sino (lenta)".

RUPTURA EN UN SISTE-
MA DE REPRESENTACIONES

Veamos ahora un caso desde algún punto adverso al anterior. Podríamos definirlo como el contacto, establecido por el poeta, entre dos o más representaciones, dos adjetivos, por ejemplo, de campo diferente. Dice Pablo Neruda en una semblanza de Federico García Lorca:

Su presencia era mágica y morena y traía la felicidad.

Los calificativos "mágica" y "morena" no pertenecen a la misma familia: "morena" alude a una cualidad de la materia, mientras "mágica" no tiene ese carácter; se refiere más bien a algo de índole moral. Tras el sintagma "su presencia era mágica y..." sería normal la llegada de una calificación cuya estirpe fuese gemela a la que "mágica" posee. No habría de extrañarnos cierta palabra que encerrara un significado de interpretación espiritual, como, por ejemplo, "graciosa", y que instaurase un campo, un sistema con la precedente, con "mágica". Mas ese campo, ese sistema, no llega a formarse: queda de pronto interrumpido por el inesperado vocablo "morena". Si se nos preguntara en ese punto qué significado hallamos a tal adjetivo dentro de la frase nerudiana, diríamos que sentimos esa morenez como la manifestación física de un espíritu donde la gracia, u otra cualidad *semejante*, reside: es morenez y es, al propio tiempo, algo como gracia. Es, digamos, gracia anímica vista como morenez corporal. El procedimiento es, pues, de clase C, ya que ha modificado el contenido de la palabra "morena", haciéndola mucho más rica, mucho más compleja: "morena", considerada como sustituyente, sin dejar de expresar algo físico, pasa a expresar también algo espiritual.

Sucede esto porque al sentido ordinario del adjetivo *b*, "morena", se ha adherido una significación distinta que proviene de su modificante: del sistema "mágica-graciosa" (A-*a*). En efecto: ese sistema cede, contagia a "morena" la índole de su campo, ese halo, ese vapor de espiritualidad que lleva anejo y del que "morena" carecía fuera del poema, donde tal palabra era un mero signo de "lengua", un simple modificado [2].

Como siempre acontece, es el chiste quien presenta con más crudeza (y, por tanto, con más claridad) el recurso. Tomemos como ejemplo esta frase cómica:

> El finado era virtuoso y rollizo.

Como en el pasaje de Neruda, se unen en éste dos adjetivos de distinta contextura: "virtuoso" es condición estrictamente moral; en cambio, "rollizo" es una propiedad francamente material. La dirección divergente de ambas palabras es lo que aquí provoca nuestra risa, como allí nuestra poética emoción.

Hasta ahora hemos tomado ejemplos en que el sistema estaba constituido por adjetivos. Expongamos ahora algún caso integrado por sustantivos.

Nuestra mirada, esta vez, se detiene antes en el chiste que en el poema. Recordamos aquella frase política de Churchill:

> Las calamidades de Inglaterra son tres:
> Abadán, Sudán, Beván [3].

Los dos primeros son nombres de los sitios donde Inglaterra sufrió, no hace mucho, algunos reveses; mas el sustantivo último rompe el campo formado por los anteriores, y no indica ya, como sería lícito esperar, un lugar geográfico. Como se sabe, Bevan es el nombre de un conocido político laborista: de ahí la descarga de humor que la frase despide.

---

[2] La obtención del sustituido es ya sencilla para nosotros: nos basta con desarrollar analíticamente lo que el poeta ha expresado por vía sintética: hablar, pongo por caso, de una "morenez llena de gracia".

[3] No es necesario decir que el apellido Bevan no lleva acento en inglés. Se lo he puesto al traducir la frase para intensificar su comicidad.

En nuestra tentativa de hallar ejemplos poéticos paralelos a éste cómico, damos con los múltiples que Leo Spitzer denominó "enumeraciones caóticas", adscritas a la lírica contemporánea, a partir de la gran obra whitmaniana. En la poesía de Pedro Salinas, sobre todo, abundan los ejemplos, que, por supuesto, no escasean en los versos de otros escritores actuales. He aquí algunas citas que extraigo de *La voz a ti debida*:

> ¿Rueda para mí el mundo
> jugándose estaciones,
> naranjas, hojas secas?
> ... ...

> Florecer, deshojarse,
> olas, hierbas, mañanas:
> pastos para corderos,
> juegos de niños y
> silencios absolutos [4].

> Lo dejaría todo,
> todo lo tiraría;
> los precios, los catálogos,
> el azul del océano en los mapas,
> los días y sus noches,
> los telegramas viejos
> y un amor [5].

> Porque cuando ella venga
> ... ...
> para llegar a mí,
> murallas, nombres, tiempos,
> se quebrarían todos [6].

La ruptura en el sistema de las representaciones no surge en la literatura, como decimos, hasta la época contemporánea. La explicación de esta tardanza es evidentemente la misma que nos ha servido para aclararnos por qué aparecen súbitamente en las letras

---

[4] Página 139.
[5] Página 17.
[6] Página 13.

actuales otros artificios retóricos: los "desplazamientos calificativos", la "imagen visionaria", la "visión", el "símbolo", etc.: la crisis del racionalismo que parece caracterizar nuestra época. Y, en efecto: pocas cosas poseerán un carácter tan escasamente lógico, un carácter tan "caótico", como estas enumeraciones certeramente así denominadas. Vemos, pues, cómo un cambio radical ante la vida, un nuevo concepto del mundo, trae consigo un repertorio extenso de nuevos procedimientos estilísticos, a los que, sin duda, habrán de agregarse en el futuro otros muchos que no consideramos aquí, y cuyo origen más profundo probablemente es idéntico al que se nos ha revelado en éste y en los anteriores análisis.

Se nos está poniendo en evidencia, pues, que el siglo XX es un período fundamental en el arte: es casi seguro que, cuantitativamente, y aun cualitativamente, sea la nuestra la época de más inventos en la técnica literaria desde el siglo XVII hasta hoy. (Góngora, el poeta más revolucionario de su tiempo, en el fondo, como se sabe, inventó poquísimo: su labor fue sobre todo intensificadora y condensadora con respecto a ingredientes que ya existían en el renacimiento, e incluso en la Edad Media [7].)

Pero el hecho no puede sorprendernos. El hombre actual tiene la coyuntura de vivir, al parecer, el pórtico de una nueva era, y no sólo un nuevo siglo: una era que, como hemos dicho ya, se halla en colisión no con un siglo anterior, sino con todo aquel grupo de siglos que el racionalismo ha encauzado. Ello significa que la mirada del poeta (y en general, la mirada del artista contemporáneo) contempla ante sí una extensión más virginal, donde la huella más marcada o visible es la suya, la que su pie imprime en la renovada superficie del arte. En cambio, los escritores del siglo XVIII, por ejemplo, se movían en un territorio visitado ya por otros hombres, y el hueco que éstos les dejaban libre para la invención personal era relativamente escaso.

---

[7] Véase DÁMASO ALONSO, *La lengua poética de Góngora.*

RUPTURA EN EL SISTEMA DE LO
PSICOLÓGICAMENTE ESPERADO

Leamos ahora este trozo de un poema anónimo, popular (copiado íntegramente por nosotros en la página 258), aunque de desarrollo culto:

Miraba la mar
la malcasada,
que miraba la mar
cómo es ancha y larga.
Descuidos ajenos
y propios gemidos
tienen sus sentidos
de pesares llenos.
Con ojos serenos
la malcasada,
que miraba la mar
cómo es ancha y larga.
... ...

Nos interesa especialmente el verso noveno ("con ojos serenos"), particularmente sensibilizado. Y, sin embargo, de nuevo nos desorienta, al primer momento, la forma "desnuda" con que ese hexasílabo parece estar escrito. No me cansaré nunca de insistir en lo ilusorio de esta clase de impresiones. En efecto: el pasaje no está desprovisto de artificio. Como siempre ocurre, su emoción depende de un procedimiento, cuyo análisis nos será útil.

El poeta nos ha venido describiendo, con palabras conmovedoras, el infortunio amoroso de una mujer: una "malcasada", que mira pesarosamente cómo la mar es ancha y larga, ancha y larga cual su amargura [8]:

Descuidos ajenos
y propios gemidos
tienen sus sentidos
de pesares llenos.

---

[8] De pasada, quiero señalar que esa "mar ancha y larga" actúa como un símbolo bisémico; por eso he interpretado: "ancha y larga cual su amargura".

Cuando, a continuación, se nos habla de sus ojos; cuando se nos dice: "Con ojos serenos", tal adjetivación nos hiere, porque todo el resto del poema parecería exigir que esos ojos fuesen todo menos "serenos"; estaríamos prontos a oír algo como "muy tristes" ("con ojos muy tristes") o como "llorosos" ("con ojos llorosos"), pero no "serenos". Ese calificativo disuelve, pues, también aquí, un sistema: el sistema de lo psicológicamente esperado.

Es el instante de procurar un examen de nuestra intuición. ¿Cuál ha sido nuestra intuición ante ese verso? La relectura del poema en actitud crítica nos lleva a saber que el sintagma "con ojos serenos" está cargado de profundísima amargura; contemplamos unos ojos más allá de lo triste; unos ojos tan tristes que han superado la tristeza, si se nos concede la paradoja, para dar en la serenidad.

Nos hallamos ante un nuevo hecho de "transparencia". Tras la palabra *b* "serenos" se nos aparece otra *a* adherida, "muy tristes", cuyo sentido absorbemos sin advertirlo. Ahora bien: en este caso no ocurre lo mismo que en el caso de "no rauda, sino deleitable". En esta última frase, el vocablo "deleitable" apunta hacia dos distintas zonas de significación ("lenta" y "deleitable") *porque no existe ningún hecho que lo impida.* Por el contrario, en el ejemplo que indagamos ("con ojos serenos"), no es posible que el vocablo "serenos" exprese simultáneamente los dos sentidos de "muy tristes" y de "serenos", *puesto que de algún modo esos sentidos se oponen lógicamente y resultan inconciliables.* Para que el lector pueda recibir en su alma este par de significados contradictorios es preciso que en ellos se verifique una transformación muy honda. Y, en efecto, así ocurre: las dos significaciones se funden en una sola, que difiere de ambas. Compararíamos la presente ruptura con un horno donde un par de lingotes de acero pierden su doble forma peculiar para tomar una sola distinta. El recurso no es, pues, de tipo C, sino de tipo A: la palabra "serenos", en cuanto sustituyente, nos comunica un grado intensísimo y desconceptualizado de dolor, fuera de toda posible expresión por medio de "lengua".

Separemos ahora la palabra "serenos" de su contexto: la significación será otra, será la que normalmente atribuimos a ese adjetivo, donde no entra, en grado alguno, la noción de melancolía: estamos, pues, en presencia del modificado. El modificante ha de ser así ese mismo contexto, pero ese contexto en cuanto se relaciona con el sintagma "muy tristes", que inesperadamente permaneció elidido [9].

RUPTURA EN UN SISTEMA DE EQUIDAD

Otras veces el sistema que se suprime es el de la equidad. En la poesía de Bécquer se concentran varios ejemplos. He aquí uno de ellos:

> Si de nuestros agravios en un libro
> se escribiese la historia,
> y se borrase en nuestras almas cuanto
> se borrase en sus hojas,
>
> te quiero tanto aún, dejó en mi pecho
> tu amor huellas tan hondas,
> que sólo con que tú borrases una
> las borraba yo todas [10].

Toda la rima se apoya en sus dos versos últimos que la sostienen y avaloran. Nuestra impresión primera es (¡de nuevo!) la de hallarnos ante un ejemplo de poesía al que no puede atribuirse ningún recurso esencial que la desencadene. Ese "libro" donde se escribe la historia, etc., es, innegablemente, un artificio retórico; mas tal artificio retórico no explica, en modo alguno, nuestra emoción. Y es que nuestra emoción se relaciona, sobre todo, con otro recurso, que, instalado en el final de la pieza, no se hace perceptible sino después de un examen atento:

> que sólo con que tú borrases una
> las borraba yo todas.

Se trata otra vez, como hemos anunciado, de la ruptura de un sistema, de una norma; una norma de equidad; o, con frase

---

[9] Sustituido: una frase como ésta: "ojos que han superado la tristeza a fuerza de estar tristes".
[10] Rima XXXVI.

más grosera: una norma de "toma y daca". Lo equitativo sería
que los amantes se perdonasen recíprocamente las ofensas. Precisamente lo que atrae expresividad al fragmento becqueriano (y, de
rechazo, a la composición completa) es el desequilibrio entre el posible acto de la amada y el posible acto del amante. La amada habría de borrar, olvidar *sólo una* página de agravios, para que el
amante olvidara, borrara *todas* las páginas donde los agravios han
sido consignados. Esa desigualdad que el amante tolera y acepta
nos hace comprender el grado exacto de amor que padece: el procedimiento es, así, como el anterior, de tipo A [11].

La técnica que investigamos puede revestir formas muy disímiles. Una de ellas consistiría en el desproporcionado precio con
que se paga algo. Tres rimas de Bécquer nada menos (aunque no
de las mejores) están montadas sobre tan estricto esquema:

> Por una mirada, un mundo;
> por una sonrisa, un cielo;
> por un beso... ¡yo no sé
> qué te diera por un beso! [12].

> Cuando en la noche te envuelven
> las alas de tul del sueño,
> y tus tendidas pestañas
> semejan arcos de ébano;
> por escuchar los latidos
> de tu corazón inquieto,
> y reclinar tu dormida
> cabeza sobre mi pecho,

---

[11] La sustitución no resulta sino evidente. El modificante es, como habrá adivinado el lector, la fórmula A-*a*: "que sólo con que tú borrases
una (borraba yo otra)". El sustituyente, la frase "las borraba yo todas",
apoyada en la anterior ("que sólo con que tú borrases una"). El modificado,
esa misma frase ("las borraba yo todas") cuando fuera del poema, en su
significado habitual. Y el sustituido, una expresión genérica tal "te amo
muchísimo".

[12] Rima XXIII.

                    diera, alma mía,
                    cuanto poseo:
                    la luz, el aire
                    y el pensamiento.
        Etc. [13].

                    De lo poco de vida que me resta
                    diera con gusto los mejores años,
                    por saber lo que a otros
                    de mí has hablado...
                    Y esta vida mortal... y de la eterna
                    lo que me toque, si me toca algo,
                    por saber lo que a solas
                    de mí has pensado [14].

El artificio de expresión sigue siendo sustancialmente el mismo cuando Bécquer considera el diferente resultado que dos amantes, con idénticos merecimientos, obtienen de su pasión respectiva:

                    Nuestra pasión fue un trágico sainete
                    en cuya absurda fábula,
                    lo cómico y lo grave confundidos
                    risas y llanto arrancan...
                    Pero fue lo peor de aquella historia
                    que, al fin de la jornada,
                    a ella tocaron lágrimas y risas,
                    y a mí sólo las lágrimas [15].

Tampoco es difícil, en fin, hallar ejemplos de esta especie de ruptura en Quevedo:

                    Sacrilegios pequeños se castigan,
                    los grandes en los triunfos se coronan,
                    y tienen por blasón que se los digan.
                    Lido robó una choza y le aprisionan;
                    Menandro, un reino, y su maldad obligan
                    con nuevas dignidades que le abonan [16].

---

[13] Rima XXV.
[14] Rima LI.
[15] Rima XXXI.
[16] Ed. Astrana Marín, *Obras en verso*, pág. 393.

RUPTURA EN UN SISTEMA FORMADO
POR EL INSTINTO DE CONSERVACIÓN

Todos los ejemplos de "ruptura" que hasta aquí hemos aducido tienen un modificante interior a la composición. Tiempo es ya
de presentar el caso opuesto: caso en que el modificante se ejerce
desde fuera del poema: desde nuestra conciencia. Existe un verso
de Quevedo que reza así:

> No sabe pueblo ayuno temer muerte.

Su expresividad se relaciona, indudablemente, con el recurso
que estamos delimitando, con la "ruptura del sistema". Pero, como
decíamos, tal sistema es aquí de muy diferente índole que los anteriormente considerados. Al contrario de aquéllos, el sistema, el
modificante, se localiza ahora más acá del texto poético. Es una
norma de nuestro instinto de conservación que nos dice:

> Todo hombre teme la muerte.

Esta norma, este imperativo, es, como digo, el modificante que
influye desde nuestra psique sobre las once sílabas quevedescas para
henchirlas de expresividad. La fórmula A-a del sistema ha quedado reemplazada por la fórmula poética A-b.

> Pueblo ayuno (A) teme la muerte (a).
> Pueblo ayuno (A) *no* teme la muerte (b).

Ese verso es, pues, poético, por oponerse en su significado a la
ley con que nos urge el instinto de conservación. Del mismo modo
que cuando leemos "no rauda, sino deleitable" tenemos una pauta
("no rauda, sino lenta") que está modificando ese sintagma, igualmente, al leer:

> No sabe pueblo ayuno temer muerte,

otra pauta, *impresa esta vez por entero en nuestra conciencia*, otorga su cabal sentido al verso de Quevedo, que se alza así hasta la

función de sustituyente, en cuanto nos hace percibir, en toda su intensidad, las hondas reacciones afectivas que el hambre produce en los pueblos, ya que éstos, contra todo lo que el instinto les dicta, dejan de temer a la muerte: procedimiento, pues, de tipo A. Como adelantábamos, el modificado es, en nuestro ejemplo, más difícil de determinar que otras veces, por la clase misma del modificante que aquí se usa. Para encontrarlo, habríamos de imaginar como no existente esa ley del instinto de que hemos hablado, habríamos de representarnos a los hombres como normalmente insensibles a la idea de su trágico destino, a su futuro aniquilamiento. El endecasílabo del gran poeta, leído a la luz de esos supuestos, sería el modificado [17].

Ahora podemos comprender por qué resultan expresivas frases como ésta, que tomo de un discurso político:

> Más vale morir en pie que vivir de rodillas;

o como ésta típicamente romántica, que todos hemos leído en una famosa rima de Bécquer [18]:

> Olas gigantes que os rompéis bramando
> en las playas desiertas y remotas,
> envuelto entre la sábana de espumas,
> llevadme con vosotras.

O como la siguiente, también romántica, que saco de la esproncediana "Canción del Pirata":

> Y si caigo,
> ¿qué es la vida?
> Por perdida
> ya la di

---

[17] Hemos dicho que el procedimiento expresa *en su intensidad* "las hondas reacciones afectivas que el hambre produce en los pueblos". El sustituido sería, pues, una frase que indicase lo mismo, pero no en su intensidad, sino genéricamente.

[18] Rima LII. Véanse también, entre otras, las rimas XLVIII, LVI y LXIV.

cuando el yugo
del esclavo
como un bravo
sacudí.

O aún como los versos del modernista Manuel Machado:

¡Que la vida se tome la pena de matarme
ya que yo no me tomo la pena de vivir!

o del poeta persa **Omar Khayyam**, que dice entre los siglos XI y XII:

¿Por qué temer la muerte? Yo prefiero esta meta
que eludir no se puede, a la que se me impuso
al nacer. ¿Qué es la vida? Algo que me fue dado
sin pedirlo, y que pienso devolver desdeñoso.

Aunque aparentemente libres de artificio, esas citas contienen (como el verso de Quevedo antes mencionado) un procedimiento poético perfectamente definido: el mismo que otras veces origina un efecto humorístico o regocijante. Al lado de la expresión poética ya citada:

más vale morir en pie que vivir de rodillas,

leemos en la comedia *El Amor médico*, de Bahis, esta otra cómica (especialmente interesante por su paralelismo con la anterior), que pronuncia con mucha seriedad un personaje médico:

Más vale morir según las reglas de la Medicina que
salvarse con menoscabo de ellas.

RUPTURA EN EL SISTEMA
DE LA EXPERIENCIA

El presente capítulo nos ha ido mostrando la frecuencia con que Bécquer y Quevedo acuden a la "ruptura del sistema" en busca de expresividad. El estilo de ambos poetas (y al de éstos habríamos de agregar, sin duda, otros, como el de Unamuno) no puede explicarse sin el conocimiento de dicho recurso. Sus modalidades son muy diversas, como hemos comprobado ya y seguiremos comprobando aún. Leamos, por ejemplo, la rima XLIII:

> Dejé la luz a un lado, y en el borde
> de la revuelta cama me senté,
> mudo, sombrío, la pupila inmóvil
> clavada en la pared.
>
> ¿Qué tiempo estuve así? No sé: al dejarme
> la embriaguez horrible del dolor,
> expiraba la luz, y en mis balcones
> reía el sol.
>
> No sé tampoco en tan horribles horas
> en qué pensaba o qué pasó por mí;
> sólo recuerdo que lloré y maldije
> y que en aquella noche envejecí.

El último verso se nos aparece como concentradamente poético. ¿Qué motiva su intensidad? Veamos lo que el poeta nos declara en ese endecasílabo y comparémoslo con lo que afirme nuestra experiencia. Nosotros sabemos que el envejecimiento es la lenta labor de muchos años; en cambio, Bécquer asegura que en una sola noche envejeció. La frase de la rima se opone, pues, a nuestro conocimiento de la realidad (que es el modificante), choca con ese conocimiento y brota así la poesía porque el poeta encarece de ese modo un sufrimiento suyo cuya manifestación resulta tan intensa que puede envejecerle en unas cuantas horas. Equivale esto a decir que el procedimiento, en este caso, entra de modo pleno en la función que designábamos con la letra A. La búsqueda del modificado no tiene ya dificultad alguna para nosotros: el modificado será la misma frase sustituyente ("y que en aquella noche envejecí") imaginada sin el auxilio de su modificante; o sea, esa frase, si por un instante se suspendiera nuestra experiencia de la vida, o si experiencia tal adujese como algo de todos los días un envejecimiento tan repentino [19].

---

[19] Sustituido: "Y que en aquella noche sufrí muchísimo".

Estimo que no está de más adelantar que el recurso engendra aquí poesía y no comicidad o absurdo, porque el verso de la rima al que atendemos tiene de algún modo fundamento en la realidad. En ciertas ocasiones de dolor muy profundo, ha habido personas cuyo cabello se volvió gris en tiempo muy breve. Este hecho, unido a su radical infrecuencia, hace posible la emoción lírica; de lo contrario hubiese asomado un absurdo; o, si concurriesen determinadas circunstancias, que más adelante acaso lleguemos a determinar, un chiste.

El lenguaje coloquial no desdeña el uso del artificio en cuestión. ¿Quién no ha oído decir, por ejemplo, que "Pedro en menos de un mes se ha echado diez años encima"? La cosa no tiene para nosotros misterio alguno, desde el momento en que hemos concebido lo poético como algo que excede a lo estrictamente poemático. De poetas "todos tenemos un poco", como quiere a la par cierto refrán y nuestra experiencia cotidiana. El empleo de metáforas y otras figuras retóricas es tan indispensable al hablante como al escritor. Es evidente que si no pudiésemos expresarnos más que en rigurosa "lengua", estaríamos condenados al silencio. Al decir que Andrés "es un burro" o que Josefa "es una lagartona", salta a la vista que se habla en metáfora; pero también habla en metáfora el profesor que indica a sus alumnos la necesidad de *reanudar* pronto las clases, puesto que las clases no son cuerdas, y mal pueden hacerse con ellas nudos. (La diferencia entre ambos casos es puramente adjetiva: mientras "reanudar" es una metáfora ya lexicalizada por el mucho uso, las anteriores tienen todavía vigente la significación figurada.)

Si en la expresión callejera se halla, pues, tan viva la especial ruptura que indagamos, no puede pasmarnos que ésta prolifere en las composiciones literarias. La usa, por ejemplo, Unamuno, cuando escribe, en un soneto:

que el noble nunca ante el poder se arredra [20];

---

[20] *Antología poética,* ed. Escorial, Madrid, 1942, pág. 355.

o cuando escribe en otro:

> Doy lo que Dios me dio, pues mi talento
> moral no entierro por servir al amo [21],

puesto que la experiencia entiende como normal en el hombre el
temor a los poderosos. La misma idea que Unamuno utiliza en
estas citas flotaba ya en la famosa "Epístola Censoria", atribuida
tradicionalmente al autor del "Buscón":

> No he de callar por más que con el dedo
> ya tocando la boca o ya la frente,
> silencio avises o amenaces miedo.

La poesía de Quevedo prodiga los ejemplos. A veces se origina el artificio al describirnos el poeta un acto sin par por su
moral altura. Carlos V, "que de España el rumor sosegó ausente":

> retiró a Solimán, temor de Hungría,
> y por ser retirada más valiente,
> se retiró a sí mismo el postrer día.

RUPTURA EN EL SISTEMA DE LOS
ATRIBUTOS POSEÍDOS POR EL OBJETO

En otras ocasiones, vemos originarse la poesía (o la comicidad)
cuando una propiedad, generalmente reconocida como inherente al
objeto, queda suplantada por otra, que bajo algún aspecto puede
ser considerada como contraria a la primera. Claro está que si
se desea un resultado poético, la nueva atribución debe carecer de
arbitrariedad, ha de estar profundamente motivada [22]. Si es caprichosa, ni aun originará un chiste; dará simplemente paso al absurdo. En la obra de Quevedo figura el siguiente soneto:

---

[21] Op. cit., pág. 353.
[22] Véase lo que digo en el cap. XIII.

Duro tirano de ambición armado,
en la miseria ajena presumido,
o la piedad de Dios llamas olvido,
o arguyes su presencia de pecado.

Y puede ser que llegues, obstinado
y de mordaz blasfemia persuadido
a negarle el valor, cuando ofendido,
crecer quiere el castigo dilatado.

No es negligencia la piedad severa;
bien puede enderezar, mas no olvidarse
la atención más hermosa de la esfera.

Estále a Dios muy bien el descuidarse
de la venganza que tomar espera;
que sabe, y puede, y debe desquitarse [23].

La composición es magnífica, ceñuda, enormemente quevedesca y culmina en un endecasílabo final soberbio, cuya emotividad nos interesa mucho desde nuestro punto de vista. Si dentro de ese verso quisiéramos aún aislar el vivaz núcleo que en principal parte lo vitaliza, seguramente tropezaríamos con el sintagma "y debe desquitarse", eje de toda la expresión.

¿Qué es lo que en ella nos estremece? Nos estremece, sin duda, la atribución de deberes a Dios, que contradice *en la apariencia* (y la apariencia es siempre lo que cuenta en poesía) nuestra concepción de un Dios Todopoderoso, un Dios para el que nada es imposible, y que no está, en consecuencia, *obligado a nada*: he ahí el sistema suspenso; he ahí el modificante [24]. No surge un absurdo o un chiste de la pasmosa atribución, porque contiene ésta un fondo de veracidad que mantiene el recurso dentro de las fronteras líricas. En efecto, si la Divinidad es Todopoderosa, no puede, en cambio, desdecirse de la moral que ella misma supone: el propio Dios está sujeto a la inexorable ley de la justicia.

---

[23] Ed. Astrana, pág. 409.
[24] Fórmula A-a: "Dios (A) no está obligado a nada (a)".
Fórmula A-b: "Dios (A) está obligado a desquitarse (b), *debe desquitarse*".

El sustituyente es, pues, la frase "(Dios) debe desquitarse", que nos hace ver el grado de esa inexorabilidad; y el modificado, esa misma frase en el caso de que nuestra idea de la Divinidad fuese otra y no incluyese entre sus cualidades la omnipotencia. El soneto quevedesco se mantiene aún dentro de la ortodoxia cristiana. Pero el desgarramiento en el sistema se acusará también si el poeta se aleja de esos límites. Tal es lo que ocurre en esta breve pieza de José Luis Hidalgo, prematuramente desaparecido en plena juventud:

> Has bajado a la tierra cuando nadie te oía,
> y has mirado a los vivos y contado a tus muertos.
> Señor: duerme sereno, ya cumpliste tu día.
> Puedes cerrar los ojos, que tenías abiertos [25].

Se nos ha comunicado en estos cuatro hirientes alejandrinos la visión de un Dios inmisericorde, ansioso de muertos, que los cuenta y recuenta como el avaro sus monedas. Nuestra normal concepción de la Divinidad es otra; para nosotros Dios representa la Suma Bondad, el Sumo Bien, el Amor Sumo. El poeta ha como vaciado de estos atributos a Dios, a quien vemos de pronto con otros adversos, y por un lado impropios de él. Sin embargo, la insospechada semblanza que de Dios hace Hidalgo no por sorprendente se nos enajena, ya que despierta en nuestra alma lo que en ella está confusamente larvado. Lo que hay en nuestro espíritu de virtual protesta contra la desarmonía del mundo, contra el dolor, contra la muerte a que estamos condenados, súbitamente se ilumina, y por ello aceptamos poéticamente la feroz imprecación de este serventesio. Si los hombres se hallasen eximidos de dolor y de muerte, los versos de Hidalgo serían absurdos, y si nuestra idea de la Divinidad (el modificante) no contuviese los atributos de misericordia y bondad que contiene, sino sus opuestos, el poema no sería poema; sería un fragmento de lengua: un modificado.

---

[25] Del libro *Los muertos*.

Parecidamente podríamos explicar la emoción de este *rubâi* que se lee en la obra de Omar Khayyam, el poeta persa ya citado en este mismo capítulo:

> Oh tú que hiciste al hombre de deleznable barro
> y en el Edén pusiste la serpiente. Por negro
> de pecados que veas al ser que tu creaste
> perdónale, y procura que él también te perdone.

El objeto de la atribución inesperada puede ser cualquiera. Creemos normalmente que el pensamiento, la razón humana sirve para disipar el error: tal ha de ser el sistema que Unamuno quebranta en estos versos:

> Mientras la mente, libre de la losa
> del pensamiento, fuente de ilusiones,
> duerme al sol en tu mano poderosa [26].

Se expresa así desconceptualizadamente un sentimiento poderoso en su intensidad (desprecio de la razón), y el recurso realiza una función A.

Igualmente sucede con otro soneto del mismo autor. El primer cuarteto nos confiesa:

> Querría, Dios, querer lo que no quiero;
> fundirme en Ti, perdiendo mi persona,
> este terrible yo por el que muero
> y que mi mundo en derredor encona.

Y los tercetos siguen de este modo:

> Hágase tu voluntad, Señor, repito
> al levantar y al acostarse el día,
> buscando conformarme a tu mandato.

> Pero dentro de mí resuena el grito
> del eterno Luzbel, del que quería
> ser de veras, ¡fiero desacato! [27].

---

[26] *Antología poética,* ed. Escorial, Madrid, 1942, pág. 150.
[27] Op. cit., pág. 169.

No siente el hombre como un mal desear la plenitud de su esencia. Este pensamiento, instalado en nuestra conciencia modifica y torna poética la frase:

> ser de veras, ¡fiero desacato!

pues a su través escuchamos algo como un sordo lamento, una implícita protesta quejumbrosa contra lo que parece una injusticia. Se observa algo análogo en un pasaje de Rubén Darío:

> Phocas el campesino, hijo mío, que tienes,
> en apenas escasos meses de vida, tantos
> dolores en tus ojos que esperan tantos llantos
> por el fatal pensar que revelan tus sienes...
>
> Tarda en venir a este dolor adonde vienes,
> a este mundo terrible en duelos y en espantos;
> duerme bajo los Ángeles, sueña bajo los Santos,
> que ya tendrás la vida para que te envenenes [28].

Como juzgamos ordinariamente que la vida es un don precioso, la opinión contraria del último verso nos emociona melancólicamente.

A veces contemplamos a una realidad cualquiera adornada con una determinada propiedad, no porque el objeto en sí muestre a las claras poseerla, sino, simplemente, porque una cierta creencia religiosa nos ha llevado a esa visión. La ruptura, en tal caso, produce también poesía, pero para que la descarga lírica sea intensa, es necesario que se cumplan algunos requisitos que considero oportuno fijar. Un fragmento de Vicente Aleixandre nos ayudará en la faena. En su libro *Pasión de la tierra,* se encuentra la estremecedora frase siguiente:

> La serpiente se asoma por el ojo divino, y encuentra que el mundo está bien hecho.

No es necesario decir qué sistema se ha roto: todos recordamos la frase bíblica, la frase que el Génesis pone en boca del

---

[28] "A Phocas el Campesino", de *Cantos de vida y esperanza.*

Sumo Hacedor. Una vez terminada su obra, mira Dios el mundo y *lo ve bueno*. Esta bondad de mundo es lo que el poeta niega con la máxima rotundidad, porque ahora no es Dios, sino la fuerza demoníaca (la serpiente) quien afirma la excelente hechura del cosmos. Si la moral satánica se halla satisfecha de la Creación, la Creación no puede satisfacer a la moral divina, que le es contraria.

El trozo aleixandrino representa, pues, una ruptura de la especie que consideramos: un atributo del universo, su bondad, se reemplaza inesperadamente por otro opuesto: su esencial perfidia.

Ahora bien: para que el procedimiento resulte eficaz, Aleixandre ha tenido que ponernos ante los ojos algo que con la mayor nitidez nos recordase la expresión bíblica, pues sin ese recuerdo no habría ruptura, y, por tanto, no habría poesía. (Por ejemplo, no hay poesía al decir, simplemente, que el mundo está *mal hecho*.) El recordatorio consiste *en instalarnos dentro de la atmósfera genesíaca,* aludiendo a la serpiente del paraíso, y además, haciendo que la serpiente se hiciese oír desde la persona divina, asomada a su ojo: de este modo, parece Dios el que habla, como ocurre en el versículo del Pentateuco: pero nosotros sabemos que quien habla es su esencial contrario. Lo estremecedor de la expresión reside, precisamente, en ese imprevisible desplazamiento. Sentimos como si Dios al pronunciar la frase de la Biblia hubiese sido suplantado por el demonio, con lo cual se nos transfiere la intensidad aproximadamente exacta del sentimiento que el poeta experimenta ante la radical maldad del hombre y de las cosas.

Miremos ahora hacia la otra ladera de la expresividad. Intentemos buscar en el chiste ejemplos paralelos a los poéticos que acabamos de examinar. Todos hemos oído éste:

> La única diferencia entre una vaca y un boxeador que masca chicle es la mirada profundamente inteligente de la vaca.

Mirar con inteligencia es algo propio de los hombres, no de los animales. No hay duda de que la comicidad se desprende en esa frase al atribuirse a la vaca la cualidad que aguardamos ver concedida al hombre.

El artificio obtiene también efectos de ingenio en una novela de Gogol, donde un alto empleado reconviene a un subalterno diciéndole:

Robas demasiado para un funcionario de tu categoría.

La frase supone como condición de los funcionarios el hecho de que roben. Como en los ejemplos poéticos aducidos, hay en éste una propiedad que inesperadamente se confiere al sujeto. Se trata, pues, del mismo recurso.

En fin, este medio cómico es algo tan frecuente que inmediatamente recordamos multitud de chistes que lo usan. He aquí dos ejemplares que añado a los que acabo de citar:

Se cuenta que Bernard Shaw se entrevistó en Hollywood con Samuel Goldwyn al objeto de realizar una obra cinematográfica. Preguntado después el gran dramaturgo si había llegado a un acuerdo con Goldwyn, respondió: "Fue imposible; a él no le interesaba sino el arte, y a mí sólo me importa el dinero."

(Se esperaría que fuese Bernard Shaw quien diese importancia a la belleza de la obra, y Goldwyn quien se preocupara del aspecto crematístico del asunto. La fama de avaro que disfrutaba el escritor inglés, otorgando una base al dicho, contribuye al efecto cómico, impidiendo el absurdo.)

Un comprador grita indignado al comerciante: —¿Cómo es posible que quiera Vd. hacerme creer que es lana este tejido, habiendo aquí una etiqueta que dice: "Puro algodón"? El astuto tendero replica: "¡Por Dios, señor, se ve que Vd. no conoce el negocio!: esa etiqueta es sólo una cautela contra las polillas."

(Atribución a las polillas de una facultad imposible: la de leer un letrero.)

RUPTURA EN EL SISTEMA LÓGICO

Existe un sistema (el lógico) tan cohesivo, tan tenaz, tan absolutamente férreo que su ruptura es poéticamente *imposible*. El principio de contradicción, por ejemplo, rige con perfecta soberanía todos nuestros actos mentales. Su rompimiento nos llevaría, sin duda, al absurdo; pero nunca a la poesía y ni siquiera propiamente al chiste.

Nos es lícito, sin embargo, hablar de una ruptura de tal clase, que es específicamente una "paradoja". Aludimos entonces, claro está, a una ruptura aparente; de ningún modo a una ruptura auténtica. El poeta puede expresar la igualdad de dos objetos antagónicos A y B; mas para que la ecuación A = B resulte poética (o cómica) y no simplemente absurda, es menester que uno de esos términos (o A o B) esté usado metafóricamente o en un sentido que no contradiga al del otro, de tal modo que A, en el poema, no se oponga realmente a B. Es indispensable añadir que la ruptura del sistema lógico no tiene nunca en la poesía una finalidad propia, sino que siempre este recurso se supedita a otro, sirviendo sólo para reforzarlo.

De tal instrumento expresivo echó mano pocas veces Unamuno y menos aún Bécquer; por el contrario, la lírica de Quevedo es un venero casi inagotable de él. He aquí algunos casos:

> Dichoso tú, que, alegre en tu cabaña,
> mozo y viejo aspiraste el aura pura,
> y te sirven de cuna y sepultura
> de paja el techo, el suelo de espadaña.
> ... ...
> No cuentas por los cónsules los años;
> hacen tu calendario tus cosechas;
> pisas todo tu mundo sin engaños.
>
> *De todo cuanto ignoras te aprovechas*;
> ni anhelas premios ni padeces daños,
> *y te dilatas cuanto más te estrechas* [29].

> Buscas en Roma a Roma, oh peregrino,
> y en Roma misma a Roma no la hallas:
> cadáver son las que ostentó murallas,
> y tumba de sí propio el Aventino.
> ... ...

---

[29] Ed. Astrana, pág. 405.

Sólo el Tibre quedó, cuya corriente,
si ciudad la regó, ya sepultura
la llora con funesto son doliente.

¡Oh Roma! En tu grandeza, en tu hermosura
huyó lo que era firme y solamente
lo fugitivo permanece y dura [30].

Quitar cudicia, no añadir dinero,
hace ricos los hombres, Casimiro;
puedes arder en púrpura de Tiro,
y no alcanzar descanso verdadero.
... ...
Al asiento del alma baje el oro;
no al sepulcro del oro el alma baje,
ni le compita a Dios su precio el lodo.

Descifra las mentiras del tesoro,
pues falta (y es del cielo este lenguaje)
al pobre mucho, y al avaro todo [31].

Sequé y crecí con agua y fuego a Henares;
y, tornando en el agua a ver mis ojos,
en un arroyo pude ver dos mares [32].

En los cuatro sonetos que parcialmente acabo de copiar, el procedimiento, como es uso en Quevedo, sirve de cierre poemático. Toda la composición permanece así tensa, perfectamente trabada. Examinemos ahora sólo dos ejemplos, el primero y el último, en ese mismo orden. Quiero probar: 1.ᵒ que, en ambos, uno por lo menos de sus ingredientes está empleado metafóricamente; 2.ᵒ que el recurso posee una función subordinada a la de otro artificio.

Si en la frase

y te dilatas cuanto más te estrechas

las palabras "dilatas" y "estrechas" hubiesen sido utilizadas en sentido recto, "dilatarse" se opondría a "estrecharse"; pero aquí esa

---

[30] Op. cit., pág. 488.
[31] Op cit., pág. 392.
[32] Op. cit., pág. 3.

oposición y su correspondiente ruptura con lo racional no acarrea un absurdo porque sólo es ilusoria. El poeta ha trasladado el
sentido puramente físico de tales vocablos a un ámbito espiritual,
metafórico. Quiere significar el autor: "Cuanto más pobremente,
cuanto más *estrechamente vives*, más logras espiritualmente, más
se dilata tu felicidad". Ahora bien: *ese significado es, en definitiva, otra ruptura del sistema*. Pero este nuevo sistema roto no
es el lógico, sino el inmediatamente antes indagado: el sistema
de los atributos del objeto. Nosotros creemos normalmente que
la riqueza, en principio, engendra dicha y que la pobreza la destruye. Quevedo dice exactamente lo contrario, y al decirlo provoca
expresividad porque ese trastrueque nos da idea de la intensidad
con que el poeta siente la bondad de la vida retirada, reducida
y modesta.

Y llegamos ya a lo que nos importa: *para fortificar aún más
esa ruptura de los atributos,* el poeta escoge unas palabras que en
uno de sus posibles sentidos resulten lógicamente inconciliables.
No escribe: "cuanto más pobremente vives, más felicidad alcanzas". Escribe: "te dilatas cuanto más te estrechas". De este modo,
los extraordinarios efectos de vivir pobremente, estrechamente, se
ponen más al vivo porque semeja ser tan violento el efecto meliorativo de "estrecharse" que se alcanza *hasta lo que parece más
milagroso o imposible*: dilatarse.

De análogo modo acontece en los otros ejemplos que hemos
propuesto. Tomemos el último de los aducidos:

> Sequé y crecí con agua y fuego a Henares;
> y, tornando en el agua a ver mis ojos,
> en un arroyo pude ver dos mares [33].

En este caso, la ruptura cumple un mero oficio "deslexicalizador" con respecto a una imagen [34]. Conocido es el proceso de
conceptualización, y en consecuencia de inexpresivización que su-

---

[33] Ed. Astrana, pág. 3.
[34] Véase anteriormente (pág. 244), otro ejemplo de "deslexicalización"
metafórica, aunque en ese caso el recurso deslexicalizador es un encabalgamiento.

fren las metáforas cuando muy repetidas [35]. No tenemos más que recordar lo que ocurrió a la metáfora "oro" = "cabello rubio". Los poetas renacentistas recurrieron a ella con tan reiterada avidez que "oro" estuvo a pique de convertirse en el normal vocablo para designar la idea de "cabello", independientemente de su color. De ello tenemos documentación muy precisa en la obra de aquel poe-

---

[35] No sólo las metáforas sufren un proceso de inexpresivización. Es sabido que el uso debilita el significado de las palabras mismas de la lengua hasta el casi total vaciamiento. Cuando esto ocurre, el hablante tiende a reemplazarlas por otras menos gastadas. Ello está demostrado históricamente. Precisamente en él descansan muchos fenómenos que la lingüística estudia; por ejemplo, el fenómeno de las "gramaticalizaciones". Oigamos a Vossler:

"Ciertos medios de expresión, cuanto más frecuentemente se usan más se debilitan, hasta que por fin se extinguen (...). No son las formas, sino las significaciones las sometidas a esta ley cuantitativa. Ejemplo: los comparativos latinos *facilior, pulchrior, acrior,* etc., esto es, la significación propia del sufijo *-ior* ha desaparecido, salvo pocas excepciones, de las lenguas romances. El uso frecuente, se dice, le ha debilitado la fuerza comparativa de tal modo, que el hablante que quería señalar con énfasis una cosa que le llegaba al corazón como *más ligera, más hermosa, más aguda,* un buen día dejó a un lado el descolorido *-ior* y prefirió perifrasear *plus facilis, magis acer o melius pulcher.* A partir de ese momento los *facilior, acrior,* etc., que antes eran tan corrientes, se fueron haciendo cada vez más raros, hasta desaparecer. De modo semejante, dicen, perdieron cada vez más su fuerza significativa los demostrativos latinos *iste, ille,* descendiendo a ser meros artículos por la frecuencia del uso, que, además, era típicamente protónico, "enclítico". Entonces hubo que crear reemplazantes para los demostrativos mediante expresiones compuestas, como *ecce ille, ecce iste,* que luego se desgastaron en francés hasta dar *cel, cest,* desalojadas a su vez por compuestos como *celui, celui-ci, celui-là,* etc. Así es como unas palabras independientes, de sentido pleno, cuanto más a menudo entran en composición con otras voces, descienden a ser meras palabras formales (auxiliares) o hasta elementos formales, sufijos o prefijos (...). Todas las palabras auxiliares y elementos morfológicos en todos los idiomas indoeuropeos no son, al parecer, otra cosa que palabras independientes envejecidas, fosilizadas por el mucho uso en un sentido determinado, debilitadas en su significación. Es que se ha cumplido una mecanización del sentido de la palabra, un desvío de la atención espiritual." (*Filosofía del lenguaje,* ed. Losada, Buenos Aires, 1943, páginas 96-97.)

ta que llamó "oro" al pelo *negro* de una mujer morena [36]. Para Medrano, "oro" se había despojado ya de toda su significación intuitiva: ya no aludía a un especial matiz del color rubio, sino a la
representación genérica "color, brillo del cabello": ni siquiera a
"cabello rubio".

Similarmente pasaba en la poesía de aquella época con la imagen "mar", que quería expresar la abundancia de un llanto. (Aún
hoy decimos "llorar a mares" y "hecho un mar de lágrimas".)
La imagen era tan común que su fuerza expresiva se había debilitado mucho, hasta casi la completa extinción. Cuando Quevedo
en un soneto quiere usarla otra vez, necesita otorgarle un nuevo
brillo, retornarla a su estado inicial intuitivo: repristinarla, para
que sus lectores vuelvan a escuchar con novedad la idea de que
el llanto muy copioso se parece a un mar. La ruptura del sistema
lógico le ayudó en su cometido:

> Sequé y crecí con agua y fuego a Henares;
> y, tornando en el agua a ver mis ojos,
> en un arroyo pude ver dos mares.

La ruptura se produce al contemplar a un objeto (el arroyo)
como continente de otros dos de naturaleza semejante *pero mayores que él* (dos mares). Al decir:

> en un arroyo pude ver dos mares,

nos obligamos a deslexicalizar la imagen "mares", a ver de nuevo
esa imagen plásticamente, a caer en la cuenta de que "mares" no es
sólo "llanto", sino una metáfora que expresa la extraordinaria abundancia de unas lágrimas.

El humor no desdeña usar el artificio en cuestión. En la comedia del escritor contemporáneo Paul Raynal titulada *Le maître de*

---

[36] Se lee en la Ode XII de Medrano:

> Y *de su* negro pelo
> el oro, *el fuego. Arabia y Mongibelo*
> ¿*tal fuego, oro tal cría*?

son coeur, se lee el siguiente diálogo, donde el autor acude a aquel recurso en demanda de ingeniosidad:

> ALINA: ¡Ah, cómo quiso usted a Antonieta!
> SIMÓN: No lo supe sino más tarde.
> ALINA: ¡Era usted tan cándido! A esa edad un hombre no comprende nada. Usted no tenía más que dieciséis años. Yo tenía ya quince [37].

El alogicismo se infiltra al suponer que quince es una edad más avanzada que dieciséis años. Sin embargo, la expresión no desciende al absurdo porque algo la justifica. Cuando Raynal nos habla de dieciséis años se refiere a los dieciséis años de un hombre; cuando nos habla de quince, a los quince de una muchacha. Por tanto, el autor se fundamenta en una creencia generalmente reconocida como cierta: la mayor precocidad de las mujeres, sobre todo en lo que respecta al sentimiento amoroso.

Del mismo género es el siguiente chiste:

> En un ferrocarril de la Galitzia austríaca se encuentran dos judíos, uno de los cuales pregunta a su compatriota: "—¿A dónde vas?" "—Voy a Cracovia", responde el aludido. "—Veo que eres un mentiroso", afirma entonces su interlocutor; "dices que vas a Cracovia para hacerme creer que vas a Lamberg. Pero ahora sé de verdad que vas a Cracovia. ¿Con qué objeto has mentido?" [38].

Las palabras de uno de los judíos envuelven una contradicción, porque se denomina "mentira" al hecho de decir la verdad. La justificación de esta paradoja reposa en la especie que presenta a los israelitas como un pueblo taimado y de alma sinuosa.

---

[37] Acto I, escena IV.
[38] Citado por Robert Salmon en *Las estructuras cómicas,* Anales del Instituto de Lingüística, de la Universidad Nacional de Cuyo, tomo II, 1942, pág. 78.

RUPTURA EN EL SISTEMA DE
LAS CONVENCIONES SOCIALES

Entre los sistemas posibles, se halla, sin duda, el formado por las convenciones sociales. Así, es convencional, por ejemplo, que el hombre no deba llamar "fea" a la mujer en su propia cara, aunque el dicho encierre verdad. Tal denuesto, al romper el sistema exigido por la cortesía, resultará expresivo *si hay poderosas razones que desde algún sitio lo avalen.* Observemos la emanación lírica que se desprende de esta canción lorquiana, donde el recurso se exhibe en todo su ensañamiento:

> Bajo la adelfa sin luna
> estabas fea desnuda.
>
> Tu carne buscó en mi mapa
> el amarillo de España.
>
> Qué fea estabas, francesa,
> en lo amargo de la adelfa.
>
> Roja y verde, eché a tu cuerpo
> la capa de mi talento.
>
> Verde y roja, roja y verde
> ¡Aquí somos otra gente! [39].

Con los seis versos primeros, el autor nos comunica la intensidad de su desprecio por una francesa, encarnación y como concreción del refinamiento galo. El rompimiento de una norma tan imperiosamente impuesta al hombre como es la galantería (el modificante) nos da idea, en efecto, de cuán grande ha de ser la carga emocional del poeta.

Toda sustitución, todo recurso, para ser poético, dijimos, ha de hallarse *justificado.* En caso contrario, se produce un absurdo o un chiste. La metáfora "oro" = "cabello rubio", por ejemplo, es poéticamente válida porque el oro se parece en su color al cabello

---

[39] "Nue", de *Canciones.*

rubio. Esa semejanza otorga belleza, justifica la imagen. Si tal analogía no existiera, la comparación resultaría sin sentido. Afirmar, por ejemplo, sin más, que una mujer "se parece al techo de una habitación" no nos conmueve, porque no hay nada en la mujer que nos permita insinuar tal cosa.

Lo propio acaece en el caso de ruptura que examinamos. No todo exabrupto se ilumina estéticamente. Abundan las salidas de tono que no contienen la más mínima emoción, sino que son cómicas o son disparatadas. Para que la contengan, se precisa algo que les dé solidez. En nuestro ejemplo, ese "algo" es la palabra "adelfa" del contexto. La palabra "adelfa" justifica el procedimiento porque el poeta ha querido expresar (y ruego una vez más se me disculpe por el fraude que supone el traslado), aproximadamente, esto: "¡Qué poco te va a ti, refinada mujer francesa, la elementa-lidad genuina de España! Tu desnudo resulta inadecuado, y por tanto "feo", *al lado de la ardiente planta brotada de este suelo, la adelfa,* cuya radical autenticidad te es completamente ajena" [40].

La poesía nace, pues, en ocasiones, al omitirse una norma convencional. Un poco en broma y exagerando levemente, diríamos que hay casos en que el poeta lo es por falta de educación. Pero no se escribiría poesía contraviniendo *cualquier* convención huma-na. Es menester que esa convención *descanse sobre un fondo de*

---

[40] Más claramente aún, quizá, notaremos la existencia de ese necesario "algo" que justifique el improperio en estos versos, hechos de propósito a la sombra de los lorquianos:

> *Qué fea estabas, mujer,*
> *en el vivo amanecer.*
> *Qué fea estabas, pintada,*
> *a la luz limpia del alba.*

Prescindiendo de su mimetismo, la expresión, nuevamente, resulta poé-tica. ¿Por qué? Porque también aquí el procedimiento está fundamen-tado: al leer tales octosílabos nosotros entendemos más o menos lo si-guiente: "comparada al amanecer, tu belleza no es nada: vale cien veces más la luz desnuda del alba que tu falsa hermosura, adobada y com-puesta". Por tanto, las expresiones "vivo amanecer" y "luz limpia del alba" están fundamentando aquí el insulto.

veracidad. Ciertamente, los susodichos versos lorquianos son poéticos, entre otras razones, porque rompen la galante norma masculina que impide llamar fea a la mujer que se tiene delante: mas si esa norma no hubiese cuajado sobre una realidad de belleza auténtica en lo más representativo del sexo femenino, la expresión poseería una emotividad mucho menor. La prueba de ello está al alcance de todos. Llamar "feo" a un hombre no constituye una especial deferencia, ni esa apelación puede ser considerada como un dechado de urbanidad. Sin duda se rompe una convención, una ley de la cortesía cuando decimos:

> Qué feo estabas, varón,
> a la luz clara del sol.

Y ya se ve que el resultado es notoriamente menos expresivo que en el caso anterior. La inferior expresividad que se advierte en este ejemplo se debe a que hemos dado en creer bella a la mujer y no bello al hombre. Bien lo está declarando la dualidad "sexo bello", "sexo fuerte", con que ambos grupos humanos se distinguen. Dirigirse a un caballero para apostrofarle con el calificativo de "feo", aunque rompa el sistema de las sociales convenciones, poéticamente apenas nos toca, porque consideramos que no es la pureza de sus líneas lo que caracteriza al individuo del sexo masculino [41].

---

[41] Al leer esto alguien podría objetar, con aparente fundamento, que la poesía de la canción lorquiana no parece, en consecuencia, nacer por el esquivamiento de una norma social, sino por la atribución de una cualidad inesperada (fealdad) al objeto (mujer), tal como ocurría en los casos que expusimos anteriormente; por ejemplo, en aquellos endecasílabos de Unamuno, allí transcritos:

> *la losa*
> *del pensamiento, fuente de ilusiones.*

Si el argumento fuese cierto, no habría razón alguna para que estos versos:

> *Fea estaba la francesa*
> *en lo amargo de la adelfa,*

se hallasen privados, como se hallan, de toda superior expresividad. No; la verdad está, evidentemente, en lo que antes expusimos. Lo fundamental

La segunda parte del poema lorquiano tiene para nosotros idéntico interés que la primera. Si ésta soslaya un tipo de convenciones, aquélla soslaya otro:

> Roja y verde, eché a tu cuerpo
> la capa de mi talento.
>
> Verde y roja, roja y verde.
> ¡Aquí somos otra gente!

No negamos que tales versos deban parte de su valor a la torera imagen de la capa. Pero en ellos (y en íntima conexión con esa imagen) se da un tipo de "desplante", torero también, que no deja de contribuir, en fuerte dosis, a la calidad expresiva. Pues bien: el desplante está originado por la ruptura de aquella humana convención que desconsidera el autoelogio. El poeta alude primero a la brillantez de su propio talento, y luego a la gran valía de la raza española, que es la suya:

> la capa de mi talento.
> ....
> ¡Aquí somos otra gente!

Algo semejante podríamos rastrear en esta otra canción del mismo autor, donde visible está la fanfarronada, la exaltación del propio poderío:

> Lucía Martínez.
> Umbría de seda roja.
>
> Tus muslos como la tarde
> van de la luz a la sombra.
> Los azabaches recónditos
> oscurecen tus magnolias.

---

en la canción que nos ocupa es la ruptura con las normas de la galantería; mas digamos esto recordando que tales normas han de sustentarse sobre un duro, un firme suelo de realidad admitida.

Aquí estoy, Lucía Martínez.
Vengo a consumir tu boca,
y a arrastrarte del cabello
en madrugada de conchas.
Porque quiero y porque puedo.
Umbría de seda roja [42].

La fuente donde Lorca bebió el procedimiento sería, con toda seguridad, la canción popular, donde el artificio nos sale al paso una y otra vez. He aquí un ejemplo:

Si me llaman, a mí me llaman,
que cuido que me llaman a mí.

En aquella sierra erguida
cuido que me llaman a mí.

Llaman a la más garrida:
que cuido que me llaman a mí [43].

Debo advertir, sin embargo, que no sólo se produce esta ruptura en la poesía de conexión popular. Se da también con alguna frecuencia en el romanticismo. El hecho no nos extraña cuando recordamos una de las características más salientes de ese período literario. En un aspecto fundamental el romanticismo es, en efecto, exaltación de la personalidad, colisión del individuo frente a la sociedad que le rodea: repudio de sus normas. Peculiaridades todas que observamos igualmente en el medio expresivo que ahora tratamos de indagar. Precisamente uno de los valores, sin duda básicos del "Don Juan Tenorio" de Zorrilla, es el estupendo diseño de su protagonista, criatura profundamente antisocial. Pues bien: ocurre que el autor logra crear ese personaje a través de la constante utilización del recurso que nos ocupa. Toda la obra es un tenaz ajironamiento de las convenciones humanas. Léase, como ejemplo mínimo, este pasaje en que Don Juan nos suelta la cínica parrafada siguiente:

---

[42] "Lucía Martínez", de *Canciones*.
[43] De *Tres libros de música para vihuela,* por Alonso Mudarra, Sevilla, 1546, libro III.

Yo a los palacios subí
y a las cabañas bajé,
y en todas partes dejé
memoria amarga de mí.

Abandonemos ahora el teatro y penetremos en la poesía propiamente dicha. Espronceda es quizá el poeta que en España puede representar mejor la lírica romántica. Acudamos a su obra y tomemos una de sus composiciones más justamente famosas: "La canción del pirata". Tengo entendido que Federico García Lorca gustaba mucho de esta piececilla. No me sorprende; mejor dicho: no podíamos esperar otra cosa de un escritor a quien tanto placía el procedimiento que estamos considerando. Diríamos sin exageración que todo el poema emana desde una constante ruptura de convencionalismos:

Con diez cañones por banda,
viento en popa, a toda vela,
no corta el mar, sino vuela,
un velero bergantín;
bajel pirata que llaman
por su bravura "El Temido",
en todo el mar conocido
del uno al otro confín.

La luna en el mar riela,
en la lona gime el viento,
y alza en blando movimiento
olas de plata y azul;
y ve el capitán pirata,
cantando alegre en la popa,
Asia a un lado, al otro Europa
y allá a su frente Stambul.

Navega, velero mío,
sin temor,
que ni enemigo navío,
ni tormenta, ni bonanza,
tu rumbo a torcer alcanza
ni a sujetar tu valor.

Veinte presas
hemos hecho
a despecho
del inglés,
y han rendido
sus pendones
cien naciones
a mis pies.

Que es mi barco mi tesoro,
que es mi Dios la libertad,
mi ley la fuerza y el viento,
mi única patria la mar.

Allá muevan feroz guerra
ciegos reyes,
por un palmo más de tierra;
que yo tengo aquí por mío
cuanto abarca el mar bravío,
a quien nadie impuso leyes.

Y no hay playa,
sea cualquiera,
ni bandera
de esplendor
que no sienta
mi derecho
y dé pecho
a mi valor.

Que es mi barco mi tesoro...

A la voz de "¡Barco viene!"
es de ver
cómo vira y se previene
a todo trapo a escapar:
que yo soy el rey del mar
y mi furia es de temer.

En las presas
yo divido
lo cogido
por igual:
sólo quiero
por riqueza
la belleza
sin rival.

Que es mi barco mi tesoro...

Sentenciado estoy a muerte.
Yo me río:
no me abandone la suerte
y al mismo que me condena
colgaré de alguna antena
quizá en su propio navío.

Y si caigo
¿qué es la vida? [44]
Por perdida
ya la di,
cuando el yugo
del esclavo
como un bravo
sacudí.

Aprovecho la ocasión que se me brinda para poner sobre aviso al lector de un equívoco que pudiere rondar, aquí y allá, al presente libro. Al descomponer un instante poético en sus piezas, en sus ingredientes fundamentales, hemos afirmado a menudo cosas de este o parecido tenor: "la emoción viene dada por tal símbolo", o "brota la emoción de tal contraste", "de tal superposición", etc. Tendíamos entonces a proyectar toda la luz de que disponíamos sobre el procedimiento que *más eficazmente* cooperaba a la consecución del resultado poemático, para, simplificando nuestra exposición, tornarla más clara y comprensible. Mas —entiéndaseme bien, pues la cosa es ya inexcusable— de ninguna manera he pretendido que tal recurso *por sí sólo* (símbolo, superposición o lo que fuere) despertase en nosotros *toda* la intuición artística, que es, en general, y aun podríamos aventurar que siempre, el sintético logro de un complejo, a veces laberíntico, formado por un entramado o combinación de medios expresivos. El poema de Espronceda que acabo de traer a cita es un ejemplo bastante elocuente de lo que digo. Lo hemos examinado en un aspecto que nos ha hecho ver su índole estética como oriunda de la ruptura

---

[44] En este verso, el sistema roto es el del instinto de conservación, como sabemos por las págs. 279 y ss.

en un sistema de convenciones. No podemos negar que ello sea cierto. Sin embargo, conviene pulimentar hasta el extremo los bordes ásperos de afirmación tan ruda, y añadir que sólo una parte, sin duda importante, de nuestra lírica impresión se debe al sobredicho procedimiento. Porque otra, importante también, nos llega proporcionada por una distinta suerte de ruptura: una ruptura en el sistema de la experiencia. Aislemos una estrofa de la romántica composición:

> Veinte presas
> hemos hecho
> a despecho
> del inglés,
> y han rendido
> sus pendones
> cien naciones
> a mis pies.

Nuestra aseveración ha sido, sobre poco más o menos, la siguiente: "el motivo de la expresividad es aquí la jactancia". ¿Podemos sostener sin paliativo alguno esta tesis? Por supuesto, no. La jactancia colabora intensamente en la expresividad; pero existe otro artificio que, tal vez menos visible, aunque con no menor eficacia, presta un auxilio al poema. Supongamos que su autor en vez de haber escrito lo que escribió, se hubiese dejado oir de este modo:

> Veinte presas
> él ha hecho
> a despecho
> del inglés,
> y han rendido
> sus pendones
> cien naciones
> **a sus pies.**

No cabe dudar que esta versión contiene poesía, y aun poesía de calidad. El cambio introducido es mínimo, pero grave. Quien habla no es ya el pirata, no es la primera persona; es el propio poeta refiriéndose al pirata. Todo el escenario se nos trasmuda. La fanfarronada ha desaparecido; se ha esfumado la ruptura de las convenciones. ¿Cómo, entonces, puede perseverar nuestra emoción, o al menos una zona, nada despreciable, de ella? Simplemente, porque ahora la estrofa se aferra *perceptiblemente* a un recurso que antes existía sólo soterrado, enmascarado por el otro (el autoelogio del marino), al que otorgaba asiento y sillar. Este recurso, que sólo en el presente instante acertamos a vislumbrar, es la ruptura del sistema constituido por nuestra experiencia. En efecto: no es normal, ni al alcance de cualquiera, avasallar por cien veces las banderas de una centena de países. El carácter heroico, fuera de lo común, que el acto posee, lo que éste tiene de proeza pocas veces vista, nos subyuga y tira de nuestra psique, haciéndonos apreciar en su justa medida el valor temerario que la acción del pirata supone.

Ahora bien: a este procedimiento, de por sí tan eficiente, se agrega, en el poema del romántico, otro: la ruptura de los convencionalismos, y el efecto obtenido es todavía, según la sensibilidad en trance de apuramiento proclama, un grado más intenso, un grado más expresivo [45].

---

[45] No necesito advertir de nuevo que el análisis de la "ruptura del sistema" hecho a lo largo de este capítulo es sólo parcial y de ninguna manera exhaustivo. Nos hemos dejado fuera muchos casos posibles. No hemos hablado, por ejemplo, de la ruptura en el sistema formado por una frase hecha, fórmula especialmente cómica, pero también poética. Así, basándose en la conocida sentencia *La ociosidad es la madre de todos los vicios,* un humorista dijo: "La ociosidad es la madre *de la vida padre".*

LA SEGUNDA LEY DE LA POESÍA

Capítulo XIII

LA POESÍA Y LA COMICIDAD

EXPOSICIÓN DEL PROBLEMA

En el mosaico de la teoría sustentada nos faltan todavía algunas piezas; pero el hueco de una de ellas se nos ha hecho ya especialmente notorio. Se trata de una simple operación de deslindamiento, cuyo anuncio hemos repetido en el curso de la presente obra: arrancar lo poético de una masa hasta ahora confusa, donde se halla mezclada también la comicidad.

Afirmábamos que la poesía es la comunicación del conocimiento de una realidad anímica tal como es que el poeta obtiene merced a las solas palabras, y que para lograrla, se precisa de una sustitución realizada sobre la "lengua", ya que ésta, por su carácter genérico y analítico, no se deja traspasar por el flúido de la psique, esencialmente singular y sintético. Pero sucede que la comicidad verbal parece comportarse de un modo extrañamente análogo a como la lírica se comporta. Observamos con sorpresa que el chiste es, a semejanza de la poesía, oriundo de una sustitución lingüística. Lo hemos comprobado en muy varia ocasión. Si la poesía, por ejemplo, se sirve para sus fines de la metáfora, contemplaremos en otras ocasiones a la metáfora dando origen a efectos no poéticos, sino cómicos. De igual modo, los "signos de indicio", las "superposiciones" temporales, situacionales y significacionales, la "ruptura del sistema", etc., se nos bifurcaban en dos posibles efectos: risa o emoción estética. Y lo propio cabría decir para el resto de los recursos que el poeta intenta: todos ellos se dejan analizar también en la obra cómica.

¿Quiere esto significar que, en última consideración, poesía y chiste constituyen un único fenómeno esencial? La diferencia que media entre el efecto que ambos hechos producen en el lector (risa en un caso y emoción en el otro) nos induce a contestar negativamente. Ello implica que la esencia del chiste no puede ser la misma de la poesía, aunque ambas realidades se sirvan de los mismos medios para sus diversas funciones.

Pero entonces ¿cómo debemos interpretar esta comunidad de recursos? ¿Cuál es el motivo de que una causa, aparentemente idéntica, ocasione efectos tan disímiles y hasta en cierto sentido contrarios?

LA TEORÍA DE BERGSON SOBRE LO CÓMICO

Llegar a una respuesta clara y convincente a tales preguntas será, si no me equivoco, empezar a cerrar, como dijimos, el círculo de nuestra tesis. Afortunadamente, para lograrlo disponemos de una inapreciable ayuda en los ensayos de Bergson sobre la índole de la comicidad [1]. Sabiendo de antemano lo que es, substancialmente, el hecho cómico, no nos costará esfuerzo mayor el deslinde que nos proponemos.

Se hace, pues, preciso un rodeo para recordar, siquiera sumariamente, la doctrina bergsoniana sobre el origen de la comicidad.

Es evidente que la comicidad se nos aparece a través de múltiples recursos. Pero el pensador francés cree ver en todos ellos la plural manifestación de un fenómeno único, causa más honda de la risa. Obtiene así una fórmula, contra cuya interpretación excesivamente rigurosa nos previene en varios lugares de su libro.

---

[1] Reunidos luego en volumen, con el título de *Le rire* (Bibliothèque de Philosophie contemporaine, Presse Universitaire, París, 1949-50). Después de Bergson otros autores se han ocupado del fenómeno cómico, pero sus trabajos no invalidan el análisis del pensador francés.

La fórmula es ésta: "La risa adviene al contemplar lo mecánico o lo rígido inserto en lo vivo" (que es fluyente movilidad), siempre que no perdamos conciencia de que efectivamente se trata de algo vivo. Tan esquemática aseveración, afirma su autor, sólo vale en cierta manera. Vale para algunos *modelos* de comicidad, "a cuyo alrededor se disponen, en círculo, otros efectos nuevos que se les asemejan. Estos últimos no derivan ya de la fórmula, pero son cómicos por su afinidad con los que de ella se deducen".

Pongamos algunos ejemplos que nos aclaren gráficamente lo dicho. El filósofo galo escribe que los gestos, las actitudes o los movimientos del cuerpo humano son ridículos "en la exacta medida en que ese cuerpo nos hace pensar en un simple mecanismo". "Un dibujo es tanto más cómico cuanto con mayor claridad y discreción ofrece a nuestra mirada un hombre que sin dejar de serlo nos parece un fantoche articulado" [2]. Deben ir encajadas estas dos imágenes: un hombre y una máquina. Un orador que gesticula de una manera uniforme nos da la impresión de que se mueve por un resorte, y esa impresión provoca nuestra risa. De igual modo, nos reímos de un hombre que, por ir leyendo un periódico mientras pasea, tropieza contra un árbol. El origen de nuestra risa, en este caso, es nuevamente la torpeza, la mecánica rigidez de un cuerpo, que, en lugar de desviarse a tiempo para evitar el choque, siguió erróneamente, *por automatismo,* ejecutando un movimiento anterior [3].

---

[2] Op. cit.

[3] Tales son algunos de los *modelos* de comicidad que Bergson aduce; modelos que se sujetan con todo rigor a la norma antes enunciada: lo mecánico en lo vivo. Copiemos literalmente ahora un largo párrafo de su libro, donde examina varios casos de comicidad derivada. Porque de lo mecánico en lo vivo puede pasarse "a una rigidez cualquiera aplicada a la movilidad de la vida, una rigidez que probase torpemente a seguir sus líneas e imitar su flexibilidad. Entonces vislumbramos cuán fácilmente puede resultar ridícula una indumentaria. Podríamos decir que toda moda es ridícula bajo algún aspecto. Sólo que cuando se trata de la moda actual, nos acostumbramos a ella hasta tal punto, que nos parece que el traje forma parte del cuerpo (...). Lo cómico permanece, pues, aquí, en estado latente (...). Pero suponed que un excéntrico se vista con arreglo a una moda ya anticuada: nuestra atención recaerá entonces sobre el traje, ha-

EL CHISTE COMO SUSTITUCIÓN

Una vez que hemos considerado algunas ideas bergsonianas sobre el tema, debemos regresar a nuestro punto de vista. Recordemos que nuestro interés se concentraba en la solución de esta incógnita: ¿qué significa la comunidad de recursos entre la poesía

remos una distinción absoluta entre él y la persona, diremos que la persona se disfraza (...) y el lado ridículo de la moda (...) se nos mostrará a plena luz (...). Pero he aquí que hemos llegado a la idea de disfraz. Ya hemos mostrado que tiene por delegación la facultad de hacer reir. No será inútil que averigüemos cómo usa de esa facultad. ¿Por qué nos reímos de una cabellera que ha pasado del negro al rubio? ¿De dónde procede lo cómico de una nariz rubicunda? ¿Y por qué nos mueve a risa un negro? (...). Dudo si acaso no resolvió la cuestión cierto cochero que, delante de mí, trató de "mal lavado" a un cliente de color que llevaba en su coche. ¡Mal lavado! Un rostro negro sería, pues, para nuestra imaginación un rostro embadurnado de tinta o de negro humo. Y por consiguiente, una nariz roja no puede ser sino una nariz sobre la que se ha plantado una capa de bermellón. Ved por dónde el disfraz ha transmitido algo de su virtud cómica a casos en que ya no hay disfraz, pero parece haberlo (...). Aunque la coloración negra o roja sea inherente a la piel, nosotros, como nos sorprende, la tomamos por artificial (...). Un hombre que se disfraza es, así, una figura cómica. También lo es un hombre que parece haberse disfrazado. Por extensión sería cómico todo disfraz no sólo del hombre, sino también de la sociedad y hasta de la misma naturaleza. Empecemos por la sociedad. Viviendo en ella y viviendo de ella no podemos menos de tratarla como a un ser vivo. Será, pues, ridícula toda imagen que nos sugiera la idea de una sociedad que se disfraza o, por decirlo así, de una mascarada social (...). El lado ceremonioso de la vida social encerrará siempre un cómico latente que no esperará más que una ocasión para manifestarse a plena luz (...). Para que una ceremonia resulte cómica no se necesita más sino que nuestra atención se concentre sobre lo que tiene de ceremoniosa, que nos olvidemos de su materia, como dicen los filósofos, para no pensar más que en su forma (...). Nadie ignora cuánto se prestan al humor cómico todos los actos sociales (...), desde una simple distribución de premios hasta una sesión de tribunal" (*Le rire*).

Pero Bergson no se limita a estudiar los recursos cómicos. Va más allá. Lo importante de su teoría es que nos explica el porqué de la risa, la causa de que esos recursos nos hagan reir. Partiendo, como ya sabemos, de que la comicidad se provoca por la contemplación de lo vivo como

y el chiste? O sea: ¿por qué en un caso la sustitución lingüística nos mueve a emoción y en otro a regocijo?

Precisamos, pues, establecer una comparación entre los recursos cómicos y los poéticos. Pero los ejemplos del pensador francés que acabamos de citar no pueden servirnos para realizarla, porque en todos ellos la comicidad es de *situación* o de *gesto,* y este género

mecánico o como rígido (en que parece que lo vital se distrae por un momento de la vida), llega a conclusiones más trascendentes. He aquí su pensamiento (copio literalmente para mayor fidelidad):

"La vida y la sociedad exigen de cada uno de nosotros una atención completamente despierta, que sepa distinguir los límites de la situación actual, y también cierta elasticidad del cuerpo y del espíritu que nos capacite para adaptarnos a esa situación. Tensión y elasticidad: he ahí dos fuerzas complementarias que hacen actuar la vida. ¿Llegan a faltarle en gran medida al cuerpo? Entonces surgen los accidentes de toda índole, los achaques, la enfermedad. ¿Es el espíritu el que carece de ellas? Sobrevendrán en ese caso todos los grados de la pobreza psicológica, todas las variedades de la locura. ¿Es el carácter el que de ellas está falto? Se seguirán las profundas inadaptaciones a la vida social, fuente de miseria, y a veces ocasiones de actos criminales. Una vez descartadas estas inferioridades que afectan intensamente a la existencia (...) el individuo puede vivir y hacer vida en común con sus semejantes. Pero la sociedad exige más. No le es suficiente con vivir; aspira a vivir bien. Lo temible para ella es que cada uno de nosotros se limite a atender a lo que constituye lo esencial de la vida, y se abandone para todo lo demás al fácil automatismo de las costumbres adquiridas. Y debe temer, asimismo, que los miembros sociales, en vez de atender a un equilibrio de voluntades enlazadas en un engranaje cada vez más exacto, se contenten con respetar las condiciones fundamentales de ese equilibrio. No le basta el acuerdo singular de las personas, sino que desearía un esfuerzo constante de adaptación recíproca. Toda rigidez del carácter, toda rigidez del espíritu y del cuerpo será, pues, sospechosa para la sociedad, porque puede ser indicio de una actividad que se adormece y de una actividad que se aísla, apartándose del centro común en torno del cual gravita la sociedad entera. Y sin embargo, la sociedad no puede reprimirla con una represión material, ya que no es objeto de una material agresión. Encuéntrase frente a algo que la inquieta, pero sólo a título de síntoma, apenas una amenaza, todo lo más un gesto. Y a ese gesto responde con otro. La risa debe ser algo así como una especie de gesto social. El temor que inspira reprime las excentricidades, tiene en constante alerta y en contacto recíproco ciertas actividades de orden accesorio, que correrían el riesgo de aislarse y adormirse, da flexibilidad a cuanto pudiera quedar de rigidez mecánica en la superficie del cuerpo social" (*op. cit.*).

cómico no tiene paralelo en la poesía, sino en la expresividad de *gesto* y de *situación*, que al principio de este trabajo hemos procurado separar de lo poético, en cuanto no es originaria de una actividad puramente verbal. Nuestra risa ante un orador que gesticula mecánicamente o ante un hombre que tropieza por distracción contra un árbol se parece, pongo por caso, a la emoción que la visión directa de un moribundo nos suscita: mas es de naturaleza completamente diversa del efecto que un buen soneto despierta en el alma de sus lectores.

Sin embargo, Bergson demuestra ser también válida su tesis para los casos de comicidad meramente verbal, única especie de lo cómico que a nosotros acusadamente nos importa, por ser, dentro del esquema de nuestro pensamiento, la que, en toda su extensión, es equiparable a la poesía.

En el fondo de todo chiste puede, en efecto, verse una cierta rigidez o distracción del sujeto humano, real o aparente, de la que nos reímos. Pero no basta con tal contemplación para que exista un resultado humorístico. *Es necesario que se nos muestre la génesis de esa torpeza, el porqué de su aparición. En caso contrario no se produce un chiste, sino simplemente un absurdo* [4].

Estamos tentando ya por su raíz el tronco de nuestro problema. Hemos convenido en que todo chiste nos lleva a percibir una torpeza, una rigidez o una mecanización del espíritu o del cuerpo de un ser humano, y por tanto, *una inadecuación en materia leve con respecto a la vida*. Ahora bien: a mayor rigidez o torpeza, siempre que no se pase del límite en que interviene ya nuestra piedad de espectadores, la ridiculez se pondrá más en claro y nos reiremos más. Se nos ha de hacer patente, pues, hasta qué punto es rígida o torpe, en ese sentido, la psique del sujeto y por qué lo es; hemos de intuir tal psique en su individualidad, actualizarla en nosotros. ¿Es esto posible con sólo el instrumento de la "lengua"? No. Las razones que conducen a tal negación son las mis-

---

[4] Bergson no acabó de ver claro en esa condición del chiste, pues cree sólo que nos reímos más si se cumple, cuando lo cierto es que no nos reímos si no se cumple.

mas que nos indicaban a la "lengua" como incapaz de elevarse a rango lírico. La "lengua" no sirve sino para transportar analíticamente el aspecto colectivo, impersonal de las cosas. Ni la intensidad justa de una distracción, ni la intensidad justa de un sentimiento pueden ser expresadas por medio de "lengua". Ello quiere decir que para lograr un chiste, como para lograr un instante poético, es menester una sustitución lingüística. La diferencia, pues, entre chiste y poesía reside en la índole de lo trasmitido por el sustituyente: el sustituyente cómico nos muestra una rigidez o mecanización del sujeto; el sustituyente poético, por el contrario, nos manifiesta un contenido anímico *acaecido con toda legitimidad* en una psique humana.

Necesitamos ahora comprobar que los hechos no contradicen, sino que confirman la tesis propuesta. Para ello, vamos a intentar un parangón entre chistes concretos y momentos poemáticos concretos. ¿Qué método nos guiará en este trabajo? ¿Debemos movilizar en el análisis la masa enorme de los procedimientos, cómicos o líricos? ¿Elegiremos algunos al azar? Ni una cosa ni otra. Nuestra labor ha de ser sistemática, y el azar no debe intervenir; pero tampoco es posible la indagación exhaustiva. Decíamos que los medios poéticos sólo podían ser de tres clases: A (afectivos), B (sensoriales) y C (sintéticos). Hemos hallado que cada uno de estos tipos se corresponde con un recurso cómico. Por ello, los recursos cómicos pueden dividirse también en tres especies, que designaremos con idénticas letras. Habrá, así, instrumentos cómicos A, B y C.

Nuestra tarea se ha simplificado mucho. No es ya necesario que enfrentemos cada procedimiento lírico con su opuesto cómico. Basta con que sometamos a indagación comparativa un ejemplo lírico y otro cómico de cada uno de los tres grupos. Este análisis tal vez llegue a confirmar la hipótesis que hemos sostenido hace poco, e incluso no sería raro que diésemos con algún elemento esencial de la poesía que aún no hemos tenido manera de sorprender en anteriores análisis.

PROCEDIMIENTOS C Ó M I C O S Y PROCEDIMIENTOS
POÉTICOS EQUIVALENTES: SU DIFERENCIA ESENCIAL

Comencemos por el examen de los recursos que englobábamos
en la denominación A. La ruptura en el sistema del instinto era
uno de ellos. Tomemos, pues, una expresión poética y otra cómica
que lleven consigo esta suerte de ruptura. Afortunadamente disponemos aquí de dos textos cuya similitud nos va a facilitar mucho la comparación entre ellos.

El texto poético es éste:

> Más vale morir en pie que vivir de rodillas.

El cómico, este otro (ya citado por nosotros en la página 281)
pronunciado con mucha seriedad por un personaje médico de cierta
comedia:

> Más vale morir según las reglas de la medicina que vivir con
> menoscabo de ellas.

Atengámonos de momento a esta segunda frase. Su comicidad
se deriva, evidentemente, de que nos pone ante los ojos con singular relieve una cierta rigidez, un cierto anquilosamiento en el
espíritu de quien la pronuncia, puesto que éste se halla tan profe-
sionalizado que antepone las reglas médicas, hechas para salvar
la vida de los enfermos, a las vidas de esos mismos enfermos. He
aquí un hombre que padece la distracción de tomar como fines
lo que son únicamente medios; un hombre que ama, por un error
fundamental de su alma, lo que no debiera amar; un hombre cuyo espíritu no se pliega a las exigencias de la vida. De ese desajuste
con la circunstancia vital nos burlamos; pero sólo porque lo sabemos *verosímil* (y así sólo nos divierte la frase cuando puesta en
boca de un médico). La inverosimilitud nos abocaría al absurdo,
y en el absurdo no cabe la risa. Por ejemplo, no nos reiríamos (ni
nos emocionaríamos tampoco, claro es) si alguien dijese, sin más:

> Más vale morir de rodillas que vivir en pie,

porque esta frase equivale a expresar que el hablante prefiere la humillante esclavitud a la digna libertad, sin que, por otra parte, nos sea posible explicarnos, dentro de la humana psicología, la causa de un sentimiento tan anómalo. Porque si esa explicación surgiese, la frase se tornaría de nuevo cómica. Y así, en el caso de que comprendamos que su autor ha querido decir lo contrario de lo que ha dicho ("más vale morir en pie que vivir de rodillas"), y haya sufrido simplemente un *lapsus linguae,* la risa puede producirse. Pero volvamos a nuestra comparación entre el texto poético y el correspondiente cómico de las reglas de la medicina. Hemos visto en ese último caso un hombre que ama lo que no debiera; un sentimiento que se dirige hacia un objeto impertinente (las reglas de la medicina) cuando sería menester que la dirección fuese otra (la vida de los enfermos). El efecto que tal error de puntería nos produce se parece bastante al que podríamos experimentar ante un disparo que en vez de salir por el cañón del fusil, saliese por la culata. En cambio la frase poética:

Más vale morir en pie que vivir de rodillas,

manifiesta lo inverso. Procede tal frase de una amplia y hasta heroica adecuación entre el alma y las necesidades de la existencia social. La emoción se encamina ahora hacia un objeto que el lector juzga como del todo pertinente: el repudio de la esclavitud, el amor ejemplar a la libertad humana.

En el primer caso (caso cómico) el sentimiento es una especie de gruesa *equivocación anímica* percibida por el lector como hija de una torpeza, de la que se ríe; en el segundo (caso poético) sucede lo contrario: el sentimiento nace *como respuesta idónea* a su objeto, y el lector puede compartirla en toda su integridad.

Al enfrentar, pues, la comicidad y la poesía, hemos descubierto, al lado del elemento primordial del chiste a que alude Bergson (la rigidez, o como dijimos nosotros: el *error,* el desenfoque psíquico), un elemento esencial a la poesía en que aún no habíamos reparado: *la necesidad de que el contenido interior que ha de comunicarse resulte ser la contestación adecuada al objeto que lo provoca.*

Las anteriores reflexiones han sido deducidas de la comparación entre un texto cómico de tipo A y un texto poético paralelo, pero no dejan de ser ciertas para los demás casos, el B y el C. Veamos.

Un ejemplo claro de recurso B es ese tipo de metáfora tradicional que se fundamenta en una semejanza física de dos términos. ¿Cuándo nos hace reir una imagen de esta clase? ¿Cuándo nos produce un efecto poético? Lo sabemos ya por un texto de mi libro *La poesía de Vicente Aleixandre,* citado más arriba: "El poeta busca, ante todo, la adecuación entre lo comparativo y lo comparado. El humorista hace casi lo contrario. Precisamente es la desmesura del símil el estimulante de la carcajada. Cuanto mayor sea (dentro de ciertos límites) la distancia entre la realidad y la evocación, más grotesco será el resultado". Es decir, busca el poeta que los objetos unidos en la imagen se parezcan al máximo (sea física, sea emotivamente), que coincidan todo lo posible en una fundamental zona de sí mismos. El autor cómico, por el contrario, rehuye esa fuerte analogía y procura la mínima: la metáfora hilarante ocurre cuando dos objetos que se parecen muy poco quedan vistos como equivalentes. Nos reímos entonces del aparente error padecido por el sujeto, que le lleva a pensar como iguales dos seres de imposible equiparación. Mas sólo nos reímos si se nos pone en claro que ha habido un motivo para el disparate, si vemos que los dos elementos comparados tienen un leve punto en común. En tal caso, sentimos como si el autor de la metáfora cómica hubiese percibido la semejanza en una estrechísima parcela, o mejor, en *una parcela no esencial,* y hubiese extendido a la totalidad de los objetos lo que sólo era propio de una parte inesencial de ellos: se nos torna así evidente la torpe alucinación sufrida al no tomar en cuenta sino lo observado en una leve y poco significativa porción de la realidad, mientras su cuantioso resto de más sustancia permanece invisible a los ojos del distraído. No necesitamos añadir que la metáfora sería, por último, *absurda,* si las dos criaturas que se equiparan careciesen incluso de ese parecido mínimo o inesencial que la metáfora cómica requiere, *porque entonces el error permanecería inexplicable.*

Así, es poética la comparación del cabello rubio con el oro; cómica, la de una mujer manca de ambos brazos y no guapa con Venus; absurda, la de un hombre, igualmente manco y de mala facha, con Apolo (excepto si nuestra intención es irónica), pues en el primer caso, la imagen se basa en algo que podemos tomar como esencial (el color rubio, común al oro y al pelo); en el segundo, en algo francamente inesencial (la falta de brazos de la Venus de Milo y de la mujer en cuestión); y en el tercero, en cambio, no hay nada, ni esencial ni inesencial que dé sentido poético o cómico al símil. Advirtamos que el segundo caso sólo sería risible, si el humorista logra suspender, a través de un contexto, el movimiento piadoso que podría interferirse en nuestra percepción ordinaria de tal desgracia física, esto es, si la aproximación de esa mujer a Venus no es vista como crueldad por parte del autor, lo cual éste puede lograr por muy diversos subterfugios. El hecho de que la comicidad no se dé en caso contrario, no significa que la metáfora no sea en sí misma cómica, sino que por intervenir en nuestra contemplación un elemento ético, la comicidad que la metáfora posee queda como entre paréntesis y sin efecto.

El fenómeno de la comicidad en este caso B no difiere esencialmente de lo que habíamos registrado al indagar el caso A anterior. También aquí notamos un contenido psíquico *cuyo origen comprendemos,* pero que no hubiese surgido si el sujeto se adaptase plenamente a las urgencias vitales. Sólo que ahora no se trata de un sentimiento, sino de una percepción sensorial. Es una percepción que sabemos errónea, *inaceptable,* lo que nos obliga a reir; una percepción que nos hace entrever un cierto grado de peligrosa discordancia entre la pupila que mira y la circunstancia mirada. En cambio, la metáfora poética de esta clase B nos enseña un espíritu que responde con exacta perfección a los estímulos de lo externo, viendo la realidad con penetración desusada. Aceptamos entonces la percepción que la metáfora ostenta, hacemos nuestra esa percepción, pasamos a participarla, a vivirla, por contemplación simpática.

Si sometemos a análisis el caso C encontraremos resultados similares. La ruptura en el sistema de las vinculaciones lógicas entre contrarios es buen pretexto para nuestras reflexiones. Recordemos el ejemplo poético de ese recurso, citado en su lugar:

> (La bella muchacha pasaba) no rauda sino deleitable.

Y el cómico, que atribuimos a cierto pintor:

> Divido a los críticos en dos clases: los malos y los que me elogian.

¿Qué es lo que en este segundo caso nos hace reír? Ante todo: ¿qué ha querido significar el pintor al expresarse de esa manera? Lo hemos dicho en otro sitio: el pintor ha querido hacernos entender que para él la buena crítica era, simplemente, la crítica que le elogiaba y que era mala aquella otra que le negaba o discutía. Ahora bien: nosotros sabemos que esto *es falso*: que la crítica, para ser buena, ha de ser, ante todo, justa. ¿Nos reímos de tal error? Cuidemos mucho nuestra respuesta, y digamos que sólo *en cierto modo* ese error nos lleva a la risa: sólo en cuanto nos hace ver la aguda distracción que aparentemente sufre el sujeto. Porque si el pintor hubiese afirmado:

> Divido a los críticos en dos clases: los malos y los buenos, que son los que me elogian,

aunque el error perdurase, el efecto cómico se hubiera, en buena parte, volatilizado, porque esa frase se parece más a una reflexión cínica que a una distracción espontánea. Si comparamos el texto de comicidad pobre con el otro de mayor eficacia, hallamos que la diferencia estriba en el carácter sintético de éste frente al analítico de aquél. En el primer caso, un solo sintagma ("los que me elogian") expresa todo el sentido, mientras que para expresarlo se precisan dos sintagmas en el caso segundo ("los que me elogian" y "que son los buenos").

Estamos ya en disposición de penetrar hasta el fondo del problema. La cuestión ahora podrá plantearse del siguiente modo: ¿Por qué la síntesis arranca con más vigor nuestra risa que el desarrollo analítico? Hemos dicho que la cantidad de risa está en proporción directa con la intensidad de la distracción. Ahora bien: *la síntesis hace que veamos como mayor la rigidez del sujeto*. En efecto: muy grave tiene que ser ésta para que en el alma del pintor se haya producido una *confusión* tan completa entre "los buenos" y "los que le elogian" que ambos términos se le *confunden* hasta el punto de que en una suprema identificación uno de ellos suplanta al otro.

En suma: la ruptura del sistema en este caso sirve para expresar una síntesis anímica que es resultado de una profunda distracción del sujeto que le lleva al error. Esa *intensa* distracción es lo que produce la intensidad de nuestro regocijo. Pero en este ejemplo como en los anteriores, la comicidad se origina sólo en tanto que no es un misterio para nosotros el motivo del erróneo contenido que hay en la frase. Comprendemos como posible, en efecto, que la fuerte vanidad de un artista le lleve a semejante equivocación, y esa comprensión nuestra permite la aparición del chiste. Si las razones del error no se transparentasen, no habría comicidad sino absurdo. Y así, absurda sería una frase como ésta: "La fea muchacha pasaba no rauda sino deleitable"; o como ésta: "¿Es usted casada o española?", que carecen de todo sentido. Pero fijémonos que esa última frase podría hacerse cómica si fuese pronunciada en un momento en que, por cualquier circunstancia, los españoles tuviesen ciertas dificultades para contraer matrimonio (por ejemplo, una crisis económica especialmente grave que demorase mucho la edad en que un hombre y una mujer de nuestro país estuviesen en disposición de fundar un hogar), porque entonces se nos manifestaría la causa de la equivocación: nueva prueba de que, en efecto, esa manifestación es condición *necesaria* de todo chiste.

En cambio, el recurso poético equivalente:

(La bella muchacha pasaba) no rauda sino deleitable

(que, como ya sabemos, significa, aproximadamente: la muchacha pasaba no rauda sino lenta, y, por tanto, deleitable) nos muestra una realidad psíquica de carácter también sintético; pero, al revés de lo que ocurría en el ejemplo cómico, aquí la síntesis nace como congruente reflejo de una percepción exacta: ese cuerpo femenino puede, en efecto, advenir lento a la vez que deleitable. Por eso no nos reímos, sino que al dar por buena esa percepción, la dejamos fluir hasta nosotros, la recibimos en nuestra alma, y a ese traspaso que se verifica con sus consecuencias placenteras es a lo que denominamos emoción estética.

POESÍA Y CHISTE, FENÓMENOS CONTRAPUESTOS

Las reflexiones que hemos venido haciendo nos han enseñado que la sustitución lingüística se diversifica en tres efectos distintos: poesía, chiste y absurdo. Y hemos descubierto, sobre todo, que hay unas condiciones primarias, un especial humus, sin el cual los dos primeros fenómenos no pueden darse, en el mismo sentido que no puede haber trigo sin tierra que lo sustente. La poesía y la comicidad se nutren también de un subsuelo en que se aposentan. La emoción lírica resulta al comunicarse la contemplación de un contenido psíquico; pero tal contenido para ser contemplado sin reservas por el lector (en el mismo sentido que el autor) precisa de su aquiescencia. *Es necesario que el lector vea como nacido legítimamente lo que luego va a hacer suyo* por contemplación, y *precisamente porque lo va a hacer suyo.* Naturalmente este juicio —el asentimiento—, elemento básico de la lírica, pertenece a ese tipo que en la lógica recibe el nombre de *implícito* porque no llega a formularse en nuestra conciencia y sólo se encuentra en ella bajo especie de implicación [5]. De ahí que no diésemos con su existencia, sino al comparar la poesía y el chiste. Porque el chiste se fundamenta en lo contrario: en un *disentimiento* por parte del lector u oyente. *El lector, aun conociendo su origen, percibe la realidad anímica del sujeto como inconveniente, como impropia de las circunstancias.* Es una realidad que no debiera existir si el sujeto estu-

---

[5] El juicio de asentimiento es implícito porque aparece en nosotros ante materia evidente, y por tanto, en forma negativa: asentimos en cuanto que no disentimos.

viera acorde con la vida en torno o con su propia vida, si no fuese sobradamente rígida la textura de su alma.

No es necesario agregar después de todo lo dicho anteriormente que el absurdo se origina cuando el procedimiento, la sustitución, no cumple ni las condiciones de la poesía ni las del chiste. Ante el contenido poético, *asentimos*; ante el cómico no asentimos, pero sí lo *toleramos,* en virtud de que el "error" que allí se manifiesta está producido por una causa perfectamente reconocible. En caso contrario, el contenido que se nos propone no nos parece imaginable en un hombre normal; la deficiencia de que da señales inequívocas su autor es de cariz tan grave que no permite siquiera esa tolerancia cuyo indicio es la risa. El efecto del absurdo es la perplejidad, el desconcierto y hasta la conmiseración, si llegamos a dar por sentada la demencia o la estupidez de quien se produce tan insensatamente.

Dejando a un lado el hecho del absurdo, que ya no es literatura, deducimos de todo lo expuesto que el chiste se inserta en las antípodas de la poesía. Poesía y chiste son el anverso y el reverso de una misma medalla, el polo y el antipolo de una esfera. Lo contrario de la poesía no es la "prosa" en el sentido de dicción apoética. *Lo contrario de la poesía es el chiste.* Por eso me parece grave error de la Estética tradicional la inserción de lo cómico como una de sus categorías, al lado de lo sublime, de lo bello, de lo gracioso... No entro aquí en la mayor o menor legitimidad filosófica de esas clasificaciones, rotundamente negada por Croce desde un punto de vista puramente cualitativo. Aun moviéndonos en el humilde territorio de lo empírico, la comicidad no es un grado de la belleza, en el sentido en que lo es la sublimidad. El chiste se muestra algo así como la belleza vuelta del revés, y sólo tiene de común con ésta lo que tienen de común entre sí dos contrarios cualesquiera (el blanco y el negro o el cielo y el infierno): un género próximo. Poesía y chiste coinciden únicamente en una cosa: en ser sendos modos de escapar a la dicción neutra, insípida; y claro está que el camino para tal fuga ha de resultar forzosamente el mismo: la sustitución; la sustitución de signos de "lengua" por otros signos de distinto cariz: signos cómicos y signos poéticos.

CAPÍTULO XIV

LA LEY DEL ASENTIMIENTO

EL LECTOR COMO COAUTOR

Una vez que hemos descubierto, por contraposición con el chiste, la ley del "asentimiento" a que todo instante lírico ha de someterse, y la del "disentimiento", propia del absurdo y, *mutatis mutandis,* de la comicidad, estamos en condiciones de emprender la dilucidación de un grupo de cuestiones derivadas. Pero para que no se introduzca alguna niebla anfibológica en nuestra exposición, conviene recordar que palabras como "asentimiento", "aceptación" o "aquiescencia" del lector son para nosotros sinónimos que tienen aquí el significado riguroso que acabamos de precisar y no otro. Por tanto, cuando digo que el lector dispensa su "aquiescencia", "asiente" o "acepta" una representación psíquica, quiero expresar que en un juicio implícito le parece *legítimamente acaecida,* en puro contraste con el chiste o el absurdo, que transparentan representaciones psíquicas *erróneas.* "Asentir" o "aceptar" un pasaje lírico no es, así, en nuestra terminología "estimarlo bueno" en el sentido que esa frase tiene cuando alguien dice que es "bueno" el "Cántico espiritual" de San Juan de la Cruz. Este último juicio ya no es implícito sino plenamente consciente y se emite con *posterioridad* al goce estético y como consecuencia suya, mientras aquél, por el contrario, resulta *anterior* a todo posible placer de esa clase, al tratarse, justamente, de uno de los supuestos en que tal placer se fundamenta.

Reparemos ya en la importancia que tiene el hecho, antes registrado, de no existir poesía mientras el lector no "acepta" el contenido anímico contemplado y propuesto para comunicación por el poeta. Pues si esto es así, el lector no cumple sólo una función estática dentro de la operación artística, como se ha solido pensar (leer el poema, recibirlo en su psique), sino que su función es dinámica y *previa a la lectura,* aunque parezca paradójico. En efecto, el lector *interviene* en la creación del poema a partir del momento mismo de su concepción, actuando, de manera impalpable pero fehaciente, desde el propio interior del poeta, ya que éste precisa organizar sus frases *contando con aquél*: el poeta escribe de modo que el lector pueda otorgar esa "aquiescencia" sin la que el poema no existe, haciéndose así posible después, para ese mismo lector, tras la concedida legitimidad, la inmediata recepción del poema dentro de su espíritu. El lector colabora en la obra literaria no en cuanto que la lee, *sino en cuanto que va a leerla.* Está como agazapado invisiblemente en la conciencia del poeta y allí se revela como un censor implacable que no permite otra expresión sino la que, por transportar una representación anímica "idónea", va a alcanzar posteriormente su "asentimiento". La acción poética es, irremediablemente, desde su propio origen, una *coacción,* una acción conjunta de poeta y lector. Y por eso podemos ya decir con rigurosa frase que *el lector es tan autor del poema como el poeta mismo* [1].

De aquí deduciríamos que el poeta no puede expresar directamente aquellas realidades anímicas que carezcan de universalidad. Por ejemplo, las asociaciones verbales que le sean estrictamente personales. En un poema de Antonio Machado hemos visto cómo las palabras "crepúsculo", "negro", "cipresal", "sombra", "sueña",

---

[1] No parece sonar esta frase última con excesiva novedad, pero creo que el significado con que ahora la sorprendemos no es el mismo. Sartre, por ejemplo, la pronuncia, pero lo hace erigiéndola sobre postulados muy distintos, en los que no voy ahora a entrar, y, por tanto, con una intención disímil.

"mudo", "reposa" y otras, por su simple presencia en cadena, dentro del texto en cuestión, sugieren a sus lectores un grave sentimiento fúnebre en virtud de una psicología general humana y unas generales experiencias vitales. Pero pensemos ahora en un poeta que de niño, por ejemplo, haya sido testigo de varios asesinatos en una playa. Es posible que desde entonces asocie inconscientemente en su vida privada el concepto "arena" u "ola" a un sentimiento de terror. Mas no pretenderá que esas individualizadas asociaciones se produzcan *espontáneamente* en todo hombre que lee su poema como en el caso que antes cité de Machado, y en consecuencia no las intentará en sus escritos. En el momento de la redacción de su obra, el poeta se desdobla en autor y lector [2], se objetiviza al escribir y no llega ni aun a concebir siquiera como hacederas las asociaciones irracionales que únicamente sean dables en su ánimo. Cómo se realiza esa sabia discriminación, de la que ni aun el poeta se percata, constituye un misterio cuya tiniebla no nos compete a nosotros disipar.

Aun a riesgo de caer en ociosidad, podríamos decir todo lo anterior de otro modo, o desde otra perspectiva, enunciando que la poesía no es sin más, como se creería en principio, la "expresión" (entendiendo por "expresión" la expresión individualizada o sintetizada fuera de la "lengua"), sino la expresión asentible. Pueden existir "expresiones" a las que sólo les falta para ser poéticas una suficiente capacidad de ser universalmente "aceptadas". La obra de arte necesita la aprobación de un severo parlamento: el de los lectores. Diríamos, pues, que en el arte lo "estético" (entendida la palabra con vulgar impropiedad) es sólo un factor, y que, por tanto, lo "estético" no basta. Pero espero que no se interprete esta aseveración en el sentido del compromiso sartriano, que es cosa de otra índole. Nosotros nos referimos no a los posibles deberes del escri-

---

[2] Sartre niega que el autor pueda ser, al mismo tiempo, en sentido riguroso, lector de su propia obra. Cierto que Sartre excluye al poeta y se refiere, ante todo, al novelista. No entro ahora en este problema, y sólo lo aludo aquí para evitar una confusión. Lo que nos importa subrayar es que sin ese desdoblamiento del poeta, en poeta y lector, no habría poesía; al menos no existiría eso que hoy llamamos así.

tor sino a los indudables deberes del arte. Hablamos de lo que el
arte precisa para serlo: de su contextura interior, de sus inexorables leyes.

GRADOS DE "ASENTIMIENTO"

Hemos mostrado que si el lector "disiente" del contenido anímico cuya participación el autor nos propone, no se produce *poesía,*
sino uno de estos dos resultados: o un *chiste,* cuando comprendemos el porqué del "error", o un *absurdo,* si ese requisito no se
cumple. Dejando para más adelante el caso cómico, considero obligatorio agregar que, sin embargo, no siempre la separación entre
"poesía" y "absurdo" es tan tajante como acabamos de establecer,
ya que el "asentimiento" a una representación poética en trance
de comunicación *admite grados,* hecho importantísimo para entender una serie de fenómenos literarios, a los que desearía prestar
alguna atención en el presente capítulo. Claro está que ese "asentimiento" puede ser y de hecho es en ocasiones algo rotundo. Puedo "aceptar" o no "aceptar" en absoluto un contenido anímico y
admitir o rechazar del todo, por consiguiente, el instante poético
de que se trate. Pero entre el completo "disentimiento" y el "asentimiento" cabal existe toda una gama de repulsiones o de simpa-
tías. Hay un "sí" y un "no" y luego un sucesivo escalonamiento
de matices afirmativos y negativos.

El pensamiento en el que acabamos de instalarnos nos conduce
con suavidad a este otro: de dos instantes poéticos poseerá mayor
calidad aquel al que concedamos una "aquiescencia" más plena,
siempre que se dé igualdad en la restante condición de la poesía,
cuyo recuerdo aquí nos conviene. Y así, combinando esta última
con la idea que acabamos de adquirir, llegamos a la escueta fórmula siguiente:

Una descarga poética será más poderosa que otra:

1.º Si el sustituyente (en el caso de los procedimientos de tipo
A y de tipo B) se individualiza con mayor perfección; o si el
sustituyente (en el caso de los procedimientos de tipo C) es más

complejo, esto es, si alude a más campos de significado. Esta es la ley que llamaríamos *intrínseca* al poema.

2.º Si nuestro "asentimiento" a ese mismo sustituyente (sea de tipo A o B o de tipo C) adquiere mayor plenitud; ley que con ligera impropiedad podríamos apellidar de *extrínseca*.

Estas son, pues, las dos condiciones "necesarias" para que un valor poético se instaure. Ninguna de las dos por separado son "suficientes", pues mutuamente se complementan y precisan. En el supuesto de que una de ellas no exista o tienda a no existir, el efecto poético variará en idéntico sentido: se anulará o tenderá a anularse, respectivamente. Si esto le ocurre a la primera condición, el resultado es "lengua" o casi "lengua". Si la así afectada es la condición segunda, nos hallaremos ante un "absurdo" o un momento de poesía tanto más pobre cuanto más se acerque a este otro fenómeno.

Una ilustración práctica podría confirmar lo último, si logramos dar con un ejemplo que sin llegar al "absurdo", sea poético de modo escaso, precisamente porque nuestra "aceptación" se preste con mezquindad, bien que se mantenga en una zona anterior a lo que denominaríamos la "barrera del disentimiento absoluto". Tal vez el lector esté de acuerdo conmigo y vea un caso de ello en la siguiente rima de Bécquer:

> Por una mirada, un mundo;
> por una sonrisa, un cielo;
> por un beso... yo no sé
> qué te diera por un beso.

Pese a que hace figura en alguna antología, no creo yo que en justicia pueda tributarse a esta rima otra cosa que una moderada estimación. Su endeblez estética ¿dependerá de una cierta ineficacia en la función individualizadora del procedimiento empleado? Yo diría que tal instrumento (ruptura en el sistema de la equidad) cumple idóneamente su cometido, pues expresa con justeza, en principio, la intensidad de una pasión erótica. (Tanta es la fuerza de ese amor, que por una mirada, por una sonrisa, por un beso del ser amado, el poeta ofrece mucho más de lo que normalmente se ofrecería por tales realidades). Pero si no es achacable el escaso acierto al artificio utilizado, no cabe duda, de ser exactas nuestras suposiciones anteriores, que la culpa habrá de cargarse en la cuenta del "asentimiento". Y efectivamente, en mi opinión así ocurre. Mi experiencia de lector de ese poemilla, por lo menos, se resiste a admitir como legítimo, en la situación allí presentada, el cósmico intercambio que Bécquer solicita (y, en consecuencia, la representación sentimental aludida se nos antoja poco auténtica). Me parece que dar un mundo, un cielo, etc., es demasiado dar, en esas condiciones de la rima y sin más preparación o sugestión sobre el lector [3], por muy hermosa que fuese la dama y muy enamorado que nuestro sevillano anduviese. Si comparamos esta pieza con alguna otra que usa de idéntico tipo de "ruptura", se verá la diferencia a este respecto. Cuando Bécquer afirma:

> Si de nuestros agravios en un libro
> se escribiese la historia,
> y se borrase en nuestras almas cuanto
> se borrase en sus hojas,
>
> te quiero tanto aún, grabó en mi pecho
> tu amor huellas tan hondas,
> que sólo con que tú borrases una
> las borraba yo todas,

el desequilibrio entre lo recibido y lo otorgado lo entendemos en su contexto como perfectamente legítimo: nos convence, dentro del ámbito evocado y en relación con él, que ese enamorado, llevado por su pasión, pueda, efectivamente, mostrarse lleno de una generosidad que sólo consiste en perdonar las injurias más ampliamente que su amada. "Asentimos" del todo al contenido anímico cuya contemplación se nos quiere trasmitir y la comunicación se realiza con entereza. En el otro caso, menos feliz, ocurre lo opues-

---

[3] El intercambio a que Bécquer en la rima aspira podría ser plenamente poético en el caso de que el autor hubiese, en versos anteriores, o en el interior de otro contexto, "obligado" al lector a "aceptarlo". Tratándose de poesía hablamos siempre de lo que ocurre *de hecho* en el poema concreto.

to. Como sólo a regañadientes "aceptamos" la representación interior del poeta, la comunicación se establece con dificultad, y adviene por fin, pero como degradada, como empobrecida.

PROCEDIMIENTOS EXAGERADOS

Por su semejanza con el caso que acabo de presentar, estamos ya en disposición de adivinar cuál sea la razón de que resulten poco eficaces los procedimientos (metáforas, etc.), que en el interior del curso poemático sentimos como "exagerados". Los artificios a los que calificamos tan peyorativamente, aunque individualicen de manera cabal la palabra, nos emocionan poco estéticamente porque la representación que nos sugieren se nos aparece, dentro del poema particular en que se hallan albergados, no como un hecho fatal, necesario en la fluencia anímica del autor en aquel instante y por tanto *legítimamente* nacido, sino como la frívola articulación, más o menos gratuita, de un espíritu que actúa en tal momento de modo caprichoso. Por consiguiente, no damos a esa representación el suficiente crédito, no "asentimos" a ella con bastante firmeza y la intuición poética nos llega así desmayada y empalidecida. Y si lo exagerado del recurso presuntamente lírico llegase al extremo, no cabe duda que entraríamos de lleno en el reino de lo que en este libro hemos designado con el nombre técnico de "absurdo".

LA LEY DEL ASENTIMIENTO Y EL
PERSONAJE QUE HABLA EN EL POEMA

Creo que con lo que llevamos escrito pocas dudas se le podrán acaso ofrecer al lector acerca de la existencia en la poesía de esta ley extrínseca o del asentimiento de que ahora tratamos. Pero tal vez no sobre insistir en la presentación de algún otro caso concreto que por su especial claridad nos corrobore en nuestras ideas. Este tipo de casos, especialmente nítidos, se producen, por ejemplo, cuando un mismo poema, *sin modificación alguna de su texto,*

se torna más o menos poético, o quizá nada poético, o hasta cómico, según quién sea el personaje que imaginamos como hablante. Tomémonos la pequeña molestia de examinar desde ese
punto de vista la siguiente canción popular:

> Catalina María Márquez,
> ¿cómo tuviste el valor
> de casarte con Juan Lucas
> estando en el mundo yo?

Si suponemos que la breve copla la dice el novio abandonado,
cuya conciencia del propio valer y, sobre todo, de la calidad y
grado de su amor, no ha sido anulada por su desgracia amorosa,
sino más bien virilmente exaltada, nosotros percibiremos tales versos como intensamente poéticos en su concisión, y ello porque
otorgamos con plenitud nuestro asentimiento a esa conciencia y
a ese orgullo que se nos transparentan humanamente justificados y
hasta diríamos que con un cierto deje de entereza moral. Pero si
esa misma copla la ponemos en boca de un padre egoísta que la-
menta, en virtud de intereses mezquinos, el matrimonio y felicidad de su hija, la corta pieza quedará francamente derrotada como
poema, porque en tal caso no se produce en grado suficiente la
indispensable equiescencia del lector a los sentimientos del personaje, que juzgaremos absurdos; y si este poemita se lo atribuimos,
digamos, en una pieza teatral, a un fracasado pretendiente de la
guapa muchacha, física y anímicamente grotesco, un tipo feo, gor-
do, calvo y por añadidura nada joven, además de torpe y ridículamente pretencioso en su vanidad, es muy posible que obtengamos
sin mucho esfuerzo la risa de los espectadores, sobre todo si el
hombre que ha triunfado como marido posee esa especie de virtudes que parecen suscitar con más frecuencia el amor de una mujer: inteligencia, simpatía y prestancia física.

Véase, pues, cómo unos mismos versos nos dan alternativa-
mente la impresión de poéticos, absurdos o cómicos, según los
diga un individuo u otro, porque, como vemos, ese cambio implica la correlativa modificación de nuestra actitud frente al contenido anímico del personaje: asentimiento en un caso, disenti-

miento y no tolerancia en otro y disentimiento pero tolerancia en el tercero.

PERCEPCIÓN DE SENTIMIENTOS ERRÓ-
NEOS: LA POESÍA "SENTIMENTALOIDE"

La frase "poesía sentimentaloide" puede significar a veces sentimiento mal expresado. Mas en muchas otras ocasiones no quiere decir esto. Hay sentimientos bien expresados que son, no obstante, sentimentaloides. Cuando en tales casos decimos que un poema es sentimentaloide no nos referimos tampoco a un hecho de cantidad. No es un sinónimo que usamos para indicar que aquel poema es "sumamente afectivo", pues cabe incluso que su pretendida afectividad sea relativamente pequeña; y aunque la peyoración indicada acuse una demasía, tal exceso no resulta de una consideración abstracta, como por ejemplo, el pensamiento general de que debamos ser hasta determinado grado pudorosos en la exhibición de nuestra intimidad, sino de una consideración *concreta*: exceso con respecto al *concreto* objeto excitante.

Lo sentimentaloide se produce cuando media un error en la relación sentimiento-causa. Se trata siempre de una cierta incongruencia en nuestra respuesta afectiva a un motivo. La afectividad, para que sea plenamente poética, necesita la plenitud de nuestra aquiescencia. Pero tal plenitud no la otorgamos sino cuando el sentimiento que el poema nos muestra lo juzgamos, a la manera implícita que es propia de esta especie de juicio, como correcta reacción a su correspondiente estímulo. En la medida en que tal ajuste no se produzca, nuestro asentimiento padecerá, pudiendo llegar a extinguirse si el desequilibrio traspone un límite preciso, más allá del cual comienza el reinado del chiste o del absurdo. Llorar demasiado el poeta ante realidades que en su contexto poemático son juzgadas por el lector como no merecedoras de lágrimas, es un método seguro para conseguir que éste no llore y a veces para conseguir que se ría. Sin llegar casi nunca a tal extremo, la impaciencia que en ocasiones experimentamos ante algún que otro poema romántico suele nacer de ahí. El cultivo del sentimiento en el arte no es de ningún modo un demérito: al contrario; el mal empieza cuando practicamos el don de lágrimas a destiempo, porque corremos el riesgo de que los lectores se den cuenta de ello antes que nosotros y sólo nos acompañen sus displicentes sonrisas. Como el romanticismo creía que llorar era interesante, propendía, en algunos de sus representantes y no en sus buenos momentos, claro está, a hacerlo ante cualquier cosa, incluso ante aquellas que "no merecían la pena". Pero en esto se hace preciso matizar: la idea de que un sentimiento no guarda proporción con su causa, tampoco cabe deducirla de modo general, sin tener en cuenta quién es el personaje que así se equivoca. Pues no podemos exigir a un muchacho la misma "precisión" afectiva que a un hombre maduro, al cual los años le obligan a contestaciones sentimentales más adecuadas. En el Juan Ramón Jiménez inicial, encontramos a veces la descripción de sentimientos que nos parecen encantadores porque están referidos a adolescentes; pero que serían inaceptables (no asentibles) en personas de más experiencia. He aquí un ejemplo:

Adolescencia

En el balcón un instante
nos quedamos los dos solos.
Desde la dulce mañana
de aquel día éramos novios.
—El paisaje soñoliento
dormía sus vagos tonos,
bajo el cielo gris y rosa
del crepúsculo de otoño—.
Le dije que iba a besarla;
bajó, serena, los ojos
y me ofreció sus mejillas,
como quien pierde un tesoro.
—Caían las hojas muertas
en el jardín silencioso
y en el aire erraba aún
un perfume de heliotropos—.
No se atrevía a mirarme:
le dije que éramos novios
...y las lágrimas rodaron
de sus ojos melancólicos.

Nosotros, que hemos pasado hace tiempo la linde de la primera juventud, no nos solidarizamos con la creencia de que un beso, otorgado en virtud de un amor indudablemente puro, represente la pérdida de un tesoro. Tenderíamos a no asentir ante el subsiguiente llanto de tan escasa justificación *objetiva* ("y las lágrimas rodaron — de sus ojos melancólicos"); pero, sin embargo, asentimos, pues quien así llora no es un hombre muy vivido de 40 años, sino una muchachita de 15 de quien cabe esperarlo como natural, en el mismo sentido en que comprendemos que un niño de cinco años eche unas lagrimitas cuando le mencionamos el Coco. Para probar que tal es la razón de nuestro asentimiento en el presente caso basta suponer que el poema mencionado no lo ha escrito Juan Ramón, sino una muchacha muy joven, que nos cuenta del modo siguiente la reacción de su maduro galán, un hombre, por ejemplo, de 40 años, ante el primer beso que ella le da:

> Le dije que iba a besarle;
> bajó, sereno, los ojos,
> y me ofreció sus mejillas
> como quien pierde un tesoro.
> ... ...
> No se atrevía a mirarme.
> Le dije que éramos novios,
> ...y las lágrimas rodaron
> de sus ojos melancólicos.

Los pasajes que acabo de copiar se truecan en resueltamente cómicos. Los cambios efectuados son aparentemente insignificantes ("besarle" en vez de "besarla"; "sereno" en lugar de "serena"); pero tales minucias bastan para que disintamos del contenido anímico que se nos brinda, al hacernos percibir la incongruencia sentimental del protagonista, ridículamente inconsecuente con la experiencia vital que los años deberían haberle proporcionado.

Y si el mismo poema que escribió Juan Ramón muy joven, lo hubiese compuesto en una edad más avanzada, tampoco asentiríamos del todo, porque ciertas estrofas simbólicas del romance en cuestión nos prueba que el autor se solidarizaba con los sentimientos de la muchacha, y que, en el fondo, pensaba como ella. Esas hojas muertas que caen, ese perfume de heliotropos que aún yerra (símbolos respectivos de la pureza que se desvanece en la muchacha y del candor que, *pese a todo,* aún perdura en ella) nos indican el pensamiento soterrado del autor, ante el que sólo nos es dable asentir conociendo la temprana edad en que el poema fue concebido. Por eso, la edad que un poeta tenga al escribir es muchas veces un dato esencial, sin cuyo conocimiento no es posible emitir un juicio medianamente responsable acerca de la calidad *objetiva* (subrayemos el calificativo) de una composición determinada: nuestro asentimiento está en juego y con él la posibilidad o al menos el grado de la emoción que vayamos a recibir.

Valga esta observación para el caso de que los sentimientos expresados en el poema hagan de algún modo *figura* en él de ser los del propio autor. Porque, claro está que cuando el poeta atribuye los sentimientos no a su yo literario sino a un personaje distinto con el que además no se solidariza, la consideración de los años que el autor disfrutaba en el momento de escribir es indiferente a nuestra aquiescencia.

PERCEPCIÓN DE CONCEPTOS ERRÓNEOS

Ampliemos las ideas anteriores a un círculo más vasto, y pensemos que lo que acabamos de establecer para el mundo de los sentimientos, es igualmente válido referido al mundo de los conceptos. No sólo existen a veces en la poesía sentimientos que no deberían existir; en ella hay también en ocasiones pensamientos impropios de la madurez humana, y ante los cuales no asentimos. No me refiero, por supuesto, a la validez objetiva de los pensamientos poemáticos. No se trata de que lo que se dice en el poema se ajuste a los hechos reales, ni siquiera de ese modo indirecto que parece propio del arte, como cuando hablamos de "labios de coral" para indicar que los labios en cuestión son muy rojos. Un pensamiento objetivamente falso puede ser poéticamente asentible, si comprendemos como verosímil que alguien *sin dar muestra alguna de deficiencia* pueda pensar así. Pero en caso contrario, nos enfrentaremos con conceptos artísticamente inaceptables. Falsos no sólo desde el punto de vista de la realidad, sino desde el punto de vista de la poesía. Por su paralelismo con los sentimientos sentimentaloides, habría que llamarlos, un poco en broma, conceptos "conceptoides". Cuando un poema o una visión del mundo en su conjunto están construidos sobre una estructura lógica de esta especie, decimos que son infantiles, ingenuos, o bien ñoños, y literariamente los descalificamos. Claro está que esta descalificación, resultado de nuestro disentimiento, puede ser absoluta o sólo relativa, y en este último caso, más frecuente que el primero, nos hallamos ante poesía degradada, pero todavía reconocible.

PERCEPCIÓN DE VALORES ERRÓNEOS

No sería difícil de probar algo semejante para la percepción de los valores. La percepción de lo bueno y de lo malo, de lo heroico y de lo vil, de lo grande y de lo mezquino, etc., está sujeta al mismo tipo de errores que tratamos aquí de enjuiciar. Una jovencita inexperta y timorata, educada de un modo pacato, puesta a escribir, aun cuando no le faltase talento literario en otro sentido, podría dar un peligroso traspiés en el momento de tener que calificar, explícita o implícitamente, de mala o de buena una realidad moral, que el lector maduro y responsable, con más experiencia de la vida, conoce en dimensiones menos simplistas o sencillamente diferentes. Por otra parte, en la vida, pero también en el arte, encontramos casos de héroes que nos impacientan por la inutilidad cuando no por la equivocación de su heroísmo. Y sólo hay una cosa literariamente peor que llorar demasiado por motivos fútiles: que el autor se solidarice con un personaje poético cuando éste da su vida en pro de algo que los lectores, ante los datos concretos del texto de que se trate, saben de valor escaso o nulo y hasta negativo, y sin que medie tampoco una suficiente justificación subjetiva por parte del protagonista, que pueda humanamente explicar un sacrificio tan superfluo. Juzgamos entonces que el poeta yerra gravemente en su percepción de la jerarquía axiológica, que su mirada desordena; y cuanto mayor sea el error, o sea, cuanto menos valga, a juicio del que lee, aquello que el "héroe" defiende y, por otro lado, menos satisfaga la subjetiva motivación que podría moverle, la corriente de nuestro asentimiento fluirá con menos energía, hasta secarse del todo en el caso extremo, puramente teórico, de que desciendan a cero esos dos elementos que lo condicionan.

Digo "puramente teórico" porque en la práctica literaria sería casi imposible o imposible del todo encontrar un ejemplo-límite del error que examinamos, precisamente porque el buen escritor y aun el mediano, que son los únicos de que la crítica se ocupa, por definición han de evitar instintivamente fallos tan absolutos y aniquiladores. Pero, en cambio, no sería muy trabajoso dar con ejemplos de más pálida y diluida equivocación en este sentido, ante los cuales, el lector, sin llegar a disentir por completo, experimenta una desapacible sensación de inconformidad, que se traduce en la menor plenitud de su aquiescencia.

Apliquemos aquí también lo que hemos sentado para los sentimientos "erróneos": el disentimiento que suponemos se produce sólo en aquellos ejemplos en que hay solidaridad entre autor y personaje. Porque si el autor permanece libre frente a su criatura; si establece una distancia con respecto a ella, juzgándola desde más arriba en el mismo sentido que el lector, la cosa cambia, pues claro está que entonces habrá desaparecido la razón que debilitaba o anulaba nuestra aquiescencia.

MORALIDAD DEL ARTE

Nuestra teoría del "asentimiento" puede buscar acaso otra solución al viejo problema de la moralidad artística. Los viejos retóricos solían repetir que la faena poética consistía en "deleitar enseñando". El poema llevaba una intención moralizadora, aunque se acompañase de placer; era agradable, aunque útil.

Ha estado en boga el desdén por tan arcaica concepción desde que se supuso que el arte no tenía finalidad fuera de sí mismo. Y la nueva idea, con todas sus múltiples matizaciones, ha desplazado casi tanto volumen, si no en extensión, sí en profundidad, como su antecesora y contraria. Pero a su vez, ocurre que hoy esta gallarda tesis del arte como producto que llamaríamos autónomo empieza a ceder su sitio a otros conceptos, tal el de arte social, etc., que nos recuerdan, no sé si peligrosamente, el didactismo de los viejos tiempos. Y no obstante, es evidente que existe una relación entre arte y ética. Sólo que, a mi juicio, esa relación no consiste en que el poeta deba ser algo así como un gratísimo sustituto del dómine, sino en el hecho, palmario a mi entender, de que ninguna especie de arte pueda ser *inmoral,* si damos a este adjetivo una significación más amplia que la usual. La poesía no puede ser inmoral en un cierto sentido, y en ese mismo sentido tampoco puede serlo el chiste, según en otro apartado hemos de ver.

No me refiero, sobra advertir, a la moral tejida por las convenciones sociales (aun las más útiles y respetables), pero tampoco a la estrictamente confesional, sino a la moralidad en su más abarcadora significación. Quiero decir que al autor de un poema no le cabe ponerse, por ejemplo, *de parte de lo que para la conciencia del lector* sería una injusticia *radical,* pues en tal caso éste no haría merced de su "asentimiento" a una masa anímica que le parecería indigna de existir como interna representación propia.

Se me dirá que un católico es capaz de gustar, pongo por caso, aquel poema religioso de José Luis Hidalgo, reproducido y comentado en la página 286 de este libro:

> Has bajado a la tierra cuando nadie te oía
> y has mirado a los vivos y contado a tus muertos.
> Señor, duerme sereno, ya cumpliste tu día.
> Puedes cerrar los ojos que tenías abiertos,

en que se nos presenta la visión de un Dios desprovisto de misericordia. Esa visión, acaso se me arguya, es injusta, si la miramos desde una conciencia cristiana, y no obstante, desde esa misma conciencia podemos experimentar su lírica emanación. Para solucionar este enigma nos basta con recordar lo que en aquella página escribimos: "La insospechada semblanza que de Dios hace

Hidalgo no por sorprendente se nos enajena, ya que despierta en nuestra alma lo que en ella está confusamente larvado. Lo que hay en nuestro espíritu de virtual protesta contra la desarmonía del mundo, contra el dolor, contra la muerte, súbitamente se ilumina, y por ello aceptamos poéticamente la feroz imprecación de ese serventesio. Si los hombres se hallasen eximidos de dolor y de muerte, los versos de Hidalgo serían absurdos." Serían absurdos —podemos añadir ya— porque entonces contemplaríamos el dicterio como *radicalmente* injusto y, en consecuencia, no le honraríamos con nuestro "asentimiento".

La injusticia de que hablamos ha de ser, pues, repito, *radical* para que resulte obstructora del acto lírico. Llamo injusticia de raíz aquella que no es despojable de su cualidad de tal dentro de una ética distinta de la nuestra, ética que determinadas circunstancias, *no extrañas para nosotros,* eso es indispensable (presencia del dolor y de la muerte en nuestra vida, caso de Hidalgo), hacen *posible.* Porque una moral que comprendemos *posible* no es *radicalmente* injusta en nuestro sentido ni aun percibida desde el opuesto margen, y sobre ella puede levantarse sin esfuerzo el cuerpo invicto de la poesía. Claro está que esa *posibilidad moral* de una representación poética es algo que también consiente la gradación. Podemos considerar más o menos *posible* el conjunto de implicaciones éticas de un poema, y esta consideración influirá correlativamente en la fuerza de nuestro "asentimiento". A mayor posibilidad, mayor "aquiescencia" del lector, y cuando aquélla se haga muy grande, grande se hará, asimismo, ésta. Una composición "réproba" (o con otra suerte de "inmoralidad"), según eso, no pierde *prácticamente* nada de su carácter poético si es el resultado de una ética a la que otorgamos un máximo de posibilidad. Mas tampoco lo pierde, aunque trasluzca una injusticia completa, cuando es un personaje distinto del autor *y de parte del cual éste no se pone* quien así se expresa. Acabo de dar aquí por supuesto que el poeta no necesita emitir taxativamente un juicio adverso a su protervo héroe. Basta, repito, con que no se muestre como partidario suyo, pues al escribir sus versos, neutrales sólo en la apariencia, está apelando tácitamente, pero con todo brío, al sistema de convicciones morales en que el lector se halla aposentado. Ese sistema se encarga, sin más, de corregir la simulada indiferencia ética del autor, el cual no habla porque no necesita hacerlo. El inevitable repudio entra de este modo en el juego como un sobreentendido silencioso entre poeta y lector, como algo con lo que se cuenta y que, por tanto, no es menester plasmar en forma explícita. Anotemos de pasada que de nuevo tropezamos aquí, y ahora desde perspectiva diferente, con la activa, aunque invisible, intromisión del lector en la obra de arte, pues eso que el poeta silencia *lo dice,* a su manera muda, el que lee [4].

Otra vez observamos que no todo contenido anímico es transportable por la palabra poética. Cabe al autor experimentar sentimientos, sensaciones o ideas imposibles de trasmitir poéticamente si esas realidades anímicas son de tal naturaleza que su expresión no acarrea el "asentimiento" de un público. El poeta en cuanto hombre es a veces "inmoral"; siente afectos, en ocasiones, radicalmente injustos. No le es lícito, sin embargo, como hemos intentado mostrar, plasmarlos en sus versos, excepto si no se solidariza con ellos; no le está permitido desnudar públicamente lacras tan notorias. Claro está que, con todo, existe el escape de un subterfugio. Supongamos que el odio del poeta hacia una perfección A del mundo real fuese radicalmente injusta. El poeta no podría, en principio, expresar ese odio; pero podría presentarnos la perfección A como imperfección, y si consiguiese realizar esa "trampa" sin la protesta del lector, el odio se haría "aceptable", y por ello, poético.

Por todo lo que llevamos dicho, un literato no puede ser "inmoralista" aunque quiera serlo, si no desea al mismo tiempo con idéntica intensidad dejar de manifestarse como un escritor verdadero. Los que han recibido o se han asignado a sí mismos aquel paradójico calificativo han sido siempre no inmoralistas, sino moralistas, sólo que la moral en cuyo nombre predicaban era lo que llamaríamos en vulgar metáfora "moral de la acera de enfrente".

A una conclusión más nos conduce el conjunto de nuestra argumentación. Los elementos éticos de un poema no son meros *añadidos* a una obra de arte, no son superfluas coberturas de sentido

---

[4] Véase más arriba, pág. 325.

práctico y no estético. Debemos acostumbrarnos a ver la moralidad de una composición literaria como el único terreno donde pueden brotar y crecer las difíciles flores del arte. A mayor abundancia y mejor calidad de esa tierra, colores más bellos y lozanía más viva cobrarán las vegetales criaturas. Aparte de la otra condición de la lírica, cuanto más perfecta sea la ética de que se nutre un poema a juicio del que lee, tanto más firme será el "asentimiento" que éste le otorgue y por ello el poema resultará *mejor*. Valores morales y valores estéticos de un poema se manifiestan de este modo entre sí en calidad de absolutamente interdependientes y de radicalmente inseparables. Y de ahí que tales valores funcionen en nuestra sensibilidad, confundidos, como si fuesen la misma cosa.

MORALIDAD DEL CHISTE

Algo semejante acontece en el chiste. Hemos sostenido que el mecanismo cómico está montado sobre el "disentimiento" del oyente o espectador con respecto a un contenido anímico que éste juzga como ilegalmente nacido, al ser fruto de una mecanización vital (o su equivalencia), si al mismo tiempo comprende con suficiente claridad la causa del psíquico error. Pero con esto no hemos agotado aún nuestro conocimiento del fenómeno. Pues si desde una vertiente vemos que el chiste requiere un "disentimiento" del lector (o auditor), desde otra alcanzaremos a saber que el chiste también precisa, como la poesía, de un "asentimiento", aunque lo asentido, en este caso, sea de diferente índole que en aquella. En efecto, como todo chiste se burla de algo o de alguien, en todo chiste se ostentará la superioridad del chistoso sobre ese alguien o ese algo [5]. Para que haya chiste, es indeclinable que nosotros reconozcamos, que "asintamos" a esa superioridad, pues el disentimiento en tal caso significaría que no considerábamos grotesco el ser o el aspecto del ser sobre quien la burla recae. La risa del bur-

---

[5] Debo al escritor catalán Maurici Serrahima la idea de que en todo chiste existe un elemento de "superioridad" en quien se burla. El resto del análisis que intento en el texto es de mi entera responsabilidad.

lón habría de figurársenos entonces injusta, y esta razón ética obturaría el flujo de nuestra hilaridad.

Claro está que en el chiste, paralelamente a lo que sucede en la poesía, además de este disentimiento sin apelación, hay la "aquiescencia" poco entusiasta. Nuestra "aceptación", así, puede ir desde un máximo a un mínimo de intensidad, e incluso, como acabo de sostener, cabe que descienda hasta un cero rechazador. Conviene que antes de exponer algún ejemplo concreto condensemos en un esquema, según hicimos en el caso poético simétrico, las leyes del chiste, tal como las acabamos de completar. Diríamos ya que un chiste superará a otro:

1.º Si nuestro disentimiento (que también tolera gradación) ante un contenido anímico "ilegal" es más extremoso; dicho de otro modo, si la mecanización del sujeto resulta más completa.

2.º Si comprendemos más claramente la causa de tal mecanización.

3.º Si nuestra "aquiescencia" a la superioridad del ingenioso se da con menor reserva.

Permítaseme que antes de poner un ejemplo del último caso, que es el que especialmente nos importa por el momento, nos detengamos brevemente ante los dos primeros. En el capítulo anterior veíamos que si una frase como

> Divido a los críticos en dos clases: los malos y los que me elogian

es más cómica que otra que sonase así:

> Divido a los críticos en dos clases: los malos y los buenos, que son los que me elogian,

se debe a que en la primera la confusión o distracción del sujeto es más profunda. La discrepancia de grado en la comicidad de ambas versiones se debe aquí, pues, a una diferencia en la intensidad con que se cumple la ley del chiste que hemos numerado como inicial. Mas en otras ocasiones, el mayor o menor efecto hilarante se relaciona con la segunda ley. Si cierta frase de Churchill

> (las calamidades de Inglaterra son tres:
> Abadán, Sudán y Beván).

la traducimos al español poniendo el acento del apellido Bevan en la -á, notaremos la expresión más regocijante que si ese acento lo colocamos en la -é, porque en el primer caso, al hacerse la palabra "Beván" más afín fonéticamente a las dos anteriores ("Sudán" y "Abadán"), se justifica mejor la "equivocación" del autor. Y la prueba de ello la tenemos en que cuanto más se acercase el nombre del conocido adversario político de Churchill a los geográficos anteriores, más humorístico habríamos de hallar el resultado expresivo. En el supuesto de que Bevan no se apellidase así, sino, por ejemplo, Abedán, la frase alcanzaría un nivel de ingenio más elevado:

> las calamidades de Inglaterra son tres:
> Sudán, Abadán y Abedán.

Y pasemos ya a la ley tercera. Tomaremos ahora un par de ejemplos tan sólo: el primero de "aquiescencia" débil, y por tanto, de efecto deficiente; el segundo de "disentimiento" radical, y, en consecuencia, de efecto nulo.

Cierto escritor actual comenta el curioso intento hecho, al parecer, por alguien de traducir a fonética humana el canto de los ruiseñores. El resultado de tal pretensión había sido una especie de "poema", constituido por la sucesión articulada de unos sonidos desprovistos de significado. Nuestro autor se refiere a esa construcción puramente fónica con las siguientes palabras:

> Sólo conocemos un fragmento del enigmático poema, tan parecido, por lo incomprensible, a la poesía pura.

Confieso que a mí esa frase me produjo escasa gracia cuando la leí, aunque sí alguna. Tal penuria en el efecto humorístico no hemos de atribuirla a que la comparación cómica cumpla torpemente su cometido, sino al hecho de que sólo *mínimamente* y sólo en un sentido especial, que luego haré ver, "asiento" a la "superioridad" en este caso del satírico. Considero que la "poesía pura" (que tuvo su época y alguno de cuyos cultivadores admiro) no es objeto ridículo y *en principio* pienso que el chiste citado exhibe más a tal respecto la inferioridad que la "superioridad" de su autor. Me parece que éste demuestra su insuficiencia como lector de poesía en ese momento, y que es tal insuficiencia la que le lleva a burlarse de una escuela literaria que en su tiempo tuvo razón de existir. Reírme con él hasta el grado en que me solicita significaría mofarme de algo que estimo como respetable. Pero antes he dicho que mi insolidaridad con la frase citada no es total, y ahora debo explicarlo. No me cierro a cal y canto en mis convicciones personales porque veo como "posible" (pero sin otorgar un máximo a tal posibilidad) que alguien juzgue ininteligible esa lírica y adopte, en consecuencia, una actitud incomprensiva y humorística con respecto a ella. Notemos que el paralelismo con la poesía continúa. Acabamos de registrar que para que exista comicidad es suficiente con que aparezca *sólo como posible* la superioridad de quien bromea; y, lo mismo que antes anotábamos para la poesía, esa posibilidad puede ser muy grande (y entonces el efecto humorístico apenas desciende en comparación al caso del "asentimiento" rotundo), o muy pequeña, tal el ejemplo comentado (con lo que la risa disminuye en idéntica proporción).

He de advertir aquí el influjo negativo, sin paralelo en la poesía, que en nuestra risa ejerce la proximidad en que nos hallemos al objeto satirizado. Quevedo y otros coetáneos suyos fueron en alguna ocasión injustos con Góngora al parodiar y ridiculizar su estilo y, sin embargo, esta injusticia prácticamente no nos afecta en nuestro asentimiento al vejamen porque la vemos como *posible* y porque Góngora se murió hace más de tres siglos. La discrepancia entre este ejemplo del siglo XVII y el antes citado obedece con toda probabilidad a que sentimos con mayor calor la injusticia en un caso que en otro. Ante el contemporáneo nuestro, por nuestra cercanía a él, experimentamos una solidaridad mucho mayor. En cierta medida y hablando sólo relativamente, en ese caso que nos es vecino parece como si fuésemos nosotros mismos los burlados, pues lo somos en nuestras convicciones vivas, que rigen nuestra actuación de hombres de hoy. Agrandando el caso para verlo mejor, diríamos que el chiste se ríe de nosotros, y está claro que a nadie satisface la situación de ridículo. Escasamente y sólo a título heroico nos permitimos asentir a las burlas (como no sean en materia leve) que se nos dirigen, o que dirigen, por ejemplo, a los seres que amamos, como nuestra madre, para ponerme en lo más evidente.

Pasemos ya a considerar el caso segundo, en que nuestra "aquiescencia" se ha anulado. Tal es el origen de lo que se han llamado "chistes de mal gusto", que si lo son absolutamente se escucharán en el más mortificante de los silencios. En el capítulo anterior examinábamos como cómica la comparación de una mujer manca con Venus; pero añadíamos que para ser de hecho hilarante era preciso que el símil se rodease de un contexto especial destructor de su carácter, en principio, dudoso. Para que el radical "disentimiento" se produzca es, pues, preciso que ese "mal gusto", esa injusticia del vejador se nos aparezca como completa; ha de ser de tal naturaleza que no experimentemos como *posible,* desde ningún punto de vista, el hecho de la befa. De un periódico copio el siguiente trozo de "humor" irónico:

> La verdad es que hay días aciagos. Más que miércoles 30 mereció ser martes y 13. Y si no lo creen así, pregúntenle a esa pobre chica que fue a dar con sus huesos en la calle desde un segundo piso mientras estaba sacudiendo una estera. ¡Luego hablan de la indolencia de las chachas! Claro está que a lo mejor mientras vapuleaba la alfombra podía estar pensando en otra cosa, y ahí podría hallarse la razón de que sacudiese con tanto brío. Menos mal —y soy el primero en celebrarlo— que se causó únicamente lesiones no graves, al parecer, por lo que dentro de poco estará en condiciones de sacudir de nuevo el polvo a lo primero que se le ponga por delante. Y quiera Dios que no se trate de ningún cristiano.
>
> Sin embargo, no estaría mal disponer de unas cuantas muchachas tan enérgicas como ésta para que se las entendieran con esos mozalbetes más o menos "calés" (...) que siguen cultivando (...) el arte de explotar el turismo por su cuenta...

El autor de este pasaje intenta hacernos sonreir con una serie de chistes en relación con las sirvientas, a propósito de la caída que desde gran altura ha sufrido una de ellas mientras cumplía con su obligación. Un impulso moral nos veda, sin embargo, experimentar en este caso la fruición humorística, pues la caída de una muchacha desde un segundo piso nos parece objeto impropio para bromas de ningún género. Claro está que el autor ha querido borrar de su literatura ese negativo resultado, añadiendo un párrafo donde expresa la escasa gravedad de las lesiones sufridas. Mas si una caída de esa importancia nos priva, pese a todo, de la posible seducción cómica del trozo elegido, resultará fácil imaginar cuál sería nuestra reacción en el caso de que fuesen graves o, con más evidencia, mortales las consecuencias del accidente y el propio humorista lo dijese en su escrito. He ahí la injusticia total a que antes aludí, y el correlativo total "disentimiento".

INTERVINIENDO EN UNA POLÉMICA

En el apéndice de un ensayo sobre Dante (*Selected Essays*) Eliot polemiza con I. A. Richards acerca de un punto del mayor interés para nosotros, pues roza, aunque sólo por una linde, la cuestión central que tenemos aquí planteada.

Eliot se pregunta si es posible gozar una poesía sin participar en las creencias del autor; concretamente, si un agnóstico (que como hombre, claro está, no cree en la teología católica de Dante) puede encontrar placer en la lectura de la *Divina Comedia*. Advierto que participar en las creencias de un autor no es lo mismo que participar en su moral, aunque ambas cosas puedan relacionarse y la solución de una que hemos dado pueda servir para la otra. Volvamos a Eliot. En el texto de su ensayo Eliot condensa su pensamiento así: "Si podemos leer la poesía como poesía "creeremos" [aunque seamos agnósticos] en la teología de Dante exactamente como creemos en la realidad física de su viaje; es decir, suspendiendo a la vez creencia e incredulidad". Y luego, en el apéndice citado, vuelve de nuevo a su idea negando que el lector "deba compartir las creencias del poeta para poder gozar *plena-*

mente[6] de su poesía". Pero inmediatamente añade esto: "tanto el punto de vista que he adoptado en este ensayo como el que lo contradice constituyen, si se llevan al extremo, lo que llamo herejías (no en el sentido teológico, naturalmente, sino en uno más general)". Y contradiciéndose con cuanto ha dicho anteriormente, remata su nota con la siguiente desenvuelta muestra de sinceridad: "He tratado de poner en claro alguna de las dificultades inherentes a mi propia teoría. En realidad, probablemente se encuentra más placer en la poesía cuando se comparten las creencias del autor".

Creo haber trasladado de modo fiel, aunque sucintamente, el sucesivo pensamiento de Eliot en el escrito mencionado. El lector seguramente habrá observado, no sin cierto pasmo, que entre pensar como innecesario "compartir las creencias del poeta para gozar *plenamente* de su poesía" y pensar que "se encuentra más placer" compartiéndolas, media un abismo de imposible salvación. La verdad es, y lo digo con el mayor de los respetos, que aquí el famoso crítico inglés parece no haberse puesto totalmente en claro sobre el asunto. Con todo, supongo al que siga este capítulo, si mira la cuestión a través de la ley del "asentimiento" y de su posibilidad de graduación, en condiciones ya de buscar por sí mismo una salida al laberinto en que nos encontramos.

Debemos estar de acuerdo con Eliot al juzgar que no es preciso compartir las creencias del poeta para gozarle. Basta con que nos parezcan *posibles*. Pero yo no aplicaría, como hace Eliot, al verbo "gozar" en este caso la determinación "plenamente", que es el origen de la confusión. No diría, pues, "gozar plenamente", sino "gozar suficientemente", y cargaría a este segundo adverbio con la máxima potencia positiva de que es capaz. Porque "plenamente" tiene una significación de absoluto que excluye la otra afirmación eliotiana: el hecho de que se "encuentre más placer" cuando creemos como hombres lo mismo que cree el poeta a quien estamos leyendo.

---

[6] El subrayado es mío.

Nuestra idea del "asentimiento", y con más concreción, nuestra idea de que tal "asentimiento" admita grados, repito, puede ser el hilo de Ariadna que nos ayude a salir indemnes del embrollo. Cuando un agnóstico sensible realiza la lectura de la *Divina Comedia*, ve como *posible* la teología dantesca, y, en consecuencia, "asiente" a la representación con que el poeta le solicita. Pero si ese lector es católico, tal "asentimiento" sube en un punto (todo lo leve que se quiera) su intensidad, alcanzando la verdadera plenitud, y por ello puede disfrutar con fruición algo más elevada los tercetos de la admirable obra [7].

IMITACIÓN Y FALSIFICACIONES

Análoga explicación cabe dar a otros hechos literarios que hasta ahora se han interpretado acaso con algún error.

Yo recuerdo que un día cierto escritor joven, que se había ganado muy merecida fama de simple imitador del gran poeta X, enseñó a mi amigo Vicente Gaos un poema que dio como suyo. —"¿Qué te parece?", le preguntó. Gaos lo leyó con calma, y le dijo: —"Es muy malo". El joven replicó, picado: "—Pues no es mío: es de X". Mi amigo no se inmutó. Sin cambiar el tono de voz, añadió inmediatamente: —"Ah, entonces es muy bueno".

La frase es divertida, pero es algo más que eso, pues encierra una verdad profunda. Yo leo ahora mismo un intenso poema escrito totalmente en la concepción de la vida y en el estilo cernudianos; si lo sé de Cernuda, me producirá hondo placer, mas lo desdeñaré, *ya casi no me emocionará*, si alguien me señala que no es de su mano, que lo ha escrito un aventajado discípulo suyo. Siendo las palabras idénticas, ¿por qué ahora apenas me roza lo

---

[7] También RENÉ WELLEK y AUSTIN WARREN tratan en su *Teoría literaria* (traducción de José María Gimeno Capella, ed. Gredos, Madrid, 1953), el tema que acabamos de examinar, sobre todo en relación con la teología del protestantismo ortodoxo que el *Paraíso Perdido* de Milton encarna. Pero se limitan a decir, sin mayor precisión, que el lector no necesita participar en las creencias del poeta.

que antes me conmovía? No olvidemos que la emoción poética no depende sólo de la ley intrínseca al poema (existencia de una sustitución, un procedimiento individualizador o sintetizador de la expresión), sino también de otra ley que en cierta medida está fuera del poema, está en mí, en su lector universal: la ley del "asentimiento". En el interior de la composición misma que comentamos no se ha introducido ningún cambio; pero he mudado yo con respecto a ella: no creo ya en la genuinidad del contenido anímico que se me intenta transmitir; ese contenido me parece falseado, puro reflejo de otra personalidad que sí es auténtica, reflejo, por tanto, ilegal, pues nadie puede coincidir hasta ese punto con una distinta persona. Aunque siga cumpliéndose la primera ley poemática, no se cumple o se cumple muy imperfectamente la segunda ley, la extrínseca, no menos esencial que la primera, y por eso la emoción se ha depauperado, o quizá ha llegado hasta la anulación, pese a que el poema permanece inmutable.

Si de las imitaciones pasamos a las falsificaciones, nuestra explicación será la misma. Recordemos un caso histórico en que esto último ocurrió con gran estridencia y en muy notables circunstancias: el caso de Ossian. Cuando Ossian fue creído un bardo del siglo III que genialmente se había adelantado a ofrecer emociones propias de tiempos muy posteriores, todos se sintieron inclinados a admirarle. Ossian emocionaba profundamente a los hombres sensibles de Europa (resumámoslos todos en el nombre de Goethe), y la lírica occidental romántica se pobló de "imitaciones" suyas. Desgraciadamente, se supo luego que Ossian era tan sólo una impostura de Macpherson. En adelante, nadie puso los ojos en blanco al leerle como había ocurrido hasta entonces. Y es que entre el poema fraudulento y el caliente corazón del lector se interponía una aplacadora capa de frígido escepticismo. Se era ya incrédulo acerca de la veracidad de aquellas representaciones anímicas, no se "asentía" a ellas, y el estremecimiento lírico se imposibilitaba [8].

---

[8] Wolfgang Kayser se plantea este mismo problema en su libro *Interpretación y análisis de la obra literaria* (ed. Gredos, Madrid, 1954, págs. 31-32), pero su solución, a mi juicio, anda lejos de ser satisfactoria. Pone el

DISENTIMIENTO ERRÓNEO

La ley del asentimiento nos explica unitariamente, según vamos viendo, numerosos hechos literarios que, sin esa motivación de conjunto, permanecían confusos o desconocidos, y siempre desligados entre sí porque lo estaban con respecto a su causa común. Pero además tal ley nos pone en la pista de muchos casos de crítica negativa errónea que hasta ahora eran clasificados como mera insensibilidad en la lectura, pues su honda razón permanecía oculta tras la tiniebla de cada singular intimidad. La existencia de la aquiescencia lectora como requisito de la obra de arte, no niega, naturalmente, para ésta la objetividad, porque el poema que lo es de veras nos obliga al asentimiento, igual que nos obliga a la emotiva comunicación. Pero también aquí podemos incumplir ese deber al que somos universalmente llamados. Nuestras individuales creencias, nuestras ideas sobre el mundo, nuestra experiencia de la vida, nuestros deseos y opiniones acerca de la sociedad y del hombre y su destino, son a veces demasiado sectarios y radicales, por sentirlos, en apreciación personal o de acotado grupo, muy urgentemente necesarios para poder realmente vivir. Y entonces cabe que consideremos el contenido del poema que contraría tan beligerantes, desplazadoras y entremetidas convicciones, como ilegítima-

---

caso de un espectador que se emociona ante una catedral que supone gótica. Cuando descubre que se trata de una falsificación del siglo XIX, se apodera de él un sentimiento de vergüenza. La explicación de Kayser es ésta: "Persiste, sin duda, la impresión estética [tras el chasco]: no se ha movido del sitio ni una sola piedra. Pero la emoción estética para el observador moderno ha constituido, evidentemente, sólo una parte de la impresión general. Había pensado escuchar un mensaje trasmitido por la obra, y al fin ha oído una mentira (...). No ha observado la obra sólo como monumento estético, sino, en una palabra, como documento."

El error de Kayser consiste en creer que "persiste la impresión artística" después del desengaño (puesto que las piedras siguen en su sitio), y que el cambio que se introduce en nuestro aprecio de la obra no consiste en el desvanecimiento de la emoción estética, al no asentir a ella, como nosotros proponemos, sino en la pérdida del carácter documental sufrida por el monumento contemplado.

mente nacido (no asentible), aunque de hecho erremos en nuestro particularísimo juicio. Un católico ferviente en un momento de grave peligro para su religión; un comunista o un liberal de ardiente fe en el supremo instante de la lucha final, pueden experimentar en sus vidas tan honda repugnancia por las ideas que les son contrarias, que la lectura de una obra literaria de la "peligrosísima" tendencia enemiga, subleve enérgicamente su espíritu, y se imposibilite así la audición del objetivo llamamiento aquiescente, que requiere para ser oído la apacible serenidad del ánimo. Si ese católico o ese liberal o comunista sienten poco o no sienten nada ante el poema en cuestión, no es, en tal supuesto, por escasez o por falta de sensibilidad, que puede ser grande, sino porque para ellos, a causa de un yerro propio, psicológicamente explicable (dada la aguda situación de riesgo en que se siente), el poema *realmente* es mediocre, al no cumplir *en su representación* con una de las leyes fundamentales de la poesía.

LOS CAMBIOS DE GUSTO

Sabido es que casi todo escritor que llega a la ancianidad une a la amargura de sentirse un poco retirado de los placeres de la vida, la de saberse parcial o completamente incomprendido por las generaciones más jóvenes. El grado en que esto ocurra suele depender más de un cierto tipo de azar que del objetivo talento que el escritor, de hecho, posea.

Hay escritores con suerte y escritores sin ella. Parece que haber nacido a la literatura en el inicio de una era estética, comprensiva de varias centurias, es preferible a incorporarse a las letras en el comienzo de un mero siglo; y esto último mejor que ser el iniciador de una simple época. Y al revés, nuestra fortuna como escritores será escasa si, en vez de estrenar, liquidamos el gusto preexistente. Pero en la desdicha, como en la dicha, cabe la gradación; y así, pertenecer a las postrimerías de un período muy extenso y abarcador, es pésimo; y no lo es tanto si lo que cerramos es un segmento temporal de menos duración. Según esta ley, Garcilaso, que trajo a España un gusto destinado a vivir tres siglos, fue afortunadísimo; y Quintana o Meléndez Valdés, que se manifestaron en los estertores de tal sensibilidad, se nos muestran como, en este sentido, desgraciados. Quintana, al parecer, dejó de escribir relativamente joven, y lo mismo le ocurrió a Moratín. No me extraña nada, porque el nuevo gusto, cuya llegada ellos tuvieron ocasión de presenciar, era demasiado distinto de aquel en que se formaron para que les fuera posible asimilarlo. Si en vez de asistir, en calidad de últimas víctimas, al entierro monstruoso de una era, hubieran sido protagonistas de un sepelio de menos proporciones, seguramente los muertos hubieran resucitado y hubiésemos tenido acaso un Quintana y un Moratín remozadamente instalados en un tiempo diferente que por ser menos discrepante del suyo los hubiese como embebido sin grave dificultad.

El gusto, pues, cambia; unas generaciones son incomprensivas con otras; en ocasiones tal ceguera se prolonga durante muchos años; a veces dura poco. No importa: el hecho es siempre el mismo. ¿Qué es lo que ocurre? ¿Cómo podríamos explicar un fenómeno tan frecuente y cotidiano, por un lado, y tan extraño y en definitiva sorprendente, por otro? Pues no cabe duda de que un cierto grado de insensibilidad para la generación, o la época o la era, que antecedió a la nuestra es muy común. Y sin embargo, esas obras relativamente repudiadas por nosotros encandilaron a nuestros progenitores o antepasados, y probablemente volverán a entusiasmar a nuestros descendientes. Objetivamente, pues, merecen ser admiradas. ¿Hallaremos una razón para nuestro injusto despego?

Las obras no han cambiado: son las mismas de ayer. Pero si nosotros no gustamos de ellas o gustamos poco es que _en nuestra representación no son las mismas._ ¿Es esto posible? Hemos visto que un poema consiste en el cumplimiento de dos leyes: la ley de la individuación del significado y la ley del asentimiento. Si una de las dos no se cumple o se cumple mal, el poema desaparece o queda mermado, o sea: es otro. Pero la ley del asentimiento hace relación con el hombre, y aunque su cumplimiento es un _deber,_ el hombre, ser eminentemente circunstancial, puede eventualmente desoírlo si de algún modo está vitalmente interesado en la negación de lo que creyeron sus antecesores, humana y literariamente. En este caso, otorgará su aquiescencia a la literatura del pasado de un modo más o menos sofrenado, según se sienta más o menos vitalmente comprometido en contradecirla. Y claro está que, en igualdad de condiciones, nuestra vida se muestra más polémica con respecto a nuestros padres que en lo relativo a nuestros abuelos; y más en lo tocante al siglo XIX que en lo que atañe al XVII, que le coge mucho más de lejos. Y menos aún podrán ser un estorbo para nosotros, por ejemplo, los siglos anteriores a Cristo. Y así, gentes a quienes molesta el sentimiento del honor de la comedia española, dejan de sentirse defraudadas con respecto a la presencia del *fatum* en la tragedia griega, que tiene sentido muy semejante.

Pero las cosas son, en realidad, más complejas y contradictorias. Porque al alejarnos en el tiempo, lo que se gana en serenidad de ánimo, condición indispensable para que el asentimiento se produzca con plenitud, se pierde en interés por los correspondientes contenidos que en las viejas obras se plasmaron; contenidos que hoy sólo a través de un esfuerzo imaginativo, en ocasiones penoso, podemos representarnos como *posibles* dentro del mundo que conocemos tan diferente y discrepante con respecto al que los hizo aparecer. Mas si tales contenidos serían *en el mundo de hoy* poco verosímiles y únicamente podemos verlos como tales *esforzando* nuestra fantasía, parece natural que asintamos también *con esfuerzo* y en consecuencia que nuestra emoción disminuya.

EL MODIFICANTE EXTRÍNSECO

A lo largo del presente libro hemos ido deduciendo que la poesía se rige por dos leyes: una primera ley que llamábamos *intrínseca* (individuación o sintetización de las expresiones) y otra ley a la que denominábamos *extrínseca* (asentimiento del lector al contenido anímico propuesto por el poeta). Hemos comprobado también, teórica y prácticamente, cómo en cada instante poético hay siempre un modificante, un elemento que provocando la sustitución obliga a la frase a cumplir con la ley intrínseca a toda poesía. Quisiera ahora mostrar que ocurre algo en cierto modo paralelo con respecto a la ley extrínseca: que dado un sustituyente, es siempre igualmente registrable el elemento que nos lleva a obedecer esa ley, a *aceptar* el flúido psíquico encerrado en la composición de que se trate. Para no complicar nuestra terminología inútilmente, a este segundo elemento le daremos también el nombre de modificante, puesto que su misión coincide exactamente, dentro de su distinto ámbito, con la del elemento primero, al que llamábamos hasta ahora exclusivamente así. Estamos, pues, dispuestos a decir que en todo momento lírico hay dos especies de modificantes: un modificante "intrínseco" y otro "extrínseco". Pero el nombre que doy a esa pareja de términos es forzosamente tan equívoco que debo añadir algo que nos saque de nuestra probable confusión. Y así diré que apellidaremos de "intrínseco" o de "extrínseco" un modificante, no en cuanto a su propia localización (dentro o fuera del poema), sino en cuanto a la localización de la ley poética de que depende. Modificante "extrínseco" será el que atañe a la ley poemática de ese nombre, hasta en el caso de que tal modificante se instale en las palabras mismas del poema; y será "intrínseco" el modificante que, aunque instalado únicamente en nuestra conciencia, se refiera a la ley intrínseca de la composición lírica. En sustancia: si, como hemos comprobado a lo largo de este libro, el modificante intrínseco podía hallarse en el poema mismo o en nuestra psique de lectores, esas dos situaciones diferentes puede también adoptar el extrínseco.

Empecemos a probarlo para el caso en que el modificante extrínseco se halla en el recinto mismo poemático. Recordemos un ejemplo lorquiano de ruptura en el sistema de las convenciones sociales, descrito en la página 297 del presente trabajo:

> Bajo la adelfa sin luna
> estabas fea desnuda.
> ....
> ¡Qué fea estabas, francesa,
> en lo amargo de la adelfa!

La vejación en que tales versos consisten, pensábamos, ha de estar justificada; no toda vejación es poética, ya que puede ser igualmente cómica o absurda. En los versos citados, la justificación que impide esto último, dijimos, es el complemento "en lo amargo de la adelfa", que *da sentido* al octosílabo anterior. En efecto, lo que el poeta ha querido expresar es esto: "Tu desnudo resulta inadecuado, y por tanto, feo, al lado de la ardiente planta brotada de este suelo, la adelfa, cuya radical autenticidad, refinada y compuesta mujer francesa, te es ajena por completo." La expresión "en lo amargo de la adelfa", está, pues, impeliéndonos a *aceptar* el denuesto, el contenido de la ruptura; es el modificante extrínseco que torna poético lo que podía no haber pasado de ser una grosería.

En otros muchos casos, como hemos adelantado, el modificante extrínseco se sitúa, no en el poema, sino en nuestra conciencia. Así acontece, para aducir el ejemplo más fácil, en la metáfora "cabello rubio como oro", donde el modificante extrínseco es nuestro conocimiento de que el oro y el cabello rubio se asemejan en su color.

Todo lo dicho vale, *mutatis mutandis,* para el chiste, pese a que el chiste no está basado en un asentimiento, sino, por el contrario, en un disentimiento en relación al contenido anímico manifestado en la expresión. Pero nótese que la diferencia entre el chiste y el absurdo reside justamente en que, en el primer caso (en el chiste), aunque *disentimos* de la masa anímica que se nos ofrece, la *toleramos* en gracia de algo que la justifica, mientras en el caso segundo (en el absurdo) *disentimos* y además *no toleramos* el estado de alma errónea. Pero ese algo que nos obliga a la risueña tolerancia es nuestro conocimiento de por qué es equivocado o torpe, etc., el ánimo del sujeto; tal será, a no dudar, el modificante extrínseco del chiste. En la frase de Gogol, reproducida por nosotros en la página 290 de este libro:

robas demasiado para un funcionario de tu categoría,

tendremos el modificante extrínseco en el hecho, sabido por todo lector, de que la inmoralidad administrativa no es cosa absolutamente desconocida en el planeta que habitamos. Y algo parecido sucede en el chiste acerca de Bernard Shaw, que hemos copiado más arriba (página 290): allí lo que justifica la comicidad es la fama de avaro de que disfrutaba el ilustre dramaturgo. En fin, los ejemplos podían ser tantos como casos poéticos o cómicos existen, ya que en todos ellos es analizable el ingrediente en cuestión.

CONCEPTO MÁS EXTENSO DE
MODIFICANTE EXTRÍNSECO

En todo este libro hemos venido utilizando un concepto de sustituyente que mirado desde nuestro radical propósito nos ha rendido un servicio cabal, pero que contemplado desde otros ángulos del gran problema estético acaso se nos antojara como innecesariamente angosto. Ensanchémoslo, pues.

Como sabemos, un poema está generalmente compuesto por un número más o menos cuantioso de descargas poéticas. El presente volumen sólo se ha ocupado de estas unidades mínimas de poesía y únicamente por vía excepcional ha prestado atención al poema entero en cuanto entidad lírica superior. He tenido que trabajar de ese modo analítico para poner un principio de claridad en la labor proyectada, pues parece incuestionable que reduciendo el fenómeno a su línea más simple, esto es, desembarazándolo de las ofuscantes complicaciones que en un poema completo se dan, podríamos observarlo más en su esencia. Al operar así, no sobre el gran organismo poemático, sino sobre una sola de sus minúsculas células, se nos presentó la tarea poética como consistiendo, substancialmente, en un sustituyente obtenido a través de un modificante intrínseco y de otro extrínseco.

Creo que ya es hora de extender generosamente dos de esos tres conceptos (sustituyente y modificante extrínseco), viendo que la actividad de tales ingredientes sustantivos no se reduce, como es lógico, al estrecho campo en que los hemos sorprendido, sino que se dilata en otros cada vez mayores: el poema en conjunto, el libro de poemas, la obra total de un escritor, la producción completa de una generación de artistas, la de una época, de un siglo, de una nación, de un conjunto de naciones (las occidentales, por ejemplo), etc.; y en fin, la "literatura universal" ("Weltliteratur") de que Goethe habló por vez primera [9].

Que esto sea así no tiene nada de extraño, ni ha de maravillarnos. ¿Qué es, en suma, un sustituyente? En la página 67 definíamos este concepto como aquella expresión en la que se ha depositado cierta significación individualizada. Pero ahora nos conviene emplear otras palabras para decir lo mismo. No nos costará gran esfuerzo llegar a la conclusión de que sustituyente, en el sentido que a esta palabra insuflábamos, vale tanto como "unidad de poesía"; o sea, tanto como "organismo que considerado independiente y a solas sigue actuando sobre nuestra sensibilidad de lectores por contener una carga de significado único".

Si hemos convenido en que uno sólo de los varios estallidos emocionales concurrentes en un poema forma en sí mismo una unidad suficiente de poesía, no es menos cierto que también está plenamente justificada la opinión tradicional, según la cual, la unidad poemática por excelencia es el poema entero, cuyo sentido es siempre singular.

No cabe duda: un poema entero en cuanto tal integra una unidad indestructible de emoción, distinta a la que cualquier otro poema nos proporciona. Mejor aún: esa emoción que la totalidad nos inspira no es exactamente tampoco la *suma* de las emociones particulares que cada uno de sus instantes, en sí mismos, nos deparaban. Es algo más que eso, o dicho más precisamente, es algo diferente de eso [10].

---

[9] GOETHE: *Gespräche mit Eckermann,* 31 de enero de 1827; Kunst und Altertum (1827).

[10] La razón, según creo ver, es ésta. Si llamamos

$$A_1 \ A_2 \ A_3 \ \ldots \ A_n$$

a los sucesivos sustituyentes de un poema, es posible que cada uno de ellos, o, de entre ellos, varios, *modifiquen* a los otros o a alguno de los otros. Cabe que A_1, por ejemplo, modifique a A_2 y a A_n o viceversa. De este modo A_1 en su contexto ya no tendrá el valor A_1 que poseía aislado, sino $A_1 \ a_1$. Poniendo el caso límite, la serie

$$A_1 \ A_2 \ A_3 \ \ldots \ A_n$$

Al llegar a este punto en nuestras reflexiones, se nos hace ya forzoso admitir un concepto más holgado de sustituyente; porque decir que un poema en su totalidad es una unidad no descomponible de poesía equivale a afirmar, según convinimos, que un poema es un sustituyente.

Pero ahora debemos ascender a un nuevo concepto, más comprensivo que el anterior. Intuitivamente sabemos que un poema aislado contiene menos energía poética que si lo miramos en el interior de un libro, en cuanto éste sea una construcción coherente y no una simple colección arbitraria de versos. Y así, ante una canción de Lorca, si la leemos desligada de las otras canciones suyas, cuya existencia ignoramos, disfrutaremos de un goce menor que la proporcionada por esa misma canción cuando orgánicamente conexionada con sus compañeras.

Ampliemos ahora más nuestro punto de vista y pensemos en la obra conjunta de un solo escritor; veremos que acaecerá algo parecido. Es un tópico de la Historia de la Literatura que a Lope hay que juzgarlo globalmente y no en cada una de sus comedias. Salvo unas pocas, las comedias de Lope, se ha dicho, son marcadamente inferiores a la totalidad de su producción escénica. (Lo mismo se ha afirmado de la producción pictórica de Picasso.) Pero lo que en Lope (o en Picasso) es algo especialmente característico, pasa en otro grado a cualquier personalidad literaria (y no sólo literaria). Esto nos lleva a la conclusión de que, en un libro, cada poema *modifica* (inmediatamente veremos que esa modificación es extrínseca) a los restantes; y que, trazando un círculo de diámetro mayor, en la obra completa de un poeta, cada libro es *modificante* de los que le siguen y anteceden, de forma que ese libro o ese acervo de libros se tornan en respectivos sustituyentes de mayor complejidad.

---

de que el poema consta ostentará en su conexión una significación poética de este tenor:

$$(A_1 \ a_1) \ (A_2 \ a_2) \ (A_3 \ a_3) \ \dots \ (A_n \ a_n)$$

en que a_1, a_2, a_3 … a_n representa el resultado de la nueva modificación que cada término respectivo A_1, A_2, A_3 … A_n sufre por su coexistencia con el resto de ellos.

¿Por qué sucede así? Se nos ocurre una primera razón que en seguida entenderemos como sólo parcial. En un pasaje del presente volumen hemos afirmado que un sustituyente será de más calidad que otro si con respecto a él se manifiesta en posesión de más vasta y más complicada textura. Un libro entero de cualquier poeta constituye una unidad significativa de gran complicación y vastedad y ello por sí solo es motivo bastante para pensar esa unidad como de mayor valía que cada uno de sus componentes, los cuales relativamente aparecen como más limitados y simples. Si no nos engañamos en esto, fácil es colegir que sucederá lo mismo, pero superlativamente, a la producción total de un escritor.

Mas, como acabo de adelantar, esta causa es únicamente parcial. Explica bien el hecho casi obvio de que sea más el todo que la parte, pero no nos aclara por qué cada parte, en sí misma, al entrar en colisión con las otras fraternas, acrece en emotividad. Pues, como he dicho, si leído el todo, releemos la parte, esa parte *aislada* nos conmueve más que cuando la pensábamos solitaria, única o casi única producción de un artista que llamaríamos ocasional.

El origen de este fenómeno lo veo en la ley del "asentimiento". Para contemplarla funcionando al desnudo en un caso concreto, imaginemos dos poetas distintos que hubiesen escrito de adolescentes sendos libros de alguna calidad, aunque con los defectos y las insuficiencias propias de la inexperiencia juvenil. Teóricamente podemos suponer que el mérito de esos libros fuese, en principio, parejo. Mas uno de tales poetas se agotó pronto, acaso en ese inicial libro inmaturo, mientras el otro fue creciendo, y nada nos impide imaginar que alcanzase una cima de genialidad.

Nosotros ahora tenemos en las manos las obras primerizas de ambos poetas. Somos personas sin prejuicios y nuestro criterio es recto y seguro. ¿Nos parecerán hoy ambos libros, como en otro tiempo, de gemelo valor? En el caso del poeta primero, la inmadurez del libro se nos ofrecerá como síntoma de la esterilidad subsiguiente, y, en consecuencia, no "asentiremos" o "asentiremos" con mediocridad a los momentos felices que contenga. En el caso del poeta segundo, atenderemos únicamente a esos instantes de perfección, veremos en ellos el augurio radiante de una obra poderosa, acaso su raíz necesaria, y no pararemos mientes en los otros de logro menos afortunado. Nuestro "asentimiento" está asegurado por la experiencia que tenemos de la labor posterior del artista excelso, y la emoción que contenga cada uno de esos poemas la experimentaremos al máximo. De este modo, el caudal de estremecimiento que obtengamos ante el susodicho par de obras diferirá; los libros que nacieron como mellizos en nuestra estimación pretérita, se han tornado después desiguales en cuanto a su mérito, gracias a la filtración invisible de un mágico ingrediente nuevo, que ahora obra enérgicamente y antes no existía. La ley de la "aceptación" ha realizado eso que se parece mucho a un milagro.

Algo semejante ocurrirá en el interior de un libro. Pongamos, para continuar el ejemplo antes propuesto, el caso de las canciones lorquianas. Una masa compacta de poemas de esa clase agranda el valor aislado de cada una de ellas, pues al contemplar la muchedumbre poemática trabada por un estilo y una concepción coherentes, comprendemos hasta qué punto cada una de esas canciones ha nacido como algo fatal, manantío natural y necesario del espíritu de su autor. Nuestro "asentimiento" se produce con radicalidad y el poema nos llega sin trabas.

Si esta teoría la aplicamos ahora a la obra conjunta de una entera generación no arribaremos a conclusiones divergentes. Pensemos en la literatura del 98. El tema de Castilla, por ejemplo, es común a varios de sus representantes. De Castilla nos habla Antonio Machado, nos habla Unamuno, nos habla Azorín. Cada uno de ellos lo hace, por supuesto, desde una diferente perspectiva, como una variedad sorprendentemente nueva que no impide la unidad más profunda que entre todos obtienen. Es evidente que nosotros al percibir en cada autor particular la modulación individual del *leit-motiv* propio de la generación, lo escucharemos con el respeto acrecido de lo que advertimos con una significación más dilatada y todavía de más raigambre, pues la vemos inserta *con originalidad* (esto es esencial; sin originalidad, no hay más que plagio) en una trabazón extraindividual abarcadora y coherente que se hace emblema de todo un momento literario. Para concentrar-

nos en un solo caso concreto, refirámonos a Azorín. Dentro de
la obra de Azorín, por ejemplo, el tema de Castilla se nos aparece
en toda su *legitimidad* y le concedemos un "asentimiento" de más
robusta energía por la existencia a su lado de figuras como las de
Unamuno y la de Machado. (Y lo mismo diríamos de la de éstos
en relación a la de aquél.) Nuestra emoción ante la literatura azo-
riniana ha aumentado porque la de Machado y la de Unamuno,
a este respecto, son el modificante extrínseco que la alimenta, de
modo parecido a lo que ocurría en las canciones lorquianas, cada
una de las cuales estaba así modificada por el cuantioso resto.

Llegamos aquí a un resultado paradójico en la apariencia. La
impresión que nos causa Azorín está en parte debida a nuestra lectura de los otros componentes del grupo. Nos aventuraríamos a
decir, con palabras más apretadas, que dentro de una generación el
valor de cada uno de sus representantes depende en cierto grado
del valor de los otros. Cuanto más grandes sean éstos, más grandeza alcanzará aquél. Se nos abulta entonces el absurdo que re-
presentaría un sentimiento como el de la envidia, desgraciadamente
no siempre ajeno al ánimo de la grey literaria. El envidioso desea
la supresión del envidiado. Pero como acabamos de entender, suprimir a los compañeros de generación es mermar la calidad de
la propia obra. Quien así envidia elige su propia destrucción sin
saberlo. El zapatero de la esquina puede envidiar al de la acera de
enfrente sin que les ocurra nada a los zapatos en los que se afa-
na, y puede hacerlo, igualmente, sin mayor perjuicio material, el
sastre y el carpintero, y hasta el médico o el abogado. El artista,
nunca, porque para éste, amar al prójimo equivale a amarse a sí
mismo, y odiarlo a odiarse.

Escribe Eliot que toda literatura nacional forma un sistema, y
que el ingreso en ese sistema de una obra verdaderamente nueva trae consigo un trastorno en las relaciones y la red de fuerzas
de todo el conjunto. Nosotros podemos aceptar esas aseveraciones,
pero además acaso estemos ahora en condiciones de dar razón de
ellas. Lo que en Eliot era el desarrollo puramente descriptivo y
todavía intuitivo de una intuición goethiana, sin entrar en su explicación profunda, tal vez podamos transformarlo en una exposi-

ción de carácter acentuadamente lógico y que desearíamos penetrante.

Un libro es un sustituyente, la obra de una generación también lo es, gracias a los respectivos modificantes extrínsecos que hemos aislado. ¿No lo será la literatura de una época, la romántica, por ejemplo, o la barroca? ¿No servirán para ella los argumentos que acabamos de ofrecer al pensar en Machado, Azorín, Unamuno? ¿Y no pasará lo mismo con la totalidad de la literatura española? Cuando los críticos han intentado hallar los caracteres generales de una época o de una literatura, en su conjunto, estaban, acaso sin percatarse técnicamente de ello, dando por sentada la existencia de esas complejas realidades como sustituyentes o unidades de significación. Pues si no lo fuesen, no habría por qué buscar los rasgos generales que las distinguen, que es tanto como andar tras el hallazgo de un sustituyente logrado en común.

Cada época y cada literatura nacional es un organismo; es, en efecto, un "sistema", y los motivos que nos llevan a creerlo así son los que ya hemos esgrimido. Imaginemos un caso de máxima ejemplaridad a este respecto. Tomemos de nuevo a Unamuno, pero enfrentémoslo ahora no con otro escritor de aproximadamente sus mismos años, como hemos hecho antes, sino con alguien perteneciente al pasado: con Quevedo, por ejemplo. ¿No vemos una relación entre ambos, y no nos tienta hablar en seguida de "hispanismo"? Lo que hay de común entre la obra de los dos ingentes autores es, positivamente, eso que nos apresuramos a designar como "españolidad". Ahora bien: al ver esa españolidad traspuesta con *originalidad* en el vasco (o en Quevedo) sentimos su obra como oriunda de algo radical, algo tan de raíz que en cierto modo excede incluso a la persona misma. Nuestro "asentimiento" será rotundo y rotunda nuestra impresión de lectores, una vez cumplida la otra condición poética que en otra página hemos descrito.

En suma: nuestra lectura de Quevedo está modificando extrínsecamente nuestra lectura de Unamuno, pero, a su vez, nuestra lectura de Unamuno actúa, en igual sentido y con idéntica fuerza, sobre nuestra lectura de Quevedo. Lo que acabamos de averiguar podemos, sin duda, generalizarlo, aunque no en todos los casos el hecho sea tan evidente como en el aducido. Nos permitiremos decir con Eliot que el presente altera el pasado, pero añadamos por nuestra parte que esto ocurre porque la ley del "asentimiento" se interfiere entre nuestros ojos y la recepción en nuestra psique del poema que tenemos delante.

EL GÉNERO LITERARIO COMO
MODIFICANTE EXTRÍNSECO

En las primeras páginas de este libro hube de adelantar otra idea que únicamente en el presente capítulo tiene oportuno soporte y representación. Aun a riesgo de caer en redundancia, quisiera recordar abreviadamente aquí, en su marco adecuado, lo que allí dijimos.

Nadie que esté versado, aunque sólo sea ligeramente, en cuestiones de estética o de teoría literaria desconoce el veredicto negativo con que Croce condenó, desde un punto de vista teórico, la existencia de los géneros literarios. En esta opinión, como en toda su estética, el eminente escritor italiano está afectado por un idealismo que niega como puramente prácticas y no estéticas las representaciones exteriores del arte. Nosotros sabemos ya el error que, a nuestro entender, en ese concepto se esconde. Pero si efectivamente no es negable el carácter estético de esas representaciones exteriores, tampoco puede rechazarse la consecutiva existencia de los géneros literarios. Los géneros literarios son, pues, una realidad insoslayable. La anécdota que en la página 45 citábamos lo muestra con otro modo de claridad y al par nos señala la función que los géneros literarios desempeñan. Ciñéndonos a lo que aquí nos importa, el género literario "poesía lírica" sirve, veníamos a decir en otros términos, para que el lector pueda dispensar su "asentimiento" a un lenguaje que, pongo por caso, resultaría enfático (y, por tanto, intolerable) fuera de él. Con más diafanidad y rigor: el poeta necesita apresar una intuición muy compleja, que sólo es formulable a través de esa expresión que hemos llamado "enfática"; y para que el lector pueda "aceptar" tal imprescindible énfasis (*repudiable, en principio*) aparece el género literario poesía. Este se nos manifiesta, pues, como el modificante extrínseco general de su contenido, ya que resulta ser la condición indispensable de nuestro asentimiento.

Algo rigurosamente paralelo ocurre en ese género de chistes que no son susceptibles de traslado a la esfera de la realidad, como el del médico y las reglas de la medicina que en la página 281 del presente trabajo nos sirvió de ejemplo. Veíamos allí que la escena, divertida en el teatro, no nos haría reir si la presenciáramos como real, porque las palabras de ese médico y la pretensión que encierran supondrían un peligro demasiado grande para la vida de un ser humano de carne y hueso. Y si en la comedia tal escena nos hace gracia se debe a que la naturaleza imaginaria del personaje, al anular la posibilidad de un riesgo real, nos permite abrirnos a la *tolerancia* que todo chiste precisa para existir, pues el arranque de éste siempre se halla en una inadecuación *en materia leve* a las condiciones de la vida. Si el susodicho personaje es imaginario, su inadecuación a tales condiciones puede ser vista como leve, mas si es real, la inadecuación es grave y en consecuencia sobrepasa las posibilidades del chiste, al intervenir en tal caso la piedad, contraria de toda burla.

Dentro de la comicidad, ser el género literario motivo de "tolerancia" significa exactamente lo mismo que en la poesía ser motivo de asentimiento: la actuación del género como modificante extrínseco. En este extremo, la diferencia entre la comicidad y la poesía consiste en una mera cuestión de cantidad: mientras en esta última el género literario casi siempre modifica extrínsecamente la emoción, al permitirnos asentir a ella, en la primera pocas veces la correspondiente realidad asume un papel de tanto relieve. Pero el hecho es, en el fondo, el mismo. Y una vez más se nos delata aquí la fraternidad de los contrapuestos fenómenos, tan repetidamente comparados a lo largo de las páginas de este libro.

LA POESÍA ES COMUNICACIÓN

Lo que llevo escrito hasta aquí sobre el "asentimiento" me permite ya justificar con razones, brevemente, nuestra primera aseveración teórica, que hasta ahora habíamos sentado como premisa puramente intuitiva: el concepto de que la poesía consiste en comunicación. En una exposición sistemática suele ocurrir que la doctrina tenga carácter circular y el punto primero del círculo esté apoyado en otro próximo al que sólo llegamos si damos la vuelta por todo el circuito. Nada menos que nuestra idea inicial, la base de todo el edificio lógico, hubimos de dejarla sin suficiente prueba, como un supuesto que presentábamos poco menos que como evidente por sí mismo. Pero la ley de la "aquiescencia" se me ofrece ahora, si no ando completamente descarriado, como la apoyatura indispensable de aquellas afirmaciones iniciales. Hénos aquí, pues, prestos a mordernos la cola.

Demostrar que la poesía es esencialmente comunicación requiere demostrar que la poesía ofrece una estructura apoyada en los otros hombres, o (lo que es igual) en mí, autor, en cuanto que soy hombre y comparto mi condición de tal con mis congéneres. El análisis de los supuestos de la poesía que vamos a hacer pronto nos lo va a evidenciar. Pero sin necesidad de acudir a ese análisis, estamos ya en condiciones de verlo con nitidez desde luego sin más que pararnos un solo instante a pensar lo que significa la ley del "asentimiento". Por ser el "asentimiento" una *ley del poema,* quien *va* a escribir *un poema* ha de tenerla en consideración *desde un principio,* ya desde la sucesiva forma interna, previa a la externa. Desde la forma interna, el lector es un coactor, un co-autor, alguien a quien *esencialmente* se toma en cuenta. La poesía es así comunicación incluso antes de la comunicación misma, lo que indica que la comunicabilidad de la poesía no es una anécdota, sino algo substancial de ella. El arte está configurado *para* los demás hombres, y en consecuencia *por* los demás hombres: es *social* desde su raíz, desde la nebulosa confusa y muda que gira confinada en la mente solitaria del poeta que quiere expresarse.

Capítulo XV

LO VEROSÍMIL Y LO POSIBLE

LA VEROSIMILITUD EXPRESA LA POSIBILIDAD

La ley del asentimiento muestra también otra cosa: algunas de las relaciones entre el arte y la vida. El arte no es la vida, hemos dicho, sino su expresión, lo cual significa: 1.º, que las leyes que rigen el arte no son las leyes que rigen la vida. Las leyes de la vida exigen lo posible; las del arte, lo verosímil (en el sentido de Aristóteles, y no en el perverso sentido que el siglo XVIII acentuó tanto). 2.º Pero el hecho de que arte y vida se muevan en tan distintos reinos no habla de su autonomía. El arte, que no es la vida, tiene que ver con la vida, en cuanto que la expresa. Más claro: la verosimilitud del arte sirve para expresar la posibilidad de la vida. Lo verosímil estético es un mero instrumento de dicción indirecta; y lo que indirectamente nos dice ese instrumento forzosamente ha de ser posible en la realidad: de lo contrario no sería *asentido* por nosotros. Un poeta afirma que el cabello de su amada es de oro; que sus labios son de coral; que su piel es de nieve. Ninguna de esas afirmaciones tomadas literalmente son ciertas ni enuncian nada hacedero en la historia. Son, en cambio, verosímiles en el interior del arte. Pero no poseerían tampoco este carácter de verosimilitud si no aludiesen oblícuamente a algo posible fuera del poema, en el mundo humano real, ya que entonces no suscitarían la "aquiescencia" lectora: que tal cabello, o tales labios y piel sean de un determinado matíz cromático (rubio, rojo y blanco, respectivamente) que damos por existente en la mujer de carne y hueso. Tal lo que vimos al analizar la metáfora [1].

Se aclara así el significado de la verosimilitud artística. Llamaremos desde ahora verosímil a aquella expresión estética que se nos hace admisible porque, aunque acaso afirme directamente algo imposible en la realidad, afirma indirectamente algo posible en ella.

Conviene recordar aquí al lector que el concepto de verosimilitud, aportado por Aristóteles, había nacido en el pensamiento de este filósofo con un propósito muy definido: marcar claramente las lindes entre arte y vida, entre lo estéticamente posible y lo posible en el mundo. Tal concepto sufrió, sin embargo, un extraño destino, como nadie ignora, pues fue entendido, sobre todo en el siglo XVIII, justamente al revés de como lo había imaginado su creador: para el común de los neoclásicos, lo verosímil no sólo se identificaba con lo realmente posible sino con lo realmente fácil de ocurrir. Lo que me importa destacar aquí de todo ello son estas dos cosas: A) que Aristóteles separa lo verosímil de lo posible; B) que el siglo XVIII, en su línea más fuerte, junta y asimila en uno ambos conceptos: lo verosímil, no sólo coincide con lo posible, sino más allá aún, viene a coincidir con lo probable.

Ahora bien: la nueva perspectiva que la ley del asentimiento proporciona nos ha permitido descubrir, frente a Aristóteles, una relación evidente entre verosimilitud artística y posibilidad vital; sólo que tal relación no es la establecida por la poética dieciochesca; es otra bien diferente: según vimos, la verosimilitud no tradu-

---

[1] Véanse las págs. 67-68. Nuestra teoría de la verosimilitud y de sus relaciones con lo posible en la vida se deduce, en principio, de ese análisis. Si creyésemos, como Ortega, que la metáfora (y en general, el arte) consiste en la aniquilación de la realidad y en la subsecuente creación o invento de un mundo diferente, el mundo "bello" o estético, que viene a sustituirla, no podríamos llegar al examen de tales relaciones y correspondencias. Remito, pues, al lector a esas páginas, donde hallará el fundamento primero de cuanto en el presente capítulo llegue a averiguarse.

ce siempre, aunque sí a veces, por modo literal y rectilíneo, la mera posibilidad real, pero la apunta en todo caso, es decir, la significa sin excepciones, sirviéndose o no de una desviación curvilínea más o menos pronunciada.

TODO POEMA ES ÚLTIMAMENTE CUERDO

Lo que acabamos de sentar es asunto grave y doctrina que, por hallarse en sus últimas consecuencias en posición de choque con opiniones generalmente admitidas, conviene examinar sin excesiva prisa. Pues, en efecto, nuestra tesis, de ser cierta, en cuanto la desarrollamos, complica otra adversa a la sostenida hoy por famosos teóricos de la literatura. Veamos.

Aseverar que lo verosímil artístico supone últimamente lo posible real es una cosa con decir que toda obra artística significa lo posible real. Pero fijémonos que ello, a su vez, proclama que el sentido de toda composición estética es, en postrera instancia y en un especial modo que intentaré hacer ver, reducible a razón, siendo como es la razón medio adecuado para conocer lo posible. Dicho de otra manera y conformándonos a los límites de nuestro estricto campo: no hay ningún poema que carezca de sensatez, en cuanto que su contenido, o sea, lo que el poema, acaso con rodeos y a través de figuras retóricas, nos está diciendo o subdiciendo, expresa únicamente lo posible, que es, siempre y por esencia, inteligible lógicamente.

Naturalmente, sostener que todo poema sea *razonable* es, en nuestra intención, bien distinto a pensar que sea *racional*. El contenido de un poema nunca es racional por entero, y con frecuencia ni siquiera lo es en ninguno de sus inmediatos elementos constitutivos, acaso sólo emocionales; pero aun en este caso límite, tal emotividad se refiere, a través de lazos impalpables, a un núcleo significativo que en el momento de la lectura, y por tanto también en el anterior momento creador del poeta, no percibimos con nuestra mente, pero que con posterioridad al acto estético es siempre capturable por ella. La poesía más aparentemente irracional, sin excluir la perteneciente a la escuela suprarrealista, lleva, pues, en su seno, como sustentáculo, un conglomerado de significación perfectamente pensable desde el plano lógico. Lo que ocurre es que ese conglomerado sobre el que la emoción se monta y sin el cual *ésta no existiría* no aparece en nuestra conciencia, y sólo se halla en ella bajo la forma de un supuesto: la emoción supone, en efecto, el conglomerado razonable. Luego éste se incluye en el poema, que al involucrarlo lo significa de una manera tácita e implícita.

Y he aquí por donde nuestro pensamiento viene a oponerse y a contradecir otro plenamente vigente en la actualidad: el que dice que algunos poemas contemporáneos carecen en absoluto de sentido asequible a la razón; sentido, por tanto, sólo "poético", imposible de estrechar a discurso y coherencia. Si con esto se quisiera sentar que la totalidad como tal de lo que un poema contiene exige para ser dicho el poema mismo y no otra expresión, y menos una expresión exclusivamente lógica, estaríamos de acuerdo. Pero no es esto lo que se pretende afirmar, sino esto otro: que el significado de esos poemas no tiene posible reducción conceptual, que no existe manera alguna de abreviar a concepto el emotivo complejo poemático. Y desde nuestro criterio, tal aseveración es, a todas luces, falsa. Lo que sentimos ante un poema de esa clase puede ser objeto de análisis extraestético (innecesario, claro es, en el momento de la lectura o de la creación), análisis que ha de descubrir, si somos suficientemente hábiles, un soporte o basamento duro, que al ser extraído de la envolvente masa emocional, resulta enunciable en forma congruente. Todo poema es así cuerdo, y su incoherencia, sólo aparente. Si las frases deshilvanadas e insensatas del poema más suprarrealista emocionan es porque tal emoción resguarda y encierra un sentido inteligible capaz de ser penetrado. De otro modo: esas frases inconexas son estéticamente admisibles, diríamos con más propiedad "verosímiles", porque se relacionan, a través de la emoción, con un subyacente e invisible fondo, cuya plasmación conceptual dice algo *posible* en nuestro mundo humano. En el apéndice "Poesía contemporánea y sugerencia" que va al final de este mismo libro, se insertan, acompañados de pormenorizado comentario, algunos ejemplos que me atrevo a juzgar suficientemente claros. Pero tal vez no sobre poner otros aquí.

Me limitaré a copiar por el momento dos poemas, muy cercanos al suprarrealismo, del libro "Espadas como labios" de que es autor Vicente Aleixandre, seguidos de su reducción a pensamiento conceptual, pues a veces es lícito y acertado demostrar la existencia del movimiento con el argumento empírico de ponernos a andar.

Ya es tarde

Viniera yo como el silencio cauto.
(No sé quién era aquel que lo decía.)
Bajo luna de nácares o fuego,
bajo la inmensa llama o en el fondo del frío,
en ese ojo profundo que vigila
para evitar los labios cuando queman.
Quiero acertar, quiero decir que siempre,
que sobre el monte en cruz vendo la vida,
vendo ese azar que suple las miradas,
ignorando que el rosa ha muerto siempre.

El poeta en esta composición se identifica, hasta donde ello es dable, con la naturaleza, pues en esta etapa de la obra aleixandrina hay un vasto anhelo de comunión cósmica con la única realidad verdadera que es la realidad natural. "Viniera yo", dice el poeta, "como el mismo silencio prolongado, misterioso, invasor, de la naturaleza. (¿Quién dice esto, yo o la naturaleza misma que ya habla en mí?) Bajo el ardor amante de la naturaleza, lo mismo bajo la llama que en el fondo del frío, pues todo es erótica quemazón, confundido en la conciencia misma ("ojo") del universo cósmico, que vigila su propia capacidad amorosa de destrucción ("para evitar los labios cuando queman"), quiero decir que siempre entrego mi vida en este monte doloroso de la existencia, entrego esta inconsistencia ("azar") de mi vida de hombre, que suple con su deseo las miradas amorosas que no recibe, ignorando que nada risueño ("el rosa") hay que esperar".

En más conciso esquema: "unido a la naturaleza amante, y pese al dolor de la vida, a la escasez, penuria y pobreza de la rea-

lidad y al fracaso que en último término constituye toda vida y
todo amor, yo quiero entregar y entrego mi vida menesterosa y
débil al impulso erótico universal, que en mí alienta y me empuja".
El otro poema dice así:

Siempre

> Estoy solo. Las ondas; playa, escúchame.
> De frente los delfines o la espada.
> La certeza de siempre, los no-límites.
> Esta tierna cabeza no amarilla,
> esta piedra de carne que solloza.
> Arena, arena, tu clamor es mío.
> Por mi sombra no existes como seno,
> no finjas que las velas, que la brisa,
> que un aquilón, un viento furibundo,
> va a empujar tu sonrisa hasta la espuma,
> robándole a la sangre sus navíos.
> Amor, amor, detén tu planta impura.

Esta pieza expresa un pensamiento afín al del poema anterior.
La naturaleza aparece aquí (y en toda la primera época aleixandrina) espiritualizada por un impulso erótico, y en este sentido, humanizada. De ahí que el poeta pueda dirigirse a ella como si fuese un ser vivo: "playa, escúchame". La grandeza, libertad y furia
del mar, con sus playas, puede representar y representa en estos
versos la grandeza, libertad y acometividad del amor, sustancia del
universo. El poeta está solo, pues, frente al océano, y ve como
símbolos del amor-destrucción, del amor en su forma pasional, a
los delfines, seres verdaderamente reales ("la certeza de siempre"),
al ser primarios y destructivos, que pueden dar la muerte y, por
tanto, la auténtica vida, la gloria de la deslimitación ("los no límites"). Pues en Aleixandre no sólo el amor es destrucción, sino que,
de manera coherente, la destrucción, la muerte, es amor, el amor
definitivo, que consiste en la fusión con la materia universal.

El protagonista del poema, tras ver a los delfines como formas
de la agresión erótica ("la espada") que late en el cosmos, contempla la playa igualmente erotizada. De ahí que la perciba como
"una tierna cabeza". La playa es "amarilla", pero al humanizarla

en cuanto encarnación del amor, no lo es. Parece que el poeta nos dijera: "ese color es pura apariencia; la playa es, sobre todo, espíritu, "cabeza", y, en consecuencia, "no amarilla" (ya que la cabeza no es amarilla). Es materia, si queréis ("piedra"), pero materia viva: "piedra de carne que solloza". La arena y yo somos la misma entidad sustantiva: amor. "Tu clamor (o sea, lo que tu existencia, arena, proclama, lo que tu existencia es) coincide con mi clamor (con lo que mi existencia proclama y es). Sin embargo, aunque esencialmente la naturaleza sea amor, como yo mismo, y yo la ame, hay en ella una apariencia disconforme con la mía, por lo que no se me puede aparecer del todo como "seno", al que me sea lícito, desde mi torpe limitación ("por mi sombra"), entregarme en correspondencia justa: "por mi sombra no existes como seno". Tus formas pasionales ("brisa", "velas", "aquilón", "viento furibundo"), oh mar, no se adecúan suficientemente con mi pobre humanidad. Por ello no pueden empujar su sonrisa de amor hasta mí, ni robarle con sed amorosa a mi sangre sus realidades eróticas ("navíos"). Amor cósmico del mar: detén, pues, tu planta inadecuada ("impura"), puesto que me enardeces dejándome insatisfecho, por mi limitación humana".

Hay, pues, en este poema, como en el otro (y en todos los que verdaderamente lo sean) un último estrato desarrollable lógicamente. Este: "siento en mí un impulso erótico que es el mismo que anima a la naturaleza toda; un impulso que me lleva a sentirme identificado con el mundo elemental que me rodea, al que amo; pero, desgraciadamente, mi limitación humana impide esa entrega y genial comunión".

Si ahora repasamos con atención la simplificación conceptual a la que hemos hecho descender por adelgazamiento el significado emotivo de ambos poemas, percibimos de inmediato, como nota evidente de ella, su *posibilidad* en la vida de un hombre, y, por tanto, su *verosimilitud*. De otro modo: entendemos como posible que alguien pese al fracaso que es en el fondo toda existencia y todo amor, sienta de manera irrefrenable el impulso de entrega amorosa (poema primero). E igualmente consideramos posible que un ser humano experimente un apasionado sentimiento de comunión erótica con la hermosura natural, y que se queje de que ese sentimiento no pueda por completo hallar realización plena, a causa de la heterogeneidad del objeto amado (poema segundo). En efecto: cuando nos emocionamos ante, por ejemplo, un paisaje, pese al placer estético que experimentamos, ¿no hay o puede haber en nosotros una última insatisfacción, cuya índole quizás desconocemos, pero que en postrer análisis consistiría en la imposibilidad de ser nosotros también luz y color y piedra y hierba dulces, o mejor, lo que todo ello simbólicamente representa para nuestra sensibilidad: felicidad, gracia, hermosura: el paraíso, en fin, al que aspiramos? Un paisaje es muchas veces, para nosotros, si no siempre, un símbolo de algo humano, algo humano que con frecuencia se constituye como esa vida en plenitud que no nos ha sido concedida en la tierra, pero que no por eso dejamos de anhelar. Tales sentimientos son los que yacen en el sustrato último de esa composición, sentimientos altamente posibles en un hombre, y estéticamente verosímiles, por tanto. En suma, y reiterando lo mismo de otra forma: si el irracionalismo de ambas piezas aleixandrinas es poético se debe a que está expresando un contenido estéticamente verosímil; verosimilitud que, a su vez, no se daría de no recibir nuestro asentimiento, por tratarse de algo con amplias posibilidades dentro de la psicología real del hombre. Todo ello, claro está (posibilidad, asentimiento, verosimilitud), no se produce ni aparece en el lector de manera reflexiva, ya que, especialmente en estos ejemplos, la materia verbal opera en nosotros con fuerte dosis de irracionalidad; sino que todo ello queda implicado, interiorizado en la intuición de quien lee. Quiero decir que tal intuición supone aquellos elementos invisibles que hemos dicho, y desde ellos se levanta y adquiere representación.

Habrán observado los lectores que los casos de verosimilitud sobre los que hemos basado nuestras reflexiones iniciales han sido los más sencillos y, sin duda, nada canónicos ("cabello de oro", etcétera). Incluso hemos extendido luego el concepto sin forzarlo de ningún modo hasta cubrir con él las expresiones aproximadamente caóticas de las piezas irracionalistas. No creo que sea preciso añadir aquí que lo dicho vale también, y con mayor inmediatez de evidencia, para las situaciones y momentos literarios que en formulación más ortodoxa podrían recibir el calificativo de verosímiles. Ciertos neoclásicos se escandalizaban de que en los autos sacramentales hablasen e hiciesen figura realidades abstractas como virtudes y vicios. En la realidad no se da ese tipo de corporeización o elocuencia, luego, concluían los críticos de entonces, no es verosímil su presentación escénica. La poética posterior ha anulado el dictamen dieciochesco, pues la verosimilitud no queda afectada por el hecho de que el arte no reproduzca la vida de modo fotográfico. Las abstracciones mencionadas no tienen voz ni cuerpo en el mundo humano, pero no son inverosímiles en cuanto que, añadimos nosotros, significan algo perteneciente como posibilidad a ese mundo. Es palmario, en efecto, que Calderón, al trazar esas o parecidas figuraciones, nos está diciendo algo inteligible, algo, en definitiva, asimilable por el entendimiento y posible, por tanto, en la realidad.

LO POSIBLE NO VEROSÍMIL

Lo verosímil y lo posible son, pues, conceptos en conexión evidente. Pero de antiguo se sabe que no todo lo posible es verosímil, pues el arte, agreguemos, no es sin más expresión de vida, sino de vida con significación. No debemos pasar adelante sin detenernos a penetrar brevemente tan importante aserto. La vida, a veces, se comporta como no significativa, como insignificante, intrascendente y meramente ocasional o azarosa. Es vida que, en suma, *nada nos dice de sí misma,* y que, por tanto, no resulta interesante para fines artísticos, puesto que, como hemos repetido, el arte pretende lo contrario: no callar, sino hablar de la realidad vital.

He ahí, en sumaria condensación y compendio, la serie causal de relaciones que median entre varios de los elementos que intervienen en la operación estética. Si los ensartamos ahora al revés de como los hemos ido presentando, tal vez resulte más claro nuestro pensamiento. El arte busca hablar de la vida. Elegirá entonces para ello no un trozo cualquiera de vida, sino un trozo de vida *en elocuencia.* Carecerán de interés entonces todos aquellos instantes vitales que no posean esa cualidad expresiva, y así, y es sólo un ejemplo, el dramaturgo o el novelista, o al menos el dramaturgo o el novelista de ciertas épocas, pese a que en el mundo la casualidad no es infrecuente, se afanarán por evitarla *como inverosímil* en el desarrollo argumental de sus obras, y más aún en el desenlace de ellas, a no ser que, a su vez, tal azarosidad en cuanto tal posea un sentido y nos ilumine, indirectamente, algún aspecto esencial, nada azaroso, por tanto, del mundo.

Pongamos otro ejemplo de lo mismo. La naturaleza suele ser pródiga, se desparrama en creciente pululación que se ofrece genialmente ciega y fecunda; el más formidable derroche es su ley, el caprichoso incesante parece como si la rigiera. De toda esa creación incesante y cuantiosa, sólo algunos productos serán válidos, porque muy pocos se manifestarán como vectores hacia el mañana, como poseedores de un sentido en la historia (natural o humana). El arte que, según repetimos, es oferente de vida sensata, rechazará lo insensato del vivir, las inútiles ramificaciones en que éste se complace. Tal es lo que muchas veces lleva al escritor a podar la frondosidad del árbol de la vida para dejar al descubierto tan sólo las ramas sustanciales. Descendamos a casos concretos. Es sabido[2] que el poeta del Cid, a pesar de su convicción de que poesía es, sobre todo, cuento de la verdad histórica, no traduce la vida de sus héroes tal como fue, en toda su riqueza y abundancia, sino que la recorta y empobrece, precisamente para hacerla significativa de sí misma. Las varias alternativas de favor y disfavor del rey hacia el Cid se reducen a una sola pareja; las dos prisiones del Conde de Barcelona quedan en el Poema convertidas en una. Pues lo que tiene sentido en la vida del héroe no es esa multiplicidad y reiteración, sino lo opuesto. Ampliando no más allá de lo justo el concepto en que estamos, diríamos que para el arte no se hace verosímil esa abundancia, que es, por el contrario, norma de la naturaleza.

---

[2] Véase Ramón Menéndez Pidal, *Poema de Mío Cid*, Clásicos Castellanos, ed. Espasa-Calpe, 1940, "Introducción", pág. 28.

En otra dirección aún, ciertas zonas de lo posible se muestran como artísticamente inutilizables, por no merecedoras de asentimiento. Hay afectos, ideas y percepciones que, aunque posibles en el mundo real, no son capaces de expresión poética, porque su índole "errónea" (en el sentido que hemos prestado a esta palabra) los torna en materia de disentimiento, y, en consecuencia, no pueden ser dichos por el poeta. Son contenidos anímicos que, aunque posibles e incluso reales, no debieran serlo, pues de algún modo que consideramos importante, no se adecúan en grado suficiente a la vida. En el mundo de hoy, hambriento en sus dos terceras partes y habitado por seres humanos que tal vez por vez primera han tomado responsable conciencia de ello, ningún escritor podría seriamente componer una elegía cuyo tema central fuese el sufrimiento del autor por no tener bastante dinero para comprar el último modelo del automóvil Cadillac, a no ser que ello se dijese irónicamente o de un modo simbólico, etc., encubridor de un distinto significado plenamente aceptable por los lectores, en cuyo caso ya no se trataría del absurdo o cómico dolor que hemos querido imaginarnos. Ahora bien, notemos que ese dolor puede ser en la realidad de la vida experimentado por alguien. Experimentado, pero no comunicable estéticamente, no verosímil. Y es que, evidentemente, al poeta le exigimos lo que no tenemos por qué exigir en esa proporción y en ese plano a todos nuestros prójimos: madurez ética y sentido de la humana responsabilidad, en relación ambas, por supuesto, con el concreto tiempo en que el escritor vive, pues no en todo momento histórico parece inmadurez e irresponsabilidad lo que en alguno sería así juzgado.

La demanda ética de que hablamos se origina y fundamenta en algo que más arriba quedó dicho: la vida tiene permiso para la prodigalidad de lo inacabado, inexpresivo o azaroso, mientras el arte no lo tiene. El arte aduce un personaje imaginario que debe responder de la vida, hacerse cargo de sus líneas de fuerza sustanciales, aquellas que sostienen el cuerpo entero de ese vivir y sin las cuales el vivir mismo correría el riesgo de ser derrocado. De ahí que, suprimiendo lo que la expresión tiene en su interpretación ordinaria de idealismo, esperemos del poeta, o mejor, del protagonista literario que habla en su obra, un comportamiento "como es debido", esto es, un comportamiento conforme al código moral indispensable para que la vida no descienda a una graduación peligrosa. Tan fuerte petición no la hacemos, en cambio, o sólo de otra manera, a la conducta de nuestros prójimos corrientes, e incluso al poeta en cuanto que no lo es, porque éstos son, en definitiva, naturaleza y vida, y por tanto sujetos de toda la abundante insensatez de que ésta suele mostrarse portadora.

LA VEROSIMILITUD EN LOS VARIOS GÉNEROS LITERARIOS

Sin embargo, aparentemente va contra nuestro principal aserto de que la verosimilitud alude y se engendra en lo posible el hecho de que aquélla no sea algo fijo, general y abstractamente definible, sino que, por el contrario, experimente variaciones y modulaciones diversas según el género literario de que se trate. No es lo mismo la verosimilitud en la tragedia o en la alta comedia que la verosimilitud en la farsa y en los géneros exclusivamente hilarantes. En estos últimos, por ejemplo, opuestamente a lo que ocurre en los dos primeros tipos, el empleo de la casualidad en cantidades masivas puede ser y ha sido con frecuencia utilizado como recurso eficacísimo y de buena ley. La comicidad del cine mudo, pongo por caso, utilizaba habitualmente el azar en serie y la situación altamente improbable como procedimiento característico. Las obras "serias" no podrían acudir a una técnica tal sin que el espectador o lector las disintiese indignado. Pero si la verosimilitud cómica difiere de la que no lo es, no parece que la verosimilitud de un tipo o de otro pueda fundarse en lo posible real, ya que éste posee un carácter inmutable de que la verosimilitud, por lo visto, carece.

Tan grave objeción se desvanece rápidamente en cuanto recordamos lo que a propósito del chiste y de la poesía y su esencial oposición hemos llegado a discernir. Lo poético exige el asentimiento; pero lo cómico posee una base contraria: es el disentimiento, acompañado de "tolerancia", precisamente, lo que nos hace reír. Se sigue entonces que la disentible "inverosimilitud" *(tomado el término en sentido poético)* cuando la presentemos como "tolerable", esto es, cuando la hagamos ver como fruto de una causa *posible,* se convertirá en *cómicamente verosímil.* Notemos así que tanto la verosimilitud poética o seria como la cómica hacen referencia a lo posible real; sólo que no a la misma especie de posibilidad. De ahí que ambas verosimilitudes no coincidan. Pues mientras la primera, la seria o poética, se corresponde con una posibilidad asentible, la segunda, la cómica, se corresponde con una posibilidad disentible y únicamente "tolerable". Y en la medida en que una obra contenga elementos cómicos o graves o una mezcla apacible y variable de esas dos clases de componentes, así se modificará la naturaleza de la verosimilitud.

Elijamos un ejemplo. En las pantallas españolas se ha proyectado no hace mucho una película cómica norteamericana, cuyo argumento, enderezado a nuestro propósito, es el siguiente. Dos músicos buscan desesperadamente un empleo que les es imposible encontrar. Casualmente tienen noticia de que en cierta orquesta femenina hay dos plazas libres que ellos podrían ocupar si fuesen mujeres. ¿Por qué no disfrazarse de tales y hallar así el indispensable medio para sobrevivir? En efecto, se hacen pasar por muchachas y entran a trabajar en un famoso hotel de adinerada clientela. Un millonario se enamora de una de las falsas señoritas, la cual no tiene más remedio que coquetear con aquél, para evitar el descubrimiento del fraude. Al final de la película, el rico enamorado lleva en su coche a la supuesta doncella y le declara su propósito de contraer con ella matrimonio. El pobre músico trasvestido intenta disuadirle con excusas cada vez más graves y poderosas, que el entusiasmado pretendiente rechaza una tras otra con sonriente naturalidad y pertinacia. Como último recurso el acorralado pícaro no tiene más remedio que descubrirle la verdad y revelar el engaño: "Es que además, dice, soy hombre". Flemático, imperturbable, el millonario contesta: "No importa: nadie es perfecto".

He ahí un conjunto de situaciones que, inverosímiles en una obra seria, se manifiestan como verosímiles dentro del género cómico en que se sitúan. Si nuestros razonamientos anteriores son correctos, el análisis ha de revelarnos la filiación de tal verosimilitud y de tal inverosimilitud en la posibilidad real. Atendamos sólo, para hacerlo ver, a la escena final que acabamos de describir sumariamente. Es posible que alguien, terco en su ansiedad amorosa y dispuesto a vencer todos los obstáculos que se oponen a su matrimonio, y tras invalidar plausiblemente las objeciones del ser amado, continúe mecánicamente, sordo en realidad a lo que se le dice, haciendo lo mismo incluso ante un argumento en contra de contundencia tan radical. Evidentemente, sí, pues comprendemos como hacedero que movido por un deseo demasiado ardiente y cegador, nuestro personaje no escuche la última réplica de su interlocutor y le responda automáticamente sin haberse hecho cargo de ella más que de un modo general y sin entrar en su verdadero sentido.

Por tanto, según se nos patentiza, la verosimilitud cómica se aposenta en la posibilidad real. Ahora bien: tal escena en una obra seria no sería asentible y, por consiguiente, no sería verosímil, ya que se trata de un estado anímico que, aunque posible en la realidad, no debería haber nacido, de concordar el sujeto con las demandas de la vida. En efecto: las palabras del enamorado son fruto de una mecánica distracción, de un tosco error psíquico no sólo en cuanto a que no se ha enterado bien del gravísimo reparo de su interlocutor, sino en tanto que, como consecuencia de su descuido y desatención, da por sentado que a fines eróticos masculinos el ser hombre y no mujer el objeto de sus sentimientos constituye una mera "imperfección" de éste, en el mismo nivel y de tan dispensable entidad como lo sería, por ejemplo, tener el cabello castaño y no rubio, la nariz aguileña y no griega, o frisar en los 30 años, en vez de andar por los 20.

El hecho, pues, de que la verosimilitud o inverosimilitud dependen del género literario y carezcan, por tanto, de estabilidad abstractamente deducible, no obsta, según adelantábamos, a su conexión con lo posible en la realidad. Pues, como hemos intentado probar, cada variación en el tipo de lo verosímil contacta con un cambio paralelo y semejante en el tipo de lo posible. El juego asentimiento-disentimiento que explicaba la diferencia entre poesía y chiste, nos ha explicado también ahora la congruente discrepancia entre una y otra clase de verosimilitud, así como las diferencias más leves, matizadas y graduales de los géneros intermedios, en que se complican, muy variadamente, esos dos polos fundamentales del orbe literario. Y en cuanto a la diversificación de la verosimilitud en una amplia gama dentro de cada uno de esos polos, encuentra igualmente razón de existencia en otra diversificación parecida en el mundo de lo hacedero. Dada una circunstancia elevadamente trágica, por ejemplo, se espera de nosotros un abanico de comportamientos posibles, fuera del cual, en su expresión estética, empieza el régimen inicuo de lo inverosímil. Y algo equivalente diríamos para situaciones de porte menos extremoso, que, a su vez, conllevan una rica, pero limitada baraja de posibles respuestas psicológicas, diferentes a las anteriores y pertenecientes, en ese sentido, a un orden distinto de verosimilitud. Si el arte es expresión de la realidad, la verosimilitud del arte ha de ajustarse con pulcritud a lo posible en aquélla. El pensamiento contrario, implícita o explícitamente manifiesto en caracterizados autores de teoría literaria, resulta, pues, originado, a nuestro juicio, en un análisis insuficiente de la intuición estética.

Capítulo XVI

LAS REGLAS HISTÓRICAS DE LA PRECEPTIVA Y LAS LEYES AHISTÓRICAS DEL ARTE

EL PROBLEMA DE LA JUSTIFICACIÓN ESTÉTICA DE LA PRECEPTIVA TRADICIONAL

Nada más lejos de nosotros que la Preceptiva tradicional, y muy especialmente la versión que ésta hubo de recibir a todo lo largo del neoclasicismo. A partir de la escuela romántica, nos hemos acostumbrado a concebir al escritor y a su trabajo como libres de toda coerción normativa. Desde esas fechas, por tanto, sentimos nuestro ánimo propicio a calificar de meros desvaríos las exigencias retóricas del Siglo de las Luces (y de los anteriores) o, todo lo más, a contemplar esas exigencias como meras derivaciones, *sin duda estéticamente extraviadas,* de la especial interpretación del mundo que la época se había hecho. En suma: el conjunto de reglas que, sobre todo el siglo XVIII, impuso a la creación literaria nos parecen históricamente explicables, sí, pero sin posible justificación desde un punto de vista exclusivamente artístico.

Sin embargo, es evidente que las estrictas regulaciones de la vieja Poética tuvieron vigencia varias veces secular (antigüedad, renacimiento, barroco, neoclasicismo), aunque no siempre con rigor y modulación idénticos. Este hecho, por sí solo, debería hacernos meditar. No es del todo imaginable, en efecto, que sin una cierta justificación *estética* esas imperativas prescripciones pudiesen durar tanto. La gran extensión cronológica de su validez no es, por supuesto, una prueba, pero sí una incitación a pensar que tales prescripciones han de implantarse, de un modo u otro, en la naturaleza misma del arte. Ahora bien: mientras se estaba en la convicción de que la naturaleza del arte era intrínsecamente un misterio, y un misterio irresoluble, constituía un contrasentido plantearse el problema de hasta qué punto las ordenanzas retóricas arraigasen en ella. Pero ahora no estamos ya en idéntico caso. Puesto que nos hallamos, o creemos hallarnos, en *posesión* de las leyes de la poesía (ley de la individuación o sintetización y ley del asentimiento), la cuestión se torna, en principio, resueltamente dilucidable.

Planteémosla, pues. Y ya que la Preceptiva tradicional encuentra su versión-límite en el siglo XVIII, acudamos nosotros a esa época y pasemos revista, sin ideas preconcebidas, a sus principales dogmas, intentando ver en ellos, por debajo de lo hiperbólico y desmesurado de su intolerancia, la dosis de buen sentido que también, probablemente, encierran.

LA "JUSTICIA POÉTICA"

Comencemos por el examen de lo que Rymer denominó "justicia poética" [1]. Cumple con este requisito la obra literaria cuya resolución argumental se verifica sin detrimento de la equidad, de forma que el destino de los personajes se corresponde a sus respectivos merecimientos: el "bueno" había de ser premiado, y castigado el "malo" en proporción a sus culpas. La crítica neoclásica, cuando era fiel a sí misma, miraba con hondo recelo, y hasta con repugnancia, el desenlace de una pieza (por ejemplo, teatral) que no siguiese estas pautas de ética distributiva e hiciese padecer por igual a todos, justos y pecadores, o peor aún, que concediese felicidad al perverso y daño al hombre recto y de intachable conducta. Sin duda, cuando la Preceptiva del siglo XVIII se mostraba tan severa a este respecto no era por capricho, sino como natural consecuen-

---

[1] Véase *The Neo-Clasic Theory of Tragedy in England during the Eighteenth Century*, Cambridge, Mass, 1934, págs. 139 y ss.

cia de la concepción del hombre y de la realidad en que estaba. La doctrina optimista de que, tomadas las cosas en la más amplia perspectiva, vivimos en un mundo donde todo conduce necesariamente a lo mejor, y donde la crueldad, el dolor y el mal son sólo aparentes o, en todo caso, impulsos hacia una solución beneficiosa a cuya consecución se encaminan, traía como resultado esas normas, que semejan, aunque a primera vista tan sólo, contradecir el realismo naturalista del siglo [2]. En efecto, el dramaturgo debía ser fiel a la verdad de la historia cósmica y humana. El racionalismo del período y la tesis que entendía el arte como "imitación de la naturaleza" lo demandaban por igual. Mas para obtener esa fidelidad era preciso tener en cuenta, al trazar un asunto, no un trozo cualquiera de la vida, acaso en desacuerdo con esa presupuesta equidad, sino el plan completo de la Creación, futuro incluido, y aplicar así al argumento seleccionado con propósito artístico el justiciero final que a escala cronológica más amplia se presumía como de arribamiento forzoso. De lo contrario, aunque aparentemente se tradujese con corrección una verdad posible, se traicionaba la más honda verdad que tras aquélla se ocultaba: el hecho de la concordia moral del universo en cuanto a su justificación última.

El Romanticismo, una vez desaparecido el optimismo del siglo anterior, negó, con mayor o menor energía, al menos teóricamente, la legalidad estética de tan tiránicas demandas. Ni Schlegel, ni Coleridge, ni Schopenhauer piensan como Lessing, Johnson o nuestro Moratín que el escritor esté obligado a suplir y corregir en sus obras las deficiencias que en punto a equidad desempeñan con frecuencia papel importante en el destino de las criaturas.

Desde entonces para acá nadie volvió a ocuparse, que yo sepa, de "justicia poética". Y no obstante, es evidente que sin presión alguna por parte de la crítica, y no siempre y del todo por parte de la moral social, la práctica artística, en lo que tiene de intuitiva, ha seguido teniendo muy en cuenta ese principio que la teoría, primero, desechó como inútil o estúpido prejuicio, para acabar después olvidándolo por completo. El cine, sobre todo si hacemos caso omi-

---

[2] Ese pensamiento se documenta en Lessing, *Werke*, IV, 351.

so de aquellas obras cuyo carácter cómico o humorístico consienten soluciones en disconformidad con las exigencias mucho más marcadas de las composiciones "serias", el cine, repito, es especialmente riguroso al respecto. Yo no conozco, aunque no excluyo su posibilidad, por lo que veremos, ni aun su existencia, ninguna película de ese tipo en que un asesino o un delincuente en materia grave no haya sido finalmente castigado de un modo o de otro. Ciertamente, se trata de un arte que por su popularidad entre las masas se hace muy apto para recibir consignas extraestéticas, que el instinto defensivo de la sociedad impone bajo la forma de imperativos éticos. Pero el carácter categórico y universal de tales coerciones y su extensión, bien que ligeramente paliada y con alguna mayor laxitud, a la literatura, declara la existencia, en la entraña misma del arte, de algo que viene, en un cierto sentido y de otra manera, a dar a los neoclásicos y a sus antecesores (Scalígero, Corneille, Scudéry, etc.) la parte de intemporal razón que sin duda tenían. Ese "algo" al que nos referimos consiste en la ley del asentimiento desde la que el arte se engendra, o mejor, en las implicaciones negativas de tipo "erróneo" que aquella ley, según vimos, involucra. No se trata de que sea imposible la "aquiescencia" a un desenlace argumental en que la injusticia triunfe. Nosotros podemos, sin duda, "aceptar" una solución de esa índole; no sólo porque, digamos, es hacedero que tal desenlace lleve un propósito de denuncia social que por su carácter ético es en sí mismo altamente asentible, sino porque a veces el encumbramiento del pícaro, e incluso del incurso en más graves yerros, puede ofrecerse como retribución no a sus maldades, pero sí a otros valores positivos de que en la obra tal vez ha dado pruebas. Nadie ha dejado de percibir en el público teatral o cinematográfico un inconfesable y hasta confesable deseo de que el ingenioso y paciente ladrón, que tanto trabajo e inteligencia desplegó en el cumplimiento de su antisocial empresa, acabe gozando de los frutos de su habilidad. Si los autores hubiesen concedido a su protagonista ese final feliz, pocos acaso de entre los espectadores se sentirían ofendidos o defraudados. En tal caso, la aquiescencia brotaría con facilidad, pese a la "maldad" del malo, en consideración a las "virtudes" que éste no deja de poseer: talento, tenacidad, valentía, etc. Por tanto, repito, el asentimiento a lo que de hecho sería llamado por los neoclásicos injusticia poética resulta, en numerosos casos, perfectamente legítimo, y no de una, sino de varias maneras. Así, pues, no hemos de buscar por ese lado la solución al problema que encaramos. La solución se halla en otro sitio: en la posibilidad del disentimiento erróneo. En cuanto un autor no se resigne a confinarse en un público de acentuado signo minoritario, ha de evitar con cierto cuidado aquellas soluciones que podrían desencadenar ese tipo de disentimiento, que aunque en rigor no deberían darse, nadie puede impedir que en realidad se den, y hasta que se den mucho, por ser inherentes a la psicología del hombre común. Por eso, y no sólo por inspiraciones exclusivamente exteriores al arte, cuanto mayor auditorio posea una obra tanto más exigente se irá volviendo la trama de ésta con respecto a la especie de equidad de que ahora nos ocupamos. Los neoclásicos no tenían razón al creer que se faltaba universalmente a los principios *eternos* de la literatura al presentar la buenaventura del indigno; pero sin duda no estaban del todo carentes de ella en cuanto que existe, sin vacilación, como hemos pretendido probar, un nexo entre aquella norma de justicia poética y una de las leyes de toda obra artística, cuando la deseemos mayoritaria. Y si de esta consideración intemporal venimos a la otra meramente histórica en que antes nos hallábamos, y desde ella nos preguntamos los motivos "artísticos" que operaban en la Preceptiva neoclásica cuando ésta se mostraba tan inflexible en punto a la retribución final de sus héroes, comprobaremos toda la razón, esta vez en cierto modo completa y no sólo parcial, que le asistía, desde las concepciones de la época.

En efecto, si se pensaba a Dios como providente y a la Creación como finalmente justiciera, resultaba, por lo que anteriormente dijimos, disentible toda obra literaria que hiciese ver el éxito de la iniquidad o el fracaso de la virtud. La ley del asentimiento nos aclara, pues, tanto la *inexorabilidad* de las normas retóricas neoclásicas, como la mera *tendencia* en igual dirección de la práctica literaria de hoy. La cosmovisión dieciochesca hacía suponer disentible, insisto, la injusticia poética: de ahí lo inapelable de su condenación; la cosmovisión actual permite "aceptar" tal injusticia; pero si se busca una audiencia de mayor cuantía, es preciso recaer en el cumplimiento del antiguo precepto, ya que de lo contrario una parte del público incidiría en lo que hemos llamado "disentimiento erróneo". Tal vez se me diga que el disentimiento neoclásico era igualmente equivocado. Por supuesto, lo sería desde un punto de vista esencial o universal (¿mas existe ese punto de vista? ¿No es una contradicción en los términos hablar de un punto de vista —implicador siempre de una localización— que no está en ningún lugar determinado?). Pero tal equivocación no se daba, o no podía percibirse como tal, si nos instalamos en la cosmovisión de entonces. Diríamos con alguna precisión que lo equivocado no era, pues, en rigor, el disentimiento en cuanto tal, sino la cosmovisión desde la que éste se ejercía (si es posible calificar negativamente una interpretación de la realidad que tiene sentido y justificación en el concreto tiempo en que se da). Diciendo lo mismo de otra manera: el disentimiento actual a la injusticia poética es estéticamente erróneo, incluso en perspectiva histórica; el mismo disentimiento en la época neoclásica y desde tal perspectiva no lo es, bien que se constituya como tal si adoptásemos un punto de vista general o ucrónico, que, repito, no es concebible. (El nuestro de hoy, aunque respondiese a algo *objetivo* no dejaría de ser histórico.)

La demanda de "justicia poética" en el siglo XVIII estaba a gran distancia, pues, de ser un dislate. Era, por el contrario, el resultado de cumplir con una ley poética intemporalmente válida desde una concepción del mundo, eso sí, pasajera e histórica.

LA DOCTRINA DEL DECORO O PROPIEDAD

Algo semejante probaremos para el resto de las imposiciones preceptivas de aquel pasado período literario. La doctrina del decoro o propiedad era una de ellas. Consistía, entre otras cosas, en que cada personaje, en cuanto miembro de una clase, una clase no sólo social, debía ajustar su conducta a lo que de esa clase se juzgaba (con frecuencia, convencionalmente) característico. Como se ve, se trataba de disolver lo individual en el excipiente de lo arquetípico. El inglés había de conducirse en todo momento como "inglés"; el villano, como "villano"; el guerrero, como "guerrero", sin concesiones a lo que ese inglés, villano o guerrero pudiesen ser como personas, más allá e incluso fuera de lo que su categoría genérica demandaba. Si al aristócrata como tal se le supone dignidad, no estaba bien visto un argumento que presentase la vileza de un noble. La crítica literaria se encargaba de censurar al autor cuando infringía esta fórmula. Así, Rymer, según recuerda Wellek, recrimina a Shakespeare "por encarnar en Yago a un soldado ingrato", "ya que los soldados son típicamente leales". El mismo Wellek cita a La Mesnadière a este propósito, que impugna llevar a escena "alemanes sutiles, españoles modestos, franceses maleducados", aun cuando tales individuos se diesen en la realidad, evidentemente porque las cualidades típicas de franceses, españoles y alemanes eran las opuestas, en opinión de la época, o al menos en la del crítico mencionado, que, como buen patriota, define a tudescos e hispanos por sus defectos, mientras reserva a las gentes de su propio país, como nota definitoria (lo cual no deja de ser divertido), una evidente virtud.

¿Tiene todo esto en la época o fuera de ella algún sentido, o nos hallamos ante una proposición insensata? No hace muchos años presencié una obra dramática cuyo protagonista era Velázquez, y recuerdo el mal efecto que me producía escuchar a este hombre genial decir sobre pintura, en la escena, cosas que, para suyas, resultaban insuficientes. Evidentemente, es posible que Velázquez en su vida privada, al referirse a su arte, no lo hiciese con la misma hondura y grandeza que ponía en sus lienzos, pues un creador no siempre es, además, un crítico de mérito. Pero como el autor, al hacerle hablar de ese modo, pretendía que los espectadores se percatasen del talento magno de su héroe, es palmario que no lograrlo constituía, en este aspecto, un fracaso. Si mi juicio no erraba, la pieza en cuestión era, pues, deficiente en cuanto que no cumplía con la regla del "decoro", al parecer, por algún sitio, de algún modo y en algún caso, válida aún, y por consiguiente en contacto con una de las dos leyes que al arte literario asignábamos. En efecto, si esa obra a la que nos hemos referido no era, en mi criterio, impecable, debíase al hecho de que las palabras que el autor ponía en boca de su protagonista nos parecían pobres, *pero no en sí mismas,* sino con respecto a la excelsitud humana que comúnmente atribuimos al artista genial.

Así, no es la ley de individuación lo que aquí falla, sino la ley del asentimiento, puesto que como espectadores no estamos dispuestos a conceder del todo la aquiescencia a un contenido anímico que juzgamos, en alguna proporción, "ilegítimamente nacido", al referirlo a un hombre como suponemos hubo de ser Velázquez. La prueba de ello es que esas mismas frases, dichas por una personalidad menos relevante, no suscitarían en nosotros el menor repudio.

El decoro, cuando es una exigencia correcta, se vincula, pues, estrechamente a esa ley ahistórica. Pero ¿y cuando no lo es, como indiscutiblemente pasa si hablamos en abstracto y con generalidad, a la manera de la Preceptiva neoclásica? ¿Tenía acaso razón esa Preceptiva al ordenar el decoro como dictamen sin apelaciones? Claro está que no. El arte sólo ha de cumplir necesariamente las dos leyes que, según hemos creído ver, lo determinan. Si una obra particular pide además, en apariencia, otros requisitos, es porque éstos son en ella manifestaciones, también particulares, de esas inexorables y universales leyes. Pero al ser particulares las manifestaciones en cuestión, sólo particularmente serán exigibles. De ahí que fuera de esa pareja de esenciales demandas ninguna otra resulte enunciable en forma que no sea concreta. Podemos decir: ‟*esta* tragedia que escribo ha de desarrollarse con arreglo al *decoro* (o con arreglo a cualquier otra condición)". Pero no afirmar, con los neoclásicos, que a *la* tragedia le es indispensable hacerlo. Hemos pasado en la crítica de la época de las abstracciones a la de las concreciones, de creer en reglas generales a creer sólo en reglas particulares, tras haber superado la etapa romántica, que no creía en regla alguna. Hay, por supuesto, como sabemos y repetimos, dos leyes estéticas con carácter universal; pero esas dos leyes, precisamente por ser universales, han de encarnar en lo concreto para hacerse *reales,* han de *realizarse* en la variadísima riqueza

de lo individual y aparecer así con figura siempre distinta, que es
lo que únicamente vemos y palpamos, figura, pues, incatalogable
en una genérica Preceptiva. Cuando leemos un poema percibimos
esta metáfora, *esta* onomatopeya, *esta* sinécdoque, *esta* ruptura del
sistema; pero no, de modo inmediato, la individuación o sintetización que tan rica multiplicidad esconde, y menos el asentimiento,
que es un juicio implícito. Y lo mismo que sería absurdo pretender
que el poeta recurriese en todo caso al uso de la antítesis, o de la
metonimia, se hace también disparatado, y por idénticos motivos,
exigirle siempre el empleo de fórmulas como la "justicia poética",
el "decoro" o cualquier otra, que, en cambio, son perfectamente
viables y exigibles en casos particulares, al ser en ellos (y sólo en
ellos) algo así como cuerpos tangibles a que aquellas leyes universales momentáneamente descienden.

Los neoclásicos se engañaban, pues, como críticos de literatura,
en su ordenancismo a ultranza, en su preceptivo afán de absolutismo centralizador. No se pueden dar "pragmáticas" a que haya de
someterse todo ingrediente artístico. Cuando los teóricos de aquella edad obligaban al decoro como "ley general del reino", evidentemente se excedían en sus atribuciones, y hacían general lo que
sólo en particular tendría, si acaso, significación. Pero al hacer
esto, ¿en qué medida intentaban cumplir, aunque a ciegas, si es
que lo intentaban, con la ley del asentimiento? El siglo XVIII es la
edad áurea de la fe en la Naturaleza. La Naturaleza es buena, bella
y verdadera; seguirla constituye el supremo bien, puesto que nos
encamina hacia nuestra perfección, que en ella (y sólo en ella) reside.
Cuando de ella nos apartamos, incidimos miserablemente en el
mal, en el error, en la disonancia. Un hombre reducido a pura
naturaleza sería el preferible, al hallarse libre de las contaminaciones exteriores —por ejemplo, sociales— que pueden alterar y torcer su íntima y más genuina realidad, que es la natural. Alguien
que hubiese vivido solitario desde infante inventaría, con la ayuda de su sola razón (o naturaleza), una sociedad ayuna de defectos.
Acercarnos lo más posible a nuestra naturaleza es ser mejores, y
mejores serán también aquellos géneros literarios que aspiren a
ofrecer la estampa de ese hombre mejor, o sea del hombre que

cumple con su esencia o naturaleza. La tragedia o la épica, géneros idealistas, que pintan al hombre no como es, sino como debe ser, resultan de más elevación que la comedia o la sátira, atentas a lo contrario.

Pero el rey debe ser rey, y el soldado, soldado. Es ahí, y no en otro sitio, donde tales seres tienen su mayor realidad, su más amplio bien. Pintar esa realidad magna es la gloria de los grandes géneros, tragedia y épica, a los que, por definición, les estará prohibido el incumplimiento de su compromiso con lo excelente; esto es, con lo que se aviene a su deber de ser lo que se es. Desde esta posición se hace inteligible que, incluso cuando la criatura de que se trate consista en una suma de cualidades negativas, no deje de ser por eso, a su modo y en ese exclusivo sentido, perfecta, precisamente al atenerse, y en cuanto que se atiene, sin sobrante, a ellas. Así, el español nada modesto y el alemán nada sutil resultarán personajes de buena factura por estar trazados conforme a su ideal bosquejo.

Comprendemos ahora en toda su complejidad, inexorabilidad y magnitud la doctrina del decoro trágico. Una tragedia que no se restringiese a la pintura de lo ejemplar no sería una tragedia, pues también los géneros, como cuanto hay, poseían una naturaleza fija, cuya dibujada definición y nítido contorno no podía, sin detrimento y merma, sortearse. Diríamos en nuestra terminología que el espectador neoclásico en estado puro no *asentiría* a un hibridismo que, como ése, contrariaba el carácter natural a que toda cosa, si quería existir, había de someterse. Se sigue, pues, que desde la mentalidad dieciochesca el asentimiento funciona, en este caso, a través del género tragedia, en el trazado de los personajes, exigiendo de éstos la fidelidad al arquetipo; en tanto que desde nuestra mentalidad sólo funciona exigiendo de los mismos la fidelidad al propio carácter: único "decoro" o "propiedad" que en la estética actual tendría aún validez.

He ahí cómo una concepción de época (fe dieciochesca en la excelencia y realidad última de lo natural y de lo que a lo natural se ciñe precisamente) hace que una de las leyes intemporales del arte (la ley del asentimiento) asuma una función que paradójicamente, en la apariencia, se circunscribe con temporalidad a un período dado, adoptando formas temporales también: decoro arquetípico de los géneros superiores, épica y tragedia.

LA DOCTRINA DE LAS "OCHO" UNIDADES NEOCLÁSICAS

Tomemos otro caso: la postulación de las famosas unidades, que afectaban sobre todo a las obras dramáticas, pero que, en parte, regían también la estructura de los otros géneros. Debo advertir que tales unidades, en nuestro cálculo, no eran sólo tres, como la letra declaraba entonces y sigue declarando hoy por boca de todos los historiadores y críticos de literatura, sino ocho, a saber: unidad de lugar, tiempo, acción, unidad de especie, clase social, lenguaje, versificación y, por último, unidad lógica o verosimilitud, entendido este último término en un sentido especialmente estrecho y racionalista, muy lejano al pensamiento de Aristóteles, ya desde los *Comentarios a su Poética* por parte de Castelvetro (1570). No es preciso, claro es, poner en antecedentes al lector de materia tan transitada, sino sólo recordarle rápidamente lo conocido. Dejando de momento a un lado las tres unidades primeras, únicas a las que la crítica les aplica ese nombre, las otras cinco consistirían también en un sistema de prohibiciones, constrictoras de toda variedad y heterogeneidad estilísticas: 1.º Prohibida la mixtura tragicómica (unidad de especie). 2.º Prohibida idéntica mezcla en lo que toca al linaje de los personajes literarios. Para la tragedia habían de reservarse en exclusiva los individuos nobles, mientras los plebeyos sólo podían figurar en la comedia (unidad de clase social). 3.º Los vocablos y sus relaciones sufrían un allanamiento parecido: los géneros elevados (tragedia, épica, poesía lírica) emplearían únicamente un léxico y unos giros con suficiente empaque, consecuente a la altitud del respectivo género, y habrían de ser evitados así cuantos términos evocaran directamente lo cotidiano y vulgar. Hermosilla reprochaba a Jovellanos que en un poema serio utilizase vocablos como "mayoral", "mulas", "chasquido del látigo", etcétera, que, en cambio, podían movilizarse sin impertinencia o

desdoro en los géneros inferiores (sátira, comedia, sainete, etc.):
unidad de lenguaje. 4.º El metro mismo debía ser homogéneo y
siempre el mismo a lo largo de toda la obra. No era posible ni aun
modificar la rima cuando se trataba del verso asonante (unidad
de versificación). Con mayor motivo, la combinación verso-prosa
no se toleraba; y 5.º Todas las situaciones habrían de ser no sólo
igualmente verosímiles, sino corresponderse exacta y directamente
con lo probable en la realidad, sin margen alguno para lo maravilloso, fantástico y sólo indirectamente posible (unidad lógica).

UNIDAD LÓGICA, UNIDAD DE
LUGAR Y UNIDAD DE TIEMPO

¿A qué respondían estos preceptos y en qué sentido se hallaban
referidos históricamente a las leyes no históricas del arte? Las unidades de lugar y tiempo, como es sabido, eran producto de la exigencia de verosimilitud literal, que, como hemos dicho ya, carac-
terizaba el período. Puesto que el lugar real de la escena es siempre el mismo, el imaginario de la representación debe asimismo
permanecer inmutable. Con el mismo criterio, el tiempo imaginario del espectáculo y el tiempo real del espectador han de coincidir,
en principio, aunque la dificultad de hallar argumentos que pudiesen obedecer regla tan dura llevó a una tolerancia de veinticuatro
horas por parte de la mayoría de los críticos, infieles así a su
propio pensamiento. Como se ve, estas dos unidades se desprenden
del sentido racionalista que se inyecta y añade a la verosimilitud
aristotélica.

Se postulaba la unidad de lugar y la otra cronológica, por lo
mismo que repugnaba todo lo maravilloso y no dable en la vida:
que la Teología, por ejemplo, apareciese en escena como si fuese
una persona. El arte debía colmar hasta el rebose sus posibilidades de racionalidad, pues el hombre y, por tanto, cuanto el hombre hace se definían por su naturaleza racional. Lo que no cum-
pliese ese requisito no era, pues, propiamente humano, y por no
serlo, no se hacía asentible, o sólo en escasa proporción, con lo

que el efecto estético de la obra descendía. La ley del asentimiento, de suyo intemporal, se temporalizaba y funcionaba anómalamente, en virtud de ser vivida la literatura desde una transitoria concepción de la realidad. Tal lo que hemos visto en todos los otros casos y lo que hemos de ver en los que siguen.

UNIDAD DE ESPECIE

La unidad de especie, como imperativo de virulencia cronológica no extensiva a todo el período neoclásico, es uno de ellos. Lo primero que observamos aquí es que la dificultad de combinar pacíficamente en una misma composición los elementos trágicos, o simplemente graves, y los cómicos ha sido siempre, y continúa siendo, muy grande. Toda persona que haya tenido que leer ante un público un conjunto de poemas de tan extrema heterogeneidad conoce hasta qué punto es complicado hallar el modo de que los oyentes puedan prestar atención a una pieza "seria", tras un recitado hilarante. No nos sorprende, puesto que el chiste es, según dijimos, lo opuesto a la poesía, y no constituye faena simple y mollar conciliar lo antitético. Por de pronto, la actitud a que nos disponemos en el primer caso, en el chiste, difiere diametralmente de la actitud a la que nos disponemos en el segundo: en uno sabemos que vamos a distanciarnos del objeto con la risa; en otro, que vamos a adherirnos sentimentalmente al objeto con la comunicativa emoción. Nos preparamos, pues, a disentir cuando se trata de lo cómico y a asentir cuando se trata de lo poético; y a sufrir, en ambas suposiciones, los correspondientes efectos, contrarios entre sí. Pero es evidente que disponerse a algo es, de algún modo, adelantarse a vivir, por medio de la fantasía, ese algo que no ha llegado aún, pero que nosotros ponemos ya en un imaginario presente. La prueba de ello es la risa que a veces los grandes cómicos suscitan nada más entrar en escena y antes de que pronuncien palabra alguna ni hagan el menor gesto que justifique, en apariencia, la extraña reacción del público. Ciertas "rupturas del sistema" lo demuestran también. Si la frase, ya analizada aquí, "es usted casada o feliz" es cómica se debe a que la palabra "soltera" que aguardamos tras la expresión "es usted casada o", la añadimos nosotros mentalmente antes de tiempo, de forma que, aunque nuestra espera queda en el ejemplo chasqueada, no deja de aparecer esa palabra en nuestra conciencia, envuelta en el concepto "feliz", único que el humorista formula explícitamente.

Pero si nos disponemos a la comicidad y, por tanto, estamos ya, por vía preventiva, en ella, y en su lugar se instala lo poético, no podremos emocionarnos, puesto que nos hemos situado psicológicamente de modo inadecuado y nos falta así algo que consideramos esencial a la obra de arte: esa actitud de específica espera, que prejuzga, según decíamos, el tipo de adhesión que vayamos a prestar: asentimiento o, al revés, tolerante disentimiento.

Se desprende de lo anterior que la prohibición de combinar en una misma obra lo trágico o grave y lo cómico no carece de fundamento en la realidad literaria, conservando de hecho, en muchos casos, toda su validez. En muchos casos, pero bien entendido que no en todos, pues cabe que el autor, entre las bromas y las veras, sepa intercalar elementos que modifiquen el espíritu del lector hacia la disposición conveniente, en contra de lo que rígidamente daba por sentado la Preceptiva tradicional, siempre absolutista y universalizadora de sus dictados. Y ¿a qué se debe ese carácter generalizador que nosotros, más prudentes, cautelosos o atentos a los vericuetos, complejidades y entresijos de la obra artística, hemos desechado? Se debe a una suposición, hoy superada, acerca de lo que el hombre y las cosas sean. Pues cada criatura, hombre o cosa, posee, en opinión neoclásica, una naturaleza invariable que comparte con las otras de la misma especie y en la que todas ellas vienen a coincidir sin remedio, indiferentes a la diversidad espaciotemporal. El arte es siempre el mismo en lo fundamental y definitorio, se pensaba, y lo propio ha de ocurrirles a sus elementos constitutivos, así como también al hombre. En consecuencia, visto y probado que la mixtura tragicómica resulta estéticamente imposible en multitud de ocasiones, hemos de concluir que necesariamente ha de suceder algo idéntico en las restantes. Pertenecerá, pues, a la esencia de tal mixtura esa cualidad "natural" de su inconciliabilidad. Lo dicho vale, repito, como explicación no sólo de este caso de generalización incorrecta, sino de todos los que integran la Preceptiva. Apliquese, pues, a cuantas doctrinas hemos expuesto y comentado como peculiares del siglo xviii (justicia poética, decoro, etc.), y cuantas vayamos a exponer y comentar. (Mencionemos, aquí, aunque muy de pasada y entre paréntesis, como ejemplo de ello, la unidad de acción que se preconizaba ya desde la antigüedad, y que sin duda posee más amplia vigencia que otras imperaciones neoclásicas, pues incluso hoy se practica. Las excepciones a su empleo están, principalmente, en el romanticismo, el teatro español del siglo xvii y la literatura medieval, tan propensa a la digresión y la conglomeración de lo diverso y a veces de la inconciliable. La legitimidad de la unidad de acción se encuentra en el hecho de que el arte ha de tener un sentido, que la pluralidad de las acciones puede dispersar inconvenientemente. La Poética tradicional universalizaba, como era en ella uso y por el motivo que hemos dicho, juicio tan prudente, incurriendo así en demanda excesiva.)

Retornemos a la prohibición de lo tragicómico en el neoclasicismo (y no sólo en él). De nuevo vemos en tal caso movilizada históricamente la ley no histórica del asentimiento. Los espectadores o lectores dieciochescos (y los otros anteriores) disentían la promiscuidad mencionada, incluso cuando no debieran, en virtud de los prejuicios racionalistas de que estaban imbuidos o, mejor, de que estaban hechos.

UNIDAD DE VERSIFICACIÓN

La unidad de versificación queda aclarada, sin más, en lo afirmado para la unidad de especie; sólo que esta última preceptuación posee una dosis mayor de universal cordura que la que ahora nos ocupa. Para que tal identidad entre la motivación de ese par de exigencias de unidad se transparente, únicamente es indispensable tener en cuenta que el tipo de actitud o disposición psicológica del lector que se prepara a intuir una pieza artística no sólo difiere ante los distintos géneros o subgéneros, según indicábamos, sino ante las distintas obras que entran a formar cada uno de estos amplios grupos. Y aún diríamos que nuestra postura expectante se modifica y altera según se va alterando y modificando, por su mera fluencia, el curso de la composición de que se trate. Cada expresión nos modela el ánimo de un modo nuevo, convirtiéndonos en receptáculo idóneo de lo que va a seguir. La cosa no tiene misterio alguno, pues eso que llamamos actitud, disposición o postura anímicas del lector solamente es el modo de estar el espíritu cuando espera algo, y en tanto que lo espera. Y claro es que nosotros no sólo esperamos una tragedia o una comedia cuando vamos a ver una tragedia o una comedia, sino que esperamos también un soneto cuando nos lo encaramos, poemas de Neruda cuando hemos comprado *Residencia en la Tierra* o un vago o menos vago tipo de expresión cuando pasamos por otra expresión previa que la determine y exige. Pero, según dijimos, aquello que esperamos lo anticipamos siempre con la imaginación y lo situamos en presencia virtual. Y claro es que si eso que por modo fantasmal está ya ahí no llega, y en su lugar asoma otra realidad, no tendremos ojos para ésta, puesto que para nosotros lo que existe y posee cuerpo, aunque fantástico, es lo aguardado y no la intrusión sobrevenida, a la que extrañamos y en todo caso vemos por configuración reminiscente. En vez de contemplar el objeto por sí y ante sí, lo definimos nostálgicamente de modo negativo por lo que no tiene, y buscando lo que echamos de menos en él, tachamos o recibimos con algún orden de ceguera o incomprensión aquello que se nos da.

La sensibilidad neoclásica instintivamente entendía que la modificación del metro defraudaba la expectación anímica deparada por la diferente índole del metro anterior, y que ese chasco perturbaba la limpia obtención del efecto estético al quedar éste escasamente asentido.

El hecho de que en algún caso ello fuese cierto, disparaba la tendencia generalizadora del período, surgiendo inapelable la sentencia: unidad de versificación.

UNIDAD DE CLASE SOCIAL

¿Podríamos dar también con el motivo de la discriminación clasista, inherente a los distintos géneros literarios, según los entendía la teoría literaria tradicional? La cosa venía de muy lejos, pues no sólo desde el renacimiento se encarnaba lo cómico en las gentes de inferior condición y lo grave en las de noble cuna (con las excepciones que ha estudiado Pedro Salinas), sino que ello era, y nadie lo ignora, igualmente propio, y más severamente aún, de la práctica artística de la Edad Media. La Edad Media contempla la realidad con ojos primitivos y, por consiguiente, tiende a atribuir a los objetos un carácter absoluto que extiende a todas y cada una de sus cualidades. La mirada, aún inexperta, no sabe distinguir en la cosa que tiene delante lo que es accidental y adventicio de lo que es esencial y permanente; e incluso no distingue, con frecuencia, la cosa misma de lo que a ella se refiere. Separar, distinguir, aislar, son funciones de la razón especializada, que el primitivo ignora. Y así, la Edad Media entiende los atributos, prerrogativas, privilegios, causas y afectos de las criaturas como portadores de la misma irremediable estabilidad e inexorabilidad que a éstas entonces se les supone. Ser es ser de manera inmutable, rotunda, sin matices ni mezclas. No existe lo intermedio ni cabe lo indefinido o indeterminado. Cada objeto existe enterizamente y con bien delineados perfiles para la eternidad, en la que de hecho se halla. Sus cualidades y sus accidentes padecerán coherentemente esa misma condición de mansa quietud, puesto que lo intemporal no admite cambios en ninguna de sus partes. El rey Apolonio, náufrago, arriba a un lejano reino, donde nadie le conoce. Llevado a la presencia del soberano de aquel país, Apolonio declara su condición y es admitido en la corte como egregio invitado. Se dispone a dar un recital de arpa. De pronto se detiene: no puede tocar el instrumento. Y es que le falta la corona real, sin la cual considera imposible ejercer sus maravillosas facultades de músico. Cortésmente, su regio amigo y huésped le cede una de las suyas, lo que soluciona el grave conflicto.

Así nos lo cuenta, con delicioso candor, el autor del poema. El pasaje, idéntico en lo sustantivo a infinidad de otros de la misma época, declara la primitiva confusión que la Edad Media establece entre esencia y accidente, de forma que todo se convierte, con indiferencia, en sustancia. El rey y su corona vienen a ser lo mismo, con lo que sin lo uno, la corona, no se da lo otro, el rey. Y como, por otra parte y por parejos motivos, se hacen igualmente indistintas la persona y su categoría social, si no se es rey, al no llevar corona, no se es tampoco individuo que domina el arte de la música. Sin corona, el rey no puede tocar.

Pues bien: si en la Edad Media todo es algo así como una hierática figura de baraja, portadora de su esencial y, por tanto, inalienable y fijo atributo; si cada criatura se erige en sota de bastos o de espadas, en que las espadas o los bastos se ven como definitorios, caracterizadores, sustanciales e indeclinables, ¿asombrará que la persona noble o la plebeya ostenten también sus cualidades con tan exorbitante e indefectible inherencia? Al aristócrata, como a cuanto existía, se le pensaba sustancialmente, y lo mismo al villano. E idéntica sustantividad se concedía a sus respectivas calificaciones. Dada la concepción jerárquica de aquella edad, lo propio del caballero habría de ser el honor, la gravedad, la elevación de miras, la conducta justa, el comportamiento sublime. Opuestamente, el villano carecería de dignidad y sería visto sin excepciones como personaje risible. Ahí tenemos la explicación de por qué la Edad Media, en la literatura, no otorga nunca al plebeyo el honor mínimo de ser tomado en serio. Y por qué se reservaba este último papel a los caballeros. La ley extrínseca del arte hubiese emitido un fallo condenatorio en caso contrario.

El renacimiento viene a romper la rigidez primitiva de la contemplación medieval; pero en el punto concreto que examinamos, las cosas, pese a todo, no cambian mucho. Pues ocurre que la visión absoluta de la realidad es sustituida por otra que, aunque diferente en sí misma, conduce en ocasiones a un resultado semejante. Aludo a la fe en la naturaleza y lo natural, de que ya hemos hablado bastante aquí, fe que luego, en el siglo XVIII, según vimos, alcanza intensidad insuperable. Todo posee una naturaleza a la que se debe ser fiel si se quiere ser. El aristócrata tiene naturaleza de aristócrata, y el villano, de villano. De forma que un noble, aunque no sepa que lo es, educado entre cabreros y gente de baja condición, desde niño dará señales ciertas de pertenecer a otra clase. Pasmará a las gentes con su gravedad, valentía, generosidad. Será, en suma, algo así como el "patito feo".

Las novelas y el teatro de nuestro Siglo de Oro nos tienen hechos a este tipo de convencionalismo, que no lo es, o que no lo es del todo, en cuanto alcanza justificación en una manera específica de entender el mundo. Y el buen lector, cuando en las primeras páginas de una obra literaria de aquella época tropieza con un personaje de tan ideal compostura, sabe por anticipado cuál ha de ser el desenlace: habrá anagnórisis, y al final se reconocerá el excelso origen de quien así se conducía.

Pero si lo característico de quienes pertenecen a la clase superior es la alteza, seriedad y gravedad de su modo de vivir, que forman en ellos naturaleza o natural inclinación, es justo que ellos sean, asimismo, protagonistas exclusivos de los géneros también altos, graves y serios, ya que además, como sabemos, tales géneros pedían el arquetipo. Y algo exactamente paralelo habrá de ocurrir en su esfera a la correspondencia géneros inferiores — gentes inferiores. No es preciso añadir que la aquiescencia espectadora o lectora intervenía en esa preceptiva determinación.

UNIDAD DE LENGUAJE

Todas las unidades de la Preceptiva neoclásica quedan, pues, en nuestra intención, declaradas y vistas, excepción hecha de la unidad de lenguaje, que no se nos ofrece como un problema, al tratarse tan sólo, en opinión nuestra, de un caso particular de la doctrina del decoro, exigente del rasgo típico. Si cada personaje se hallaba prisionero de la naturaleza que se le atribuía convencionalmente ("alemanes no sutiles, españoles no modestos, franceses no maleducados"), ¿cómo sería posible concebir el uso de expresiones plebeyas por parte de protagonistas o géneros literarios nobles? La clase superior, habitante de la tragedia, no podía producirse sino en términos elevados y "poéticos". Y lo propio le ocurriría a la poesía seria, épica o lírica, que sufría de parecidas restricciones. Si un autor quería echar mano de un léxico sin sangre azul no le quedaba otro remedio que utilizar para ello los géneros de menos viso: comedia, sainete, sátira. Pero sin tanto rigor, y salvando ciertos períodos literarios (gran parte de la Edad Media, romanticismo, desembocadura realista del modernismo), ¿no ha sido ello regla, aunque no escrita, de muchos otros momentos de la historia literaria? En cierto sentido, sólo hoy se ha roto del todo con la concepción aristocrática de la forma, enlazándose así con el espíritu estético más representativo del período medieval. Uno de los encantos que para los escritores actuales posee, por ejemplo, el Arcipreste de Hita, y desde luego no el menor, es la sensación de libertad que nos produce, pareja a la que únicamente la literatura de la hora presente ha sabido ganarse. Juan Ruiz produce la impresión de que podía decirlo todo en verso, lo mismo en lo que respecta al continente que en lo que atañe al contenido.

Esa pertinacia cronológica de la imposición de nobleza al léxico literario induce a pensar que los neoclásicos en éste, como en sus otros dictámenes, se portaban con bastante sensatez y únicamente incurrían en el mal menor de la hipérbole, en cuanto que hablaban sin dar paso a la excepción, universalizando una realidad que lo más que tolera es ser llamada frecuente. Ésta: la necesidad de evitar la vulgaridad cuando queremos dar una impresión grave o esencial de nosotros o del mundo. La razón de esa radical proclividad a las definiciones *urbi et orbe,* propia de la Preceptiva, la conocemos ya. Huelga, pues, insistir en el asunto.

UTILIDAD Y DULZURA DEL ARTE

En cambio, no he hablado aún de la característica más notable y notada de la antigua Poética (y no sólo de ella: la Edad Media era todavía más terminante y taxativa al respecto). Me refiero a la bipartición del fenómeno estético en dos aspectos principales: el dulce y el utilitario: *utile et dulce.* La poesía debía ser grata, pero también moralizadora. Nuestro Luzán llevaba la cosa tan lejos, que para él una oda podía perfectamente prescindir del factor placentero, y aunque sólo fuese instructiva, no dejaría por ello de ser artísticamente interesante. Claro es que en tan radical didactismo no formaba en el batallón mejor ni en el más numeroso de su época. Pero el hecho de que en el siglo XVIII pudiesen decirse cosas como éstas nos hace ver claro hasta qué extremo la exigencia ética era importante entonces. Moratín, precisamente, y aquí sí que no estaba sólo, llamaba a la moraleja "fin principal de la comedia".

Nosotros hemos creído hallar los vínculos que enlazan arte y ética, por lo que sobra explicitar que tampoco la Preceptiva se encontraba en este punto desprovista o indigente de sentido común. Al parecer, su único pecado aquí, y en todos los casos, es la generalización o intensificación indebidas, la imposibilidad de ver cada obra de arte desde sí misma, y de exigirle únicamente lo que desde sí misma puede y debe otorgar.

Pero en este problema concreto del didactismo neoclásico, ¿qué explicación existirá? Sin duda, el racionalismo del período nos basta para esclarecer la cuestión. El racionalismo impulsa a la concepción utilitaria. No hay adjetivo más usado y con más amplio prestigio en el Siglo que el adjetivo "útil". Es la palabra clave de la época. Todo debía reportar utilidad, y todo era juzgado con ese criterio: el arte también. El interés humano se desplazaba monstruosamente hacia los valores prácticos, con la consiguiente desimantación estimativa de cuanta realidad se ofreciese sin ellos. Diríamos entonces que el espíritu dieciochesco tendía a asentir a esta última con esfuerzo y de modo escaso. Pero tratándose de literatura, la pobreza aquiescente tiene un resultado inmediato: merma y rebaja del efecto estético. Para evitarlo, la Preceptiva acentuó morbosamente la exigencia pragmática, que venía de más lejos. El arte tendría, como todo, una urgente misión social. Era dulce, y debía ser útil: había que "deleitar enseñando". Los conceptos horacianos se agrandaban como nubes de invierno, hasta cubrir de gris el cielo que en la antigüedad no había dejado de ser nunca fundamentalmente azul. Y ahora, de pronto, arreció la tormenta. El firmamento neoclásico llovía moralidad.

GUSTO DE ÉPOCA Y LEY DEL ASENTIMIENTO

Permítaseme llevar nuestra doctrina a su conclusión inevitable: toda "Poética" de época, tácita o explícita, se halla en relación con la ley del asentimiento. La suma de intolerancias, recetas, máximas y "deberes" que cada período histórico impone a los escritores y artistas no es más que fruto de la necesidad de asentir con plenitud a la obra estética, en vista de una nueva interpretación de la realidad que desordena la jerarquía axiológica anterior. Los viejos valores de súbito o paulatinamente se han hecho menos interesantes; el entusiasmo fluye hacia ellos con característica desgana, floja y tibiamente, y a veces no fluye en modo alguno. Si el literato contraría el gusto de su tiempo de forma radical, afirmando valores ya desestimados por el público, sufrirá las consecuencias de su disonancia: será desatendido y su obra disentida, o asentida con peculiar pobreza.

Según esto, los imperativos estéticos de cada época ¿son equivocados, al ser fugaces, históricos? ¿Se trata de que toda "Preceptiva", también aquella que se inscribe sólo en la sensibilidad y no en los libros, haya de ser errónea? Todo lo contrario. Al menos, en un sentido importante, ninguna lo es, puesto que de algún modo ninguna época se equivoca en lo sustancial. Cada época es como es por íntimas necesidades, que aunque no sean fatales y resulten de un acto de libre elección, en una baraja de varias cartas posibles, se insertan con justificación satisfactoria, y sobre todo, ya irremediable, en el fluir histórico.

Pero si ninguna Poética, tomada la palabra en su más amplia abertura, se alucina y desbarra, su sistema propio de asentimientos y disentimientos no puede tampoco desbarrar. Ni son descarríos sus afirmaciones ni lo son sus negaciones. Conclusión: la ley extrínseca del arte funciona en cada período artístico de modo diferente; pero siempre, en principio, con corrección. Aunque se trate de una ley que como tal es ahistórica, encarna y funciona con historicidad. Con historicidad, pero no equivocadamente. Los que llamábamos asentimientos o disentimientos erróneos eran cosa disímil, al tratarse de juicios puramente personales o de grupo, dentro de un contorno que permitía otros más certeros. Se hace preciso, sin embargo, distinguir. Cada época puede mirar hacia el pasado, y de ese pretérito discriminar con sensibilidad nueva todo el acervo artístico. Negará acaso valores estéticos que antes gustaban; acaso afirmará otros que con anterioridad no placían tan intensamente. Cuando esto se hace, el disentimiento puede ser erróneo, porque en tal caso sólo sería válido un enfrentamiento crítico con perspectiva histórica. En cambio, repito, las exigencias que un período tiene para consigo mismo y su correlativa secuela aquiescente o disquiescente están libres del error de esa clase, pues, en principio, un escritor que se desentiende de la visión del mundo propia de su tiempo (al desentenderse de sus consecuencias retóricas) no expresa su tiempo, y puede ser considerado por ello, en justicia, como inauténtico y, por tanto, como disentible, si nos ponemos en el caso peor. No obstante, al emitir una sentencia de este orden hay que tener en cuenta lo siguiente. Las cosmovisiones de época son un sistema muy amplio de posibilidades, de las cuales algunas se hallan más concurridas por la general adhesión de los artistas y del público. Y cabe que algún escritor favorezca y lleve a realidad una posibilidad cosmovisionaria de su hora que ostente plebiscito inferior, sin que por eso deje de ser hombre de su momento. Si a causa de su minoritarismo en ese sentido se le dispensa una aceptación más incompleta, nos hallamos, sin duda, nuevamente, frente al error que estudiamos. La penuria del asentimiento será entonces (y sólo entonces) equivocada, ya que lo que tal poeta ofrece en su obra, por definición, son contenidos "legítimamente nacidos".

ALGUNOS PROCEDIMIENTOS RETÓRICOS RELATIVOS A LA SEGUNDA LEY POÉTICA

CAPÍTULO XVII

PROCEDIMIENTOS EXTRÍNSECOS Y MODIFICANTES EXTRÍNSECOS

DOS CONCEPTOS NUEVOS DENTRO DE NUESTRA TEORÍA

Después de las anteriores reflexiones, se nos destaca con perfil inconfundible un concepto que es nuevo dentro de nuestra teoría: el concepto de recurso o procedimiento retórico *extrínseco*. Doy este nombre al modo de moldeamiento expresivo a cuyo través nos es posible asentir con plenitud. El adjetivo "extrínseco" con que determinamos el sustantivo "procedimiento" sólo pretende indicar su vinculación a la segunda ley de la poesía, a la que también hemos calificado así. Según ésto, los recursos o artificios poéticos se dividirán en dos grandes grupos: "intrínsecos", si sirven para individualizar o sintetizar el significado; "extrínseco", si sirven para que podamos conceder a este último nuestra completa aquiescencia. Y en vecindad inmediata de la idea de procedimiento extrínseco, que muy pronto ejemplificaremos, hemos de colocar otra que ya nos es familiar, pero que aquí alcanza toda su potencia de utilidad y de sentido. Aludo a ese tipo de modificantes que se relacionan con el asentimiento. Los modificantes pueden ser también, en efecto, extrínsecos, dijimos, tal como postulamos ahora para los artificios mismos de la literatura. Y pronto nos damos cuenta de que, tras el capítulo anterior, estamos en condiciones de definir con más precisión o concreción ese término, que antes se nos aparecía como desde más lejos y con un carácter más indeterminado. "Modificante extrínseco" será ahora para nosotros aquello que motive y justifique el artificio de igual nombre, lo que le obligue, desde una época dada, o con mayor o total universalidad cronológica, a existir.

En consecuencia, el modificante extrínseco es, sin excepciones, uno o varios términos de la visión del mundo en que el artista está situado como hombre, y con la que forzosamente ha de contar, como de un supuesto, en el momento de la creación. En ciertos instantes, esta cosmovisión es la de su época; pero cabe que en otros casos el escritor se apoye igualmente en una cosmovisión más vaga, amplia y general y, por lo mismo, de índole mucho más estable, en la que se halla también y con más firmeza aún: aludo a esas convicciones últimas sobre la realidad, que, a título de clara exposición, podemos separar en tres conjuntos, comunicados entre sí, claro es, por elementos difusos e intermedios de dificultosa clasificación. En el conjunto primero alojaremos las convicciones que son comunes a todo hombre, sin distinción de tiempo o de lugar; por ejemplo, la fe en la impenetrabilidad de la materia o la fe en la fluidez y blandura del agua, y más del aire. En el conjunto segundo se instalarán convicciones menos terminantes, pero todavía de permanencia tan sólida que la cesación de su validez no parece probable. Así, el gusto humano por la libertad y la justicia. En el tercero y último, otras más cuestionables, aunque sin duda de muy lata vigencia. Tal la actitud masculina de protección y amparo hacia la mujer; o el amor mismo, entendido a la manera occidental, como exigencia de la fidelidad por parte del otro, y su estela de celos, etc., cuando esto no se produce.

Todo ello, y cuanto a ello podamos emparejar, es cosa sobre la que el poeta elabora su dicción emotiva, sintiendo que es suelo firme y seguro en que tomar pie para la aquiescencia lectora; esto es, para la erección de eso que hemos denominado "procedimiento extrínseco". Si la frase "más vale morir en pie que vivir de rodillas" resulta poética, sabemos, que no sólo es porque en ella se individualiza el grado con que alguien ama la libertad, sino también porque asentimos a ese contenido anímico así singularizado.

Ahora bien: este último hecho, según hemos sentado, supone, a su vez, dos condiciones: la existencia de un modificante extrínseco y la existencia correlativa de un procedimiento de ese mismo orden. En efecto, para que tal asentimiento se dé en nosotros necesitamos *creer* ("modificante extrínseco") que la libertad es un bien y, asimismo, pensar que el sacrificio de la vida en aras de ese bien no es absurdo, sino, al revés, ejemplar ("procedimiento extrínseco"). En este caso, el procedimiento extrínseco sería, pues, lo que habríamos de llamar la "adecuación" heroica, la ajustada correspondencia del heroísmo (morir voluntariamente) al objeto que lo produce (defensa de la libertad). Pasa algo similar en la metáfora, para poner otro ejemplo, donde el procedimiento extrínseco consiste en la "adecuación" de un plano imaginado a otro real, en tanto que su respectivo modificante yace en nuestro conocimiento de la índole de esos planos; más concretamente: en la imagen "cabello = oro", el modificante extrínseco reside en saber cuál sea el color del cabello y cuál el del oro.

Los procedimientos extrínsecos que acabamos de examinar son prácticamente perdurables o lo son del todo en la medida en que lo es su modificante. Pero, como decíamos, otras veces los modificantes extrínsecos están constituidos por los diversos elementos de cosmovisiones esencialmente fugaces y ligadas a un tiempo concreto. Y éstas son las que ahora debemos analizar sin excesiva prisa, en cuanto causantes de esos procedimientos, también extrínsecos e igualmente transitorios en su vigencia, por los que hemos empezado a interesarnos.

MODIFICANTES EXTRÍNSECOS Y PROCEDIMIENTOS EXTRÍNSECOS EN LA PRECEPTIVA NEOCLÁSICA

Comencemos el análisis por los datos que el capítulo anterior arroja. La "justicia poética", el "decoro", el moralismo, el sistema de las "unidades", serían en el siglo XVIII medios de asentimiento y, por tanto, artificios extrínsecos. Sus respectivos modificantes (extrínsecos también, en consecuencia) habrían de ser las diferentes concepciones acerca de la naturaleza y la razón de que allí dábamos cuenta. Así, el procedimiento de la "justicia poética" lleva como modificante un especial modo de optimismo que consiste en una fe: fe en la armonía ética del orbe, al menos en unas calendas griegas de imprecisa determinación; el "decoro" va acompañado por el modificante de que toda especie de cosas posee una naturaleza fija, inalienable, a la que sus diversos miembros deben ajustarse con rigor, a despecho de caer como condenados en el infierno grave del no ser, o en el purgatorio o limbo más ligeros y veniales del ser poco o ser en insuficiente medida. El moralismo, a su vez, se liga al pragmatismo racionalista de la época, que es su modificante extrínseco; y, en fin, todas las otras exigencias se unen a distintos modificantes, que son ideas, sentimientos o creencias propias del período neoclásico, y aun del más amplio período que se abre en el renacimiento.

PROCEDIMIENTOS EXTRÍNSECOS Y MODIFICANTES EXTRÍNSECOS EN OTRAS ÉPOCAS

1. *Preferencias temáticas.*—Pero pasemos ya a estudiar procedimientos y modificantes extrínsecos manejados en otras épocas por la literatura.

Puestos a buscar recursos de esa índole, lo primero en que se nos ocurre pensar es en las preferencias temáticas de que cada tiempo histórico da señales. Cada tiempo muestra una específica vocación por ciertos asuntos, que serían en él procedimientos extrínsecos, puesto que se trata de significados a los que en el momento de su creación asiste un trato de favor por parte de la estimación aquiescente. Y a la inversa, y como consecuencia de lo anterior, la atención de ese tiempo, concentrada en un grupo de cosas, desestimará e incluso desdeñará otras muchas, que acaso fueron favoritas de una musa anterior. Los neoclásicos, por ejemplo, en un determinado instante, se complacían en lo intrascendente, frívolo, galante y puramente sensual ("a un alfiler que sujeta el velo de Nerea", "al canario de Crinetea"), como lo pastoril y anacreóntico —vino, danza, amor placentero, escenario adobadamente campesino—. La llegada del romanticismo arrumbó al desván de los trastos viejos ese renglón temático, al que tenían ya por un poco ridículo, como todo lo pasado de moda. En su lugar se instalan motivos como las ruinas, la noche, la luna, la soledad y desesperación, el amor apasionado, la personalidad incomprendida, el pirata, el don Juan, el cosaco, la víctima de la sociedad, lo caballeresco o legendario o medieval, etc., que desde la cosmovisión de la época despertaban con facilidad, por su misma índole, el fervor de los nuevos lectores (entre los que se contaba, por supuesto, como primero, el propio poeta).

Si deseamos aplicar aquí nuestra terminología y asignar a todos esos temas el rótulo de "procedimientos extrínsecos" (en un caso, propios de la escuela neoclásica, y en el otro, de la romántica) buscaremos los respectivos modificantes en la interpretación de la realidad inherente a cada una de esas fechas. Empecemos a probarlo para el neoclasicismo.

El siglo XVIII, por su racionalidad, pretende una moral independiente de lo divino, una moral puramente humana y sublunar. De otra parte, se adora todo lo que es naturaleza y lo que a la naturaleza pertenece o se le avecina, porque la naturaleza se piensa como muy puesta en razón —que es lo que importa— y como maestra de certeza y conocimiento. Desde estas premisas, ¿habrá algo que oponer a la sensualidad, en cualquiera de sus formas, incluidas las sexuales? La sensualidad, la sexualidad, son realidades de la naturaleza. Se darán, pues, por buenas y aceptadas en el dintorno de esa moral terrena y no revelada que se persigue. Añadamos a lo dicho la reivindicación de las sensaciones, practicada por Locke y su pensativa secuela, amén del pragmatismo de la época, de raíz también racionalista, que entendía por primera vez y del todo la muelle comodidad, y tendremos a la vista el cuadro completo de causas y concausas (modificantes extrínsecos) que explican los temáticos "procedimientos" de aquiescencia a que antes nos referimos, y otras muchas cosas, no sólo literarias, del siglo. En efecto, la sensualidad se desata, como no podía menos de ocurrir, y hasta se hace "oficial", como un empleo burocrático —amantes de los reyes franceses, en institución pública y reconocida, "chichisbeos", y demás—. Pulula la novela libertina, la estatuilla que alude a lo escabroso o indecoroso, la pintura y literatura de suave y apacible voluptuosidad. Pues hay que decir que el siglo no intenta lo grande, sino lo lindo y menor. El "buen gusto" lo pide, esto es, la sensualidad en alianza fraterna con la blanda confortabilidad, ya que lo excesivo comporta inevitablemente sensaciones no agradables de destemplanza y desarreglo.

Inclinación, pues, a lo intrascendente, frívolo, placentero y galante, según dijimos, y todo ello aminorado por la sensual sordina, que alcanza también al gusto por lo pastoril en la literatura y en la vida. Gusto que, de otra parte, halla asimismo su extrínseco modificante en esa visión de las cosas que se basa en fe naturalista y racional. Había que acercarse a la naturaleza y ponerse pelliza entre corderos, siempre que se evitasen con cuidado sus malas consecuencias. Disfrazarse María Antonieta de pastora o adoptar un poeta nombre églogico y campestre no comprometía a nada ingrato. Raída toda inclemencia, el viento helado, la lluvia desapacible o el sudor y el trabajo, restaba sólo, y se situaba en sorprendente luz, la naturaleza maravillosa y su orden sagrado, con lo que se demostraba lo que por adelantado se suponía. Que la naturaleza era únicamente veracidad, belleza, armonía y, sobre todo, bondad.

El modificante extrínseco o visión del mundo que da razón, a su vez, de los temas o medios de asentimiento propios del romanticismo, tiene foco irradiante en el agudo individualismo de la época. Pues hay que hacer constar que toda cosmovisión es una estructura, un sistema de relaciones con un centro de responsabilización, al que mediata o inmediatamente se vinculan cuantos ingredientes en esa cosmovisión se den. Una escuela no es así, en esta consideración, la suma de sus características, sino la integración de ellas en un determinado orden ubicativo. Pues bien: el individualismo romántico, o hipertrofia del yo, es, en principio, un impulso de libertad. Lo que crece necesita espacio y abertura para ello, y como lo que en el romanticismo crece y se adelanta, la subjetividad, lo hace con carácter que llamaríamos categórico, decir romanticismo será decir desgarramiento y aniquilación de límites, fronteras, resistencias, presiones —por supuesto, las que se dejen desgarrar y aniquilar—. El romanticismo es una máquina de hacer boquetes en el opaco muro de lo social y de lo literario: libertad técnica y libertad social. Placerá por igual la destrucción de las reglas artísticas neoclásicas y la destrucción de las normas sociales, que sujetan al hombre en otro engranaje sin fin de convencionalismos. El eslabón humano que salta de la cadena se hace, sólo por eso, atractivo: el don Juan Tenorio, el pirata, el cosaco, el aventurero, el mendigo, que vive por su cuenta y a la intemperie de su propio albedrío. Y por extensión representativa gustará también cuanta cosa recuerde y como simbolice esa libertad anhelada: el mar, "a quien nadie impuso leyes", la selva sin norma. Y puesto que la norma decididamente no complace, se simpatizará con lo anormal y morboso, con lo que escandaliza y se sale de sitio y de cauce. Un monstruo moral o un monstruo físico es, por lo menos, interesante.

He ahí toda una procesión de temas —"procedimientos extrínsecos"— vistos desde su origen cosmovisionario o modificante. Pero el individualismo romántico, además de esa rama, que podría llevar el remoquete de positiva, lanza otra muy distinta, que apodaríamos de negativa, tomando ambos adjetivos en su significado menos riguroso y como para entendernos. Y, aparte de ello, ese núcleo subjetivista o individualismo posee, adjunto y muy cerca de sí, todo un cinturón temático: sentimentalismo extremo (pues el sentimiento es la muestra más evidente de la subjetividad, y siendo ésta muy grande, grande se hará su resultado afectivo), afán de gloria, nacionalismo (individualismo de los grupos en cuanto unidades) y aun regionalismo; afición, en suma, a todo lo que esté individualizado y tenga peculiaridad ("color local", folklore). Y al no existir otra cosa que el yo y no el mundo, que sólo es un reflejo del yo, se experimentará una soledad cerrada.

La rama negativa consiste en esto: el yo, al crecer, se hace en demasía imperativo y exigente. El romántico pedirá, pues, al olmo de la realidad ciertas imposibles peras. Consecuencia: desengaño, desilusión. Se era sentimental: ahora tal sentimentalismo se especificará como melancolía, pesimismo o quizá desesperación, a veces suicida. Interesará así todo lo que sirva para evocar esa invasora tristeza: noche, ruina, paisaje desolado. Pero interesarán **no sólo** las realidades melancólicas, sino las horribles, pues el pesimismo puede complicarse con la sentimentalidad exacerbada que busca lo grandioso para producirse, y en este caso lo grandioso espeluznante: aparecidos, ambiente sepulcral, insinuaciones torvas de un inquietante Más Allá, etc.

No obstante frente a la realidad decepcionante se puede reaccionar de otras maneras: con el sarcasmo, la injuria o el humor más o menos sombrío. O bien huyendo: evasión en el tiempo, hacia un pasado personal que "fue mejor", o hacia un pasado colectivo: Edad Media. Evasión en el espacio: orientalismo. O a través de la imaginación. Si no podemos escapar del horrendo presente, soñemos un presente distinto, idealicemos, transformemos con la fantasía eso que hay ahí en otra cosa: en lo que podría haber y no hay: "Oh, ven; ven tú."

En tan rápida lista no se incluyen todos los asuntos que interesan y a los que asiente más cumplidamente el romántico, pero sí las líneas fuertes que cargan de intención esa totalidad y ese asentimiento. El romántico, como cualquier otro tipo humano, se complace y otorga aquiescencia más cabal a unos temas que a otros. Sin duda porque, como acabamos de notar, un modificante los imanta de expectación.

Entre 1947 y 1962 (más o menos), lo que se llevaba y a lo que se asentía del todo en España literariamente era, sobre todo, a la consideración del hombre como historia, tiempo y responsabilidad. Por tanto, a lo social, lo metafísico y moral; en tanto que lo puramente erótico o sensorial, que no se complicase por algún sitio con esas trascendencias, interesaba menos. Tratar aquellos asuntos entonces, y alguno de ellos hoy, era, en nuestro lenguaje técnico, utilizar un procedimiento retórico extrínseco. El correspondiente modificante consistía en una cosmovisión, que, en esbozo, podemos describir así: la vida humana se nos ofrece como realidad primera. Pero la vida humana es, por un lado, proyecto, esfuerzo, y así, en último sentido, responsabilidad ética; de otro, la vida humana no está aislada, sino situada en un concreto "mundo", cuya descripción resulta indispensable para poder entenderla. Un arte realista y moral que toma en cuenta el vivir, y no sólo el vivir, sino la circunstancia que el vivir interioriza y es, será la consecuencia inmediata de este modo de entender el humano universo.

Posición, pues, exactamente inversa a la adoptada en el extenso período anterior, que en otro sitio he llamado "contemporáneo". Pues si ahora interesa el prójimo, del que no se puede prescindir por ser ingrediente del yo, entonces lo importante era justamente ese yo y lo que a ese yo contribuyese a ensalzar y colocar en posición preeminente, o a aquello que simbolizase tal realce. Los modernistas, por ejemplo, hablaban de cisnes, joyas, personas de alcurnia, etc. Evidentemente, porque su individualismo aristocrático les llevaba a entusiasmarse por cuanta cosa se mostrase como de porte nobiliario y alejada de las salpicaduras de la mediocridad.

2. *Objetivización y subjetivización del tema.*—Más no sólo la selección del tema es objeto del asentimiento histórico. También lo es, en ciertos casos, la distancia psíquica con que el tema es abordado. Hay períodos en que acentuar la separación entre el mundo objetivo del tema y el mundo subjetivo del autor parece necesario. Ejemplo: todo el lapso temporal que discurre con posterioridad al romanticismo, salvados brevísimos hiatos. Y hay períodos en los que, por el contrario, es muy aplaudida la operación inversa de acortamiento y cercanía, y hasta de máximo contacto y sinalefa entre el poema y el yo de quien escribe: escuela romántica. Los románticos, por su subjetivismo, disfrutaban y asentían más cuanto mejor se percatasen de la índole confesional y hasta visceral del producto artístico. Tender en tal caso a dar una impresión de vida palpitante y real (esto es, de que quien habla, sufre o goza es no un ente de ficción, sino el poeta mismo) constituye en nuestra opinión y lenguaje un flagrante ejemplo de esa especie de recursos extrínsecos de que hablamos ahora.

Se me dirá acaso que el subjetivismo no es propiedad exclusiva de los románticos. Que los contemporáneos, que vinieron tras ellos, lo comparten también, sin que ello, al parecer, les impidiese proclamar la independencia del asunto tratado con respecto a su autor. Ello es verdad. Pero téngase en cuenta que en el subjetivismo contemporáneo, más agudo aún que el de la etapa previa, entra un

ingrediente configurativo que antes no existía: un extremo pudor
(nacido justamente en son de protesta contra la ostentación sentimental romántica) que prohíbe el exhibicionismo de la intimidad.
Y claro es que ese pudor se constituye como un ingrediente cosmovisionario, esto es, como modificante extrínseco, que condiciona el
correspondiente recurso de "objetivización temática".

3. *Responsabilidad, irresponsabilidad.*—El grado de responsabilización del escritor con respecto a la sociedad en que vive es
también, muchas veces, razón suficiente para asentir o disentir.
Ser "reformista" desde la literatura se manifiesta en ocasiones como un excelente modo de alcanzar total aquiescencia. Así, en el
siglo XVIII por su utilitarismo, o en el momento actual por esa consideración ética de la realidad que antes, en muy breve formato,
expusimos. O en la Edad Media, de religiosidad tan invasora y
envolvente. Aunque existen también instantes en que se toleran por
igual actitudes en este punto contrarias entre sí, de irresponsabilidad y de responsabilidad: modernismo y 98 de la España fin de
siglo. Ello ocurre cuando ambas posturas, aunque en oposición, son
posibilidades las dos de una cosmovisión única, en la que esos
bandos extremos se insertan con naturalidad. Y, en efecto, el finisecular aristocratismo puede manifestarse de dos formas: 1.ª Como
orgulloso confinamiento en una artística "torre de marfil" desde la
que se desdeña al "vulgo necio", cuya recuperación no le interesa a
este individualista desentendido y solitario (modernismo, "arte por
el arte"). 2.ª Pero ocurre que España ha sufrido un grave avatar.
En guerra contra los Estados Unidos, hubo de perder sus últimas
colonias. El país, en las personas de sus mejores miembros, cobra
conciencia del trance y lo experimenta como síntoma de mortal
peligro. Hay que despertar del sueño si se desea vivir; y nadie
puede vivir de veras y plenamente si la sociedad como tal en la que
se habita sufre un proceso de extinción. Salvarme yo requiere la
previa salvación colectiva. El orgulloso individualista de antes sigue
buscando su propia perfección. No ha modificado la cosmovisión
que tenía. Sólo que siente como imposible el aristocrático quehacer
cer en que se empeña, sin que el conjunto de la nación, cuyo desti-

no es inseparable del suyo, se pula y refine en el mismo sentido que él y con idéntica fuerza. Para ser más y con más excelencia (propósito esencial del período) hay que comprometerse. Sin abandonar de ningún modo su concepto de la vida, y al revés, en busca de su realización, el escritor guarecido y ebúrneo ha salido a la calle, y desde su populosa intemperie, escribe. Quiere transformar y corregir lo que antes le dejaba indiferente. Se ha hecho "reformista".

4. Lenguaje llano, lenguaje noble.—Procedimiento extrínseco será igualmente en ocasiones el carácter mismo del lenguaje que literariamente se utiliza. Existen momentos en que el pleno asentimiento exige la llaneza y proximidad sintáctica y léxica al habla coloquial. Hoy día disgusta profundamente todo peraltamiento expresivo, al que se disiente o poco menos. ¿Cuál ha de ser aquí el modificante? La sociedad, el contorno —dijimos—, importan tanto o más que el yo. El escritor no deseará sobresalir de entre las gentes que le rodean. "Yo, José Hierro, un hombre como hay muchos", dirá un poeta significativamente. La aspiración será comunitaria, y el hombre corriente, con su lenguaje familiar y sencillo, se convertirá en protagonista de esta poética demótica.

En otro grado y de otro modo, y por diversos motivos (fe en la naturaleza), pasaba algo semejante en el renacimiento, que recomendaba, por boca de sus teóricos, como estilo mejor, el que, presidido por el espíritu selectivo, viniese a coincidir con la lengua a todos común [1]. En cambio, el barroco pedía exactamente lo opuesto, ya que su modificante se había invertido también con respecto al renacentista. El escepticismo frente a lo natural permitía ahora la artificiosidad lingüística y de sentido. La más alta belleza no era ya "aquella descuidada sencillez, gratísima a los ojos y a los entendimientos humanos", de que hablaba Castiglione, sino la adobada y enriquecida y obtenida por trance de artística corrección. El individualismo del siglo XVII era inferior al de los siglos XIX y

---

[1] Véase RAMÓN MENÉNDEZ PIDAL, *España y su historia*, II, "El lenguaje del siglo XVI", ed. Minotauro, Madrid, 1957, pág. 144.

XX; por tanto, racionalista aún; pero, al ser mayor que el propio del renacimiento, y sin el freno naturalista, se tiñe de aristocratismo. La concepción aristocrática estimula al escritor, que ha de marcar también desde el lenguaje la diferencia del alma distinguida con el vulgo indistinto. Se buscará la aquiescencia lectora por el camino del cultismo a todo trapo y del hermetismo de la significación. Un poema era tanto más asentido cuanto más se ofreciese como "jardín abierto a pocos". Ya lo decía Lope:

> Siempre el hablar equívoco ha tenido
> y aquella incertidumbre anfibológica
> gran lugar en el vulgo, porque piensa
> que él solo entiende lo que el otro dice.
>
> (*Arte nuevo de hacer comedias*).

El hipérbaton, la difícil alusión grecolatina, la acumulación metafórica o la perífrasis serían buenos obstáculos para la penetración masiva en el recinto sacro. (Véase, pues, cómo un especial modo de usar ciertos procedimientos intrínsecos puede constituir, a su vez, un procedimiento extrínseco, que facilita el asentimiento. La imagen es un procedimiento del primer tipo; pero su dificultad y concentración puede serlo, como aquí, del segundo.)

Algo parecido vemos en el período modernista. El aristocratismo e individualismo de otra raíz, estructura y grado que lo informan conduce a concebir la belleza como rareza, sorpresa, novedad. Si la actitud barroca podría condensarse en la frase "impedid a los cerdos el disfrute de las margaritas", la actitud del modernismo se resumiría así: "los cerdos no me importan; puedo, a mi placer, hacer crecer las margaritas que a los cerdos disgustan". Se pone de moda todo lo que es extraño y fuera de hábito. Se inventarán palabras (adanida, apolonida, panida, nefelibata); se aludirá a objetos o seres poco o nada corrientes (siringa, propíleo, nenúfar, papemor); se utilizará, en fin, un lenguaje y una sintaxis levantados por encima de lo ordinario.

5. *Preferencias en el género literario.*—El gusto se muestra también voluble a lo largo del tiempo en lo que concierne a los

géneros literarios mismos. En cada fecha histórica hay uno o varios a los que se asiente con más fervorosa devoción, por ser más adecuados para expresar la cosmovisión en que se está, o mejor, su intuición radical o central, que actúa así de modificante extrínseco.

Pero atender y asentir con preferencia a un género significa desatender y relativamente disentir otros, que, en consecuencia, han de reforzar su capacidad de aquiescencia, acercándose lo más posible, en la índole de su estructura, al género privilegiado. Diríamos entonces que, acobardados por el descrédito, esos géneros se avergüenzan de sí mismos y adoptan un sistema defensivo de mimesis y fisiocromía, al objeto de hacerse tolerables y simpatizar con la época. El racionalismo y utilitarismo del siglo XVIII otorga preeminencia al género "crítica", disminuyendo la importancia de lo poético. Documentado está tanto la plusvalorización de aquél como la desvalorización de éste. Incluso poetas como Jovellanos o Meléndez Valdés, afectados sin duda por la general corriente de opinión, ven el ejercicio de la poesía, y más de la poesía sin fines pragmáticos, como "indigno de un hombre serio". No nos asombra que en esas circunstancias la poesía, a partir de cierto momento, se disfrace de crítica, ya de crítica social en sentido amplio (poesía "filosófica" y progresista), ya de crítica literaria (*Fábulas* de Iriarte). Y algo semejante puede pasarle al teatro o a la novela. El *Fray Gerundio de Campazas* del Padre Isla es una sátira contra los malos predicadores, y la *Comedia Nueva o el Café* de Moratín, una sátira contra los malos dramaturgos. En ambos casos, el novelista y el comediógrafo se convierten en preceptistas, esto es, en lo más ajeno a la naturaleza de su arte.

El primer tercio del siglo XX nos ofrece otro ejemplo de lo mismo, pero exactamente opuesto a lo anterior, ya que su modificante cosmovisionario se opone de igual manera al que opera en el período dieciochesco. Frente al racionalismo de entonces, el irracionalismo de ahora. Pero no hay género que se preste mejor para la expresión de lo irracional que la poesía lírica. De ahí que la poesía lírica sobresalga de muchos modos en la época de entre los otros géneros, a los que progresivamente va primero desustanciando y después excluyendo. Si la prosa, la novela y aun la filosofía se "poetizan" en la generación del 98 y en la siguiente, podemos decir sin error, siempre que seamos exigentes, que en la generación española de 1925, como miembros propiamente dichos, no hay más que poetas.

La época actual no contradice esta ley, que, en parte, sin entrar en cuestiones de causa y ejemplificándola únicamente con los sucesos literarios de entre 1898 y 1936, ya vio Pedro Salinas [2]. La popularización de la idea del hombre como historia y como integrador de su circunstancia hace que el género beneficiado sea ahora la narración. Correlativamente, la poesía pierde su carácter lírico y se hace también narrativa, expresándose en un lenguaje voluntariamente prosaico que se asemeja al del cuento o al de la novela.

6. *Preferencias en el uso de ciertos procedimientos intrínsecos.*—Es útil recoger ahora, a fin de cerrar este capítulo, una idea que se introdujo de soslayo y casi clandestinamente en un párrafo anterior, pero que, sin embargo, merece más detenido enfoque y amplio desarrollo. La idea de que, en ciertas épocas la preponderancia de unos procedimientos intrínsecos y no de otros, o incluso el modo en que su uso se establece, pueden, a su vez, configurarse como un procedimiento extrínseco, con su respectivo modificante cosmovisionario.

Hay, por ejemplo, épocas marcadamente metafóricas y otras que lo son mucho menos o que sólo lo son por modo vergonzante y como entre cortinas de humo. El siglo XVII o el período "contemporáneo" (es decir, el que corre entre Baudelaire y la segunda posguerra) ilustran el primer caso; el siglo XVIII o los años rigurosamente actuales, ilustran de manera inmejorable el segundo. Por supuesto, también aquí hallamos que la variación de actitud estética entre unos instantes y otros es debida a variaciones equivalentes experimentadas por el hombre en su modo de interpretar la realidad. Y así, el barroco gustaba de la metáfora y de otros artificios

---

[2] *Literatura del Siglo XX.*

de función semejante (perífrasis, alusión mitológica o, en general, grecolatina), por ser la metáfora o esos otros recursos un medio de rehuir, en ese tiempo de agudo aristocratismo, "el nombre cotidiano", y a fuer de cotidiano, vulgar, "de las cosas". A través de la designación imaginativa, el objeto se transfiguraba y perdía su perfil conocido y, por tanto, plebeyo, adquiriendo, en cambio, visos de noble y prestigiosa novedad. En el período "contemporáneo", la metáfora, el envaguecer y difuminar la significación, a causa de una estructura revolucionaria que se endereza a tal fin, proporciona el medio de expresar sensaciones verbales de misterio, interesantes para el irracionalismo del momento. No está de más señalar al paso que aquí, como ocurre siempre, la coincidencia aproximada de dos épocas en una determinada predilección estilística es puramente formal, ya que sus respectivos modificantes y, por tanto, sus respectivos sentidos, discrepan hondamente.

Consideremos ahora los períodos no metafóricos. Hemos dicho que el siglo XVIII es uno de ellos. El racionalismo neoclásico y su consiguiente idea de una verosimilitud en plena confusión con lo posible real lleva a la repugnancia de toda expresión indirecta. Lo mismo que en la escena se elude lo maravilloso y se evita la humanización de lo abstracto, en la lírica se condena el empleo de la imagen, pues la imagen tampoco traduce la realidad más que oblicuamente.

Hoy manifestamos un desdén semejante por el lenguaje muy visiblemente figurativo, bien que por otros motivos y en otro grado, ya que se consienten las metáforas, siempre que no lo parezcan del todo y pasen como de matute a través de la severa aduana del asentimiento lector. Los poetas, y también los prosistas, incurren, efectivamente, en un curioso modo de metaforización que admite muchas variantes, todas ellas coincidentes, sin embargo, en el acto generoso de dar "liebre por gato", pues la metáfora se entrega por vía subrepticia y como vestida de sayal. Así, por ejemplo, son tolerables esas expresiones que, aunque metafóricas, anidan en la lengua corriente convertidas en tópicos, que el escritor, claro es, procura remozar con algún cambio que las repristine y desamurrie. Repasando el trozo que acabo de redactar, encuentro la frase "dar liebre por gato". Sin pretenderlo, yo mismo he venido a dar en ese módulo estilístico que estoy intentando describir, cosa, por otra parte, explicable. Antes he dicho: "y pasen como de *matute* a través de la severa *aduana* del asentimiento lector". He ahí dos imágenes más; pero nótese que igualmente esas imágenes, y sobre todo una de ellas, parecen pedirnos disculpas desde el contexto, disimulándose en él todo lo que pueden, y descendiendo, humildes, a una configuración hasta cierto punto léxica.

Excúseseme el haberme tomado la exorbitante licencia de citarme a mí mismo un par de veces; pero he creído que ello haría más fehaciente y clara la ejemplificación.

El hecho de que la cosmovisión del día consista esencialmente en la valoración de lo social dentro de la vida particular del individuo inyecta sentido a estas inhibiciones frente a la metáfora cumplida y sin rebozos. Téngase en cuenta que el lenguaje propio de la sociedad como tal es lo que en este libro hemos llamado "lengua". Hay, pues, que dar, desde la literatura, una impresión de "lengua". Pero como la lengua es inexpresiva, el escritor deberá tener habilidades de ilusionista para "engañar" y hacer pasar por "lengua" lo que de ninguna manera puede serlo.

Cada época, por tanto, desde una específica forma de entender la vida, asiente más a unos artificios retóricos que a otros, e incluso algunos de estos últimos quedan, en cierta proporción, disentidos y, por ello, repudiados. Se prueba con más amplitud lo dicho cuando, como acabamos de mostrar, esos procedimientos disentidos toman aire exculpatorio o bien se disfrazan de otra cosa que esté literariamente bien vista, lo mismo que les ocurría a los géneros literarios que, desaprobados por el gusto de un momento histórico determinado, procuraban recobrar la perdida estimación, "haciendo méritos", renegando de su propia estructura y esencia, para acercarse lo más posible a aquellos otros más favorecidos por la aquiescencia.

Como vemos, en ambos casos el fenómeno es, en el fondo, el mismo, y su causa, idéntica.

Capítulo XVIII

7. CONCEPTO HISTÓRICO DE ORIGINALIDAD

MODIFICANTE EXTRÍNSECO DE LA EXIGENCIA DE ORIGINALIDAD

Pero quizá el resultado más importante que puedan aportar las diferencias de cosmovisión sean diferencias equivalentes, perceptibles a través de la historia, en la noción de originalidad artística. El grado de esa originalidad decide, sin duda, de nuestra aquiescencia. Hoy gustamos más de un estilo cuanto más personal sea, evidentemente porque lo asentimos más. La originalidad será así un procedimiento extrínseco.

Ahora bien: ¿cuál es el modificante de tal procedimiento? O en otro giro, ¿cuál es la razón de que asintamos con más decisión a lo original que a lo tópico? La ley que hemos estipulado y comprobado para los casos anteriores ha de cumplirse también aquí. El asentimiento se anuda siempre, dijimos, a una visión específica de la realidad. Si nosotros valoramos hoy tanto la individualidad estilística es porque creemos: 1.º, en la individualidad de la persona, y 2.º, porque creemos también que precisamente la persona, bien que imaginaria, es lo que se expresa en la obra de arte.

Necesariamente se sigue de lo dicho que aquella valoración, dependiente de ese par de creencias, ha de sufrir todas las alteraciones y alternativas que a éstas les aquejen. Todo cambio en la doble fe que hemos indicado reportará, pues, forzosamente otro cambio, paralelo y correlativo, en nuestra actitud aquiescente.

LA EXIGENCIA MÁXIMA DE ORIGI-
NALIDAD: ÉPOCA CONTEMPORÁNEA

Veamos si ello es cierto. El lapso histórico que con más fuerza ha estado en esa fe dúplice es el que media entre Baudelaire y la segunda guerra mundial. Y justamente ha sido esta época la que se ha mostrado con más exigencia en lo que atañe a la originalidad literaria. Por vez primera en la historia se ha esperado del escritor no sólo una dicción individualizada, sino, además, una visión *personal* del mundo. Fijémonos bien en lo que esta última demanda tiene de excesiva, de desmesurada y de anómala. Y ello no sólo en relación al tiempo precedente, sino de manera absoluta.

En efecto, toda criatura humana posee una postrer intimidad que le es peculiar; pero alrededor de ese núcleo íntimo (de otro lado, nada voluminoso) se dispone una gruesa corteza social que entra también a formar parte del yo. Si lo que el arte expresa es ese yo (y su modo de ver el mundo), forzosamente ha de expresar en toda su extensión y profundidad el amplio ingrediente colectivo que ese yo incluye, y en el que, por definición, todos los escritores coetáneos han de coincidir. Pedirle al escritor que no coincida, o que sólo coincida mínimamente con los otros de su tiempo, es pedirle indebidamente la extirpación de una parte esencial de su ser. Pero justamente esa fue la exorbitante y esencial pretensión de la poética "contemporánea", cuyo individualismo le hace suponer como más y mejor yo el que se separa y aísla de su circunstancia. A Azorín le gusta Ganivet y Baroja, nos dice, "porque no se parecen a nadie". He ahí un juicio crítico extraordinariamente revelador de una voluntad de separación artística que hasta la fecha, y en esa proporción, carecía de antecedentes, y que, en cambio, a partir de ella, y hasta hace muy pocos años, en que la cosa cambió ligeramente, se convertirá en norma de toda conducta estética. Por de pronto, la nueva actitud se manifiesta en un hecho que hasta ahora, a mi entender, no se ha interpretado en todo su sentido y alcance. Me refiero a la extraña bifurcación en dos direcciones opuestas que muestra la literatura finisecular española: "98" y "modernismo". Creo que los críticos aún no se han percatado a fondo del carácter insólito que posee este dato. Pues nunca una generación de escritores había roto su unidad de tan grave y esencial modo; y ello no por azar, sino porque cada época histórica tiene, a su vez, una unidad de sentido, que ha de ser expresada a través del arte. Mas ocurre que esta ley, insoslayable en apariencia, queda ahora sin perceptible cumplimiento: entre modernismo y 98 no media ya, por lo visto, comunidad cosmovisionaria apreciable, cosa que no ocurría, por ejemplo, en la contraposición barroca conceptismo-culteranismo. Ninguna época anterior —ni aun la romántica— había manifestado la posibilidad de tal divergencia. Todos los románticos, incluidos los pertenecientes a generaciones distintas (por ejemplo, Espronceda y Bécquer), participan de una misma interpretación del mundo, por mucho que discreparan en otros aspectos de su arte.

¿Cómo, pues, la literatura finisecular ha podido exceptuarse de tan universal condición? A mi entender, la razón es clara. Hasta la época "contemporánea", la intuición central o radical que presidía cada período histórico, al ponerse en actividad, originaba un sistema orgánico de otras intuiciones segundas, que, a su vez, daba lugar a otras terceras, y así sucesivamente. Y en ese organismo total de relaciones y conexiones dinámicas entre los diversos elementos intuitivos habían de coincidir todos los artistas que lo fuesen de veras. Ahora bien: hacia fin de siglo ocurre por primera vez que la índole misma de la intuición primaria (individualismo llevado a intensidad paroxística) consiste en un impulso de diferenciación y disociación que impide precisamente marcar con claridad parecidos y congruencias. Los escritores, al divorciarse en su interpretación del mundo, no son, pues, infieles al espíritu uniformador que todo tiempo supone; por el contrario, confirman ese espíritu. También ahora se constituye, desde la originaria intuición, un organismo enterizo, sólo que de paradójica textura, al consistir en la dispersión general de estilos y actitudes.

Nos explicamos ahora que el fenómeno finisecular que hemos sometido a consideración posea aún repercusión más vasta. No se circunscribe, en efecto, a la división de los escritores en dos escuelas antagónicas; afecta también, aunque con menos brío, a diversos miembros de cada una de ellas, e incluso a todos por modo intencional. ¿En qué son asimilables y compaginables, por ejemplo, el *mundo* de Baroja, el de Azorín o el de Valle Inclán de la segunda época, ya noventayochista [1] (en el significado técnico de este adjetivo)? Las diferencias son evidentemente enormes; en cambio, las semejanzas, escasas, remotas y difusas. Aparte de su individualismo, apenas poseen en común otras notas que una genérica actitud crítica y significar una reacción frente a la literatura anterior, coincidencia esta última que por su aspecto negativo no aparece de manera inmediata en nuestra conciencia, sino únicamente tras un análisis; por tanto, para nuestra intuición es como si no existiera. Claro está que otros representantes del grupo están más próximos entre sí (*verbi gratia*: Azorín y Machado, o Machado y Unamuno), aunque también subsiste en ellos una significativa pretensión de distanciamiento.

Si de esta sazón pasamos a 1930, el fenómeno de la diferenciación cosmovisionaria arrecia hasta alcanzar un insuperable cenit. Vicente Aleixandre y Jorge Guillén, por ejemplo, difieren diametralmente en su interpretación de la realidad, y no sólo globalmente: hasta en el pormenor de muchos de sus elementos constitutivos, tomados estos miembro a miembro.

Y ahora nótese como muy significativo el cambio acaecido con posterioridad a la guerra civil española. La literatura abandona la genial herejía de la época precedente y regresa a su cauce y dogma preliminar: la cosmovisión, en postrer substrato, vuelve a ser comunitaria. ¿Qué ha ocurrido para que ello sucediera? Simplemente esto: la idea de que el yo íntimo define por completo la humana personalidad ha sido sustituida por la idea, anteriormente indicada, de que en esa definición no debe olvidarse la caracterizadora dimensión del yo que mira hacia el contorno y de él se hace.

---

[1] Pedro Salinas, *Literatura del Siglo XX*.

La creencia, pues, en la individualidad sustancial de la persona sufre una modificación importante que queda registrada, dentro de la esfera estética, como una merma, en idéntica cuantía, de la exigencia de originalidad, ya que, según hemos visto, ambas cosas se correlatan. De nuevo nos es dable observar: 1.º, que nuestro pleno asentimiento se vincula a un modificante extrínseco, que consiste en una determinada hipótesis sobre la realidad; 2.º, que el grado óptimo de singularidad artística, aquel que conlleva el máximo de aquiescencia, no es un *absoluto* y, por tanto, una constante, que podamos precisar abstractamente, sino una *variable,* relacionada con la cosmovisión de un tiempo concreto, y en consecuencia, sólo concretamente diagnosticable. Ese grado, distinto en cada época, se constituye, pues, como un "procedimiento extrínseco" que difiere de unos casos a otros.

LA ORIGINALIDAD EN LA EDAD MEDIA

A fin de probarlo más ampliamente utilicemos el método del contraste. Y ya que venimos del período más exigente, pasemos ahora al que lo es menos. Hablo de la Edad Media.

Nos encontramos en el siglo X. La sociedad, jerarquizada y hieratizada por el feudalismo, que tiene ahora su forma clásica, es una pieza rígida, prácticamente inmóvil, o con un dinamismo de tanta lentitud que de cerca no se percibe. El gran comercio y la gran industria han desaparecido desde hace tres centurias, pues los árabes se han adueñado del Mar Mediterráneo, interrumpiendo el tráfico mercantil que antes iba y venía desde Bizancio [2]. En estas condiciones, la persona queda extremadamente alienada en el cuerpo social, en cuanto que éste le suministra un destino que le es previo y al cual no le es posible sustraerse: ni por el lado jerárquico, pues la situación de clase le encarcela en algo como una naturaleza inviolable; ni por el lado económico, pues no le es

---

[2] JACQUES PIRENNE, *Les grands Courants de l'histoire universelle,* editions de la Baconnière, Boudry, Neuchâtel (Suiza).

dado enriquecerse con el trabajo, en suficiente escala, de creación o venta de productos. El individuo pierde así conciencia de sus posibilidades como tal, adquiriendo, en cambio, una fuerte dosis de conciencia de grupo. Antes que Juan o Pedro, se es cristiano o labriego. Y ello de manera absoluta y esencial. La esencia, en efecto, pertenece al género y no al individuo, que es mero accidente y que, por tanto, vale menos. El hombre se entrega axiológicamente a la colectividad, se colectiviza, desposee y ahueca de sí mismo hasta donde tal cosa cabe. Y no sólo en esa fecha remota, sino hasta en otra mucho más próxima a nosotros, fines del siglo XIII, y aun, en otro grado, después. Síntoma de ello es, entre muchos, la manera con que la Edad Media sentía la perfección. Nosotros, hombres individualistas de hoy, creemos que cada ser lleva dentro de sí su propia perfección física o espiritual, que es distinta a la de cualquier otro. Pero la Edad Media daba señales de experimentar lo contrario, ya que en esa época las diferencias individuales sustancialmente no contaban; alcanzar alguien un cierto grado de perfección equivalía a coincidir con cuantas criaturas hubiesen llegado a ese mismo peldaño en la escala de lo excelente. Como este hecho, aunque palmario y significativo, no ha sido nunca, hasta donde yo sepa, investigado y ni siquiera de algún modo visto, creo conveniente apoyarlo en textos concretos. La momentánea detención a que ello nos obligue merece, a mi juicio, la pena.

El *Poema de Alexandre* nos habla de dos héroes, Nichanor y Simacos, que poseían un mismo grado de plenitud. No me parece azaroso que el autor, por las razones dichas (que él, claro está, no entendía como tales, pero sí las *vivía* en sus consecuencias estéticas), los describa como iguales:

> Avie entre los griegos dos mancebos caros,
> el uno dezien Nichanor, el otro Symacos:
> eran de gran esforçio, de lynage altos,
> grant par de tales omnes en lugares raros.

> Furon en una hora e en un día nacidos,
> semeiabanse mucho, vestían unos vestidos,
> ambos eran iguales e en mannas faldridos ["faltos"];
> pora bien e pora mal eran bien avenidos.

Se querían mucho, se entendían perfectamente; eran de una
sola voluntad:

> Quando dezie el uno: fulan, fagamos esto,
> luego se dia lotro aguisado e presto:
> non fazie el uno tan poquiello de gesto,
> que dixies el otro: non in die de festo.
>
> Quando querie el uno alguna ren diçir,
> presto era el otro por luego lo comprir.

Su vida y comportamiento coincidían:

> en uno comien ambos, en uno yazien,
> en casa los vestidos en uno los ponien.

En la guerra, los dos estaban atentos a lo que al otro ocurría:

> Se querien a Nichanor por ventura ferir,
> aguisavas Simacos pollo golpe recebir.
> Nichanor esso mismo...

Mueren al mismo tiempo y del mismo modo:

> Mientre un a otro estava aguardando,
> venieron dos venablos per layre volando;
> ambos cayeron muertos...

(Alexandre)

Que este fragmento poético, con su visión identificativa, no es
insignificante ni simple fruto del capricho de su autor, sino que
responde a toda una concepción no individualista de la realidad,
tan hondamente vivida que ni siquiera se hacía consciente, queda
probado en el mismo *Poema,* al hablar éste, estrofas adelante, de
cuatro inmejorables vasallos del héroe macedonio. No puede ser
casualidad ni amaneramiento de la fantasía creadora que también
aquí la identidad en el grado de excelencia se manifieste como
coincidencia física y moral, no ya entre sí, sino con respecto al
propio Alejandro:

> Entre los otros todos avie y quatro cavalleros,
> furan de su criaçon, eran sus mesnaderos,
> semeiavanlle tanto, eran bonos cavalleros,
> como se los oviessen fecho bonos carpinteros.

> En corpo e en cara e en toda fechura,
> en andar e en estar e en toda cavalgadura,
> semeiavan ermanos en toda su figura:
> sol por tanto en esso avien bona ventura.

(Alexandre)

En la *Vida de Santa Oria,* de Berceo, son varios los pasajes que corroboran nuestra interpretación cuando nos presentan grupos de seres extrañamente hermanados en su compostura, actitud y semblante. No nos asombra la frecuencia del hecho, puesto que la obra trata de un éxtasis de la Santa, en que ésta es transportada en espíritu al Paraíso. Las criaturas que allí contempla son bienaventurados y, por tanto, seres en la plenitud de su perfectibilidad. Oigamos a Berceo. Don García, padre de Oria, va en el cielo con tres venturosos acompañantes:

> Vido con don García tres personas seer,
> tan blancas que nul omne non lo podría creer;
> todas de edat una e de un parescer.

Santa Oria ve, de pronto, tres vírgenes:

> Todas estas tres virgenes que avedes oídas,
> todas eran iguales de un color vestidas;
> semeyaban que eran en un día naçidas,
> lucían commo estrellas, tanto eran de bellidas.

Más adelante:

> Vido venir tres virgenes todas de una guisa,
> todas veníen vestidas de una blanca frisa.
> ... ...

> Todas eran iguales de una calidad,
> de una captenençia e de una edat;
> ninguna a las otras non vencia en bondat,
> trahian en todas cosas todas tres igualdat.

Que en estos casos de Berceo sea el número tres (de que siempre consta el grupo) un modo de aludir remota y simbólicamente a la Santísima Trinidad no suscita la duda. Pero la semejanza de continente y espiritualidad en que se manifiestan los bienaventurados no alude, como en un primer pronto sospecharíamos, a la identidad de naturaleza entre Padre, Hijo y Espíritu Santo, puesto que nos es dado percibirla igualmente en la *Vida de San Millán,* cuando se trata de demonios, que, por añadidura, no forman un trío, sino una pareja. Se nos habla de un tal Nepoçiano, poseído por dos demonios gemelos:

> Avie el omne bueno nomme Nepoçiano,
> avie doble demonio...
> ... ...
>
> Todos estos demonios avien una maneras,
> semeiaban ermanos, facien unas senneras,
> prendien en una guisa, tenien horas vezeras,
> todas sues captenençias parecien companneras.

Como es obvio, aquí el aspecto fraterno de las figuras no responde a hermandad en ningún género de perfección, sino, al contrario, significa coincidencia en un mismo grado de iniquidad. Pues lo que hemos visto en sentido positivo, vale también, claro es, negativamente. La maldad es tan arrasadora de los límites individuales como la bondad, y por las mismas causas. Existe un Mal Absoluto en el vértice de una abominable pirámide invertida, desde el que se apela a los seres todos a una perversa cita igualitaria. En la completa maldad, todo lo creado llegaría a universal identificación. Pero sin alcanzar esa extremada meta, la coincidencia se produce siempre que el grado de torpeza y negatividad no difiera. Tal lo que, en su cara positiva, pudimos anotar también para la perfección. Lo que el *Poema de Alexandre* o la *Vida de Santa Oria* nos han hecho ver no ha sido el Bien Absoluto, de que el ser humano es incapaz, sino la participación de un grupo en un mismo grado más bajo de esa sublimidad inalcanzable. Por eso no todas las figuras ejemplares que nos presentan tales obras resultan uniformes; la uniformidad afecta sólo a ciertos conjuntos, por otra parte disímiles entre sí. La pareja Nicanor-Simacos es discrepante con respecto a los cuatro vasallos de Alejandro que tanto se parecían. Y lo mismo ocurre con las tríadas celestes que Santa Oria contemplaba, pues la semejanza tampoco se refería allí a los grupos en cuanto tales, sino a los miembros de que cada uno de ellos se componía.

Desde este modo de sentir el mundo —modificante extrínseco—, ¿puede maravillarnos que el poeta, hombre de su tiempo, valore con penuria la originalidad artística y no aspire a ella, en rigor, por lo menos hasta el siglo XIV? Los "clérigos" del doscientos, en su "mester" poético ofrecen un estilo uniforme, que sólo aquí y allá despide y manifiesta "la luz del corazón". En verdad, semejan ser aquellas obras (*Libro de Apolonio,* versos de Berceo, *Poema de Alexandre, Poema de Fernán González*) producto de un solo espíritu en diverso grado, eso sí, de inspiración. Pues de ningún modo esos volúmenes nos procuran igual placer. El *Poema de Fernán González* no puede equipararse en calidad con los alejandrinos de Berceo o de Lorenzo de Astorga. Mas no confundamos la heterogeneidad del mérito con la del estilo. El estilo es prácticamente homogéneo, indiferenciado. Y, sin embargo, los lectores de entonces, y nosotros con ellos, asentimos. Ellos, por las razones dichas; nosotros, porque, pertrechados de sentido histórico, sabemos esas composiciones "de otro tiempo", y no les aplicamos así nuestras normas estéticas. Diríamos que suspendemos el juicio disquiescente al comprender aquella monocordia como "legítimamente nacida" en gentes a las que un ánimo que llamaríamos gremial absorbía, confundía, identificaba.

La comprensión del párrafo anterior tal vez pueda completarse y perfeccionarse con una fábula ejemplar de ciencia-ficción.

Es sabido que hoy la biología está lista para preparar una experiencia que, de llevarse a práctica, nos produciría, creo, mucho más horror que pasmo. Con animales, sin embargo, la cosa ha ido adelante, y con éxito. Se trata de lo siguiente: tómese un huevo fecundado, extráigasele el núcleo, y en su lugar deposítese una célula geminal, procedente de un animal X, distinto a los responsables del óvulo en cuestión. Como los genes del nuevo núcleo son íntegramente de X, que hace así a la par las veces de padre y de madre, la criatura que nazca de ellos resultará idéntica a X. Será su retrato perfecto, su reproducción fidedigna. Como se ve, está ya a los alcances un espeluznante suceso: la posibilidad de "fabricar" en serie individuos humanos. Podremos hacer, a nuestro sabor, un rico lote de Juan Gris, Antonio Machado, Paúl Valéry, Rainer María Rilke, T. S. Eliot, o mejor, de sus equivalentes futuros, numerando, claro es, precavidos, los ejemplares de cada genérica "mercancía". Supongamos que ello se ha producido ya. Ahí está medio centenar de Antonio Machado: Antonio Machado-1, Antonio Machado-2, Antonio Machado-25. Todos escriben versos, y los escriben, sin duda, de igual modo; con ligeras diferencias, naturalmente, ya que Antonio Machado-14 ha visitado el extranjero y se ha enamorado de una italiana que le es fiel, en tanto que Antonio Machado-13 ha tenido peor suerte (tal vez por el apellido numérico), y sin salir de la localidad, ha contraído matrimonio con una señorita de Cuenca, que, aunque educada en un colegio de monjas de lo más convincente y esperanzador, le ha engañado con un militar de la plaza en buenas condiciones de salud y de ascenso. Nosotros, conocedores y partícipes de un mundo tan bien organizado —yo, por ejemplo, soy Juan Pérez-1128, ingeniero excelente de una excelente fábrica, idéntica a otras diez mil—, ¿asentiremos al parecido estilístico de Antonio Machado-14, 13, 12, 50? No sólo asentiremos, sino que asentiremos *más* en la medida en que todos esos poetas coincidan, pues en tal caso la legitimidad de sus respectivos contenidos anímicos se pondrá más en evidencia. Y de eso se trata.

¿Queda claro el sentido del apólogo?

Extírpese la diferencia cuantitativa que posee, ya que en él he ofrecido un caso-límite, y apliquese el resto al entendimiento de la Edad Media. Se comprenderá entonces del todo el escaso valor que Berceo concedía en su siglo XIII al hecho de seguir un "dictado", un pergamino, una anterior lección. No tenía miedo alguno a que sus oyentes le fuesen a acusar de poco original. La originalidad no importaba a la sazón, o era otra cosa, muy lejana, por cierto, a lo que en 1930 habría de ser.

LA ORIGINALIDAD EN EL SIGLO XIV.

EN EL RENACIMIENTO

El asunto cambió bastante, ya en el siglo XIV, cuando la burguesía europea, en constante progresión y presión desde el siglo XII, se hizo —de hecho— consistente, poderosa, significativa. Los barcos cargaban y descargaban otra vez, los telares se afanaban en Italia, en Flandes, en Provenza, en Inglaterra, hasta en España. Se vendían y se compraban objetos útiles, y también los otros sólo fruitivos, encantadores a la vista, al tacto, al oído. El feudalismo languidecía o estaba ya muerto, porque los precios de las cosas habían subido mucho (oh ley de la oferta y la demanda) y los señores seguían cobrando las mismas rentas de antes, fijadas por escrito, con lo que, al empobrecerse, hubieron de ir vendiendo sus tierras a los ricos burgueses, afanosos de adquirir el prestigio social que proporcionaba su posesión, y sólo ella. Quedarse sin tierras es algo así como quedarse sin gentes para nutrir un ejército. Y un señor feudal sin ejército no es un señor feudal, sino sólo un señor, un noble, que a la fuerza, y poco a poco, se ha decidido por la paz cortesana.

El hombre de hacia 1330, que va al mercado y viene de la industria, que se ha deshecho de vinculaciones feudales, es y se siente libre y conoce su capacidad de iniciativa. Puede ya, sí, valorarse como individuo y en cuanto individuo. El nominalismo, en filosofía, sustituye al "realismo" (idealismo) precedente. La esencia no es ya patrimonio exclusivo del género. Pedro tiene sustantividad y, en consecuencia, valor. Don Juan Manuel intenta borrar de sus escritos las fuentes que utiliza, y en sus "enxemplos" maneja elementos de propia experiencia. Aspira a la originalidad, que ya no es "follía", como en Berceo. El Arcipreste de Hita nos habla con voz inconfundible. Juan Ruiz, Chaucer, Boccaccio, nos proporcionan admirables estampas de vidas singulares. Los escultores, los pintores, tallan, dibujan rostros desde los que una personalidad nos contempla.

El renacimiento se prepara, allá en el horizonte, o, si somos italianos y, por tanto, más plenamente industriosos y comerciantes (o sea, individualistas), está ya ahí: Petrarca. Y con el renacimiento vendrá, ha venido, un acrecido modo de estimar al individuo y su originalidad expresiva. El arte traduce a la persona, y es ése, entre otros, su mérito. El boceto, esto es, el proceso mismo creador como tal, empieza a interesar. La introspección psicológica alcanza una primera madurez en los místicos españoles (Santa Teresa, San Juan de la Cruz). Pero el individualismo a escala mayor es nacionalismo, preparado y esbozado ya en la maquiavélica "razón de estado".

LA ORIGINALIDAD EN EL SIGLO XVII

Así las cosas, el individualismo y su inmediata consecuencia, el afán de originalidad, recibirán fuerte y progresivo incremento a lo largo del siglo XVI, y más aún en el XVII. La responsabilidad de tal fenómeno habremos de achacársela a los avances de la ciencia, y más concreta y directamente a uno de estos avances, la doctrina copernicana, en tanto que tal doctrina deja de serlo para convertirse en creencia, y operar así desde esos más hondos estratos espirituales donde el arte se engendra y donde reside la sentimentalidad. Conviene que nos detengamos aquí durante un instante, ya que el asunto tiene complejidad y envuelve aparente paradoja. El descubrimiento de Copérnico, su idea de que la Tierra gira alrededor del Sol, y no al revés, cambió radicalmente la conciencia del hombre acerca del lugar que le correspondía en el Cosmos. No ser la Tierra el centro del Universo significaba, ante todo, no serlo el hombre. El universo era infinito, aunque unitario, y en ese infinito constituía partícula (y sólo eso) la humana criatura. Ello trae, por una parte, un hondo desencanto, que es típico del espíritu barroco [3], y también escepticismo, que la propia teoría de Copérnico, a mi entender, se encarga de agravar aún desde otro sitio: la Naturaleza nos engaña, puesto que el Sol parece girar, y no gira, alrededor de la Tierra. Escepticismo, pues, y por

---

[3] ALFRED WEBER, *Kulturgeschichte als Kultursociologie,* Leiden, Holanda.

partida doble: en cuanto al hombre y en cuanto al mundo. El hombre se sabe a sí mismo pequeño y miserable, y a la Naturaleza, falaz. Los escritores del siglo XVII no se cansan de repetirlo. Un general pesimismo estremece las páginas del seiscientos. Pero no suframos el error de interpretar este pesimismo como falta de confianza del hombre en sus capacidades racionales. Al revés, se ha llegado a tan descorazonadoras conclusiones a causa del poder mismo de la humana razón. Por primera vez se ha comprendido el universo y calculado sus leyes. Los sentidos son poco de fiar, y el mundo que en ellos comparece, poco serio. La mejor actitud ante ese mundo de los sentidos, tal vez ilusorio, será la de la duda. Pero la mente es seguro apoyo e instrumento eficaz. Partamos, pues, de la perplejidad y superémosla con el análisis: Descartes.

Digamos lo mismo de otro modo, e incluyamos también a España en nuestro pensamiento: el hombre ya no se siente ahora, como se sentía a comienzos del siglo XVI, en un mundo primariamente firme y que en principio inspire confianza, sino en un mundo que inicialmente se ofrece como problemático y frente al cual se impone el recelo (pesimismo barroco). Los autores dramáticos españoles, los picarescos, Quevedo, Calderón o Gracián, se inspiran para sus obras en estas premisas de cautela. Pero si la realidad se muestra en el primer instante como un aparato de insidias, fraudes y trampas, estemos alertas. Frente a la hipocresía, la astucia. Descartes y los protagonistas de nuestras comedias o nuestras novelas, aunque parezcan diferir, consustancian. Lo que es la dubitación para Descartes, es el recelo para los españoles; lo que es la razón para aquél, es para éstos la "agudeza". En el fondo se trata de algo similar en sentido absoluto. En ambos casos, una apariencia cuestionable engendra incertidumbre, que la inteligencia resuelve. El teatro de Racine, fundado en Razón, y el teatro de Lope y de sus seguidores, o la novela picaresca, fundados en Ingenio, nacen de una estructura anímica única, según creo ver. Son variantes de idéntico sistema. Son, esencialmente, la misma cosa. El pícaro de las narraciones o el galán de las comedias revelan un "cartesianismo" tan agudo como el de Descartes, sólo que en versión hispánica.

El pesimismo del siglo XVII se nos aparece así como el primer movimiento de un compás que tiene dos tiempos, el segundo de los cuales consiste en algo sumamente positivo: fe en la humana inteligencia, amplia confianza en ella. La excelencia del mundo y del prójimo no se nos entrega al nacer como regalo de un hada madrina; el Bien no es un dato natural y *a priori* (tal en el renacimiento), sino una conquista a la que nos debemos, pero una conquista asequible y congruente a nuestras fuerzas y capacidades. El hombre no vive en un paraíso al que pueda acceder con sólo abandonarse a su naturaleza; pero, por lo mismo, no queda en él enajenado, irresponsable y preso. Y al tener que esforzarse, y en esa medida y término, se responsabiliza y desaliena. La consecuencia es clara: el individualismo crece en la misma dosis en que crece la racionalista desalienación. Y al aumentar el individualismo, aumenta la necesidad de destacarse sobre el vulgo, distinguirse de él, la necesidad de ser original. Y como, por otra parte, ya no opera aquella adoración por la naturaleza que durante el renacimiento retenía la pluma del escritor en los márgenes de un decir aproximadamente comunal, será hacedero ahora salirse y levantarse por encima de ese decir a fin de buscar en sus supremas exterioridades la fuerte distinción del alma impar. La literatura ahora, al permitirse el artificio, amplía con fuerza el campo en el que puede trabajar el individualista y su gusto por lo insólito y peculiar. Todo, incluido el aristocratismo de la época, producto, sobre todo, de causas sociales [4], conduce, pues, a lo mismo: a que

---

[4] Por tratarse en este caso de materia ya conocida, me he permitido en el texto despachar con tan ligera alusión un asunto que es harto grave. La literatura de una época, en efecto, se relaciona con la literatura de otra época anterior, y con su ciencia, etc., pero también, y con carácter más radical, se relaciona y resulta ser expresión de la sociedad del momento. No es éste el lugar para desarrollar a fondo y con la debida corrección en qué consistan esas correspondencias entre literatura y sociedad, pero sí diré, aun incurriendo en una exposición muy deficiente de mi pensamiento, que de ningún modo estoy conforme con las ideas al respecto que hoy pasan por dogmas entre muchos teóricos del arte. Hay quienes piensan que todas y cada una de las características estéticas de un tiempo determinado han de tener explicación social, no sólo en su conjunto, sino también miembro a

en el siglo XVII el asentimiento exija un grado de originalidad mucho más alto que en la época precedente.

miembro. La falsedad de este principio suele falsificar de raíz, en mi criterio, muchos tratados, por otra parte útiles e interesantes, dedicados al tema. A mi entender, la conexión sociedad-arte se produce, sin duda; pero de modo necesario y esencial sólo en cuanto al núcleo de la cosmovisión que cada instante artístico expresa. El resto de las características de época, manifestadas por el arte, son consecuencia de ese núcleo, intuición o foco irradiante. Ahora bien: esos elementos que, *en principio*, sólo derivan de tal centro cosmovisionario han de ser tolerables para la sociedad. De ahí que algunos de ellos se ajusten con tanta precisión al molde social que llegan a producirnos la impresión ilusoria de ser directas emanaciones suyas, cuando, en verdad, sólo lo son indirectas. Esto nos explica el error de tantos teóricos que al ver engañosamente confirmada su tesis en algunos puntos, se ciegan para los otros que no la confirman. Pues hay rasgos artísticos que muestran a las claras su exclusiva procedencia de la intuición primaria. Tales rasgos no tienen, pues, otra referencia al estado de la sociedad que, por un lado, no resultar *intolerables* para éste; y, por otro, ser fruto de la expansión del centro cosmovisionario, que, a su vez, se implanta, él sí, socialmente.

Hecha esta aclaración, aunque precipitada e insuficiente, pasemos a examinar, en brevísimo apunte, lo que se sabe acerca de los motivos sociales del aristocratismo del Seiscientos.

La idea maquiavélica de la "razón de estado" se desarrolla y justifica en Bodino. Igual que en Copérnico el universo es infinito, y al propio tiempo unitario, el poder estatal, según este tratadista, ha de ser unitario y sin límites. El concepto de supremacía y soberanía del estado se fija así como nacionalismo declarado y consolidado. Y este nacionalismo que busca la unidad, la encuentra en la mediatización de todos los grupos sociales. Ahora bien: los grupos más poderosos no se dejarían mediatizar si no se les concediese, a costa de los menos poderosos, una mayor preeminencia y vigencia en otro sentido. De ahí que, por un lado, se favorezca al capitalismo (medio, además, para la conquista del mundo, finalidad también, y básica, del estado soberano); y, por otro, a la nobleza, que se ha hecho cortesana. (Alfred Weber, *op. cit.*). La sociedad europea adquiere de este modo, en su conjunto, un sentido aristocrático, que el arte del siglo XVII refleja con fidelidad, como hemos dicho.

Todo ello es cosa sabida, repito; pero, en cambio, nunca, que yo alcance, se ha explicado socialmente la exasperación estética del arte barroco en nuestro país. Se habla, sí, vagamente, de entelequias como raza, extremosidad hispánica, etc., pero nada que pueda tomarse como una consideración seria y al día de tamaño problema. Y es que seriamente sólo cabe, a mi entender, un enfoque social del asunto. Lo más asombroso es que el estu-

LA ORIGINALIDAD EN EL NEOCLASICISMO

Individualismo y sentido de la originalidad son, por tanto, términos que, en principio, correlacionan con rigurosa precisión, aun-

dio económico de la España de entonces y sus repercusiones en el plano espiritual sí se ha realizado, y a mi juicio, muy bien. Tanto Carande (*Los banqueros de Carlos V*) como Sánchez Albornoz (*España, enigma histórico*) han dicho palabras precisas sobre ello. Pero nadie se ha tomado la molestia de acercar esos conocimientos y conectarlos con los sucesos literarios del siglo XVII. No voy a hacerlo ahora, claro es, más que en síntesis y abreviación. Las guerras de Carlos V y las de Felipe II someten la riqueza española a un proceso de extinción, que alcanza irremediable punto final a la muerte del segundo de estos soberanos. Arruinada la banca, extinguidos industria y comercio, empobrecidos los particulares, el país se dispone a vivir del favor regio o aristocrático. La no muy nutrida burguesía que existía aún en la primera mitad del siglo XVI desaparece con ello. Sólo queda, de un lado, la nobleza, y de otro, frisando anómalamente con la nobleza, el pueblo. Ninguna capa social se interpone entre esas dos estratificaciones extremas, puestas en situación de contacto e influjo forzoso. Y ocurre que en esas circunstancias se reafirma con vigor una peculiaridad de la Edad Media española que no había dejado de tener notables repercusiones psicológicas. Me refiero al fenómeno, señalado por Sánchez Albornoz (libro citado), de la simbiosis medieval nobleza-pueblo. Recordemos la tesis de este autor. Mientras en esa época la baja nobleza del resto de Europa se educa aristocráticamente en los castillos, a los que no llegan efluvios populares, los hidalgos españoles se educan en las villas, codo a codo con las gentes de condición plebeya, que los contaminan de sus maneras de sentir y de expresar la vida. Pero el influjo no es unilateral, sino recíproco. El pueblo populariza a los hidalgos, pero los hidalgos, a su vez, "hidalguizan" al pueblo. Y es este último hecho el que ahora nos importa. El pueblo español es, por ello, de entre los europeos el más "noble". Sus ideales, sin dejar de ser los propios de su modesta condición, vienen a coincidir, en algunas líneas esenciales, con los que caracterizan a las clases elevadas: sentido de la "honra", desprendimiento económico, etc. A ello contribuyó con fuerza la inexistencia, durante la Edad Media hispánica, de una burguesía de suficiente entidad y prestigio que hubiere podido aislar al pueblo del contagio aristocrático, proponiéndole incitaciones más en consonancia con su modo de ser. Pues el hombre se diferencia del animal en que no sólo quiere vivir, sino vivir mejor. De ahí que tienda a imitar cuantas perfecciones vislumbre como asequibles y cercanas. Si en España se hubiese dado una burguesía abundante y situada estratégicamente en posi-

que secundariamente circunstancias especiales puedan romper la correspondencia primaria. Así ocurre en el siglo XVIII, que siendo más individualista que el XVII, es, en cambio, menos anhelante de singularidades. Advirtamos de entrada que el individualismo de la época, aunque mayor que antes, aparece disfrazado, porque, al tratarse de un período radicalmente racional, y siendo, como es, la razón esencialmente universalista, asomarán en el horizonte conceptos que sitúan al hombre en su dimensión social, colectiva: el concepto de "igualdad", por ejemplo, o el de "fraternidad". Ello enmascara, repito, el individualismo, cuya genial pujanza se traiciona ampliamente [5], no obstante, no sólo en la noción de "libertad", tan en boga, sino también en el violento criticismo de entonces. ¿Pues qué es adoptar una postura crítica sino confiar en

ciones de mando como ocurrió pronto en las otras partes de Europa, los villanos se habrían orientado hacia ella, dejándose influir por sus actitudes e ideales, de relativa proximidad a los suyos propios, desatendiendo, en cambio, como extraños y remotos, el orden y programa de vida señoriales.

Pero la burguesía española, estadísticamente poco numerosa, careció de poder social y no pudo tampoco ejercer una fuerte atracción sobre el pueblo, que veía en la lucha contra el moro un modo más rápido y prestigioso de medro personal. Hizo suyos, pues, hasta cierto punto, algunos de los esquemas vitales propios de la aristocracia. Los sucesos económicos que se producen a lo largo del siglo XVI sólo vienen, pues, a consumar y reforzar una actitud vieja ya de siglos. Podemos decir entonces que en el siglo XVII no hay en España otras directrices que las señoriales. Pero ocurre que el barroco es esencialmente aristocratismo. Acentuar el aristocratismo en cuanto a lo social significa, por consiguiente, acentuar el barroquismo en cuanto a lo literario y artístico. Tal lo que sucedió en nuestro país.

[5] Síntoma de ello es la aparición de la filosofía de Kant, cuyo subjetivismo ha avanzado ya mucho con respecto al de Descartes, al hacerse nada menos que "reformista" del mundo desde su "razón práctica"; por otra parte, la única auténtica. El mundo ha de adaptarse a la razón en un "debe ser" en vez de lo contrario. La subjetividad avasalla al objeto y se le impone. Ortega, que ha señalado el fenómeno (*Reflexiones del centenario*), lo achaca al germanismo del autor. Sin contradecir de plano tal aserto, me atrevería a decir que el descubrimiento de Kant fue posible no sólo (y no tanto) por el hecho de haber nacido este filósofo en Alemania, sino por el hecho, a mi entender más decisivo, de haber nacido en una fecha en que la sociedad europea, a causa de motivos que inmediatamente diré, se hallaba en posesión de una suficiente graduación individualista. No puede

el valor del propio juicio y de la propia capacidad? Ahora bien: al ser igualitario y fraterno, el período buscará lo que une y no lo que separa. El aristocratismo del siglo XVII quedará sustituido

---

ser mayor la congruencia de Kant con su época. Para hacerla notar con bulto en una de sus sintomáticas facetas, he apodado de "reformista" a la famosa "razón práctica". En el fondo, el "reformismo" social del siglo XVIII y el "reformismo" de muy otra índole, inherente a la subjetividad kantiana, responden a un mismo modo de estar situado y ser el hombre de entonces. Conviene que, al menos en esta nota, dejemos constancia de cómo se produjo ese más elevado individualismo dieciochesco.

El acrecentamiento individualista en el siglo XVIII resulta, creo, en postrer esquematización, del feliz ayuntamiento de una teoría científica, la de Newton, y de un ambiente social de signo optimista (el formado por la política de equilibrio europeo, que, dentro de un complejo de situaciones nuevas, se inicia en Guillermo de Orange). La teoría de Newton nos ofrece un mundo cuya armonía posee carácter autónomo. Una vez puestas en movimiento, las fuerzas de atracción y repulsión entre las masas juegan solas, compensándose entre sí y produciendo un universo en dinámico equilibrio. Por otra parte, la política que hemos dicho, orientada hacia el contrapeso de los poderes europeos, al disminuir el número y la importancia de las guerras, como dice Weber (*op. cit.*), aclara el horizonte internacional y serena las almas, contribuyendo a la creación de un ambiente optimista, que favoreció la posibilidad de que cierto esquema de la teoría newtoniana se proyectase fuera de su contorno científico hacia otras esferas: la esfera política y, sobre todo, la esfera moral.

Lo que pasaba en el Cosmos fue visto como gigantesca ejemplificación de algo más vasto y genérico. Igual que los astros confiados a su propio impulso creaban la armonía, así habría de suceder en el orbe social si se abandonaba la vida igualmente a su impulso propio (de nuevo: Weber, *op. cit.*). No había, en consecuencia, que intervenir desde el estado en el juego de las fuerzas rivales. Ellas solas, al producirse libremente, suscitarían el bienestar. La mejor economía sería aquella que descartase más la intervención del estado y permitiese la lucha de los encontrados intereses, cuyo balance final forzosamente tendría que ser bueno (doctrina del *laissez faire*). En el campo de lo espiritual ocurriría lo mismo. El amor propio es siempre inteligente —se piensa a la sazón—, y puesto que el hombre es un animal social, mi interés ha de coincidir con el del prójimo. No haré nada últimamente malo para éste, ya que ello repercutiría en mí. Abandonar a sus anchas la actuación egoísta será, pues, paradójicamente, contribuir al altruismo y la concordia que ese egoísmo conlleva.

El hombre queda libre para "hacer lo que quiera", y su individualismo, en ese sentido, no halla obstáculo alguno. De ahí su mayor intensidad.

por su opuesto, la "divulgación". Epítomes, compendios, resúmenes y hasta "catecismos" de las ideas "filosóficas" querrán llevar a todos el conocimiento científico, y este impulso se expresará por modo mayor en la famosa *Enciclopedia*. Como puede fácilmente colegirse, el ansia de distinción y originalidad que aquejaba al barroco no puede repetirse ahora. El asentimiento, para darse con plenitud, no precisará ya, como en aquel otro tiempo, de lo inaudito. Estamos en una época que no busca la gran novedad, sino la gran perfección, entendiendo esta última palabra en sentido racionalista. Desde el punto de vista de la razón había que ser impecable, y para conseguirlo, nada mejor que imitar un dechado de la antigüedad clásica. Pero imitar es lo opuesto a innovar. El neoclasicismo vive o cree vivir artísticamente en las cercanías de lo ya hecho, excluyendo la radical innovación. El neoclasicismo en estética no es revolucionario.

Acabamos de afirmar algo que nos sitúa en pleno conflicto. ¿Cómo es posible que un período tan innovador en ideas, creencias, costumbres, usos, actitudes, etc., lo sea tan poco en el nivel estrictamente artístico? O, traducido a otro plano, ¿cómo es posible que una época que ha repudiado el argumento de autoridad en todos los aspectos conserve su validez, y aun lo incremente, en lo que toca a la literatura?

La culpa de esa contradicción, vivida al parecer sin inconveniente por el neoclasicismo, hemos de atribuirla a la dirección divergente en que irremediablemente ha de moverse la razón, sustancia del espíritu dieciochesco, según actúe sobre materia idónea o sobre materia que no se le adecúa, o sólo se le adecúa inesencialmente. La actividad racional lleva de suyo a una postura crítica, y, por tanto, en principio, al repudio del argumento de autoridad no sólo en su sentido más estrecho, sino en su sentido más ancho, ya que se repelen tanto la autoridad de individuos como la autoridad de vigencias sociales (costumbres, usos, etc.), cuando, analizadas por el intelecto, éstas resulten insensatas. Pero ocurre que, en literatura, la autoridad (de ciertos modelos grecolatinos, por un lado; de ciertos tratadistas, por otro) nunca tuvo tanto prestigio como ahora. Aristóteles, cuya *Física* no es ya inapelable, sigue poseyendo carácter concluyente cuando habla desde su *Poética*. De otra parte, la *Eneida,* por ejemplo, es mirada como prototipo al que era preciso acercarse si se deseaba escribir un buen poema épico. ¿Por qué tales incongruencias y despropósitos? ¿Son, en efecto y de veras, despropósitos, incongruencias? Lejos de eso, el repudio de lo autoritario en un caso, y su aceptación en el otro, se originan en el mismo motivo, con lo que la paradoja se resuelve. La libertad, concebida ya por la mente neoclásica en términos políticos y científicos, no se piensa aún en términos estéticos y literarios, precisamente porque el racionalismo, que impulsaba hacia la libertad en el primer sentido, la prohibía en el segundo. Había que practicar un arte racional, y ello significaba un arte según reglas abstractas, que Aristóteles y Horacio habían formulado (lo que les confiere "autoridad") a partir, claro es, de ciertas obras (que pasan así a la categoría de dechados). Como se ve, un impulso único —racionalismo— es el causante de efectos antagónicos, que, en consecuencia, pueden convivir pacíficamente, sin agredirse, ni aniquilarse mutuamente, en el interior de un mismo espíritu.

LA ORIGINALIDAD EN EL ROMANTICISMO Y EN LA ÉPOCA "CONTEMPORÁNEA"

Las cosas cambiarán radicalmente al llegar el romanticismo, puesto que en la nueva época se habrán levantado los frenos que retenían toda posibilidad neoclásica de gran originalidad. Un individualismo más alto y, por consiguiente, más impetuoso, fruto de razones que en seguida examinaremos, vendrá a romper el sortilegio inhibitorio del período anterior: autoridad y reglas, lo mismo que el concepto de imitación desaparecerán para siempre. Hecho tan importante requiere un examen atento.

Debemos retroceder por un instante en nuestra exposición. Hemos visto entre los siglos XIV y XVII, ambos inclusive, el empuje ascensional del hombre a la conquista de sí mismo y de su propia conciencia personal. Añadamos que ello trae como resultado la secularización, humanización y racionalización de la cultura. Pese a todo eso, la pujanza individualista se manifestaba todavía con relativa mesura y ponderación, ya que su desenvolvimiento estaba como puesto también a relativo ritmo lento por la concepción nobiliaria, que la sociedad seguía teniendo, aunque de otro modo, de sí misma, y por la fe religiosa, muy intensa aún. El final del siglo XVII y, sobre todo, el XVIII serán los encargados de acabar con tales retraimientos, reservas y detenciones, y, en efecto, su temperamento crítico se empleó a fondo en el descrédito de la religión y de la aristocracia, como es de sobra conocido. El espectacular proceso que venía pugnando desde la Alta Edad Media va así acelerándose. Se habla ya de "libertad" en un diapasón sospechosamente revolucionario y explosivo del que esta palabra carecía con anterioridad. La posterior popularización de las liberadoras ideas dieciochescas, principalmente a través de la Revolución francesa, va a deshacer los últimos obstáculos al desarrollo del individualismo, que, para colmo, recibe poderoso incremento a consecuencia de otra diferente revolución, no menos aparatosa que la que derribó el antiguo régimen francés, pero iniciada con unos treinta años de antelación: la Revolución industrial, que confirma la confianza que el hombre tenía ya en sus propias fuerzas y sobre todo la confianza en lo que sería capaz de hacer hacia el futuro: "progresismo".

Así, pues, liberado a la sazón el hombre de ataduras clericales y aristocráticas y lleno de fe en sí mismo, el individualismo llega a una de sus últimas cimas: movimiento romántico. Y como los motivos que habían llevado a esa situación no desaparecieron, sino que, al contrario, se intensificaron a lo largo de los siglos XIX y XX, no es pasmoso que tal individualismo fuese subiendo los últimos tramos de una escalinata. Pues, además, a las razones apuntadas vino a sumarse otra que, a mi juicio, agudizó definitivamente la importancia del yo en la doble época de que hablamos: el desdén tan notable y notado que el artista empieza a sentir en esas fechas por su propia clase social, la burguesía, y, en consecuencia, por los "deberes" que ella supone. El artista siempre puso en primer término al espíritu, y la mediocridad materialista de que ahora más que nunca daba pruebas abundantes la clase social mencionada acabó indignando a sus representantes estéticos, que repudiaron así su concepción de la vida y se situaron intencionalmente por encima de ella, libres, por tanto, de una de las últimas ligaduras que podrían, en principio, impedirles tocar la cumbre suprema del individualismo, con sus consecuencias en lo que concierne a la originalidad artística.

Una última cuestión, no obstante, se nos ocurre. ¿A qué se debe que las nociones de "fraternidad" y de "igualdad", que no sólo perduran posteriormente a su aparición en el siglo XVIII, sino que ocupan ahora más espacio que antes en el alma del hombre, no sofrenen y apacigüen, como solían, el frenesí de diferenciación que va a caracterizar a los escritores románticos y más aún a los contemporáneos? ¿Por qué ya no una literatura racional, con su secuela de autoridades y reglas?

Todo individualismo es una fuerza que acomete las paredes-límite del hombre, aquellas que prohíben a éste desarrollarse plenamente, llenar hasta el rebose su posibilidad de libertad, responsabilización y decisión personales. Esas masas de constricción, presión y alienación van derribándose en proporción a su diferente capacidad de resistencia según se ejerce sobre ellas un poder progresivo. Primero caen los muros más endebles; luego otros que lo son menos; al fin, los más recios y consolidados. Así, un individualismo adolescente aún (el renacentista) destruirá la concepción teocéntrico-señorial del mundo y hará asomar el antropocéntrico racionalismo, que cada vez se fortificará más (siglo XVIII); si el adolescente se hace joven (romanticismo), las imposiciones lógicas, en sus aspectos menos rigurosos, cederán también; y, por último, si el joven entra en la madurez de su energía (época "contemporánea"), acabará asimismo destruyendo lados más sólidos de tales imposiciones racionales. Nótese, pues, la aparente paradoja: la energía individualista, cuando no es aún muy intensa, se resuelve en racionalismo, puesto que sólo tiene vigor para arruinar la concepción teocéntrica, que imposibilitaba al hombre centrarse en su ser y facultad intelectiva. Pero esa misma facultad, que ahora aparece como liberación del absorbente mundo religioso, se constituye, a su vez, en cuanto a sus imperativas rigideces lógicas, en calidad de opresión fortísima que avasalla una ulterior expansión de aquella energía individualista de que hablamos. Pero ésta llega a ser tan fuerte, que se dispara con éxito incluso contra tales rigideces e imperaciones. Los moldes lógicos se rompen, y únicamente permanecen sus indispensables restos, más como servidores de la comunicabilidad estética que como tiranos y dueños del artista. En suma y más concisamente: el individualismo en pequeñas dosis engendra racionalismo; en dosis máximas, irracionalismo. Comprendemos ahora que el individualismo del segundo tipo, aparecido a fines del siglo XVIII, aniquile a la Razón, que hasta entonces había ocupado desalojadoramente el ámbito cultural. Pero al contraerse y desaparecer el cuerpo de la Razón, se contrae y desaparece con él su inmanente universalismo. Ahora bien: este universalismo absorbido y al fin evaporado no podrá contagiar e impregnar de su esencia generalizante, desde esa fecha, los conceptos de "fraternidad" e "igualdad", con lo que éstos pierden así su condición unitiva y transitiva, no sirviendo ya para proporcionar al artista un talante social e implantarlo e integrarlo en el seno de la colectividad. Por el contrario, esas nociones, al popularizarse convertidas en sentimientos, serán utilizadas en un sentido de cierta manera inverso al anterior, pues se usarán para que aquel artista no se sienta impresionado y como retraído por la importancia de la jerarquía de clases; concretamente, de la clase aristocrática, que es la única que se halla por encima de la suya burguesa. De este modo, le es posible al literato quedar fascinado en su propia subjetividad y atenerse a sí mismo. No habrá, en consecuencia, por ese lado, inconveniente alguno, y sí lo opuesto, para escribir de un modo marcadamente personal.

De otra parte, al hacer mutis el racionalismo del escenario estético, hará mutis también, y para siempre, la necesidad de un arte según preceptos, pautas, autoridades y dechados. Si unimos esto a lo dicho antes y a lo que inmediatamente añadiremos, se nos pone en diáfana comprensión la alta plenitud a que llega ahora la exigencia de originalidad. Pues la originalidad posee en este instante un campo más abierto donde desarrollarse, gracias a las posibilidades que el irracionalismo abre a la libertad creadora. No es lo mismo escribir bajo la férrea dictadura lógica que escribir sin tener que atenerse a esos dictados. Debemos agregar, a fin de completar nuestro cuadro, que ese irracionalismo liberador hubiera sido imposible de no haber mediado previamente el rompimiento de relaciones amistosas entre el artista y su propia clase social, tal como hace un instante señalé. Después de ese divorcio se hacía innecesario hacerse inteligible para la multitud "municipal y espesa" de los vulgares "filisteos". Y en tal situación resultaba hacedera la composición de obras que no se dirigían a ninguna clase social, sino a un minoritario público de iniciados que eran, de hecho, los propios artistas o sus allegados espirituales más próximos. Pero al desentenderse del gran público, y aun del módico público que posee en potencia sensibilidad para el arte, el poeta pudo entregarse de lleno a un tipo de escritura irracionalista, que, como hemos dicho ya, el individualismo llevaba consigo en forma de posibilidad, pero cuyo desenvolvimiento hubiera sido sofocado por una audiencia menos alerta y ágil que la depurada a la que ahora se destinaba el envío estético.

Con todo ello, una nueva época se había inaugurado. La edad de la gran originalidad, en su sentido más fuerte, sobrevino al fin. Y como consecuencia, el asentimiento comenzó a no darse del todo sin el previo cumplimiento de tan audaz y arduo requisito. Tal lo que al principio hemos empezado por sentar.

LA HISTORICIDAD DE LA POESÍA

CAPÍTULO XIX

LOS SUPUESTOS DE LA POESÍA

MODIFICANTES EXTRÍNSECOS Y SUPUESTOS DE LA POESÍA

Los capítulos anteriores nos han dejado al descubierto que cada uno de los "procedimientos extrínsecos" existe en virtud de un respectivo modificante, al que apellidábamos de igual modo, consistente en una o varias creencias nuestras acerca de la realidad. Subrayemos ahora que esas creencias se comportan como un firme suelo desde el que la dicción poética despega y se levanta; algo, en consecuencia, de que se parte, con lo que se cuenta y que, por ello, no es necesario decir. La expresión lírica, que no dice ese algo, lo subdice, lo dice a la chita callando. Es el reino de lo consabido, y que, por consabido, se silencia y *supone*. Las palabras del poeta, en suma, tienen "supuestos" que les otorgan vida y emoción, pues sin ellos serían experimentadas como inexpresivas o absurdas. El arte es, en definitiva, un *iceberg*, que oculta mucho más de lo que muestra. Al llamar ahora "supuestos" a aquellos elementos que están debajo de la dicción poética (sin explicitación, por tanto), haciéndola posible, nos damos cuenta de que no se trata de un mero cambio de nombre, mediante el cual llamamos ahora "supuestos" a lo que antes denominábamos "modificantes extrínsecos". Se trata, en verdad, de algo mucho más serio: de una nueva perspecti-

va, y de mayor amplitud y generosidad que la otra, pues bajo el
término "supuestos" cae cuanto ingrediente en cadena es causa tácita de expresividad, cosa que desborda con mucho, y en dos
sentidos diferentes, la idea de modificante extrínseco. Quiero decir que los modificantes extrínsecos son "supuestos", pero que esa
proposición no sigue conteniendo verdad enunciada al revés. Por lo
pronto, los modificantes extrínsecos pueden tener otras arborescencias subterráneas con las que hacia abajo se complican, que son
también "supuestos" en segundo, tercer o cuarto grados, etc., pero
que, en cambio, ya no son modificantes extrínsecos; y de otra
parte, los procedimientos intrínsecos también poseen "supuestos"
que les son propios. Y esta segunda especie de "supuestos" se diferencia de la anterior (la de los procedimientos extrínsecos) en una
pareja de importantes notas: 1.ª, que no coinciden siempre, ni
aun en su zona somera, con los modificantes respectivos, y 2.ª, que
no consisten siempre, ni siquiera parcialmente, en convicciones
nuestras sobre la vida y las cosas. Y así, a veces, actúan como supuestos de los procedimientos intrínsecos, no contenidos de nuestra psique, sino ciertos modos de funcionar ésta, y aun otras realidades de vario orden.

A riesgo de caer en el vicio de garrulería reiterativa, quiero volver a decir aquí que, frente a esas cualidades de los supuestos que
consideramos, los supuestos de los procedimientos extrínsecos se
identifican siempre en su estrato más próximo a la superficie expresiva con el modificante respectivo. O sea, en tales casos este
tipo de modificantes es el penacho o techo de la serie de los supuestos. Lo cual quiere expresar que en los procedimientos extrínsecos,
si vamos de arriba hacia abajo en busca de supuestos, lo primero
con que tropezamos es un supuesto cognoscitivo (bajo el cual puede haber o no otros, ya de clase diversa). Esto no sucede, insisto,
más que a veces, en los supuestos de los procedimientos intrínsecos.

CLASIFICACIÓN DE LOS SUPUESTOS

Podemos clasificar los supuestos de varios modos. Uno de ellos
es el que acabamos de examinar: supuestos intrínsecos y supues-

tos extrínsecos, según que el procedimiento con el que se relacionan sea de un tipo o de otro. Pero cabe clasificarlos no en cuanto a su relación, sino en cuanto a su propia naturaleza. Clasificación ésta que, si más difícil de trazar con corrección, ha de rendir mayor utilidad desde nuestro punto de vista. Intentémosla, por burda y provisional que resulte. Yo diría que los supuestos de la poesía podrían, en principio, ser divididos en cognoscitivos en sentido estricto, morales, psicológicos, instintivos y de situación y condición humanas (física y metafísica). He adelantado que tal clasificación es tosca, no muy rigurosa y acaso incompleta. Con todo, servirá para entendernos si le agregamos comentarios que precisen nuestras palabras.

SUPUESTOS SITUACIONALES

Hemos hablado, por ejemplo, de "situación". La poesía, en efecto, "supone" en ocasiones una situación del hombre sin la cual aquélla no sería inteligible. Expliquémonos. El hombre posee unas determinadas experiencias y necesidades, una determinada configuración física, unos determinados sentidos con un limitado radio de acción, un determinado tamaño, vigor, etc.; y esa configuración física o cuerpo y esa espiritualidad que no son cualesquiera, sino precisamente las nuestras, adscritas a un horizonte asimismo preciso de posibilidades e imposibilidades, se hallan colocadas en un mundo preciso también y que *es* para el hombre. Significo con ello que el ser de ese mundo *es* de *ese* mundo, pero sólo en cuanto que el hombre existe. Hay, por ejemplo, montañas enormes y pequeños pajarillos inocentes, teniendo en cuenta que todas esas cualidades (la pequeñez e inocencia de los pajarillos, la enormidad de las montañas) no son calificaciones absolutas, sino, al contrario, relativas, pues hacen relación a lo humano, y sin el hombre no tendrían sentido. El poeta, cuando poetiza, parte de todo eso, y eso queda hundido muy por debajo de su expresión, tapado por ella, de modo que no se ve. Su lugar es tenebroso, imperceptible, como lo es un sótano donde estuviesen las máquinas (de la calefacción, por ejemplo), indispensables a las viviendas superiores, que hacen habitable y cómodo todo el edificio. La función de los supuestos es, en efecto, vivificante, como antes dije, y espiritualmente irrigadora.

No me refiero, pues, a que el poeta hable de la situación en que está. Ello es verdad también, sin duda. El poeta habla muchas veces de esa situación y se queja de ella, la increpa, o, por el contrario, se siente en ella feliz. Pero ahora, al aludir a supuestos situacionales, quiero expresar otra cosa muy diferente, algo de que el poeta no habla, porque de puro evidente sólo lo vive, incluso sin expresa conciencia de ello. Es una realidad que, soterrada, actúa, sin embargo. Nosotros únicamente conocemos esa actividad suya, la emoción poética que presta a unas palabras; una consecuencia, por tanto, de su ser, pero no su ser, que para ser encontrado y definido precisa el desmonte analítico de su resultado: la expresión del poeta. Pongamos algunos ejemplos. En cierto contexto podríamos leer esta frase:

piafa la realidad,

o esta otra:

realidad: relincho espantoso, queja oscura, milagro,

y sentirlas como poéticas, mientras experimentaríamos como cómica o absurda, también en un concreto ambiente verbal, la siguiente:

la realidad rebuzna.

Se impone comenzar por una aclaración. He querido decir que esas expresiones son, *en principio*, poéticas (las primeras) y cómica (la segunda), aunque esa cualidad suya *inicial* puede, en un determinado contexto, ser alterada y convertida en su opuesto. En términos más adecuados: a un poeta le cuesta menos esfuerzo hacer que resulte poético "la realidad piafa" que lograr lo mismo con "la realidad rebuzna", porque, en relación con la idea *habitual* de lo que la realidad sea, la primera expresión resulta, *en principio*, poética, resultando la segunda, también *en principio*, cómica. Nuestro análisis partirá, pues, del carácter que llamaríamos *pri-*

mario de tales frases, y nuestro intento consistirá precisamente en explicarlo.

¿Cuál será, pues, la razón del diferente efecto expresivo de las mencionadas locuciones? Empecemos por no olvidar que quienes de veras, y no metafóricamente, piafan o relinchan son los caballos y quienes de veras rebuznan son los burros. Y ocurre que el caballo está considerado como un animal "noble" y el burro no. Ahora bien: eso de ser "noble" el caballo y no serlo el burro es algo que hace relación al hombre, pues en sí mismos, el caballo o el burro, son indiferentes a esas calificaciones, términos éticos que nada tienen que hacer con el ser de esas bestias (en la suposición de que las bestias o cualquier otra realidad tengan intrínsecamente ser, por separado y fuera de su conexión con una pupila humana que las mire). Pero si para el hombre el caballo *es* "noble", al revés de lo que ocurre con el burro, se debe, simplemente y por lo pronto, al uso que de ellos hace aquél. El caballo supone el caballero, esto es, un personaje aristocrático y de elevadas miras, atento sólo a los supremos ideales; evoca el heroísmo bélico, las banderas y los gallardetes, las trompetas y los lauros que anuncian gloria y cima, torneos, galanuras, refinamientos. El burro es, en cambio, un pobre animal sin prestigio, porque nos hace imaginar de inmediato todo lo opuesto: quien lo monta o lo utiliza es un Sancho Panza cualquiera, una criatura de cortos alcances y atento únicamente a lo que su estameña y su estómago o sus aledaños materiales le dicten; esta bestia es de carga, y se complica así con pesados sacos sucios, con lo mugriento y basto, etc. Sospecho que al oír esto algún lector se habrá formulado ya dos tipos de discretas objeciones: 1.ª, que un burro puede ser muy estimado, y 2.ª, que lo propio acaece con el campesino que lo emplea. Soy de la misma opinión que ese lector, y parto de ella sin que la tesis aquí mantenida tenga por qué alterarse. Enfrentémonos con estos reparos. Los valores, como es sabido, están ordenados jerárquicamente. Pues bien: la jerarquía de valor que concedemos al burro es inferior a la del caballo. A un burro podemos estimarlo, y mucho; pero en un determinado nivel axiológico que es el suyo de burro. Apreciamos, por ejemplo, su carácter "sufrido" y "humilde", "pa-

ciente", "honrado", etc. En cambio, el aprecio al caballo se coloca
más arriba en la escala, y así hablamos de "brío", "gallardía",
"arrogancia", "prestancia" y hasta "valentía" o "lealtad". Pasa aquí
algo semejante a lo que, en su esfera, sucede con los hombres:
puedo estimar mucho, y aun muchísimo, la "honradez", "laborio-
sidad", etc., de un pintor de pared; pero, en último término, esas
cualidades son jerárquicamente inferiores a estas otras que podemos atribuir a un gran artista del pincel: "inteligencia excepcional", "brillantez", "imaginación creadora", etc. Nótese que la situación jerárquica del objeto estimable no habla de la cantidad de
aprecio; pero habla, sin duda, de su cualidad, que es más alta
cuanto más nos elevemos en la escala. Y eso es justamente lo que
interesa al análisis que nos hemos propuesto.

Por tanto, nada importa que el lector tenga incluso cariño a
un borriquito de su propiedad, ni que, de otro lado, sea un hombre
de justicia y sepa todo lo honrado, útil, bondadoso y digno que pueda ser y sea con frecuencia un campesino. Añadamos, para salir
al paso de otras implicaciones de la objeción segunda, que tampoco importa nada que el lector o el autor se hallen convencidos de
hasta qué punto la situación social de una persona pueda ser fruta
injusta, lo mismo hacia arriba que hacia abajo, y que hablen de
"privilegios inmerecidos" en un caso o de "explotación" en el
otro. De todas formas, tengan autor o lector estas o aquellas ideas,
se reirán con la frase "la realidad rebuzna", pero sentirán una poética emoción al oír que "piafa la realidad" o que la realidad es
"relincho espantoso, queja oscura". Veamos. Esa situación, según
la cual el caballo es "noble" para el hombre, tiene unas causas —las
examinadas— que podrían someterse a crítica..., pero siempre que
apareciesen como tales en nuestra conciencia. Ahora bien: tales
causas son "supuestos", o sea, algo que por definición es previo e
imperceptible a la intelección de las frases poéticas y cómicas a
las que nos referimos. Se trata de un hecho irracional y, por tanto, inmune a los razonamientos, las ideas, las opiniones políticas,
por muy sinceramente que las sustentemos. Es algo más fuerte que
todo *eso*, simplemente porque subyace a todo *eso*, de modo que *eso*
no lo puede alterar. Resiste al vendaval de nuestra ideología como

resiste al viento la raíz de una ceiba. Lo que sucede, en virtud de lo dicho, es que no otorgamos, en principio, nuestro asentimiento al rebuzno y sí al "piafar" y "relincho" *"de la realidad"*. La realidad es algo que juzgamos cosa quizá buena o quizá mala y cruel, terrible, atroz, fuente de tribulación, o bien de dicha, placer y hermosura. Pero en todo caso y *en principio,* la realidad es *seria.* Y como el rebuzno, por lo que ya sabemos, aplicado a la realidad y también *en principio,* no lo es, no podemos asentirlo, y asentiremos, en cambio, al piafar, por opuestos motivos que también hemos llegado a deducir.

He ahí, pues, cómo lo que denominamos supuestos no se ajusta siempre y del todo a lo que designábamos como modificantes extrínsecos. Pues los modificantes extrínsecos, cuando se diferencian de aquéllos, se sitúan, dijimos, en un estrato más superficial. En el ejemplo que estudiamos, serían modificantes extrínsecos de las expresiones propuestas nuestra creencia en la nobleza del caballo, o bien en la falta de nobleza, es decir, en la situación axiológica inferior del burro. Pero más allá, y hacia el fondo de eso, radican los supuestos como un aparato de mayor enredo y calado. Los supuestos llegan siempre al fondo y anclan en él desde el haz mismo del verbo. Y así, el supuesto de nuestra risa en un caso y de nuestra emoción en el otro no consiste sólo en esas creencias, sino también en sus causas, una de las cuales, tal como nuestro análisis determinó, es una mera costumbre humana: usar el caballo de un modo y de otro al burro.

Pero estas y otras muchas costumbres comportan, a su vez, una situación. El hombre que emplea al burro como animal de carga, etc., se sitúa frente al burro en una determinada actitud que consiste en cargarlo. La base última, el término postrero de la serie de supuestos que en este caso hallamos, el decisivo a efectos de nomenclatura, es, pues, situacional, y ello en un sentido más terminante y absoluto de lo que parece. Pues hay algo más que la mera relación del hombre con unas criaturas irracionales, según la cual aquél las endereza a ciertos fines y no a otros, merced a la naturaleza que a éstas les es respectivamente inherente. Existe también que esa misma naturaleza, aunque objetivamente pertenezca a esos animales, les es conferida, asimismo, por el hombre, al ponerse en contacto con él, ya que se trata de una naturaleza instrumental y, por consiguiente, visiblemente referida a la persona que los usa como instrumentos. Sin el hombre que cabalga (*verbi gratia*: para ir a la guerra), no tendría sentido decir que el caballo tiene naturaleza cabalgable. Caso de que los seres humanos hubieran utilizado a esas bestias en otros menesteres o en ninguno, o de otro modo —algo perfectamente posible—, su "naturaleza", la instrumental de hoy, no se daría, con lo que todo el sistema, cuyo ápice es la dicción poética o la cómica de que hablamos, sufriría un trastorno esencial que alteraría sustancialmente y hasta haría desaparecer la expresividad. Se sigue de aquí la historicidad de la poesía, pero dejo para otro capítulo el tratamiento adecuado de tema tan enjundioso.

Por de pronto, nos conviene recoger de manera ordenada los datos que el análisis anterior ha puesto a nuestro alcance. Las frases "la realidad piafa", "la realidad rebuzna", son, en principio y respectivamente, poética y cómica: 1.º Porque la atribución "piafar" o "rebuznar" transmite a su objeto ("realidad") la jerarquía axiológica que, previamente, hemos concedido al caballo y al burro, que son los entes verdaderamente piafadores o rebuznadores, con lo que asentimos en un caso y no en el otro, dado al carácter de seriedad que *normalmente* ("sistema") concedemos a lo real. 2.º Pues al caballo lo hemos situado alto en la escala de valores y al burro en posición de inferioridad en esa misma escala. 3.º Ese diferente nivel axiológico se debe al uso a que destinamos cada una de esas bestias, en virtud de la naturaleza que poseen. 4.º Mas resulta que tal naturaleza es también una creación humana. En suma: el supuesto básico que otorga poesía o comicidad a las frases de nuestro escolio es una situación según la cual, dentro de un mundo muy preciso, donde hay o ha habido, por ejemplo, guerras, torneos, etc., y donde el caballo tuvo o tiene empleo heroico o gallardo y asnos que sirven de humilde medio de transporte, el hombre se coloca en una determinada relación, que hubiera podido ser otra, con esos animales.

La pormenorizada consideración que antecede nos permitirá ser más breves en otros ejemplos de lo mismo. Tomemos un verso ya investigado desde otra intención:

Tu desnudez se ofrece como un río escapando.

He ahí una imagen visionaria basada en la emoción común de frescor o inmediata vitalidad que la desnudez (*A*) y el "río escapando" (*B*) nos proporcionan. Los elementos a_1, a_2, a_3, ..., de semejanza objetiva entre el plano real *A* y el evocado *B*, podrían ser resumidos, decíamos, bajo el nombre de "naturalidad". Mas nótese (supuesto) que esa naturalidad y su correspondiente efecto emocional sólo aparecen como tal dentro de una situación histórica del hombre, en que éste utiliza vestidos, pues si anduviese normalmente sin ellos no se nos ocurriría oponer una naturalidad —ir desnudo— a un artificio —ir vestido—. Y en tal caso —posible—, la imagen visionaria carecería de significación, sería absurda y no poética.

No siempre, claro está, la situación fundamental, la que soporta en forma de último supuesto la dicción estética, tiene como principal personaje una costumbre humana. A veces la situación es protagonizada por otras realidades: por ejemplo, el tamaño físico del hombre y su vigor, etc., que proporcionan a éste una impresión determinada de superioridad o inferioridad, según sea la índole del objeto que enfrenta. Cuando un poeta dice (caso *A*):

Águilas como abismos,
como montes altísimos,

a cuando otro afirma (caso *B*), refiriéndose a Dios:

Mi amado, las montañas,

no hay duda de que la emoción de energía (*A*) o grandeza (*B*) que experimentamos se debe a ser las montañas, los montes altísimos, grandiosos en relación con la humana criatura, y ser las águilas muchísimo más fuertes que ella. No se trata, pues, de un hecho absoluto. Desde un punto de vista absoluto, ni la montaña es grande o pequeña ni el águila poderosa o débil. Las esencias "inmensidad de la montaña" y "poder del águila" precisan para existir de otros objetos que sean de formato menor, y más necesariamente, del hombre, y una pupila racional, la del hombre, que establezca la comparación. En consecuencia, son las dimensiones humanas y su mirada inteligente las que hacen grandes a las montañas y vigorosa al águila. El supuesto de nuestra emoción poética en los fragmentos que nos ocupan es, pues, la situación de inferioridad en que nos hallamos frente a tal ave de presa y tal prominencia telúrica. Pues si fuésemos de estatura mayor que la de un monte y de fortaleza superior a la de un águila, los versos transcritos no expresarían nada y nosotros nada sentiríamos ante ellos.

Puntos de contacto tienen con el caso anterior aquellos en que el efecto poético se logra merced al supuesto de que experimentamos una sensación positiva con las nociones de ascenso, altitud y similares, en tanto que ocurre lo contrario con las nociones opuestas. En un pasaje del *Romance sonámbulo* de Lorca leemos:

> Dejadme subir al menos
> hasta las altas barandas;
> dejadme subir, dejadme,
> hasta las verdes barandas,
> barandales de la luna
> por donde retumba el agua.

Esas "*altas* barandas", en el poema, cuando leído entero, se convierten en símbolo de lo supremamente deseable. ¿Cuál es el motivo de la asociación "altitud-excelencia" que da base a este instante lírico? Antes de responder a tal pregunta debemos hacer constar la frecuencia del fenómeno en la poesía, y no sólo en ella. Si los clímax ascendentes, por ejemplo, traen velocidad al período, según dejamos dicho, y los descendentes se portan como rémoras del dinamismo sintáctico, ello se debe, sin duda, a que sentimos alegre subir y triste bajar, hecho que permite la posterior transposición "alegría-rapidez", "tristeza-lentitud", de que tenemos ya noticia. El lenguaje ordinario recoge estas adherencias sentimentales que para el hombre tiene lo colocado arriba o abajo, pues para decir, pongo por caso, que un coronel pasó al grado de general, hablamos de "ascenso", mientras entendemos como merma en la estimación de alguien afirmar que ese alguien "bajó mucho como pintor en los últimos años". Las palabras "superior" o "inferior" poseen significados en dirección idéntica. Si Cristo "ascendió a los cielos", y si la misma palabra "cielo" en español y otros idiomas designa a la vez el cielo físico y el sobrenatural, es por la misma causa. Ahora bien: ¿Cuál es el supuesto en que vienen a coincidir todos estos casos? ¿Porque "subir" es, en consideración inmediata, bueno, y malo, bajar? Me temo que la explicación que voy a dar de este hecho subleve el ánimo de algún lector, porque a muchos escandaliza verse reducidos a cuerpo y materia; pero es el caso que, aunque espirituales, también somos criaturas de hueso y de carne, y ello forzosamente ha de configurar la actividad, por noble que sea, de nuestra alma. Me atrevo, pues, a sentar que la cuestión se aclara sin más que pensarla como una situación, que ha de ir seguida de una congruente respuesta afectiva. El que está en una cima domina y señorea; de algún modo hace suyo el mundo al contemplarlo, tiene poder incluso material, pues adquiere evidente ventaja sobre un enemigo que estuviese debajo. Y a la inversa. Estas impresiones primarias que tenemos, gracias a experiencias situacionales de nuestro cuerpo en el mundo, se inyectan en las palabras y giros idiomáticos correspondientes antes de que el poeta los utilice. Son, en fin, supuestos de que se parte.

Las limitaciones de nuestros sentidos, para poner otro ejemplo, han de repercutir necesariamente en la poesía, puesto que nos colocan en situaciones especiales que son origen de experiencias vitales para todo ser humano. Si en una pieza de Lorca cuyo tema es el arte de Verlaine leemos:

> Canción llena de labios
> y de cauces lejanos.
>
> Canción llena de horas
> perdidas en la sombra,

sentimos esos "cauces lejanos" como símbolo de lo entresoñado, borroso y sugerente de la canción a la que se alude, y esa sombra, como símbolo del temeroso y grave misterio de la temporalidad humana. No es necesario decir que en ambos casos la simbolización ha sido posible porque vemos confusamente lo remoto; e incógnito y acaso peligroso lo que se halla en la oscuridad. Las peculiaridades de nuestros ojos nos ponen, pues, en una relación específica con los objetos, según éstos estén o no iluminados, próximos o no. Si viésemos en la tiniebla con tanta nitidez como dicen que ven los gatos o las lechuzas, y de lejos con la misma acuidad del águila, los heptasílabos copiados no serían poéticos, porque el procedimiento simbólico no existiría.

SUPUESTOS PSICOLÓGICOS

1. *Dos supuestos ya conocidos del lector.*—Por otra parte, la estructura psíquica que sustenta la expresión poética, como un supuesto de ella, no es cualquiera, sino justamente la humana, cosa que aunque parezca perogrullesca nos llevará a conclusiones que no me aventuraría a calificar de ociosas.

Comenzaré por recordar dos hechos que el lector ya conoce a través del presente libro. El primero es que el contraste y, en último término, también la ironía están basados en el supuesto psíquico de nuestra limitación en el modo de aprehender la realidad, puesto que más que ver cosas vemos diferencias entre cosas. El segundo, que el dinamismo expresivo posee, asimismo, fundamento psicológico. Muchas veces, los poetas, para expresar la melancolía, utilizan, como los músicos, ritmos lentos, o una sintaxis de tipo moroso, o más simplemente una representación estática (o acaso dos de estos artificios, o incluso los tres de manera simultánea). Y por el contrario, para expresar la alegría, el entusiasmo, etc., pueden usar los poetas, paralelamente a lo que también realizan los compositores, de ritmos raudos, o versos de pocas sílabas, o una trama sintáctica que conlleve velocidad o representaciones muy dinámicas (o todo ello a la vez). La razón de estos recursos es la misma que lleva al cuerpo humano, pensábamos, a simbolizar la tristeza por la suspensión del movimiento, y opuestamente, el gozo, a través de la agitación. Y es que en el pesar parece el alma absorberse dentro de sí misma, negándose a la realidad externa que le ha como ofendido, mientras en la alegría, el espíritu, al sentir benévolo al mundo, se abre a éste y gozosamente se vierte sobre él. Hay, pues, en el dolor un estancamiento y en el entusiasmo una movilidad psíquicas. Y es esta movilidad o detención del alma lo que el cuerpo está simbolizando, expresando, y lo que el poeta simboliza, expresa, mediante un máximo o un mínimo de ligereza. En suma: el efecto poético que se logra con el recurso literario mentado depende del modo especial que el alma humana tiene de reaccionar frente a la tristeza (cerrándose y adormeciéndose dentro de sí misma) y frente a la felicidad (abriéndose en una dinámica absorción alerta de la realidad forastera y proyectándose hacia ella). He ahí el soporte psicológico que permite ser expresivo al artificio lírico en cuestión.

2. *Supuesto de la inexpresividad de la "lengua" y de la necesidad de "sustituirla".*—Acabamos de hacernos cargo de los supuestos de tres procedimientos específicos: contraste e ironía de un lado y dinamismo expresivo de otro. Hora es ya de preguntarnos por cosa de mayor amplitud y alcance: el supuesto general de todos los recursos intrínsecos. De otro modo: el supuesto de que la "lengua" sea algo neutro y sin vida, sólo conceptual, y que, por tanto, requiera la "sustitución" para hacerse estética. Pues nótese que tan importante hecho, base de nuestra doctrina, había quedado sin auténtica explicación, como algo que va de suyo y es en sí mismo evidente.

La sustitución, tal como quedó definida en este libro, es siempre sorprendente. A fin de ver lo que la sorpresa de cualquier tipo signifique, pensemos primero en su opuesta, la trivialidad. Es palmario que lo trivial resulta inexpresivo por razones de orden psicológico. Aquello a cuya contemplación, por ejemplo, estamos acostumbrados, en realidad no lo vemos, puesto que no necesitamos verlo para saberlo. Lo sabemos con carácter previo, de modo que nuestra aprehensión visual, que en principio actúa siempre pragmáticamente, resbala con pereza por la superficie tópica, a la que se da por vista, y en consecuencia, a la que *rigurosamente se desvé.* Sólo se retiene de ella aquel brevísimo esquema o puntual extracto que nos basta para reconocerla como consabida. Pero *lo que en rigor no vemos,* no puede impresionarnos. De ahí la inexpresividad de cuanto se convierte en rutina.

Ahora bien: lo que vale para el sentido de la vista vale para el lenguaje, que es otro modo de captación de la realidad. Tanto da que lo aprehendido tópicamente sea un objeto real o un objeto apresado idealmente con la palabra. El efecto de la topicidad en nosotros es el mismo en uno y otro caso: la desatención, la captura y posesión falsas, y su consecuencia, la inexpresividad. Se sigue diáfanamente de lo dicho que la "lengua", en el sentido técnico que esta voz tiene para nosotros, ha de carecer de emotividad y sensorialidad; o más precisamente: que haya de ser meramente conceptual y no poética. Pues la lengua, al ofrecerse como el tópico idiomático por excelencia, el tópico mayúsculo y por definición, consistirá únicamente en conceptos, ya que el concepto equivale a aquel extracto sólo puntual a que nos hemos referido antes como propio de cuanto miramos como habitual. Es una mera tarjeta de identificación que nos garantiza al objeto como no sospechoso de novedad, algo que rápidamente nos lo cataloga como "el de siempre", invitándonos a no fijarnos en él, a no verlo en su concreción y como individuo.

Si ello es así, nos explicamos con igual claridad que conforme un vocablo o frase nuevos vayan popularizándose y, por consiguiente, entrando en ese limbo de la lengua pierdan su emanación sentimental o su grafismo plástico, de modo que lo que fue poético deje de serlo. Tal es el destino de cada una de las concreciones de los procedimientos intrínsecos cuando empiezan éstas a ser muy repetidas por "la gente". Y tal, incluso, el de los giros y construcciones originales cuando se "gramaticalizan". Una metáfora como "reanudar" fue poética y ya no lo es. La lengua, y cuanto a ella revierte, no nos da de la cosa sino su frío y rígido esqueleto. La sustitución se impone si deseamos que nuestra mirada, al no tropezar con una expresión consabida, pueda recuperar y ejercer su capacidad verdaderamente aprehensiva, pueda apoderarse de lo mentado, en vez de tomar de lo mentado únicamente su punto de reconocimiento, algo como la cicatriz o lunar que basta para la anagnórisis de una criatura hace tiempo perdida.

Hemos hablado hasta ahora de los supuestos de la sustitución en cuanto que la sustitución reemplaza sorprendentemente la topicidad conceptualista de la lengua. Pero nos explicamos también por qué los poetas, aparte de usar de la sorpresa de ese modo que denominaríamos continuo y universal, la utilicen de otras formas más particulares, discontinuas y especiales, sobre todo en algunos períodos, entre ellos el contemporáneo. Los "signos de indicio" son un elocuente ejemplo de esa manera específica de sorpresa, siendo su supuesto el mismo que hemos considerado ya. La sorpresa nos obliga a abrirnos completamente a la percepción, a ponernos por entero en ella, de forma que ésta se produzca del todo y como en rebose de plenitud. Prueba de ello sería que hasta nuestro cuerpo simboliza carnal, plásticamente esa apertura del alma ante la irrupción de lo inesperado. Cuando algo nos sorprende nuestros ojos, en efecto, se ponen "tamaños" y quedamos "boquiabiertos".

3. *Ley "de inercia".*—Un breve poema de Manuel Machado nos va a descubrir ahora otro principio psíquico en el que descansan bastantes momentos poéticos, que, por otra parte, son muy diferentes entre sí:

CANTO A ANDALUCÍA

Cádiz, salada claridad. Granada,
agua oculta que llora.
Romana y mora Córdoba callada.
Málaga cantaora.
Almería dorada.
Plateado, Jaén. Huelva, la orilla
de las tres carabelas. Y Sevilla.

¿Cuál es su fundamento psicológico? Éste: que dada una serie A_1-b_1, A_2-b_2, A_3-b_3, tendemos a proseguirla. Y ello, a su vez está determinado por una especial ley psicológica que llamaríamos de "inercia", tomando el vocablo a préstamo de la ciencia física: nuestro espíritu, en efecto, tiende a perdurar en su estado actual de actividad o reposo. Habituados a una atribución panegírica (b) tras cada nombre de ciudad (A), y a que después del verso cuarto tal atribución sea progresivamente luminosa y clara, diríamos que por velocidad adquirida continuamos por nuestra cuenta haciendo lo mismo, incluso cuando el poeta, como en el caso de "Sevilla", se haya ahorrado toda calificación (ruptura del sistema de las representaciones). Ese vocablo se carga así de una significación muy compleja que nosotros le añadimos: algo como la equivalencia emocional de la suma de las atribuciones anteriores, pero situada aquélla además en la cima del luminoso clímax hacia el que los últimos versos se encaminan [1]. Tal es la razón de que sintamos como un supremo claror y una afirmación altamente axiológica cuando el poeta pronuncia la última palabra de su composición: "Sevilla" [2].

---

[1] Como he dicho en el texto, el procedimiento que Manuel Machado utiliza en ese poema es la ruptura del sistema de las representaciones, cuya fórmula, como la de todas las rupturas del sistema, es *A-b*, en vez de *A-a*. Sólo que en este caso *b* consiste *en la mera ausencia de a.*

[2] Aunque nos salgamos del tema estricto que en este instante nos ocupa, tal vez no sobre añadir que ese "Canto a Andalucía" es poético porque al tener Sevilla fama de fascinante y con "embrujo", etc., asentimos al entusiasmo del poeta por esa ciudad, obtenido a través del artificio mencionado (ruptura del sistema). Imaginemos ahora, para probarlo, si el caso necesitase prueba, que en vez de tratarse de un "Canto a Andalucía" se tratase de un "Canto a España", y que Manuel Machado hubiese trazado así sus últimos versos:

> Plateado, Jaén, Huelva, que urdes
> a las tres carabelas. Y Las Hurdes.

Prescindiendo y disculpando el evidente ripio introducido ("que urdes"), el efecto, en vez de poético sería cómico, o tal vez absurdo, puesto que Las Hurdes es una región célebre en sentido opuesto a Sevilla: es notoriamente atrasada, primitiva, etc. El entusiasmo del poeta en ese caso sería por ello disentido, y así la emoción no se comunicaría, esto es, no la haríamos nuestra por contemplación, al percibirla como inadecuada a su objeto. Enajenados de tal emoción y sintiéndola impropia en el poeta, la juzgaríamos irrisoria (comicidad) o sin sentido (absurdo), según un contexto determinado

Imaginemos ahora una gradación cuyo último miembro se desvíe de su destino natural. Dadas ciertas condiciones, el mismo principio que regía en los casos antecedentes regirá en éste, y el lector se verá movido a agregar al término descarriado la significación que le correspondería como meta del clímax. Pido excusas por ilustrar lo dicho con fragmentos que extraigo de dos diferentes poemas míos, pero no recuerdo ninguno de autor ajeno. Uno de ellos es éste:

> Vale la pena el alentar, la vida,
> vale la pena el río con tu llanto,
> vale la pena la amistad mentida,
>
> la luz mentida, el verdadero espanto,
> la noche negra de la atroz partida,
> y tu amargura que me importa tanto.

Y el otro, éste:

> He aquí la luz. Hela ya descompuesta
> en cosas, sin cesar.
> Oleaje sin fin, cambiante fiesta.
> Infinito es el mar.
>
> Infinita es la luz como lo oscuro.
> Infinito el terror.
> Infinita es la muerte, y lo más duro
> de todo es el amor.

En ambos trozos hay una gradación progresivamente patética y en ambos el último de sus respectivos elementos es, en sí mismo y aislado de su contexto, de patetismo inferior a los anteriores. Pero ello no importa, ni lo sentimos así en el poema, porque la norma psíquica de que hablamos "completa" el clímax, de manera que el movimiento ascensional del sentimiento no cede (si ello es, en efecto, así), con lo cual la amargura de la amada en un caso y

en que la pieza se insertase otorgara o no tolerancia a nuestro juicio, lo que, a su vez, dependería de que considerásemos irónica o no la intención de Manuel Machado al escribir tan extraño fragmento.

el amor en el otro se sitúan en un nivel respectivo de dolor y de horror, que excede al que la misma muerte posee.

El supuesto psicológico a que me refiero configura y hace posibles otros recursos de la poesía. Así, por ejemplo, ciertas peculiaridades del ritmo. Hay, en efecto, ritmos que aunque sean intrínsecamente y por separado eufónicos no casan entre sí. Y si su enlace lo sentimos ingrato, es, en principio, por el incumplimiento de esa ley de la psique humana que quiere la continuidad. El mismo hecho da razón de que molesten las rimas en un poema escrito todo él en verso libre o blanco. Y al revés, que un poema rimado interrumpa de pronto la utilización de la rima. O aún que en tantas ocasiones desagrade la mezcla de lo trágico y lo cómico, el lenguaje "noble" y el "plebeyo", la polimetría, etc. En suma: lo que englobaríamos, con frase de la Preceptiva tradicional, bajo el rótulo de ausencia de las unidades [3].

La afición a la perseverancia de que nuestra alma da señales explica también la eficacia del encadenamiento simbólico, al que hemos denominado "signos de sugestión". Sumergidos en una determinada atmósfera que un contexto nos ha proporcionado, per-

---

[3] Acordémonos de los análisis realizados en las páginas 393 y ss. Allí veíamos que si la mezcla de lo trágico y lo cómico es a veces estéticamente desapacible (y lo mismo diríamos de otras "faltas" contra las "unidades" cuando éstas son efectivamente requeridas por la obra misma de que se trate: unidad de lenguaje, de ritmo, etc.), si esa combinación, repito, es "disonante", se debe a que el lector, al pasar por el elemento primero de la mixtura inconveniente, se coloca en determinada "actitud" de espera, que, como toda espera, es una rigurosa anticipación, y al quedar defraudada esa anticipación por el elemento segundo, no podemos acoger, es decir, percibir la significación de éste. Hago observar que tal fenómeno de anticipación y la consiguiente ceguera o incomprensión poética del miembro inesperado, los habíamos simplemente descrito, pero no, a su vez, explicado. Lo que digo ahora en el texto viene, pues, a completar causalmente nuestras afirmaciones de entonces, a la vez que estas confirman y dan toda su fuerza, si mi juicio no yerra, a nuestras aseveraciones. En efecto: si hallándonos en la situación grave A, anticipamos otra B en cuanto ésta se define asimismo por su gravedad (situación B que el poeta, vuelvo a decir, suplanta con la cómica C que inaceptablemente nos presenta en su lugar), no hay duda de que ello sólo puede ser motivado por la ley de "inercia", o sea, de perduración en el estado actual, que es serio y no cómico.

duramos en ella, con lo que la nueva palabra que advenga ha de
heredar la carga emocional anterior, y su propia resonancia sentimental, de tipo semejante al de los signos que anteceden, se inten-
sificará. En el poema de Machado que copiábamos en anterior página, la expresión "agua muerta" no tiene sólo la vibración fúnebre que le correspondería de estar sola, sino ésta y la que ha recibido del poema, en el que constituye cierre.

Lo dicho vale para cualquier otro género de reiteración. Si la
reiteración conceptual o literal (por ejemplo, Pedro es tonto, tonto, tonto) intensifica el significado del miembro repetido se debe,
sin duda, a la misma ley espiritual de que hablamos, que concede
a cada momento verbal una capacidad acumulativa que puede transmitirse al siguiente, incrementando así la que éste, a su vez, tiene de suyo.

4. *La inseparabilidad de lo sintético. A).*—Otro principio psicológico en que están basados numerosos instantes y procedimientos líricos es la tendencia anímica a la sintetización. Percibimos y
vivimos las cosas de manera unitaria, ofreciéndosenos los diversos
elementos de que esa unidad consta en conexión interdependiente,
de forma que cuando después uno de ellos aparece en nuestro ánimo, su presencia evoca o puede evocar los otros o algunos de los
otros con los que en otro tiempo estuvo integrado, y precisamente
porque estuvo integrado en ellos de manera *inseparable*. Es frecuente el fenómeno de recordar una canción, cuya rememoración
se nos resistía, en cuanto recordamos la letra; o recordar el nombre, insidiosamente olvidado, de alguien cuando vemos a éste. Baroja cuenta que siempre que iba a París se le venía a las mientes
una cierta melodía, escuchada tiempo atrás en esa ciudad. En todos estos casos, y en otros muchos que pudiéramos citar, la memoria de algo, rebelde a manifestarse, asomaba con fluida naturalidad
en cuanto advenía el ingrediente con que ese algo formó síntesis en
una época pasada y que, por tanto, fue sentido como irremediablemente unido a su indispensable compañero: música y letra, persona y nombre, ciudad y melodía. Lo que sucede en realidad es
que a veces los términos asociados en síntesis quedan asimilados

como si fuesen uno solo, se identifican y transustancian, y, en consecuencia, quedan referidos uno al otro con algún género de necesidad. En la página 260 y ss. hemos estudiado este verso de Góngora:

en tierra, en humo, en polvo, en sombra, en nada,

y allí veíamos cómo, en esta gradación que progresa hacia lo más insignificante y vano, el poeta se vale de una enumeración de elementos cada vez menos corpóreos. Sin embargo, en apariencia, el poeta sufre un error: "polvo" debería ir delante de "humo", puesto que posee una menor levedad que éste. Mas Góngora no se equivocó: "polvo" es palabra más cargada del sentido de invalidez que "humo", al haber pasado por numerosos contextos, principalmente de índole religiosa (y, por tanto, muy populares), en que se la ha tomado como metáfora del poco valor y aniquilación humanos: "polvo eres, polvo serás y en polvo te convertirás". Esos contextos han "ensuciado" el vocablo, y es así, "sucio", como tiene que utilizarlo el poeta. Dicho con mayor precisión: el vocablo "polvo" y la noción de sumo desvalor formaron una estrechísima unidad sintética, que sigue actuando como tal, convertida en hecho idiomático del que hay que partir. El lenguaje que usamos no es, pues, adánico, sino histórico. Tiene dentro de sí su propia historia como algo que vive aún y ejerce su influjo en cada instante actual. El poeta, puede, claro es, repristinar el lenguaje que usa, desposeerlo de su pasado, liberarlo de él, pero sólo a través de una manipulación retórica, lo cual confirma nuestra tesis. Pues si un escritor lava un vocablo de la "mancha" que el pretérito arrojó sobre él es porque cuenta con esa mancha y obra a consecuencia de ella. Cuando escribimos, tenemos en consideración, aunque sólo intuitivamente, el hecho de que la materia verbal no está limpia de historia. Tal es la explicación de muchos eufemismos. Si queremos hablar del macho de la cabra, evitaremos acaso su verdadero nombre porque éste ha sido usado con frecuencia para aludir a un personaje colocado en circunstancias que juzgamos indecorosas, a las que, por consiguiente, corre el peligro de evocar, trastornando así nuestra pretensión artística, que es tal vez muy distin-

ta. En determinados pasajes poéticos, la palabra "mar" puede si-
tuarnos de inmediato ante la noción "muerte", gracias sobre todo
a Jorge Manrique, que la ha empleado en sus célebres *Coplas* como
imagen para representar esa postrimería; y así Machado puede
decir:

> Señor, ya me arrancaste lo que yo más quería.
> Oye otra vez, Dios mío, mi corazón clamar.
> Tu voluntad se hizo, Señor, contra la mía.
> Señor, ya estamos solos mi corazón y el *mar*.

Y en ocasiones "lirio" o "rosa" nos traerán, por sí mismos, en un
contexto colaborador, la idea de fugacidad o de "belleza", o ambas, por algo semejante, cosa que no sucederá con igual fuerza y
de idéntico modo, o sólo a través de otros medios, con la voz "bu-
ganvilia", flor no menos efímera y hermosa, pero de menor tradición literaria en ese sentido. El efecto cómico que nos produce
o puede producirnos la misma expresión "la realidad rebuzna", antes comentada desde otra perspectiva, se halla en relación, también
y aparte de cuanto dijimos, con el hecho de haber servido hartas
veces la palabra "burro", etc., como sinónimo de persona muy
tosca y de pocas luces.

El modo sintético con que nuestra psique opera en muchos
casos, nos permite actuar y movernos fluidamente en el mundo, ya
que de otro modo el conocimiento mismo de la realidad, indispensable a esa actuación, sería imposible. En efecto, cuando miramos
un objeto no lo vemos en todas sus partes, innumerables en principio y, por consiguiente, inapreciables, sino que percibimos únicamente de él lo que nos basta para reconocerlo como tal. El resto
no aprehendido del objeto en el mirar espontáneo lo *ponemos* nosotros, porque, en virtud de esa ley de que hablamos, el elemento
o elementos característicos se nos asocian con los no característicos,
que "completan" la percepción. Cuando el lector, e incluso el co-
rrector de pruebas profesional, pasan por alto una errata evidencian que al leer no ven todas las letras del vocablo, sino sólo algunas de ellas, sólo las suficientes para identificarlo. Si tuviésemos
que hacernos cargo de cada letra, no leeríamos de corrido: deletrearíamos, como hacen los niños en su aprendizaje escolar. Y si

nos fuese necesario percibir, uno a uno, todos los ingredientes de la realidad, en puridad no veríamos que es un hecho sintético: *deletrearíamos* la cosa contemplada, descomponiéndola en infinitas partes, sin la integración que constituye su ser. No podríamos orientarnos en el mundo, pues nos habríamos de perder en el caos analítico que cada objeto, desmenuzado en fragmentos o polvo indescriptible y sin superior síntesis, nos sería. No podríamos, repito, conocer objeto alguno, al no representársenos como tal, sino sólo como un incesante oleaje de minucias, irreductibles para nosotros a esa unidad que es, precisamente, el objeto. Por eso, el niño que deletrea no entiende la palabra que trabajosamente descompone en sus sílabas. Y del mismo modo que el vocablo "mesón" no es el resultado de adicionar el significado de "me" al significado de "son", un objeto cualquiera no es el resultado de añadir, término a término, las diversas "significaciones" de sus elementos constitutivos. De ahí que conocer sea una operación esencialmente precipitada y en ocasiones, por tanto, llena de "atolondramiento" (erratas de imprenta que inadvertimos). Precisamos un mirar apresurado, veloz, sintético, que pragmáticamente sólo recoja los elementos característicos de la realidad, permitiéndonos así reconstruir la significativa figura total en una imagen única. Y todo ello, claro está, por un supuesto más hundido aún: el instinto de conservación que nos insta a entender las cosas que nos rodean y asedian, pues sin tal comprensión de la realidad la vida sería estrictamente imposible.

La sintetización perceptiva en toda la compleja trama que acabo de describir es el supuesto psíquico general desde el que se estructuran, de varios modos particulares, muchos instantes poemáticos. En ella se basa, por ejemplo, lo que llamaríamos "enumeración impresionista", propia no sólo de esa época, sino de todo el período contemporáneo. Consiste en darnos del objeto las notas mínimas que nos permitan su completa reconstrucción. Es, pues, un modo de sugerencia y no sorprende su uso en un tiempo, como el contemporáneo, tan propenso al sobreentendido. Cuando Rubén Darío escribe:

> Pasaba, oro y hierro, el cortejo de los paladines,

o cuando Juan Ramón Jiménez enuncia:

> Campanas. Las cinco. Lírico
> sol. Colgaduras y cirios.
> Viento fragante del río.
> La procesión...,

están utilizando este tipo de recurso, puesto que en ambos fragmentos quedan tácitos muchos elementos de la realidad descrita, sin duda porque sus autores nos saben con imaginación suficiente para hacernos con el cuadro entero. El sistema puede ser usado de modo más sutil cuando el detalle que se explicita no evoca una realidad material, sino psicológica. Un gesto, acaso, que revela todo un modo de ser. La técnica es consustancial al cine, y muy frecuente en Azorín. He ahí un ejemplo de Antonio Machado:

A UN VIEJO Y DISTINGUIDO SEÑOR

> Te he visto por el parque ceniciento
> que los poetas aman
> para llorar, como una noble sombra
> vagar, envuelto en tu levita larga.

> El talante cortés, ha tantos años
> compuesto de una fiesta en la antesala,
> ¡qué bien tus pobres huesos
> ceremoniosos guardan!

> Yo te he visto, aspirando distraído,
> con el aliento que la tierra exhala
> —hoy, tibia tarde en que las mustias hojas
> húmedo viento arranca—,

> del eucalipto verde
> el frescor de las hojas perfumadas.
> Y te he visto llevar la seca mano
> a la perla que brilla en tu corbata.

Cuando el poeta habla de que el caballero lleva su seca mano "a la perla que brilla en su corbata" sentimos que "simbólicamente" se nos insinúa además (bisemia) cosa diferente: algo ético y espiritual en la compostura del caballero, un ansia de vivir, un saberse cerca de la muerte y, sobre todo, una actitud resignada y de valiente aceptación de esa misma muerte, a la que se quiere llegar con dignidad, con decoro.

Pero el supuesto que nos ocupa puede mostrarse en la poesía de un modo más complejo y en más extraña manera. Quiero decir que, a veces, no se trata del simple fenómeno "completador" que acabamos de examinar, mediante el cual los lectores agregan, sin más, a la nota que el poeta menciona del objeto las otras que se calla de él. Lo que vamos a presenciar ahora es algo muy diferente: el hecho de que la explicitación poética parta, como de un supuesto, del hecho antes anotado de que dadas ciertas condiciones, nosotros vamos a "errar", sumando a la cualidad característica del objeto, y merced al modo sintético de la percepción humana, otras que sólo existen en una diversa realidad que por participar igualmente de esa cualidad de que hablamos queda implícitamente identificada con la primera en nuestro ánimo. El ejemplo que nos disponemos a considerar consiste esquemáticamente en lo siguiente: el autor, usando del procedimiento que aquí llamamos visión, enuncia como propio de A un término irreal b_1, que en la realidad pertenece característicamente a B y que va en B asociado siempre a otros elementos b_2, b_3, b_4, ... Ocurre además que esa serie b_2, b_3, b_4 produce en nosotros un sentimiento Z, que, en cambio, b_1 no produce nunca por sí mismo en nuestro ánimo. Ahora bien: como b_1, sentimentalmente neutro en ese sentido, se asocia sintéticamente con el conglomerado sentimental b_2, b_3, b_4, decir b_1, por el motivo de síntesis que sabemos, será arrastrar hasta nosotros a sus socios b_2, b_3, b_4, disparadores de la emoción Z que les es inherente. De forma que el enunciado poético A-b_1 produce, en virtud de un yerro psíquico, la emoción Z que sólo correspondería en justicia a b_2, b_3, b_4. El poeta aquí está contando, pues, aunque no de modo consciente, con que el lector ha de configurar su percepción en desatención forzosa de la "errata de imprenta" con que el objeto se le impone; que ha de equivocarse y poner en A-b_1 lo que no debería si su mirada fuese más penetrante y fiel a lo mirado (es decir, el conjunto b_2-b_3-b_4 con su efecto emotivo Z). Se nos hace así evidente, una vez más, que la poesía es una flor que crece en el estiércol de la humana deficiencia.

Encarémonos, pues, con esta "visión" de un poema popular:

> Debajo de la hoja
> de la verbena
> tengo a mi amante malo.
> ¡Jesús, qué pena!

El análisis de esta canción en el sentido que aquí nos importa requiere anticipar un concepto que, aunque acaso choque contra otros habituales, yo desearía no pareciese aventurado tras la exposición que de él voy a hacer a continuación. Es corriente pensar que la naturaleza nos emociona simplemente por su belleza. Esa montaña o ese crepúsculo o ese majestuoso río son emotivos, se ha dicho, por el mero hecho de su hermosura. Sea cualquiera la esencia de la belleza misma, cuestión aparte cuya solución no hace al caso, quizá podamos preguntarnos, por debajo de ese interrogante, si la belleza natural no será únicamente *el medio* a cuyo través se cumple otra circunstancia indispensable a nuestra estética emoción. Me atrevería a insinuar, en efecto, que sólo lo humano o lo de algún modo humanizado se presenta como susceptible de emocionar al hombre, y que la denominada *belleza natural* es aquella disposición de la naturaleza que, por su índole, *nos obliga*, dada la especial contextura de nuestro ser psicológico, a humanizarla, según vías que, claro está, difieren mucho de un caso a otro. No niego, pues, que la naturaleza provoque sentimientos en el espectador sensible por ser bella; lo que digo es que para que la naturaleza nos emocione, *para que sea bella*, es preciso que ese espectador la vea, aunque no de modo lógico y distinto, como símbolo de algo que ya no es inerte y material, sino inmediatamente ligado, por un vínculo probablemente secreto para él en aquel instante, a la esfera del hombre. Una graciosa colina puede dar suelta a mi capacidad de ternura. Si alguien me pregunta por el origen de ese afecto en mí, yo respondería que es la inocencia de la colina lo que me mueve de ese modo. Pero "inocencia" es una cualidad que sólo podría aplicarse, *sensu stricto*, a los seres de nuestra especie. Muy pronto hemos de ver que los otros seres, los animales, a quienes se atribuiría sin metáfora tal cualidad, únicamente pueden ostentarla si contemplados desde un humano horizonte. La inocencia animal (lo comprobaremos, según creo, en seguida) implica la existencia previa del hombre que la mira, y que, al mirarla, literalmente, la crea. Si en esto no erramos, podemos, de momento, excluir a los animales como poseedores de esa condición en sentido absoluto. Y si en sentido absoluto sólo los hombres son, a veces, inocentes, por ejemplo, en su infancia, se nos abulta como palmario que al sentir "inocente" a la colina lo que hago es conceder gratuitamente a ésta tan seductora cualidad por su coincidencia en la gracia y en la relativa pequeñez con unas criaturas de nuestra progenie, los niños, que también son inocentes. La analogía en dos cualidades (pequeñez, gracia) nos lleva a suponer en la colina, de manera no consciente, repito, una tercera cualidad que sólo los niños poseen: inocencia. Y como la inocencia suele inspirarnos ternura (Ortega ha estudiado el mecanismo de ese hecho)[4], ternura nos inspirará la colina que es, por graciosa y diminuta, inocente.

Y ya en este sitio tal vez no sobre volver sobre el problema que más arriba hemos momentáneamente soslayado: el problema de la inocencia animal. Lo que hemos dicho al principio de este capítulo sobre los "caballos" y los "burros" nos habrá ya introducido suficientemente al tema que desearía ahora tratar con mayor amplitud y con modificaciones en la perspectiva.

A primera vista parece que también los animales pueden ser, *por sí mismos*, en ciertos casos, inocentes: un pajarillo, un perro e incluso los cachorros de las fieras se presentan a nuestros ojos, en ocasiones, con esa cualidad que líneas atrás adjudicábamos en sentido estricto únicamente a la especie humana. Contra aquella idea, muy arraigada en nuestra consideración primaria del asunto, yo osaría sostener aquí la inversa, a saber: que la visión de la inocencia animal exige, como requisito *sine qua non*, que con anterio-

---

[4] *Azorín o primores de lo vulgar*, en *Obras completas*, II, pág. 157, ed. Revista de Occidente, Madrid, 1950.

ridad hayan entrado en el juego los intereses vitales del hombre. Sólo si tales intereses se han ingerido entre nuestra pupila y el objeto de nuestra contemplación, puede, no ya hacerse visible, sino, lo que afecta más a nuestras consideraciones, *originarse* la inocencia animal, que de este modo se nos ofrece como relativa al hombre. Cuando decimos, por ejemplo, que un cachorro de león es inocente, queremos indicar que es gracioso e inerme y, sobre eso, que es incapaz de hacer daño. Pero observemos que "hacer daño" significa principalmente para nosotros en este caso "hacer daño a la especie humana" y sólo por extensión inesencial "hacer daño a los otros animales", ya que cuando ocurre únicamente esto último no experimentamos como dañino al protagonista de una crueldad que al fin de cuentas nos respeta. Las gallinas comen gusanos, y comen gusanos los pequeños pececillos del mar. Sin embargo, como las gallinas o los pececillos no ofenden a la especie humana, nos empeñamos en ver a tan feroces animales (y a todos los otros de su clase) como inofensivos, e incluso como inocentes, si unen la gracia y una indefensión aparente a esa última condición. Los pajarillos, por ejemplo, que al comienzo de este párrafo hemos aducido como representantes muy genuinos de la inocencia animal, no por ello dejan de ser grandes devoradores de insectos. En suma: lo que llamamos inocencia animal es algo tan vinculado al hombre que sólo existe al lado del humano instinto de conservación.

Un diferente modo de humanización se produce, para poner otro ejemplo hasta cierto punto opuesto al anterior y que ya nos es conocido, en la emoción que nos despierta la grandeza de una montaña. Ingrediente esencial de esa emoción nuestra será, dijimos, el hecho de que nos sintamos anonadados de pequeñez en comparación a la altiva mole contemplada. Si ello es así, la estética contemplación nace, junto a otros posibles coadyuvantes acaso menos sustantivos, aunque también humanos, *al medir con metro de hombre* la gigantesca desmesura que vemos.

Y si aún quisiéramos examinar un tercer caso, podríamos recordar nuestra reacción sentimental ante la luz o ante la tiniebla. La luz suele impresionarnos con alegría, mientras la tiniebla nos impresiona, generalmente, de modo inverso. Estos fenómenos psicológicos parecen producidos también por una interferencia de nuestra psique, que carga simbólicamente de significación humana ambas realidades del mundo físico. La oscuridad tiene para nosotros un carácter negativo, que consiste en privarnos de la visión de las cosas. La ceguera momentánea a la que la oscuridad nos somete representa la substracción de algo vital; no sorprenderá pensar que, de modo confuso, para nosotros no ver equivalga a "morir un poco". La oscuridad, así, es, en cierto modo, símbolo de muerte, y hasta de nuestra muerte en la proporción que hemos dicho, cuando no es símbolo de incertidumbre y desorientación caótica del hombre que nosotros somos en una realidad que, al negarse a nuestra visión, empezamos a no comprender y que acaso nos resulte hostil. Es natural que sea tristeza lo que la oscuridad nos traiga, como es igualmente comprensible que sea gozo lo que nos traiga la luz. Pues, por el contrario, la luz se nos ofrece como vida, y no sólo como vida plena de la realidad exterior, sino, lo que es más importante, como plenitud de nuestra propia realidad humana, ya que al comprobar en toda su coloreada crudeza la existencia del mundo, nos sentimos también completamente existentes. La luz es una glorificación de la realidad externa y de nosotros mismos que nos perfeccionamos mirándola. Y al sentirnos inmersos en plenitud nos llenamos de gozo.

Después de este inciso estamos en condiciones de volver a las seguidillas antes copiadas:

> Debajo de la hoja
> de la verbena
> tengo a mi amante malo.
> ¡Jesús, qué pena!

El recurso se instaura, en este caso, al contemplar con un tamaño irreal, con una pequeñez imposible, al amante. El propósito del poeta que haya escrito tales versos es, si nuestra sensibilidad nos es fiel, hacernos experimentar el sentimiento de ternura con que una mujer se dirige al hombre que ama. Ahora bien: ¿por qué es ternura lo que la canción reproducida logra de nosotros? No creo que, tras el anterior comentario, sea dudosa la respuesta. La pequeñez otorgada nos mueve afectivamente de ese modo porque sin darnos cuenta asociamos, como en el caso de la colina antes ofrecido, lo pequeño a lo inocente y lo inocente a lo indefenso (o, directamente, lo pequeño a lo indefenso), y ello también aquí por la humana extensión analógica en virtud de que los niños pequeños poseen esas otras condiciones. El amante al que se refiere la seguidilla antes copiada queda asimilado, sin perder su cualidad de tal, a un acondicionamiento parcialmente infantil por la vía de la reducción incluso intensamente hiperbólica, y nuestro sentimiento hacia él será semejante al que un niño nos inspira. Lo ocurrido, por tanto, ha sido esto: por coincidir ambos en la pequeñez (b_1), hemos extendido impropiamente al diminuto amante (A) otras características del niño (B), la inocencia (b_2), la gracia (b_3) y la indefensión (b_4). Y son esas últimas cualidades (b_2, b_3, b_4), concedidas por error al adulto, las que paradójicamente provocan nuestra ternura (Z). Pero nótese que tal concesión no la realiza taxativamente en sus palabras el poeta, sino el lector en su proceso íntimo. El poeta lo único que hace es *contar* con ese proceso, que ha de verificarse dentro de quien lea (sea el lector propiamente dicho, sea el propio poeta) y que resulta ser así un supuesto anímico del procedimiento visionario a que nos referimos.

Si hacemos ahora un resumen de cuanto hemos hallado, pero ordenando los datos que dispersamente se nos han ofrecido hasta aquí, tendríamos que la emoción poética de tales versos es el producto de un procedimiento retórico (la "visión" o atribución de cualidades irreales a un objeto) que se basa en un apilamiento de supuestos en conexión. Presentados de abajo arriba, tales supuestos serían los siguientes: 1.°, instinto de conservación que nos lleva, 2.°, a la necesidad de conocer, la cual, 3.°, requiere una mirada práctica con su, 4.°, aprehensión exclusiva de lo característico, acto en el que, 5.°, interviene la fantasía anticipadora, incorporando lo no característico a lo característico del objeto. En consecuencia, se dará en esa operación, 6.°, la posibilidad de "error", con la que se puede contar, como en el caso que examinamos.

Es curioso observar que la presencia del instinto de conservación como última razón de una descarga poética es frecuente en la poesía contemporánea: concretamente en la poesía contemporánea basada en la asociación inconsciente. Y parece natural que ello sea así, pues en tales casos el poeta hace alusión, como nunca en la historia de la literatura, según seguiremos comprobando, al fondo primitivo humano, a la criatura principalmente instintiva que todos llevamos dentro como esqueleto irrenunciable. Ello es el elemento de unión entre la poética culta de nuestra época y la poética popular de una época cualquiera: y de ahí la relativa comunión en procedimientos y actitudes que ambas formas de poesía manifiestan. Por eso no es una casualidad que fuese justamente en el siglo XX cuando poetas tan refinados como Lorca y Alberti hayan podido en sus obras tender un puente entre esas dos esenciales laderas de lo poético, tan alejadas por lo común.

B) *Mente mágica.*—La tendencia sintética de nuestro espíritu da cuenta aún de otros muchos fenómenos, literarios y no literarios. Sabido es la propensión de la mente primitiva a confundir la cosa con cuanto tiene que ver con ella. A mi juicio, la causa de ese fenómeno es ésta: al ver en el objeto A la cualidad b, que es también característica de otro objeto B, se presenta y surge a veces de modo irremediable en esa mente tal objeto B, puesto que B y b se le han ofrecido antes en relación que por ser sintética se entiende en ocasiones como indisoluble, y por ser indisoluble es identificativa. Donde esté b tiene que estar B; por tanto, como b está en A, B ha de estar asimismo en A, de donde se sigue la coincidencia de A y de B, el hecho de que A y B sean en verdad una y misma cosa. Es por ello que al hombre primitivo le basta una remota semejanza entre dos realidades para que ambas se le pongan con alguna frecuencia en inmediata relación y contacto y aun en sustancial identidad. Nombrar será entonces lo mismo que poseer, puesto que el nombre ostenta visible conexión con lo nombrado. De ahí los abracadabras y las fórmulas mágicas que suscitan la presencia del ser al que se hallan referidos. La imagen de alguien (pintura, retrato, muñeco de trapo o cera) es tanto como ese alguien, con lo que repercutirá en éste cuanto a aquélla hagamos. El brujo podrá así, por ejemplo, matar a una persona sin más que pinchar el corazón de su mera efigie. Pero ocurre que el hombre primitivo, cuyo esquema, en uno de sus aspectos, acabamos rápidamente de trazar, no ha desaparecido de la tierra, ni siquiera en los países que se llaman civilizados. Tal vez esa desaparición no pueda producirse nunca, simplemente porque todos y cada uno de nosotros somos portadores de él, somos sus cavernas vivientes, dentro de las cuales el troglodita dormita e intermitentemente despabila y recuerda. En verdad, sólo mediante un esfuerzo continuo de nuestra especulativa razón logramos no identificarnos con ese antepasado tenaz que quiere hacernos suyos, a veces con éxito evidente. El troglodita interiorizado que somos aparece... cuando leemos poesía. Muchos trozos líricos de la más elevada espiritualidad y refinamiento "suponen", en efecto, y cuentan con una reacción nuestra en concordancia y asimilación perfectas a la que tendría el inventor del fuego y del hacha de sílex. El poeta conversa entonces no con el cultísimo contemporáneo suyo que le lee, sino con el terrible cazador de bisontes en que éste momentáneamente se transfigura. Y gracias a esa como transformación súbita que nos iguala a la criatura primigenia y feroz con que nuestra especie húbose de iniciar, se hace posible en bastantes casos la fina sutileza o la exquisitez o la primorosa emoción que el poema nos causa. Escuchemos a Lorca. Habla de un "muerto de amor" y por amor que unas viejas mujeres lloran y llevan al sepulcro. La voz del poeta dice entonces ("Muerto de amor"):

> Siete gritos, siete sangres,
> siete adormideras dobles
> quebraron opacas lunas
> en los oscuros salones.

He ahí un símbolo de la muerte. Las opacas lunas que en los oscuros salones se quiebran las sentimos como símbolo del quebrarse y aniquilarse de alguna vida humana. ¿Por qué? Por lo mismo que, en la superstición popular, trae mala suerte romper un espejo, cosa que me atrevería a explicar así. Un espejo es una superficie en que nuestra imagen se hace. Para esa inteligencia primitiva que hemos descrito, y dado que imagen y espejo son términos co-

nexos, se identificarán. Y como, por otra parte, también tienen
que ver entre sí, y más aún, el rostro y su imagen refleja, sobreven-
drá una nueva ecuación entre estos dos últimos términos. En suma:
el espejo será una cosa con la imagen humana, que su vez coinci-
dirá con la persona. Lo que le suceda al primer elemento, al espejo, le ha de suceder al postrero, en buena lógica mágica, por su
sucesiva concatenación. Es como un golpe que imprime movimiento a todo un conjunto de piezas de dominó, por el hecho de estar
juntas, una vez que la primera de ellas se moviliza. A la superstición popular del espejo no le falta intuición matemática, en cuanto
se dan por sentadas ciertas irracionales premisas. Pues bien: esas
mismas premisas y sus indefectibles conclusiones son el supuesto
de que Lorca y sus lectores parten en el pasaje transcrito, y gracias
a ello éste nos emociona.

Acabamos de comprobar, pues, que a veces (luego precisaremos
más) el símbolo, tal como en este libro lo hemos definido, "supone"
un modo primitivo de entender el mundo, según el cual las cosas
se congregan en conglomerados unificantes, sólo con mediar entre
ellos un nexo de mera semejanza, por remoto y hasta azaroso que
éste resulte. Se me dirá que también, por ejemplo, en la imagen
tradicional, existe la identificación de una pareja de objetos, basada en un parecido de éstos sólo parcial. Así es, pero ese segundo
modo de equiparación nada tiene que ver con el primero, pues no
se presenta como verdaderamente confundente, tal el del mago...
y, en ocasiones, el del poeta "simbólico". El mago no realiza una
comparación a sabiendas del error cometido al dar por iguales
dos cosas entre sí diferentes, sino que para él esas dos cosas son
verdaderamente, y en lo sustancial, una sola. Su operación rebosa
seriedad y es excluyente de ese convenio tácito según el cual cuando se dice "nieve" para designar una mano hay que partir forzosamente de que ambas realidades difieren. Si creyésemos a pies jun-
tillas lo que dice el poeta en ese caso, no habría emoción. La
identificación establecida en la imagen tradicional implica, pues,
el escepticismo lector, la puesta entre paréntesis del enunciado igua-
latorio. Implica, en suma, que esa identificación no afecte en cuanto tal al significado. "Mano y nieve" quiere decir "mano tan nívea

como una mano puede ser", y para significar eso se necesita no creer que la mano es la nieve-meteoro. Probemos ahora que, opuestamente, las identificaciones formativas o supuestos de ciertos símbolos son, como las del mago y el hombre primitivo, realizadas en serio. Que no son meros símiles donde se sobrentiende la exageración retórica, sino "confusiones mágicas", en que dos cosas consustancian.

En el ejemplo anterior de los espejos lorquianos es notorio que para que éstos lleguen a representar, con la borrosidad propia del símbolo, el quebranto de algún humano vivir es preciso que el poeta y sus lectores hayan pasado antes por las sucesivas identificaciones irracionales "espejo = imagen en el espejo" e "imagen en el espejo = persona". Ahora bien; estas identificaciones previas, supuestos de tal símbolo, repito, dejan fuera de juego, por su misma naturaleza, esa ironía y guiño cómplices entre autor y lector que son, por el contrario, inherentes a las ecuaciones de las imágenes tradicionales [5]. Pues en tales identificaciones, anteriores a cier-

---

[5] E inherentes también a las imágenes visionarias, visiones y símbolos en cuanto tales. Conviene aclarar de entrada, pues, para que el lector no sufra confusión, y aun a costa de repetirlo después en el texto, que una cosa es la ecuación igualatoria en que el fenómeno visionario *consiste,* bien de modo claro (imagen visionaria; ejemplo: "águilas = abismos"), bien de modo confuso (visión y símbolo; ejemplo de esto último: los "espejos = muerte de alguien", que antes hemos examinado), y otra cosa muy diferente las ecuaciones que a veces tiene este mismo fenómeno *como supuesto suyo,* y, por tanto, como algo en que ese fenómeno *no consiste,* sino que al revés, le es a éste rigurosamente anterior, aunque indispensable (ejemplo: "espejo = imagen en el espejo" e "imagen en el espejo = persona").
En el primer caso, las identificaciones, por aparecer en el plano de la conciencia lúcida (imagen visionaria) o al menos en el plano de la sensibilidad inmediata, bien que irracional, de quien lee (visión y símbolo), se acompañan de un juicio escéptico, por parte del lector, que las desacredita como tales identificaciones, para acreditarlas tan sólo como expresión oscura de un muy distinto significado. En el caso segundo ocurre lo opuesto: las identificaciones, por no aparecer ni en la conciencia lúcida, ni aun, irracionalmente, en la sensibilidad, se han de ofrecer forzosamente, sin ironización, como "mágicas" y reales y no como "expresión".
Y así somos conscientes por completo de que "águilas como abismos" no quiere decir que el poeta piense que tales aves de presa sean de verdad

tos símbolos y que los hacen posible, el proceso de asociación que va confundiendo dos a dos los términos en contacto _resulta rigurosamente irreflexivo, irracional_ y ni aun aparece al nivel de la sensibilidad, como he dicho ya, _y por ello no da lugar a la intervención del escepticismo_, que es siempre un juicio del intelecto razonador. La igualación entonces no puede ser descreída como tal. Si ante la imagen tradicional "mano = nieve" el lector corrige el absurdo ofrecido y sobrentiende algo no absurdo ("mano todo lo nívea que una mano puede ser"), ello se debe a que nuestra razón se ha previamente movilizado y entrado en liza, rechazando la literalidad del aserto, por ser éste impensable. Pero al no ser lúcidas ni de otro modo manifiestas las asociaciones que originan como un supuesto el símbolo de los espejos rotos, la razón no puede poner en entredicho las sucesivas identificaciones en que aquellas consisten y, por consiguiente, éstas se configuran con un carácter muy distinto a las propias de la imagen tradicional. El fenómeno visionario en este caso y aspecto nos vuelve a la brujería y la caverna, y nos supone, de hecho, instalados en ella.

Pues bien: este tipo de identificaciones que habría que llamar "mágicas", en cuanto que se realizan con la misma gravedad que el brujo pone en sus actos confundentes, es propio de la formación o supuestos de todo un grupo de símbolos, visiones e imágenes visionarias: aquel en que la capacidad de suscitación emocional no pende de las cualidades reales del objeto metafórico, sino de otro u otros que éste evoca. Distingo, pues, en el fe-

---

tales accidentes geológicos. Y somos asimismo conscientes de que los espejos en el fragmento de Lorca antes copiado y comentado están representando borrosamente _algo_ (que sólo un análisis nos revela con diafanidad: la muerte de una persona); y al ser conscientes de ello, entendemos a tales espejos como un medio de expresión y no como una realidad en confusión con lo expresado. En cambio, las identificaciones que lleva consigo ese mismo símbolo como supuestos suyos (repito: "espejo = imagen en el espejo"; "imagen en el espejo = persona"), al ser irreflexivas y no manifestarse en modo alguno, ni aun al nivel de la sensibilidad (precisamente por tratarse de "supuestos"), no pueden hacer sitio a la maniobra intelectual de ser descreídas, pues para descreer algo tenemos previamente que conocer o sentir la presencia de ese algo.

nómeno visionario dos especies distintas. En una, el término o términos de la imagen poseen una potencia emotiva que es intrínseca a sus cualidades verdaderas; en otro, la potencia emotiva no es propiamente suya, sino tomada a préstamo de un objeto u objetos diferentes con los que aquéllos irracionalmente contactan y con los que así mágicamente se identifican. Ejemplo de la primera clase es la imagen visionaria "águilas como abismos". Ejemplo de la segunda, el símbolo lorquiano de los espejos, antes mencionado. Efectivamente, en la frase "águilas como abismos" la sensación de energía que producen y expresan nos la dan por sí mismos esos abismos y águilas. En cambio, unos espejos rotos no pueden con ese mismo carácter intrínseco, y sin las identificaciones que sabemos, proporcionarnos la impresión misteriosa de muerte, que, sin embargo, nos suscitan, gracias a ellas [6].

Comprobemos lo dicho con otros ejemplos de símbolo e imagen visionaria. Una canción de Lorca dice así:

> Lucía Martínez.
> Umbría de seda roja.
>
> Tus muslos, como la tarde,
> van de la luz a la sombra.
> Los azabaches recónditos
> oscurecen tus magnolias.
>
> Aquí estoy, Lucía Martínez.
> Vengo a consumir tu boca,
> y a arrastrarte del cabello
> en madrugada de conchas.
>
> Porque quiero, y porque puedo.
> Umbría de seda roja.

Leído el poema entero, sentimos la "seda roja", en su aparición última (verso final), como un símbolo bisémico que comunica la

---

[6] Antes hemos estudiado otro ejemplo de lo mismo en una "visión": la del amante debajo de la hoja de la lechuga. Su pequeñez no suscita ternura por sí misma, sino por su asociación imperceptible con la pequeñez del niño, que es, éste sí, gracioso e inocente, y por serlo nos mueve con ese sentimiento.

fuerza de una pasión erótica, casi en forma de desafío. Sin duda, el contexto influye en ello, arrojando sobre "seda roja" su propia carga de significación en ese sentido; pero al mismo tiempo, ese contexto despierta, activa, en la expresión mentada ("seda roja"), el sentimiento que en tal dirección ésta puede proporcionarnos[7]. La prueba de que ello es así la tenemos en que ya el verso segundo ("Umbría de seda roja"), con la sola apoyatura del primero, nos da idéntica sensación pasional, únicamente que con menos plenitud. Pero como la "seda roja" no es ni puede ser "apasionada", porque la pasión no es propio de una tela, sino de una persona, resulta palmario que nos hallamos aquí ante un ejemplar muy representativo de ese tipo de símbolos de que antes hablé, que como el de los espejos ya comentado, no tienen de suyo, sino sólo por contaminación e identificación asociativa, la emoción que transmiten. Recuerdo al lector una vez más que, por ser irracionales y no manifiestas, esas asociaciones identificativas han de resultar rigurosamente "mágicas", caso de que probemos su existencia, faena nada difícil, a mi juicio.

En efecto, la expresión "seda roja", digo nuevamente, no puede por sí misma evocar la pasión. Pero como, de hecho, la evoca, es evidente que el poeta y sus lectores forzosamente han tenido que atraer y unir a "seda roja" otros términos que por su propia virtud susciten esa emoción. Veamos. La seda, que es roja, coincide con la brasa en su color. Ambas cosas serán, pues, una sola, dada la irracionalidad e impercepción del proceso en que tal asociación se cumple. Y una vez que la "seda roja" se ha como subsumido y desaparecido en la noción "brasa", nada más fácil que pasar a

---

[7] Recordemos lo dicho en este mismo libro: el significado irracional de una palabra, lo mismo que a veces su significado lógico, existe en ella sólo potencialmente, hasta que un contexto la pone en acto. "Seda roja" podría tener varias asociaciones entre sí diferentes, que el resto del poema anula, excepto una a la que activa: la que antes indicamos. Pero, repito, lo mismo pasa en ocasiones con el concepto de un vocablo: en la frase "El médico dice: esta *operación* saldrá bien", la voz "operación" significa conceptualmente algo muy distinto a lo que significa en tal otra: "El matemático dice: esta *operación* saldrá bien", y esa discrepancia se debe al contexto "El médico dice..., el matemático dice".

la de "pasión", que también tiene algo de común con aquélla: el
ardor. La "seda roja", a través de terceros, en que se infunde,
expresa, pues, como pensábamos, un sentimiento pasional.
Lo mismo y casi en idéntica forma, sólo que ahora por medio
de una imagen visionaria, nos es dado percibir en otra canción
de Lorca:

> Me miré en tus ojos
> pensando en tu alma.
>
> Adelfa blanca.
>
> Me miré en tus ojos
> pensando en tu boca.
>
> Adelfa roja.
>
> Me miré en tus ojos
> pero estabas muerta.
>
> Adelfa negra.

La conexión que aquí vemos entre "boca" y "adelfa roja" expresa —otra vez— la pasión. En consecuencia, no se trata de una
imagen tradicional, como podría pensarse al primer pronto, en vista
de que los labios se asemejan a la flor citada en su roja coloración. En todo caso, esa similitud es sólo una apoyatura de la verdadera imagen, que es, como digo, visionaria. La boca sugiere el
beso (por la fuerza no natural, sino, de nuevo, histórica de una costumbre: besar con la boca y no con la nariz, como hacen aún
ciertos grupos humanos); y el beso sugiere la pasión. De otra
parte, lo rojo de la adelfa trae a la memoria la brasa, y ésta, el
ardor, que, a su vez, recuerda y se identifica con lo pasional por
obvios motivos. Como todas esas asociaciones son irreflexivas y
totalmente ocultas, implican ese pensar confundente que definía la
mentalidad de nuestros prehistóricos abuelos.

En resumen: el supuesto de toda una sección de ejemplares visionarios es una modalidad de la mente humana en que ésta se
atiene y como que transmigra a su espontaneidad primigenia, reduciendo a unidad no meramente formal, irónica y como para

entendernos, sino sustancial y seria lo diverso y sólo semejante. Y
este hecho implica otro: la tendencia sintética de nuestros estados
anímicos, que tantos otros módulos literarios aclara, según sabemos.

SUPUESTOS RACIONALES

Acabamos de ver que la razón humana es un supuesto de la
metáfora tradicional en cuanto que la desposee de su significado literal, por serle éste incompatible. Conviene aclarar ahora que la
razón interviene también en el fenómeno visionario, bien que no
en las identificaciones asociativas que tal fenómeno puede llevar
implícitas y como en régimen interior. Pero, evidentemente, la
letra misma de la ecuación visionaria es sometida por nosotros al
mismo descrédito que caracteriza al otro tipo de imagen. Cuando
el poeta dice:

> ... boca.
> Adelfa roja,

nuestra razón ironiza el aserto, sustrayéndole la irrealidad que
enuncia, y dejándonos de este modo en libertad para el desenca-
denamiento asociativo, éste sí irracional, primitivista y confundente. Pues si el intelecto no impidiera inicialmente nuestra creduli-
dad y diéramos fe a la afirmación estricta del poeta, sin duda des-
cansaríamos en ella y no daríamos paso al proceso irreflexivo de
asociación, que se dispara justamente porque lo dicho carece
de significado. La razón permite así la irracionalidad.

Es ocioso agregar que la razón fundamenta y preside con el
mismo carácter previo toda sustitución o figura retórica cuyo contenido literal resulte insensato. Por ejemplo, la paradoja [8]. Cuando
Quevedo escribe:

> y te dilatas cuanto más te estrechas,

---

[8] O los desplazamientos calificativos, las superposiciones temporales y espaciales, la sinécdoque, la metonimia, etc., etc.

como el dicho es en sí contradictorio, la actividad racional nos obliga a entenderlo de otro modo, para lo cual irremediablemente hemos de otorgar a ambos opósitos significaciones que entre sí no choquen. En efecto, comprendemos "dilatarse" como desarrollarse espiritualmente y "estrecharse" como vivir en la moderación y la modestia:
Si Lorca dice:

> **Niño.**
> ¡Que te vas a caer al río!
>
> En lo hondo hay una rosa
> y en la rosa hay otro río,

nos sume en parecido desconcierto, afirmando algo así como un contenido que sin dejar de serlo es mayor que su continente; desconcierto del que salimos de nuevo valiéndonos de la razón, la cual nos aconseja no tomar al pie de la letra la proposición. Esta previa actitud de sensatez nos pone aptos para que, a continuación, se nos movilice la irracional emoción simbólica que hace a la rosa encarnar como entre brumas la *atracción* perfumada de la imagen refleja que se forma en el acuático abismo, y al segundo río representar de igual modo algo como una ideal vida suprema, profundamente deseable, existente en esa imagen *cuyo atractivo* se representa con el símbolo de la rosa, según he dicho. Lo cual no obsta para que la contradicción opere también en nosotros como tal, o sea en toda su dimensión de incomprensibilidad, y unida a la irracionalidad simbólica de la "rosa" y del "río" nos proporcione una sensación de misterio, que es lo que el autor justamente ha buscado con su paradójica frase. En el verso de Quevedo, la paradoja produce igualmente efecto en sí y con independencia de que, al mismo tiempo, nuestra inteligencia deshaga y deseche el absurdo en que esa literalidad consiste [9]. Pero en este caso

---

[9] Conviene tomar nota de este hecho, por su importancia en el funcionamiento de lo poético, y examinar el supuesto en que se basa.
En efecto, en muchas ocasiones el poeta dice algo literalmente insensato que nuestra razón interpreta a su modo; esto es, de una manera que

la función de la contradicción no es "presentarnos" un ámbito misterioso, sino individualizarnos el valor de la austeridad. Tanto vale ésta, que logra hasta lo imposible: "dilatarse cuando uno se estrecha". ¿A qué es debido que no haya aquí y sí allí misterio, que es la emoción normal que experimentamos ante lo incomprensible, siempre que adivinemos tras ello la existencia de un significado oculto? La respuesta es fácil. Aquí el misterio no se suscita porque la significación lógica aparece clara; allí sí, porque al ser simbólicos los dos miembros que se ponen en relación inconciliable (la rosa y el río), la incomprensibilidad, base del misterio, perdura, aunque abultándonos en trasfondo y sospecha un sentido que sólo se entrevé.

---

le es congruente. Pero ello no impide que la insensatez siga actuando en calidad de tal, aunque privada del disentimiento que la actividad intelectiva dispara automáticamente contra lo incomprensible. En términos más técnicos diríamos que la interpretación racional sirve, en estos casos, no sólo para darnos un sentido comprensible, sino también para anestesiar y suspender el disentimiento, y permitir que lo dicho obre desde su literalidad con el efecto que en nosotros le correspondería. Así ocurre en los casos anteriormente examinados (véase también el apéndice *La sugerencia en la poesía contemporánea*). El contrasentido, por ejemplo, de que nos dilatemos al estrecharnos nos llevaría a disentir. Pero la razón interviene entonces proporcionándonos una significación indirecta, que es, por completo, cuerda: "cuando vivimos en la austeridad nuestro espíritu se desarrolla y ensancha". Ahora bien: la frase ilógica continúa en nosotros leal a su sentido literal, que recibimos también, pero apaciblemente y con asentimiento, en combinación armónica con el otro sentido sensato. Y así entendemos: "tanta es la fuerza de la austeridad, que logra hasta *el imposible*: que estrecharnos sea dilatarnos"; frase en la que la igualdad ofrecida ("estrecharnos" = "dilatarnos") sostiene su enunciado paradójico, puesto que se halla en calidad de cosa *imposible*, que, pese a todo, se torna hecho real.

¿A qué se debe tal fenómeno de duplicidad significativa? Evidentemente a algo que con frase vulgar denominaríamos "la fuerza de las palabras". Las palabras a veces no pueden separarse por completo de lo que literalmente afirman. Pero ello "supone" un principio psíquico que nos es ya familiar: la inseparabilidad o difícil separación de lo que aparece en nosotros sintéticamente. Ahora bien: si la letra y la música de una canción se sintetizan, mucho más en síntesis y forzosa convivencia se ha de hallar en ocasiones una palabra con respecto a lo que dice. Ello permite ese doble juego del que tantas veces echa mano el poeta para sus complejas creaciones significativas.

No es necesario agregar que la razón actúa de otras muchas formas en la poesía. Así, por ejemplo, completando un esquema de vinculaciones lógicas entre contrarios que el poeta rompe. En la frase:

La bella muchacha pasaba no rauda, sino deleitable.

la facultad intelectiva del lector añade tras "no rauda, sino" la noción "lenta". En las rupturas del sistema de las representaciones, esa misma facultad hace de trasfondo o supuesto, ya que es precisamente la razón la que nos lleva a sentir como fuera de norma la reunión indiscriminada de lo heterogéneo. El fragmento nerudiano:

Su presencia era mágica y morena y traía la felicidad,

es expresiva porque tras mágica nuestra *inteligencia* espera un adjetivo del campo espiritual.

SUPUESTOS COGNOSCITIVOS

Pero si la razón obra es porque antes conoce. Nuestros conocimientos acerca de la realidad son fundamento, pues, de la poesía, como resulta superfluo manifestar. Mas dejando a un lado que nuestro saber de las cosas y del mundo actúa como premisa de todo procedimiento lírico y que actúa también de otras maneras menos obvias que ya hemos comprobado, sí conviene decir que, en ciertos casos, ese saber funciona nada menos que como modificante de algunos artificios: así ocurre en la ruptura del sistema de la experiencia, la de los atributos del objeto, la de lo psicológicamente esperado, y de forma distinta, en la superposición situacional y en la significacional.

Sin embargo, lo que sobre todo me importa señalar es el hecho, importantísimo, de que la base cognoscitiva en que se asienta la expresión poética no siempre es de realidades sustanciales, y, por tanto, en principio, duraderas, sino a veces de realidades que son fruto de una pura convención. Ya hemos visto cómo, en ocasiones, lo que hay bajo la dicción del poeta es una mera costumbre, un uso que hubiera podido ser otro. Recordemos que, jus-

tamente, uno de los tipos de la ruptura del sistema es el de las
convenciones sociales. Si es expresivo este trozo de Lorca:

> ... Oscilando
> —concha y loto a la vez— viene tu culo
> de Ceres, en retórica de mármol,

no vacilamos en atribuirlo, entre otras cosas, al efecto que nos produce la utilización en el poema de la palabra "culo", que el convencionalismo social residencia y rehúye. Naturalmente, nuestro
conocimiento de vigencias de esta clase es requisito de muchos
momentos estéticos.

SUPUESTOS MORALES

Por otra parte, para que una ruptura en el sistema de la equidad nos emocione se requiere que esté instalado en el hombre el
sentido de lo justo y lo injusto, al que tal procedimiento alude. El
uso de tal supuesto puede combinarse, claro es, con el de otros. Así,
en el poema de Bécquer:

> Si de nuestros agravios en un libro
> se escribiese la historia,
> y se borrase en nuestras almas cuanto
> se borrase en sus hojas,
>
> te quiero tanto aún, dejó en mi pecho
> tu amor huellas tan hondas,
> que sólo con que tú borrases una,
> las borraba yo todas,

el supuesto moral de equidad se mezcla con el cognoscitivo. Pues
esta rima no sólo es poética porque el amante está dispuesto a
dar a la amada más de lo que ella le hubiera otorgado, sino además porque sabemos que los hombres no suelen ser generosos. En
efecto, en esta pieza la generosidad del amante mide el grado de
su amor. Pero si tal generosidad fuese común entre los hombres,
la generosidad del protagonista del poema no podría ser metro de
su sentimiento, con lo que tal sentimiento no quedaría individualizado y no sería, por tanto, poético.

Pero la sensibilidad moral funciona de otro modo en la poesía. No sólo se requiere a veces esa sensibilidad a fin de que se cumpla la que hemos llamado ley intrínseca del poema, sino que se requiere *siempre* para que se cumpla la extrínseca, ya que la ley del asentimiento nos impide gustar de cualquier obra literaria que exprese algo que habría de resultar injusto, incluso en una moral posible.

PRIMERAS CONSECUENCIAS: LAS TRES DI-
FERENTES CLASES DE SUPUESTOS QUE HAY
TRAS CADA PARTICULARIZACIÓN DE LOS
DIVERSOS PROCEDIMIENTOS

Recapitulemos y saquemos la primera consecuencia de las páginas anteriores. Hemos hallado, en primer lugar, un supuesto de orden psicológico para la "sustitución" en cuanto fenómeno genérico: el efecto del hábito en nosotros, al comprender y captar la realidad. Y hemos hallado, aunque sin declararlo hasta el momento, otro supuesto para la aquiescencia, tomando igualmente esta noción en su dimensión más amplia (no en cuanto la aquiescencia lo es de un determinado instante poético, sino en cuanto lo es de cualquiera de ellos). Ese supuesto es la actividad racional, ya que asentir es un juicio, bien que implícito.

En segundo lugar hemos visto que cada uno de los procedimientos intrínsecos posee, a su vez, supuestos que le son propios. Agrupemos algunos en el siguiente esquema:

Supuestos racionales en.
- Algunas rupturas del sistema (el sistema lógico, el de las vinculaciones lógicas entre contrarios, el de las representaciones).
- Desplazamientos calificativos.
- Superposiciones temporales y espaciales.
- Sinécdoque.
- Metonimia.
- Imágenes de todas las especies, incluidas las del "significante".

Supuestos cognoscitivos en … … … … … …	Todos los recursos, y de modo especial en algunas rupturas del sistema (de la experiencia, de los atributos del objeto, de lo psicológicamente esperado), en la superposición situacional y en la significacional.
Supuestos psicológicos en … … … … … …	Contraste. Ironía. Dinamismo expresivo. Reiteración y encadenamiento simbólico. Enumeración impresionista. Imágenes visionarias y símbolos cuya emotividad se debe a una asociación irracional con otro objeto.
Supuestos morales en la	Ruptura del sistema de la equidad.
Supuestos instintivos en la … … … … … …	Ruptura del sistema formado por el instinto de conservación.

En los procedimientos extrínsecos ocurre algo parecido, únicamente que sin esa variedad que acabamos de ver, pues todos los supuestos de este apartado son del mismo orden: cognoscitivos.

Por último, nos ha sido dado averiguar que cada concreción individual de cada uno de los diversos tipos de procedimiento, intrínsecos o extrínsecos, oculta supuestos particulares, que se añaden a los otros de que acabamos de hablar.

En suma, y dicho al revés: cada ejemplar de cada recurso poético, sea éste intrínseco o extrínseco, está animado por: 1.º, supuestos particulares (*verbi gratia*: los supuestos, intrínsecos y extrínsecos, de *esta* imagen visionaria); 2.º, supuestos específicos (*verbi gratia*: los supuestos extrínsecos e intrínsecos de *la* imagen); 3.º, supuestos genéricos (los supuestos de *toda* sustitución y de *toda* aquiescencia).

OTRAS CONCLUSIONES: OBJETIVIDAD DE
LA POESÍA Y DE LA BELLEZA NATURAL
RELATIVAS AL HOMBRE

Este capítulo nos conduce a consecuencias más universales. Por lo pronto, a esto: la poesía es algo *relativo*; no existe nada más

que *en relación al hombre y para el hombre.* Si un día llegasen a
la tierra seres inteligentes de otros planetas, aunque estos pudiesen
comprendernos y hablar nuestros idiomas a la perfección, permanecerían, sin embargo, inalterables ante nuestras más sublimes
obras literarias, puesto que no compartirían los supuestos sobre los
que éstas se organizan. Al no participar de nuestra estructura psicológica, de nuestro repertorio de instintos, de nuestra experiencia
y situación ante la realidad, de nuestras creencias básicas y hasta
incidentales (o puramente convencionales), o de nuestra moral, los
versos del más grande poeta de la humanidad les sonarían incomprensibles, "absurdos", por muy bien que dominasen el español o
el japonés o el ruso (en el caso de que esta posibilidad lingüística
no implicase ya una aptitud humanizada). ¿Se sigue de estas reflexiones que la poesía sea algo subjetivo? Ciertamente, la poesía no
tiene *la misma clase* de objetividad que una piedra posee, pero no
por ello es subjetiva. Un marciano, si los marcianos tuviesen un
órgano de percepción visual, vería la piedra aproximadamente como nosotros la vemos, o por lo menos la vería de algún modo.
Pero un marciano no vislumbraría la poesía humana de modo alguno. La objetividad de la poesía no es la misma de la piedra o
del árbol. Se parece más a la objetividad que tiene, por ejemplo,
la *igualdad* de dos cosas, que sólo se produce en una relación. La
igualdad de dos bolas de billar sólo existe entre las dos, no en cada
una de ellas. La poesía sólo existe entre el poema y el hombre, no
en el poema a secas (nueva prueba de que la poesía es esencial
"comunicación"); tampoco entre el poema y el habitante de Júpiter, y ni siquiera entre el poema y el Arcángel San Gabriel, por
muy parecido a nosotros que lo soñemos. Podríamos, con todo,
imaginar un ser extraterrestre con manifestaciones líricas, pero si
más allá de nuestra atmósfera existiesen criaturas dotadas de ese
especial talento, sus producciones artísticas tendrían una forma y
una contextura en nada semejantes a las engendradas por la prole adánica, y serían, igualmente, ininteligibles para nosotros.

Aún agregaríamos esto: no sólo la poesía es relativa al hombre; la belleza natural lo es igualmente, puesto que para existir
como tal precisa previamente "humanizarse" en el sentido que an

tes vimos. Utilizo otra frase para afirmar lo mismo si digo que un paisaje es *objetivamente* bello en cuanto contemplado desde una perspectiva humana; mas que podría *objetivamente* también no ser hermoso, en el caso de que ese mismo paisaje fuese examinado desde una perspectiva distinta, por ejemplo, la de unos seres inteligentes y sensibles, pero de índole extraterrestre. Esos seres acaso captasen en nuestros propios paisajes de la tierra valores estéticos *objetivos* que para nosotros *objetivamente no existen*; aunque es muy posible que alguno de los géneros de la belleza natural fuese capaz, *casualmente,* de emocionar de modo relativamente idéntico a seres de este planeta y de otro diferente. La grandeza de una montaña que antes trajimos a colación tal vez "anonade" a un jupiterino en grado semejante al que *mutatis mutandis* un humano soportaba en nuestro ejemplo. Con todo, ello se debería al *azar* de que ciertas condiciones humanas coincidiesen con ciertas condiciones jupiterinas (entre otras, el tamaño físico), y no obsta a la tesis que pretendo sostener. Es importante añadir que la mayor universalidad de la belleza natural en el caso que hemos supuesto, por ser fruto de la casualidad, no implica una calidad más elevada en la belleza misma, que hasta podría descender con respecto a otra ligada exclusivamente a nuestra especie.

Lo mismo diríamos en un sentido algo distinto referido a la poesía. La relatividad al hombre con que la poesía se ofrece seguramente es rigurosa. Sin embargo, la poesía no sólo termina en el ser humano como tal, sino que de manera parcial puede terminar igualmente con el hombre de esta o de aquella cultura, según hemos de mostrar en el capítulo que va a continuación. Lo que quiero adelantar aquí es que el hecho de que un determinado instante poético sólo dure diez mil años no significa que necesariamente sea de menor valía en comparación a otro cuya duración se extienda al doble de tiempo, o que incluso tenga asegurada intemporalmente su pervivencia, pues también aquí cabe que ese fenómeno sea azaroso y sin relación alguna ni con la cantidad de verdadero talento empleado en su creación, ni con la cantidad o cualidad de la emoción misma que esa creación produce en su público actual. Pensemos en dos mujeres igualmente bellas hoy, pero desiguales en cuanto a su capacidad de aguante frente a los estragos del tiempo. Imaginemos incluso que una de ellas ha recibido un tratamiento médico que la vuelve invariable en su hermosura e inmortal. ¿Tendría algún sentido atribuirle más belleza por el momento que a su compañera, mientras ésta no se modifique? Así ocurre con la poesía que es temporal por las razones dichas frente a la que por las mismas razones no lo es: resulta insensato todo intento de valoración basado en argumentación de tan escasa o nula solidez.

Capítulo XX

LA HISTORICIDAD DE LA POESÍA

1

Acabamos de adelantar de ese modo otro problema que ya, por otra parte, nos ha salido al paso en varia ocasión, y de modo tan decisivo, que sortearlo momentáneamente ha constituido para nosotros un esfuerzo. Ese problema es el de la historicidad de la poesía. He aquí cómo desde una perspectiva y un camino propios, los del análisis de los supuestos y modificantes extrínsecos de la obra literaria, hemos venido a coincidir con todo un costado de la filosofía hoy vigente, que piensa como históricos no sólo al hombre y cuanto el hombre hace, sino a veces también hasta a las cosas llamadas "naturales", en cuanto el ser de esas cosas aparece *en ellas* únicamente al ser interpretadas diversamente por las sucesivas pupilas de los hombres [1].

Por lo pronto alcanzamos una primera idea al respecto: si las obras poéticas se asientan sobre soportes o supuestos, la suerte futura de aquéllas dependerá de la que corran éstos. Pero sucede que los supuestos son, con alguna frecuencia, como hemos visto

---

[1] Véase JULIÁN MARÍAS: *Introducción a la Filosofía,* ed. Revista de Occidente, Madrid, 1956. Y ORTEGA Y GASSET: *Unas lecciones de Metafísica,* Alianza editorial, Madrid, 1966.

ya, esencialmente históricos, perecederos, de donde se sigue, por lo pronto, ese mismo carácter para la poesía. *Por lo pronto*, subrayo, pues los análisis que más adelante vamos a efectuar nos conducirán a conclusiones más tajantes: toda poesía es histórica, incluso aquella de extremo valor que tuviese la suerte de la perduración sin fin. Desvanecer el carácter paradójico de esta afirmación será una de las intenciones fundamentales del presente capítulo [2].

HISTORICIDAD DE LA POE-
SÍA Y LEY INTRÍNSECA

Comencemos nuestro trabajo en puntos de evidencia inmediata. En la página 140 analizábamos un poema de Machado:

> Las ascuas de un crepúsculo morado
> detrás del negro cipresal humean;
> en la glorieta en sombra está la fuente
> con su alado y desnudo Amor de piedra,
> que sueña mudo. En la marmórea taza
> reposa el agua muerta.

y veíamos que todo él descansa sobre el feliz sustentáculo de su último verso, y, más concretamente, de su última expresión: "agua muerta". Es éste, decíamos, un sintagma atestado de sentido. Sin abandonar su significado, en cierto modo lógico (agua parada de estanque), el sintagma adquiere una significación distinta (muerta ilusión, cansado existir, etc.), que no es sino el resultado de la proyección significativa otorgada por el contexto, por la sucesión de las palabras anteriores del poema. Todas ellas tienen, en efecto, adherida a sus diferentes conceptos, una pelusilla simbólica, aproximadamente la misma en todos los casos: un acento fúnebre, un apesadumbrado prenuncio de muerte:

---

[2] Sobre autores que defienden tesis historicistas, véase RENÉ WELLEK y AUSTIN WARREN, *Teoría Literaria,* traducción de José María Gimeno Capella, Ed. Gredos, Madrid, 1953, pág. 263. También Ortega y Gasset parte en su obra de ideas semejantes. Nuestros análisis seguirán un camino diverso a estos autores.

crepúsculo, morado, negro, cipresal, humean, sombra,
piedra, sueña, mudo, marmórea, reposa, agua muerta.

Este acento o armónico que acompaña a cada una de las palabras señaladas, sufre, al reiterarse, una poderosa intensificación que
alcanza su cima en la expresión postrera, "agua muerta", a la
que se incorpora. El valor poético de tal expresión depende, pues,
de que las palabras anteriores posean el significado simbólico que
les hemos atribuido. Por ejemplo, que a la palabra "cipresal" se
nos unan inconscientemente representaciones de lo fúnebre y melancólico. Es evidente que hoy sucede esto porque la sociedad ha
dado en la costumbre de plantar cipreses en los cementerios.
¿Acontecerá siempre lo mismo? ¿Siempre la palabra "cipresal" ha
de asociarse en la psique humana con la idea de la muerte? No
parece probable que ocurra así, porque no lo es mucho que la Humanidad persista imperturbable en uso tan arbitrario. Llegará o
puede llegar el día en que los cipreses no se planten en tales re-
cintos, y ese día los lectores de Machado, al encararse con este
poema, no sentirán la palabra "cipresal" poblada del sentido que
hoy tiene. La cadena sugestionadora (ascua-crepúsculo-morado-
negro-cipresal-humean-sombra-...) habrá perdido uno de sus esla-
bones esenciales, y en consecuencia, el efecto total del poema, si
no anularse, al menos ha de disminuir.

Ahora bien: la erudición no podrá reparar el daño introducido, y ello por dos razones. Primero, porque no se apercibirá de
él, ya que la carga fúnebre de la palabra "cipresal" se nos comunica de modo totalmente subrepticio, sin que nos demos cuenta.
Segundo, que aun en el caso de que lleguen a percatarse del asunto,
de nada serviría. Gritarían entonces los eruditos: "¡Cuidado, lector! La palabra *cipresal* debe asociársete inconscientemente a la
idea de la muerte, produciéndote pesadumbre." El lector podría
responder: "¿Y qué quiere usted que yo haga? ¡No se me asocia!
Y, sobre todo, no se me asocia inconscientemente."

Repárese bien en que la culpa del suceso no la tiene de ningún
modo el poeta. Éste ha trabajado con el máximo de su poder, y
son circunstancias ajenas al poeta y a su capacidad lírica quienes

han intervenido en la ruina de su obra. Ocurre que el escritor actúa con dos especies distintas de materiales que él no puede diferenciar en el momento de la creación, ya que ambas le están presentes con idéntica vivacidad; una, esencialmente temporal, consumible, por depender su actividad poética de un estado cultural naturalmente transitorio (el vocablo *cipresal* es un ejemplo); y otra especie, de valor más resistente, tal vez imperecedero, al estar entrañablemente unida a ciertas reacciones psíquicas del hombre que no es fácil que cambien. Así es difícil suponer que la palabra crepúsculo pueda en el futuro desprenderse de la tristeza que, en principio, hoy la acompaña. Pero aun en este caso, si lo poético perdura en cuanto a la primera ley, su historicidad no deja de darse en cuanto que la historicidad tiene, como comprobaremos, otras zonas de penetración.

Junto al ejemplo del "cipresal" pondríamos el verso:

Tu desnudez se ofrece como un río escapando,

ya que se trata de una imagen visionaria, cuyo efecto, como sabemos, se conecta a un uso, sin duda histórico: ir vestido. La historicidad del fragmento es diáfana, aunque no lo sea tanto su mortalidad, pues resulta algo duro imaginar un futuro desnudista para todos los hombres. De todas maneras, ese día no es impensable, y, de otra parte, se ofrece desde siempre incluso como real para algunas zonas de nuestro planeta. La poesía perece, pues, no sólo en el tiempo, sino en el espacio, lo cual puede ejemplificarse abundantemente. Muchos instantes líricos se basan en las asociaciones que para los habitantes de Europa y de cuantos están situados en su misma circunstancialidad geográfica en ese sentido tienen palabras como "abril", "mayo", o bien "octubre", "diciembre", "enero". Pero no es posible soslayar el hecho de que muchos países no se encuentran en semejante localización y que para sus pobladores no significa irracionalmente "abril" lo que de ese modo puede significarnos a nosotros (alegría, juventud, vitalidad, etc.); y lo propio acaecerá con otros vocablos que acabo de citar. Un argentino en comportamiento espontáneo (que es el requerido por esta clase de poesía basada en asociación irreflexiva), y que no tenga noti-

cias culturales pertinentes por viajes o lecturas, reemplazadoras de
las experiencias inmediatas, no podrá sentir adecuadamente la voz
"abril" de este fragmento juanramoniano (o de otros similares):

> Abril venía lleno
> todo de flores amarillas.
> Amarillo el arroyo,
> amarillo el vallado, la colina,
> el cementerio de los niños,
> el huerto aquel donde el amor vivía,

ya que "abril" tiene en ese texto, además de su significado lógico,
otros no lógicos que se ligan al hecho de ser tal mes el que inicia
la primavera (véase el apéndice núm. III, 3).

Si ciertos procedimientos tienen como tales asegurada la perduración, otros no la tienen. Tómese el recurso al que hemos asignado el nombre de "ruptura del sistema". Parece claro que siempre
el hombre ha de emocionarse ante la destrucción de la norma de
equidad que hay en nosotros:

> Si de nuestros agravios en un libro
> se escribiese la historia,
> y se borrase en nuestras almas cuanto
> se borrase en sus hojas,
>
> te quiero tanto aún, dejó en mi pecho
> tu amor huellas tan hondas,
> que sólo con que tú borrases una,
> las borraba yo todas,

puesto que esa norma no es probable que se modifique a través
del tiempo. Pero ¿diríamos lo mismo para el caso del rompimiento
en los atributos del objeto [3] y, sobre todo, para el caso en que la
ruptura afecta a las convenciones sociales? [4] De ninguna manera.
Es verdad que, en muchos sistemas, los atributos concedidos normalmente al objeto son lo bastante inherentes a él para que el paso
de los años los respete. Y así, seguramente ha de regir en todo

---

[3] En las págs. 284 y ss. se analiza tal recurso.
[4] Léase en las págs. 297 y ss. la descripción de ese procedimiento.

tiempo la creencia de que la razón humana sea fuente de verdad y no de error, pensamiento invertido por Unamuno cuando dice:

> la losa
> del pensamiento, fuente de ilusiones [5].

Mas en otros ejemplos, los atributos hoy vigentes pueden dejar de serlo mañana. Si esto llega a ocurrir, su quebranto, y en consecuencia la emoción que ahora ese quebranto aporta, se habrán esfumado. Piénsese en una época cuya noción de la divinidad sea contraria a la nuestra, una época que crea con fe viva en la maldad de los dioses. ¿Producirían en ella el mismo efecto que hoy estos versos de José Luis Hidalgo?

> Has bajado a la tierra cuando nadie te oía
> y has mirado a los vivos y contado a tus muertos.
> Señor: duerme sereno, ya cumpliste tu día.
> Puedes cerrar los ojos, que tenías abiertos [6].

Sospecho que no. Y si en el recuerdo de los futuros lectores no estuviera, como hoy está, el pasaje bíblico que dice: "Dios miró el mundo y lo vio bueno", ¿es posible que la frase aleixandrina que reza:

> La serpiente se asoma por el ojo divino, y encuentra
> que el mundo está bien hecho [7],

se conserve con la misma frescura del pasado? La contestación, evidentemente, no ha de ser sino negativa.

Al examinar con idéntica intención la ruptura en el sistema de las convenciones sociales, el mismo hecho se dibuja con mayor crudeza. En su lugar, copiábamos el siguiente poema de Lorca:

> Bajo la adelfa sin luna
> estabas fea desnuda.

---

[5] Este fragmento se analiza en la pág. 287.
[6] Poema analizado en la pág. 286.
[7] Véanse las págs. 288-289, donde se comenta este fragmento poemático.

Tu carne buscó en mi mapa
el amarillo de España.

Qué fea estabas, francesa,
en lo amargo de la adelfa.

Roja y verde, eché a tu cuerpo
la capa de mi talento.

Verde y roja, roja y verde.
¡Aquí somos otra gente! [8].

La expresividad de esta canción, indicábamos, procede, en parte muy principal, del inesperado denuesto con que el poeta se dirige a una mujer. La tradicional galantería masculina hacia el sexo contrario queda suplantada por la feroz imprecación. Si no existiese en el ánimo de todos la conciencia de que "se debe ser galante con las damas", el efecto sería de menos importancia. Ahora bien: esa norma responde a un tipo de cultura, la nuestra, a un especialísimo concepto de la vida, que sólo es propio de unos especialísimos hombres. No ha existido siempre, como es de sobra conocido, y es fácil que, al cambiar determinados supuestos, vuelva a desaparecer. Y aun dentro de nuestra órbita cultural no rige con la misma fuerza a lo largo de toda la trayectoria. Se sabe que desde el siglo XII hasta el XV la reverencia masculina hacia la mujer fue mayor que en el primer período de la Edad Media, y en el siglo pasado, mayor que en el presente. ¿No es del todo congruente imaginar para un porvenir más o menos remoto la total extinción de una norma tan escasamente sustantiva? Si ese instante llega, la pieza lorquiana habrá perdido una parte de su interés.

Si pasamos a otro ejemplo de lo mismo, que también nos es familiar, no cabe duda que en un mundo más sincero que el nuestro, al que tal vez nuestra cultura esté ya encaminada y que, por tanto, no tarde acaso en aparecer, los versos de Lorca:

Suntuosa Leonarda.
Carne pontifical y traje blanco,
en las barandas de "Villa Leonarda".
Expuesta a los tranvías y a los barcos.

---

[8] Poema analizado en las págs. 297 y ss.

> Negros torsos bañistas oscurecen
> las riberas del mar. Oscilando
> —concha y loto a la vez— viene tu culo
> de Ceres en retórica de mármol,

con su inesperada voz "culo", considerada normalmente vitanda en la conversación "cortés" y en la literatura, quizá pierdan su expresividad, basada hoy precisamente en la ruptura del sistema de las convenciones sociales.

OTRO EJEMPLO DE LO MISMO: LA
SIMBOLOGÍA [9] NUMÉRICA MEDIEVAL

Pensemos ahora en el simbolismo [9] numérico, que tanta importancia tuvo en el modo de composición literaria de la Edad Media. De origen pitagórico, el simbolismo de los números, adoptado por la antigüedad, se acreció al contacto con el simbolismo cristiano. El resultado fue su conversión en un hábito e instrumento frecuente de artística estructuración, en una época, como la medieval, más propicia a la digresión que a la unidad estilística [9 bis] sobrevenida sólo cuando el Renacimiento impuso al arte imperativos más racionales. El número, experimentado con significación trascendente, extendía esa significación al conjunto de la obra, acaso heterogénea, unificándola en ese sentido. La cifra simbólica se comportaba de hecho así, en muchos casos, como un excelente sucedáneo de la verdadera intención unitaria que luego predominó. Pongamos un ejemplo extremoso. Abbon de Saint-Germain añadió a los dos libros de su *Bella Parisiacae Urbis* un tercer libro de contenido totalmente distinto porque (¡asombrémonos!) el número tres evoca la Trinidad [9 bis]. Por idéntico motivo, la composición literaria basada en tal número es frecuentísima en la Edad Media. Berceo

---

[9] El significado del vocablo "símbolo" es aquí el tradicional; muy diferente, por tanto, del especial significado técnico que tiene en páginas anteriores.

[9 bis] ERNST ROBERT CURTIUS: *Literatura europea y Edad Media Latina*, traducción de Margit Frenk Alatorre y Antonio Alatorre, ed. Fondo de Cultura Económica, México, Buenos Aires, 1955, págs. 700 ss.

divide sus hagiografías en tres partes (biografía propiamente dicha, milagros del santo cuando éste vivía y milagros acaecidos tras su muerte, por mediación suya). Cifremos los abundantísimos ejemplos que de lo mismo podrían ser aducidos en el nombre de Dante, que hace girar toda su *Divina Comedia* en el soporte trinitario: uso del terceto, división de la obra en tres partes (infierno, purgatorio, paraíso), con 33 cantos cada una (si damos de lado el primero por ser puramente introductorio). En la Edad Media todo ello, a mi juicio, tenía un sentido que no ha resistido el paso de los años, al hallarse en relación de dependencia con respecto a una cosmovisión que la llegada del Renacimiento hizo desaparecer. Por lo pronto, y sin entrar en toda la complejidad del asunto, tengamos en cuenta lo siguiente. El primitivismo de la mente medieval propendía, por razones que ya sabemos, a identificar sustancialmente aquellas realidades que tuviesen entre sí algún parentesco, por casual y traído por los pelos que a nuestros ojos pueda éste resultar. Olivier de la Marche se plantea y resuelve una cuestión de etiqueta palatina partiendo implícitamente de tal supuesto anímico. "¿Por qué el *fruitier*, se pregunta, tiene a su cargo no sólo las frutas, como el nombre de su oficio expresa, sino también las iluminaciones?" "Porque la cera de las velas, nos dice, es libada por las abejas en las flores, de las que nacen también los frutos". Esta respuesta, ininteligible para nosotros, era perfectamente lúcida y suficiente para los contemporáneos del autor, y ello hasta tal punto, que éste no siente ni de lejos la sospecha de que su explicación pueda pecar de ilógica. Para los hombres de aquella edad la cosa era clara y razonable, puesto que un modo especialísimo de vivir el mundo les llevaba a poner bajo la frase citada un supuesto que nosotros no podemos poner: frutos y cera tenían un origen común, las flores; luego al hallarse así conectados, esencialmente no diferían. Y como *eran la misma cosa,* un mismo criado había de atenderlos.

Pues bien: desde esta manera de entender la realidad, que, repito, tiene aún más entresijos que los mentados, la composición

---

[10] Citado por Huizinga: *El otoño de la Edad Media,* traducción de José Gaos, ed. Revista de Occidente, Madrid, 1961. El comentario que hago en el texto es de mi responsabilidad.

artística sustentada en el uso de un número aparece llena de significación, puesto que ese número asocia a la obra que lo utiliza, enriqueciéndola, otra, otras o aún muchas realidades que en él vienen a coincidir. Y no sólo a la obra artística. El enriquecimiento por asociación afectaba también a las operaciones de la vida. Don Juan Manuel, en el *Libro de los Estados,* se pregunta la causa de que Cristo predicase tres años. La explicación es que lo hizo:

> por dar diezmo de tiempo, ca de treinta años [que tenía al comenzar su predicación] los tres son de diezmo, et por ende nos da a entender que así debemos dar diezmo a Dios del tiempo como de las otras cosas; la otra razón es por dar a entender que el cuento de tres es el cuento complido, et que la Sancta Trinidad es cosa complida et verdadera, et que en él era complidamente, et que él era verdaderamente Dios et home.

De modo parecido, la mención del número siete podía traer el recuerdo y la significación de las siete virtudes, las siete obras de misericordia, los siete peldaños de la santidad, las siete peticiones del padrenuestro, los siete dones del Espíritu Santo, las siete bienaventuranzas, los siete salmos penitenciales, los siete momentos de la pasión, los siete sacramentos, los siete pecados capitales, etc. [11]. De ahí que los Caballeros de la Fama fuesen siete, siete *Las Partidas* [12] y otras muchas cosas de aquella época, que alcanzaban así un sentido sagrado y trascendente por el mero hecho de la presencia en ellas de ese número. Pedro Alfonso enseña en su *Disciplina clericalis* que la perfecta "nobilitas" se constituye con siete "artes", siete "probitates" y siete "industriae". Sedulio Escoto habla de las siete cosas más hermosas... Y así sucesivamente. Se nos patentiza que el apilamiento de significaciones aportado por el número simbólico de las obras literarias de la Edad Media se ha perdido con la desaparición del primitivismo mental y de la visión teocéntrica

---

[11] Huizinga, *op. cit.* Huizinga no habla, sin embargo, del enriquecimiento significativo que aportaba la simbolización numérica a la obra.

[12] Sabido es que ser siete *Las Partidas* se debe a que el nombre de "Alfonso" tenía siete letras. Pero si el Rey hubiese sido poseedor de un nombre más largo o más corto, probablemente no se hubiese interesado en hacer que su obra tuviese tantas partes como letras tenía su nombre de pila.

del mundo. Por mucho que explicitemos ambos hechos y que queramos asumirlos nosotros por reflexión y cálculo histórico, no pasaremos de meros espectadores un poco asombrados y profundamente extrañados de algo que fue vivido desde dentro y con absoluta naturalidad por los hombres de un tiempo ya extinto. Lo que fue un procedimiento intrínseco (ley primera) ha dejado de serlo.

HISTORICIDAD DE LA POESÍA Y LEY EXTRÍNSECA

Pero no sólo la poesía puede ser histórica en lo que toca a su primera ley; también en lo que toca a su ley segunda, y ello de un modo absoluto y no únicamente parcial, como hasta aquí hemos visto. En términos más claros: si la poesía es vulnerable a veces por el lado de la necesidad de individuación o sintetización, lo es siempre por el lado de la necesidad de asentimiento. Mas antes de llegar a tan radical conclusión, enfrentémonos con ejemplos sueltos que nos acostumbren a ver, por lo pronto, la frecuencia con que la poesía es por ese sitio histórica. En un capítulo anterior nos ocupábamos de la frase poética:

más vale morir en pie que vivir de rodillas.

Decíamos: para que exista poesía es menester que "el contenido anímico que ha de comunicarse resulte ser la contestación adecuada al objeto que lo provoca". Claro está que el hecho de parecernos adecuada esa contestación depende de todo un conjunto de opiniones que sobre el mundo nos hayamos forjado, y un cambio muy profundo en tales opiniones puede llevarnos hasta el disentimiento con respecto al fluido anímico que se nos ofrece, con lo cual desestimaremos en cuanto poético lo que antes nos pareciera tal. Apunto aquí como posibilidad la idea de que una expresión, aceptada como estética en un determinado tiempo, se torne absurda o ridícula al cabo de los siglos. Pensemos, por ejemplo, en un período de creencias políticas contrarias a las que rigen hoy, donde el concepto de libertad individual o nacional hubiese desaparecido por completo, en virtud de ciertas experiencias, especialmente graves (digamos: catastróficas a escala universal), que haya sufrido la Humanidad. ¿Qué experimentaría un hombre educado en esa atmósfera vital ante el texto que nos ha servido de referencia? No es excesivo suponer que ese texto se habría vuelto estéticamente neutro e incluso que podría despertar la risa de sus nuevos oyentes, si se insuflara de algún modo en esas palabras un barrunto de justificación. Ello ocurriría así porque uno de los requisitos de la poesía, la ley del asentimiento, habría desaparecido para hacer sitio a las condiciones propias del absurdo o del chiste.

Nótese bien que ahora el motivo del deterioro no es el mismo que antes hemos considerado. Observemos de cerca la diferencia. La emoción poética en un caso se anulaba porque un procedimiento dejaba de serlo, esto es, porque dejaba de cumplirse la ley intrínseca, como acabamos de adelantar. Por ejemplo: al haber desaparecido el sistema que hoy opera en nuestra psique (*verbi gratia*: el sistema de las convenciones sociales), su ruptura no es tal ruptura, y la dosis de emoción que esa ruptura acarreaba se evapora. Pero en el caso que nos ocupa, se trata de algo distinto. La frase:

más vale morir en pie que vivir de rodillas

representa la suspensión de la ley con que nos urge el instinto de conservación. Cuando tal frase se haya saturado de absurdo o de comicidad, como hemos querido suponer, el sistema (nuestra voluntad de vivir a todo trance) seguirá actuando y, sin embargo, su quebrantamiento no conllevará emoción alguna. En el presente caso, el cambio no afecta a la integridad del recurso (ley intrínseca), sino a su basamento, al subsuelo sobre el que se yergue (ley extrínseca o del asentimiento): un conjunto de supuestos fundamentales sobre la libertad humana.

OTRO EJEMPLO DE LO MISMO: HISTORICIDAD DE LOS DRAMAS DE HONOR

Insistiendo sobre lo mismo, pero ahora en un caso no imaginario, sino ya sucedido, recordemos, por ejemplo, los dramas de honor del siglo XVII español. Es notoria la incomprensión de tales obras por parte de cierta crítica, y no sólo extranjera. El mismo Menéndez Pelayo, no sospechoso de anticasticismo, al denominar "odiosos" a los maridos calderonianos, es evidente que los veía y experimentaba de un modo opuesto a como los experimentaban y veían tanto el autor de ellos como los contemporáneos del autor. ¿A qué hemos de atribuir disparidad tan grande de criterios? ¿Simplemente a la ceguera personal de nuestro gran polígrafo y de cuantos comentaristas con él vienen a coincidir al respecto? Hay en ellos, por supuesto, *también* ceguera; pero el asunto es más hondo y más grave. La "crisis de la conciencia europea" y de las vigencias tradicionales se inicia justamente a raíz de la muerte de Calderón [13]. La estructura social sufre por esas fechas una transformación radical, que el siglo XVIII consolida, populariza y acrece. El "sistema del honor", tal como fue vivido con autenticidad en el extenso período antecedente, se derrumba con reconocido estruendo al llegar esa nueva época, donde tantos platos quedaron para siempre rotos. Uno de ellos es el que ahora nos ocupa. Menéndez Pelayo y sus co-opinantes hablaban desde una visión del mundo por completo distinta a la que hizo posibles aquellas obras, y, por tanto, juzgaban éstas desde supuestos indebidos. Se me dirá que los numerosos estudios acerca del honor español que se han sucedido posteriormente han sabido corregir el punto de vista de Menéndez Pelayo y nos han situado las obras teatrales de que hablamos en la perspectiva idónea. Lo creo firmemente, pero ello no quita para que con igual firmeza piense que ni tales trabajos ni ningún otro pueden volvernos a la situación vital de un hidalgo que en 1620, 1640 ó 1670 aplaudía la sangrienta resolución de una "famosa comedia" de ese tipo. Hoy podemos comprender intelectualmente mejor que Menéndez Pelayo las premisas en que se asentaba la "honradez" del castigo cruento. Pero es necesario subrayar con trazo grueso la ancha separación que media entre entender racionalmente algo y vivir ese algo. Por mucho empeño que pongamos

---

[13] PAUL HAZARD: *La crisis de la conciencia europea*, traducción de Julián Marías, ed. Pegaso, Madrid, 1952.

en imaginar históricamente el modo de sentir y apreciar las relaciones conyugales un hombre del siglo XVII, nunca podremos transfigurarnos en ese hombre. El espectador de hacia 1640 iba, en efecto, al teatro instalado en ciertos supuestos de los que partía sin necesidad de pensarlos de modo explícito. Y con menos explicitación pensaba aún los presupuestos de esos supuestos, etc. Veamos rápidamente lo que llevaba implícito en su conciencia el público que se arrebataba con los sonoros versos lopescos o calderonianos:

1.º Entre las cosas valiosas, una de las más valiosas era el heroísmo bélico, encarnado en el rey y los nobles.

2.º Por consiguiente, la nobleza se constituía como el prototipo de la más alta humanidad.

3.º Pero ser noble no dependía, en principio, ni resultaba de un esfuerzo personal, sino de un acaecer externo a la persona: el nacimiento dentro de una clase; y

4.º Por tanto, la hidalguía se configuraba como un fenómeno de la naturaleza, un fenómeno natural, y en ese sentido, no complicado con la responsabilidad del hombre.

5.º La hidalguía se asemejaba más a la caída de las hojas en el otoño que a algo circunstancial, modificable y ético.

6.º Era, por tanto, cosa sustancial, como lo era el comportamiento mismo del caballero, comportamiento visto en España, más que en otros sitios, al modo medieval, o sea, con esencialidad. El caballero tenía una determinada conducta irremediable, a la que no podía faltar en punto alguno, a riesgo de pecar *contra natura,* y de alguna manera, en consecuencia, dejar de existir. Esta visión integrista del noble había sido peculiar a la Edad Media, y en tal sazón resultaba de la visión absoluta de la realidad que toda mente relativamente primitiva lleva consigo. Una realidad absoluta es, en una de sus dimensiones, una realidad inmodificable en toda su extensión. Los accidentes de las cosas serán así fijos y consustanciales, y por serlo, indeclinables. El comportamiento aristocrático había de obedecer reglas establecidas de antemano y siempre las mismas, lo cual otorgaba a aquél un carácter en algún sentido inevitable, mecánico. No creo pecar de hiperbólico diciendo que el hombre así concebido carece de individualidad y, por tanto, de psicología. Es más bien un prototipo con reacciones previsibles por anticipado.

Pero esta visión de la realidad y su consiguiente particularización en lo que toca a la compostura noble no desapareció en España lo bastante al llegar el Renacimiento, ya que la escasez de la burguesía española y su posterior extenuación más completa en la segunda mitad del reinado de Felipe II hicieron que perdurase en nuestro país anómalamente algo del entendimiento señorial-teocéntrico propio de la Edad Media, lo que, a su vez, arrastró hacia los siglos siguientes buena porción de elementos típicamente medievales. No juzgo este hecho como un mal, aunque no siempre fue un bien. Nos dio espléndidos resultados en algunos aspectos (una mística excepcional, un teatro originalísimo, etc.) y graves insuficiencias en otros (en filosofía, ciencia y técnica, por ejemplo). Pero lo que nos importa aquí es otra cosa: que la pervivencia de fragmentos cosmovisionarios de la época pasada en el interior del Siglo de Oro español trajo a éste una marcada propensión a la contemplación enteriza del hombre, según la cual el ser humano, con significativa frecuencia (en el teatro, en la novela picaresca), queda visto desde fuera y en forma de bloque prototípico, sin fisura... y, digámoslo de una vez, sin individualidad. Aprovecho la ocasión para añadir entre paréntesis, y algo fuera de caja, que los males de España no radican en un exceso de individualismo, como se ha repetido tantas veces, sino precisamente en lo contrario: en la debilidad enfermiza de éste. Al no sufrir nuestro país en grado suficiente el proceso burgués y la consiguiente racionalización, España únicamente pudo ser individualista al modo pálido y sin bastante decisión, ya que individualismo y racionalismo, como intentaré probar en otro libro, son sustancias en íntima relación e interdependencia. Al hablar de España, se ha confundido lamentablemente, a mi ver, incluso por personas obligadas profesionalmente a mayor rigor, individualismo y... particularismo de raíz medieval. España, por no ser individualista del todo, siguió siendo particularista, con más tendencia, por tanto, al fragmentarismo que a la unidad, salvo en momentos históricos, donde el hecho unitario nada tiene que ver tampoco con racionalidad, individualismo, etc., sino con otras complejas realidades de que no puedo ocuparme en esta rápida insinuación y esquemático avance de lo que afirmaré con más responsabilidad y copia de datos en su sitio adecuado, que no es éste.

Si España hubiese estado dotada de un individualismo tan pujante, firme y en recargada dosis como se ha dicho, no se comprendería lo que pasa en nuestra novela picaresca (salvado, sobre todo, el Lazarillo) y más aún en nuestro teatro, donde la psicología individual se halla característicamente ausente. La escasa individuación de los personajes de Lope y de sus seguidores no es fortuita, sino fidelidad a un modo de entender la conducta humana como adscripción inevitable a un canon ideal, genérico, por tanto, que no puede sortearse sin atentar contra la misma naturaleza del hombre, o sea sin caer en irrealidad, inexistencia y nadificación.

Creo que cuanto hemos venido afirmando nos aclara definitivamente el hecho de ser la comedia española una comedia esencialmente situacional. Como la psicología no sólo no existe, sino que, dadas las premisas enunciadas, en principio y de modo característico, no tiene por qué existir, lo que importa será determinar cuál sea el deber de un *caballero cualquiera* en determinadas circunstancias particulares. En otros términos: al no poder interesarle al dramaturgo de nuestro país la individualización del personaje, forzosamente recaerá su atención y propósito en la individualización de la situación del personaje. De ahí que esas obras hayan de ser esencialmente casuísticas, como es casuística la moral de la época. Nueva prueba del escaso individualismo de nuestra cultura y nueva coincidencia con la concepción medieval, que, por los mismos motivos, se preocupaba constantemente del *caso* y no del individuo como tal que en él se hallaba. De Lope a Calderón, el teatro de España girará, pues, en torno al deber del noble frente al caso singular en que el Destino le ha puesto: ¿qué ha de hacer el caballero si el ofensor de su honra es el rey? ¿Qué si ha de elegir entre la fidelidad al rey o la fidelidad al amigo, o a la palabra dada?, etc. Estas preguntas casuísticas, y otras parecidas, son el núcleo y sustancia última de muchas obras teatrales de España, y nos recuerdan vivamente (y no por casualidad) otras que nos salen al paso en varios géneros literarios medievales: "¿Qué es mejor: amar a un clérigo o a un caballero?" "¿Es lícito dar una batalla en día de fiesta?" "¿Puede escapar un preso que ha dado su palabra de no hacerlo si se le pone una cadena?"

Concretando más todo lo anterior y estrechándolo a nuestra específica consideración, nos explicamos ahora por qué el marido a quien su esposa deshonrara había de matarla, pues tenía que cumplir, por lo dicho, con los abstractos "deberes del caballero"; esto es, del genérico caballero en que todos los caballeros coinciden sin sobrantes si lo son. Al caballero que lo es corresponde un comportamiento siempre idéntico a sí mismo, igual para todos, o sea sin matiz personal. Ahora bien: ¿cuál es la razón de que, en la situación de adulterio, la reacción del caballero, ese "caballero cualquiera" de que habla la comedia española, había de ser irremediablemente mortífera? Aquí juegan, sobre los mencionados, otros supuestos de que no hemos hablado aún. Enumerémoslos rápidamente, puesto que son bien conocidos:

1.º El caballero tiene honor, por el mero hecho de serlo.

2.º Ese honor queda depositado en la mujer, una vez que el vínculo matrimonial ha hecho a ambos cónyuges "de una misma carne" [14].

3.º El honor vale más que la vida.

4.º En consecuencia, puede defenderse matando, como es lícito defender la vida.

5.º Pues, ocurrida la ofensa, sólo se restablece la honra perdida con la sangre del ofensor.

Unamos estos cinco supuestos a los seis anteriores y tendremos la relación completa de ellos, en cuya causal conexión se hallaban aposentados, sin saberlo manifiestamente, nuestros compatriotas del siglo XVII cuando iban a los corrales para contemplar y oír un drama de honor. Si nosotros nos atiborramos de conocimientos históricos y leemos esas mismas piezas, las comprenderemos, sin duda,

---

[14] Es raro que esa explicación tan sencilla de por qué el varón deposita su honor en la mujer no haya sido expuesta, hasta donde alcance mi lectura, al menos en los términos usados aquí.

racionalmente; pero, repito, no sentiremos lo mismo que sentían nuestros antepasados, porque para éstos dichas premisas, cuya seriación hemos intentado fijar, eran la realidad misma, algo, pues, *vivo*, que, por lo mismo, no se cuestionaba ni explicitaba, mientras nosotros debemos tenerlas muy presentes; esto es, debemos imaginarnos ser lo que no somos más que en falso e irrealmente. De otro modo: nos convertimos nosotros también en personajes de ficción, *y es este personaje de ficción el que asiente a la obra, no nosotros mismos,* lo cual establece una diferencia hondísima entre nuestra imagen de la obra y la que hacían suya nuestros abuelos. Tal distancia es la misma que existe entre ser de veras y ser de "mentirijillas" y como en juego, entre jugar y vivir. Jugamos a ser hidalgos del siglo XVII y sólo somos hombres del siglo XX, que no creemos lo que aquellos hidalgos creían. En fin: la obra que leemos no es la que presenciaban los vasallos de Felipe IV. Los dramas de honor son históricos y han cambiado mucho desde que se escribieron.

OTROS EJEMPLOS: MINUCIA, HUMANIZA-
CIÓN Y TEMPORALIZACIÓN DE LO SOBRE-
NATURAL EN LA EDAD MEDIA

Lo propio diríamos de la minucia medieval en pintura, literatura y vida, sólo que aquí la cosa tiene matices especiales. ¿Qué es esa minucia para un contemplador actual? Deliciosa ingenuidad, fresco candor, etc. Pero es obvio manifestar que las gentes del siglo XV no veían en ese afán pormenorizante lo que nosotros vemos hoy, y que no se complacían en tal ingenuidad y frescura por la simple razón de que para ellos objetivamente no existía. Dejo para otro libro la explicación de esas características, tan peculiares de aquella sazón, pues llevarla a cabo requeriría un complicado análisis que sería prolijo y excesivo realizar aquí. Anotemos al paso que lo dicho para la minucia de la cultura medieval vale también para la humanización de lo sobrenatural y su adscripción a aquel presente de entonces, que tantas obras de la época muestran.

Cuando Berceo describe unos demonios que arrastran al infierno a un condenado, y dice:

> Prisieronlo por tienllas ["cuerdas"] los guerreros antigos,
> los que siempre nos fueron mortales enemigos.
> Dábanli por pitanza non manzanas nin figos,
> mas fumo e vinagre, feridas e pelcigos ["pellizcos"],

> (*Los milagros de Nuestra Señora*)

nosotros experimentamos una grata sensación de ingenuidad que ni el autor ni sus contemporáneos podían sentir. O cuando en otro texto de idéntica mano y obra se pinta a la Virgen en el trance de defender a un devoto suyo contra las malas artes de un diablo que en figura de león le atormentaba:

> Empezoli a dar de grandes palancadas,
> non podíen las menudas escuchar las granadas ["las grandes"],
> lazrava el león a buenas dineradas,
> non ovo en sus días las cuestas tan sobadas.

> Diçie la buena duenna: "Don falso traidor,
> que siempre en mal andas, eres de mal sennor,
> si más aquí te prendo en esti derredor,
> de lo que oy prendes aun prendrás peor".

Estos fragmentos y bastantes más de semejante tenor han nacido de una configuración mental de tipo primitivo, incapaz de imaginar lo distante o invisible como sustancialmente distinto a lo cotidiano, próximo y tangible. El ruralismo o localismo de la vida medieval acentuaba, por otra parte, este rasgo psicológico, que, en la Edad Media, lleva también, por ejemplo, a la frecuencia del anacronismo. Alejandro era visto aproximadamente como un caballero cristiano de entonces y Don Júpiter, según nos enseña Alfonso X el Sabio, aprendió de niño el trivio y el cuadrivio. Cuando el espíritu de cálculo, propio del quehacer burgués, y el crecimiento industrial y comercial se hicieron poderosos y trajeron consigo un incipiente racionalismo de un lado, y de otro el conocimiento de tierras y costumbres distantes, la cosa empezó a cambiar. El resultado último de todo ello es esa discrepancia que acabamos de percibir entre lo que un coetáneo de Berceo podía sentir ante los versos transcritos (u otros de parecido corte) y lo que sentimos nosotros, pues, en virtud de lo que acabamos de decir, nuestro asentimiento a tales fragmentos lo otorgamos de un modo diferente a como lo otorgaban ellos. Ellos lo otorgaban de lleno y sin reservas mentales: horizontalmente, diríamos. Nosotros desde un plano de superioridad, guiñando un ojo y tal como se escucha la deliciosa incongruencia de un niño. Los autores del siglo XIII eran niños que conversaban con otros niños, sus iguales. Nosotros somos adultos que escuchamos, indiscretos, ese diálogo. ¿Oímos lo mismo? Evidentemente, no.

OTRO EJEMPLO: CAMBIOS EN LA SITUACIÓN HUMANA DESDE LA QUE SE HABLA

La historicidad poética por el lado del asentimiento viene dada, en ocasiones, al variar la situación desde la que el poeta habla. Volviendo al caso del caballo y el burro, que tan pormenorizadamente hemos analizado en un capítulo anterior, comprobaremos que nuestro asentimiento o nuestro disentimiento a las frases "la realidad piafa" o "la realidad rebuzna" puede modificarse si la situación del hombre con respecto a esos animales se modifica en materia grave y si el concepto de guerra, torneo, etc., sufre en el ánimo del común de las gentes una alteración de suficiente importancia. Hoy el *jeep* o el camión y el Cadillac o el Mercedes están sustituyendo a lo que respectivamente han sido para el hombre el burro y el caballo. Si el proceso continúa, y tales bestias dejan en absoluto de tener empleo humano, no se hace aventurado pensar que las palabras "rebuzno", "piafar", "relinchar", dejen de poseer las significaciones irracionales que hoy tienen en los textos citados.

LA HISTORICIDAD ABSOLUTA DE LA POESÍA POR EL LADO DE LA LEY SEGUNDA

Hasta aquí hemos venido hablando de la historicidad poética como parcial, como algo que puede ocurrir o no, que ocurre o no en ocasiones. Ahora intentaremos mostrar cómo el hecho de que la ley ahistórica de la aquiescencia encarne históricamente en cada período literario hace que la historicidad de la poesía tenga un carácter totalitario y absoluto. En efecto, la índole movediza sin solución de continuidad de la aquiescencia a todo lo largo del proceso evolutivo del arte implica la incesante movilidad de éste. Al ser otras nuestras preferencias temáticas en un determinado tiempo; al inclinarnos en él a favor de la objetivización del tema y de los sentimientos o, por el contrario, a favor de su subjetivización; al apetecer la responsabilización del escritor con respecto a la sociedad, u, opuestamente, al gustarnos la libertad sin compromisos de aquél, o el lenguaje llano en vez del noble, o viceversa; al exigir un determinado grado de originalidad y no otro, etc., es evidente que asentiremos con más pobreza aquella zona de la literatura que, nacida de otra cosmovisión, no cumpla con nuestras radicales pretensiones estéticas. Es cierto que en estos casos se trata de cosa muy distinta a lo que hasta el momento hemos visto. Pues sólo nos hemos ocupado hasta ahora de aquellos casos de historicidad en que la atenuación o muerte de lo poético no tenía posibilidad de regreso, mientras en el presente apartado nos enfrentamos con lo contrario: con una insensibilización por nuestra parte que resulta, a su vez, histórica. Quiero decir que lo que hoy no gusta o gusta poco puede volver a gustar mañana, a veces incluso como gustó ayer. Pero observemos que ello se deberá a que la nueva cosmovisión lo permita, lo cual nos hace recaer otra vez en la historicidad, pues en este caso son *razones históricas* (la existencia de una determinada cosmovisión, esencialmente fugaz y nacida en un tiempo concreto) y no razones ahistóricas las responsables del hecho.

HISTORICIDAD DEL LENGUAJE COMO CAUSA DE LA HISTORICIDAD LITERARIA

Adoptemos una nueva perspectiva. La poesía no sólo es histórica en cuanto que lo es la visión del mundo desde la que la poesía surge. No debemos olvidar que la poesía se hace con palabras. Y como el lenguaje que hablamos es, por su parte, histórico también, su historicidad ha de comunicarse necesariamente a la literatura que lo utiliza. Pongamos algunos ejemplos claros. Uno de los rasgos del estilo de Góngora es la índole culta de su léxico. Está documentado que el hombre de hacia 1612 que leía *Las Soledades* experimentaba una sensación de extrañeza ante aquel vocabulario insistentemente latinizante con que el poeta le arremetía. Las sátiras antigongorinas a este propósito fueron frecuentes y numerosas. He aquí una de Quevedo muy conocida, a la que suprimo el estrambote:

> Quien quisiere ser culto en sólo un día,
> la jeri (aprenderá) gonza siguiente:
> fulgores, arrogar, joven, presiente,
> candor, construye, métrica, armonía;
>
> poco, mucho, si no, purpuracía,
> neutralidad, conculca, erige, mente,
> pulsa, ostenta, librar, adolescente,
> señas, traslada, pira, frustra, arpía,
>
> cede, impide, cisuras, petulante,
> palestra, liba, meta, argento, alterna,
> si bien disuelve émulo canoro.
>
> Use mucho de líquido y de errante,
> su poco de nocturno y de caverna,
> anden listos licor, adunco y poro.

Pues bien: este soneto se vuelve, si no contra su autor, sí contra la intención de su autor, ya que nos demuestra palmariamente, como notó Dámaso Alonso, que el genio de Góngora y las frecuentes imitaciones de que fue objeto a todo lo largo del siglo XVII hicieron entrar en el habla común esas palabras tan censuradas por Quevedo (salvo tres o cuatro), palabras que aunque usadas algo antes de su empleo en *Las Soledades,* sonaban aún como poco o nada castellanas en los oídos de los españoles del seiscientos. Pero al haber penetrado en el lenguaje común, nadie se escandaliza hoy ante ellas, nadie hoy las siente como raras, como forasteras, como nuevas. Se impone una conclusión: la poesía de Góngora ha cambiado. Uno de sus ingredientes fundamentales —nada menos que su léxico— nos impresiona de un modo diferente a como impresionó a sus primeros lectores; es para nosotros cosa bien distinta, lo cual quiere decir que el poema mismo lo es en buena parte. Lo inverso a lo anterior no es tampoco insólito: palabras de uso frecuente en un determinado período han caído en desuso, y al ser leídas hoy en el texto originario, forzosamente han de producirnos un efecto distinto al que producían en el instante de su creación.

Por otra parte, en el capítulo anterior hablábamos de cómo el poeta utiliza el lenguaje con toda la cargazón significativa que el tiempo ha ido depositando en él. Las palabras pueden evocar los sucesivos contextos en que han estado antes, de modo que algo del sentido de esos contextos se contagia y entra a formar parte del contenido que ahora tales palabras encierran. Ahora bien: el curso de los siglos puede deshacer lo que el curso de los siglos hizo si el flujo histórico nos priva o atenúa el vivo recuerdo cultural que enriquecía expresivamente el sintagma. Ilustremos lo dicho con un ejemplo cómico muy sencillo, ya que la comicidad no difiere en este punto de la poesía sino en cuestión de grado. (Su carácter histórico es, en efecto, mucho mayor, porque se apoya generalmente en supuestos más frágiles y perecederos. De ahí lo escasamente hilarantes que ordinariamente hoy nos resultan los graciosos de nuestra castiza comedia del seiscientos, que para nosotros, con significativa frecuencia, más bien encarnan el sentido común que lo contrario, a la inversa de lo que acontecía en su tiempo.) Hace cosa de veinte años se proyectó en España una película cuyo título original inglés era *How green was my valley*. El título español, *Qué verde era mi valle*, estaba aún fresco en la memoria de todos cuando se anunció y representó en Madrid una revista bajo el nombre de *Qué verde era mi padre*. Es evidente que la gracia de este rótulo exige que el espectador se acuerde del otro que he citado, y dejará de existir en el mismo instante en que éste caiga en olvido, cosa que sospecho ha sucedido ya.

Aunque los supuestos de la poesía suelen ser más sólidos, puede ocurrir que alguna vez posean tan escasa consistencia como los del chiste. Al término de la guerra civil española estaba de moda, para encarecer el valor de algún producto, decir que era "de los de antes de la guerra". Apoyándose en costumbre idiomática tan fugaz, Blas de Otero, en un poema suyo, afirma de un ángel que era "de los de antes de la tierra". Temo que las generaciones más jóvenes de hoy no perciban ya la expresividad que en su día tuvo esa frase. ¡Y han pasado desde entonces sólo quince años!

Pero en ocasiones sucederá lo opuesto. Una palabra que alcanzó uso literario en estado de asepsia puede contaminarse en el transcurso de las edades, de manera que no nos sea hacedero escucharla en su texto original con la limpidez que en él resplandecía. Cuando San Juan de la Cruz dice que Dios está "en el retrete" del alma para indicar que se halla en el lugar más recóndito y puro de ella, será difícil para algunos disimular una sonrisa y hasta una incomprensiva carcajada.

HISTORICIDAD DE LA POESÍA EN CUANTO QUE LA POESÍA ES SORPRESA

Ataquemos ahora nuestro problema desde otro lugar. Hemos puesto en claro, de un modo general a lo largo de este libro y de un modo particular no hace mucho, que la expresión poética requiere para existir apartarse de la locución consuetudinaria, cuyo caso-límite reside en lo que aquí denominamos "lengua". Conforme un módulo expresivo se va generalizando, o conforme nos vamos habituando a él, su emanación estética disminuye y puede llegar a anularse e incluso a traspasar la frontera de la insipidez para entrar en el reino de lo desagradable y hasta de lo torturador. Preguntémosle a un melómano cuál es su pieza favorita y hagámosela escuchar sin interrupción cuantas veces sean necesarias para lograr nuestro propósito. Al principio experimentará placer, bastante indiferencia luego, insensibilidad completa después, molestia más tarde y tormento y quizá locura al fin. Pues bien: este fenómeno, que aquí no nos interesa por ser asunto puramente privado, puede darse en otra proporción y configuración, e interesarnos para nuestra intención, si lo universalizamos. Todo artista trae a su arte alguna sorprendente novedad que penetra con más o menos energía en el curso general de éste, gracias a los imitadores, no forzosamente desestimables, que la hacen suya. Una vez que tal novedad ha dejado de serlo, para incurrir en el tópico, quizás incluso venerable, el producto originario no puede ser percibido tal como fue al nacer, pues no es factible que nos libremos de las experiencias estéticas que sucesivamente nos han ido afectando de modo semejante a como aquel nos afectaba, con lo que nos anestesiamos, poco o mucho, para su efluvio artístico. La cosa no es del todo un infortunio, pues en parte gracias a ella la evolución se hace posible, al enajenarnos del encanto primigenio de aquella creación, cuya prístina novedad nos placía tanto como nos aprisionaba.

Pero también ocurre a veces que el paso de los años logra rejuvenecer lo que el tiempo marchitó, si las imitaciones de la obra originaria caen en olvido. Mas repito aquí lo que dije hace poco a este respecto: aun en este caso, la recuperación no implica ahistoricidad, ya que tal remozamiento es, igualmente, fruto de la historia. Y además no se ofrece como impensable que las imitaciones resulten superiores a la obra original y desvirtúen ésta. Le sobraba razón a quien afirmó que el plagio es legítimo cuando va seguido de asesinato. No está mal elegido el término, pues, en efecto, las obras de más valía asesinan, arrasan o anulan, de algún modo y en alguna medida, a las inferiores a ellas del mismo tipo. Leído Bécquer, los poetas prebecquerianos que le antecedieron en el uso de fórmulas y contenidos claramente semejantes a los suyos y que él imitaba pierden una sensible porción de lo que, de hecho, fueron objetivamente en un primer instante. Los premodernistas, y en general los precursores, son experimentados de otro modo a como existieron inicialmente, pues los leemos teniendo a la vista el estado artístico subsiguiente más maduro y perfecto, que les arroja sombras de invalidez.

Pero los matices de la historicidad en lo tocante a lo dicho son muy variados. A la primera persona que adopta un molde expresivo ajeno se le declara imitador, y es juzgado en consecuencia, o sea, con un asentimiento sin plenitud. Pero acaece en ocasiones que si ese molde se hace habitual y su eficacia no desciende por ello (cosa contraria a lo que en otras ocasiones pasa, según dijimos), el imitador número 1000 ya no está visto como imitador y, por tanto, no padece el descrédito que como a tal le correspondería, sino que se le toma como seguidor de una tradición sólidamente establecida y, consiguientemente, prestigiosa. En tal caso, al volver nuestros ojos de nuevo al imitador número 1, tampoco será éste reprobado, sino que, al revés, se le admirará con fuerza en ese sentido, viéndole tan próximo a la matriz del movimiento artístico de que procede. Y el escritor, al ser asentido de modo tan completo, "mejorará" estéticamente. No es preciso añadir que en tales circunstancias la obra será asimismo histórica, aunque en dirección ascendente [15].

HISTORICIDAD DE LA POESÍA EN CUANTO
QUE LA HISTORIA DE LA LITERATURA ES
UN PROCESO DIALÉCTICO

Y aún caben otros motivos de historicidad, entre los que elijo solamente uno: el modo dialéctico en que el arte se origina.

A mi juicio, la historia de la literatura evoluciona empujada por la fusión de dos impulsos muy diferentes entre sí que la imprimen movilidad. Uno es el estado de la sociedad del tiempo de que se trate, con el que la literatura ha de corresponder en cierta manera; el otro consiste en el estado de la literatura anterior, al que la literatura actual parcialmente se opone. Según este esquema, y en la medida en que este esquema no padezca error, la literatura de un determinado momento es hija de la sociedad por un lado y de la literatura precedente por otro. Ateniéndonos a este se-

---

[15] El formalismo ruso se ha ocupado desde diferente perspectiva y otra argumentación de la historicidad en cuanto que la poesía es sorpresa. Véase, por ejemplo, J. MUKAROVSKY: *Aesthetic Function, Norm, and Value as Social Facts*, Praga, 1936.

gundo elemento genético, creo que no sería difícil probar que la
literatura nueva se origina siempre siguiendo una ley que podríamos denominar "ley de continuidad y contradicción". Pues no se
trata de que el instante artístico *B* resulte de contrariar todos y
cada uno de los ingredientes de otro *A* que de modo inmediato
le antecede, sino únicamente de contrariar algunos de esos ingredientes, mientras prosigue de forma distinta, acaso con un mero
cambio en la intensidad, otros que aún conservan valor por ser útiles para expresar esa nueva concepción del mundo que la estructura social de hoy impone. De ello se desprende que no podremos
comprender lo que sea un instante artístico si no tenemos a la vista,
de un modo u otro, el proceso completo en que el arte nace y
dentro del cual, como miembro dialéctico de una seriación, adquiere
la plenitud de su sentido. En efecto, es preciso, por lo pronto, entender la literatura como un diálogo con la tradición inmediata. Pero como, por su parte, a ésta le pasa lo mismo, o sea, ha sido en-
gendrada también dialécticamente frente a un pasado que le es
colindante, y así sucesivamente, nos será forzoso generalizar nuestra
proposición diciendo: el arte sólo se manifiesta en toda su inteligibilidad si lo vemos como eslabón de una cadena, como término o
función de una estructura general desarrollada en el tiempo. Claro
está que con frecuencia es suficiente con no ignorar lo que ha
ocurrido artísticamente en las inmediaciones cronológicas del momento que nos interesa, ya que tales vecindades llevan dentro de
sí, en forma asimilativa y como superación, la totalidad del pretérito.

Pues bien: esto que digo en brevísimo apunte, y que, por supuesto, requiriría para hacerse del todo transparente y riguroso
la formalidad de largos y anchos comentarios y pormenorizaciones
que la economía de este libro no permite, esto que digo, repito, explica los graves errores de la crítica cuando desconoce el lugar exacto en que una obra se articula dentro del organismo tradicional o
sistema cronológico. Hace pocos años se estrenó en Inglaterra *Divinas palabras* de Valle Inclán. La crítica inglesa, según tengo entendido, acogió esa pieza con cierta frialdad, basándose en que
se trataba de una imitación del teatro de Federico García Lorca.

Evidentemente, esa crítica, al ignorar que Valle Inclán es anterior a las composiciones lorquianas, asentía escasamente a lo que de otro modo no hubiese regateado el aplauso. Para valorar, esto es, para entender cabalmente el contenido de una producción estética, necesitamos, pues, *ubicarla,* contemplarla en un sitio concreto espacio-temporal, pues sólo en él rinde su entera significación. Esto es cierto en varios sentidos, y no sólo en el que transparece en el caso de *Divinas palabras,* pues en el significado de algo entra también su porqué. Mas ese porqué, en el arte, según hemos intentado sentar, consiste, parcialmente, en un estadio artístico anterior, del que se parte como de un hecho bruto para entablar con él una disputa, intensificando algunos de sus elementos, disminuyendo otros y negando algunos.

Y he ahí por dónde se introduce la posibilidad de que una obra modifique su valor y sentido originarios con el curso de la edad. Pues debemos advertir que la evolución literaria, en lo que ésta tiene de negación de algo previo, se realiza sobre el conjunto de la literatura inmediatamente precedente, donde se mezcla lo excelso con lo menos excelso, con lo mediano y hasta con lo mediocre. Es más: como se trata de negar defectos anteriores, o al menos de negar lo que en criterio de actualidad parecen defectos, la evolución hace mayor hincapié en los productos deficientes que en los bien acabados y perfectamente obtenidos, ya que estos últimos, por principio, habrán incurrido menos en el pecado que se achaca globalmente al período. Ahora bien: esas obras desportilladas e incumplidas son en gran parte declaradas inválidas por el severo juicio posterior, con lo que desaparecen, o poco menos, de la memoria de las gentes o se convierten, todo lo más, en seco pasto de eruditos. Cuando ello ocurre, se habrá perdido un buen pedazo de lo que fue origen de la evolución artística, y, por consiguiente, se habrán perdido algunos términos de la significación misma de las obras siguientes que se hallaban en relación parcialmente filial con el pedazo abolido. En tal caso seremos auditores de una conversación de la que sólo tenemos los párrafos completos de uno de los interlocutores, pues del otro únicamente escuchamos fragmentos inconexos, con lo que el diálogo mismo como tal y la respuesta que directamente enfrentamos dan por alguna punta en insensatez o, por lo menos, en significación atenuada. La página que entonces leemos no será ya la que leyeron sus rigurosos coetáneos, mejor informados que nosotros, sino otra, algo o muy diferente, en la que la historicidad ha triunfado.

2. ¿ES UNIVERSAL LA POESÍA?

VISIÓN PANORÁMICA DE LA HISTORICIDAD POÉTICA

Las consideraciones anteriores han pretendido fijar con algún rigor los términos en que la historicidad se mueve. Concretamente, hemos pasado revista a unas cuantas posibilidades de historicidad y, por tanto, a unas cuantas posibilidades de muerte o merma o cambio de la significación poética originaria. En primera perspectiva, hemos visto que la poesía puede desfallecer por el lado de su primera ley (individuación o sintetización del contenido) o por el lado de su ley segunda (asentimiento del lector). En perspectiva segunda, inclusa en la anterior, obteníamos otros datos, que venían, o a otorgar explicación a los recogidos en la perspectiva primera, o a mostrarnos aspectos nuevos de la historicidad. La poesía encuentra modificación histórica al cambiar la visión del mundo desde la que la poesía brota. Y no sólo al cambiar aquella cosmovisión de amplio radio en que un pueblo o un conjunto de pueblos está durante muchos siglos, sino también (y ello es más grave) al promocionar y sucederse las cosmovisiones que, de menor formato, residen y se articulan dentro de esa otra más vasta y general. La poesía experimenta asimismo variaciones de mayor o menor cuantía cuando cambian los términos de las diversas situaciones en que el hombre se encuentra y desde los que su canto se hace.

Pero la historicidad poética tiene otros orígenes. El lenguaje no es, como la pincelada del pintor o el acorde del músico, un material seguro y firme, sino un material inconsistente, blando y poco de fiar. Tiene algo de indecoroso: fluye. Y esa fluencia suya trastorna retroactivamente la palabra dicha por el poeta en un tiempo concreto y en diversa situación lingüística.

El carácter sorprendente del arte y la habituación a que el desarrollo literario, parcialmente continuativo, según sabemos, nos somete con respecto a lo que en su día fue nuevo, es causa también, y no desdeñable, de que la obra artística carezca de estabilidad.

Por último, aunque sin ninguna pretensión de haber enumerado el juego completo de las razones de historicismo, tenemos el hecho de la evolución literaria en serie dialéctica, que conlleva, según vimos, un nuevo factor de movilidad para la poesía.

Todo ello, en conjunto, corroe por muchos sitios la sustancia poemática y la convierte en presa de destrucción o en algo al menos que se desliza en la misma corriente de la historia.

¿ES UNIVERSAL LA POESÍA?

Si ello es así, si la poesía depende tanto del talento del autor cuanto del acontecer mismo de la sociedad, en que aquél, como poeta, no tiene intervención ni responsabilidad; si la poesía se rebaja a veces hasta la extinción no sólo en el tiempo, sino en el espacio, sin que ello prejuzgue nada con respecto al valor inicial que tuvo, ¿qué sentido posee aún, si alguno posee, el concepto tradicional de universalidad cuando lo aplicamos al arte para valorarlo?

Se decía algo así como esto: un poema vale más que otro en cuanto que le sea superior en universalidad; esto es, en cuanto que alcance sensibilidades más alejadas de su creador lo mismo en el tiempo que en el espacio. Pero ocurre que, sin duda, la universalidad así entendida no nos puede ya servir de criterio para el juicio estético, ya que la duración o la extensión geográfica de la eficacia artística no tiene, en principio, relación con el valor de la pieza de que se trate. Si el poeta comunica verdaderamente su poema a alguien *hoy*, el poema existe como tal plenamente, pues lo comunica a los hombres que ese alguien *hoy* representa: es universal, por tanto, en el único sentido que en primera y última instancia podemos garantizar para tan dudoso adjetivo. Si gentes de tierras remotas o de remotas edades futuras no entienden el poema o lo entienden mal, o incluso no existe objetivamente para ellos, eso no empece ni quita rey para que en la actualidad en que la obra fue escrita ésta tenga plena validez objetiva. Vuelvo a traer aquí la parábola de las dos mujeres hermosas que ya nos sirvió en otro lugar de este libro. Partiendo de que son igualmente bellas en la actualidad, no podemos caer en el error de valorar estéticamente a una más que a la otra por el mero hecho de que la hermosura de la primera sea de duración doble o infinitamente mayor que la de su rival.

No nos apresuremos, sin embargo, a sacar conclusiones definitivas en tanto no penetremos y tengamos en cuenta la complejidad y riqueza de matices y pormenores con que el asunto indudablemente se ofrece. A veces, es cierto, la mayor duración de una obra es signo indiscutible de superioridad: *Hamlet,* el *Quijote*... ¿Va esto contra nuestra principal aserción? Veamos. Si el *Quijote,* si el *Hamlet* resisten los sucesivos cambios del gusto, no es gracias a su ahistoricidad (aunque el escaso tiempo transcurrido desde su redacción no nos permitiría aún pronunciar seriamente tan grave palabra), sino *a pesar* de su historicidad y *gracias* a otra cosa muy diferente: su riqueza significativa. La historicidad de esas obras está probada y documentada. El *Hamlet* fue sentido por Voltaire y por Moratín, entre otros, de manera diferente a como nosotros lo sentimos, y ya sabemos que ello no tiene otro nombre posible sino el de historicidad. Y, de otra parte, los contemporáneos de Shakespeare no parece que tampoco coincidiesen con nosotros en el entendimiento de la famosa pieza. Por su lado, al *Quijote* le pasa lo mismo: composición cómica para el siglo XVII; sátira de la irracionalidad para el XVIII; presentación del choque entre la realidad y la ilusión para los románticos; indagación realista en el alma humana para el realismo posromántico, es actualmente, para los hombres de 1966, creyentes en la vida como proyecto y quehacer, una novela cuyo protagonista se constituye en ejemplo de "esforzado", personaje que hoy tiene en el teatro, la novela y la poesía continua y significativa representación: *Camino real*, de Tennessee Williams; *The skin of our teeth*, de Thornton Wilder; *Historia del corazón* y *En un vasto dominio*, de Vicente Aleixandre, etc. En menos palabras: cada época vio en el *Quijote* aquellos aspectos y estratos de significación que coincidían con su cosmovisión, y aproximadamente desechó o percibió con alguna penuria el resto de ellos. De otro modo: cada época *historizó* al *Quijote*, lo cual supone que el *Quijote* es tan histórico y poco universal (en el sentido tradicional que hemos dado de baja) como cualquier otra composición, sólo que tiene sobre muchas la ventaja de su mayor riqueza y complejidad, que lo hace por algún sitio siempre servicial (o al menos hasta ahora) para las sucesivas generaciones de lectores.

Si una obra es, de hecho, inmortal (extrememos el vocablo y pongámonos con valentía en el discutible caso-límite), no se deberá a una supuesta ahistoricidad suya, inexistente, sino a su riqueza, que la hace apta para resistir con suficiencia, desde alguna parcela de su ser, las interpretaciones, precisamente *históricas,* que se siguen en el tiempo. Ninguna composición artística es así ahistórica, ni, por tanto, universal en el sentido que tradicionalmente se viene dando a ese calificativo, puesto que el concepto de "perduración", aunque sea por siempre, no coincide, según hemos determinado, ni con el de "universalidad" ni con el de "ahistoricidad". Tal vez sea doloroso terminar este libro, escrito desde el entusiasmo por la poesía, con tan graves acordes de destrucción; pero la destrucción ha sonado porque la destrucción es el destino del hombre y de sus bellas obras, incluidas las imperecederas, si las hay. En tal caso, esas obras se parecen a las olas del mar. Como las olas del mar, se deshacen y crean a cada instante desde sí mismas y dentro del espíritu de sus lectores sucesivos. Cada pieza genial es, en la mejor de las situaciones, la ola una y múltiple, mortal e inmortal, que se levanta, invicta, en el océano sin fin de la humana hermosura.

APÉNDICES

APÉNDICE I

POESÍA CONTEMPORÁNEA Y POESÍA POSCONTEMPORÁNEA

I

LA POESÍA CONTEMPORÁNEA

LA IMPORTANCIA HISTÓRICA DE LA POESÍA ACTUAL

A mi parecer, la poesía de la posguerra posee esa cualidad no separable por completo del valor estrictamente estético que se denomina "importancia histórica". Aunque la importancia histórica de una producción literaria depende por lo común de factores circunstanciales (en el sentido orteguiano del vocablo), no por ello deja de influir en el valor artístico propiamente dicho, pues la categoría de una obra poética es siempre una delicada suma donde entra, como ingrediente no desdeñable, la significación que suponga en la transformación evolutiva de la Historia. Por esa razón, cabe la buena y la mala suerte en los escritores. Hay escritores y generaciones afortunadas y los hay sin fortuna. Nuestra generación, desde ese punto de vista, nació bajo los auspicios felices de una estrella de lujo, pues la casualidad hizo que entrase al ejercicio de la literatura en el instante mismo en que iba a dar comienzo una nueva época, si es que podemos hablar así desde nuestra perspectiva. Estrenar una sensibilidad es siempre mejor que cerrar un gusto preexistente, porque las garantías de perduración en vivo, como acicate próximo y actualidad real, son mucho mayores. Los poetas que empezaron a escribir en España con posterioridad a la guerra civil han inaugurado, si no me equivoco, un nuevo estremecimiento estético, y ello les otorga, sin más, una ventaja inicial que ha de desempeñar su papel en el momento de la valoración crítica.

¿Quiere decir esto que la poesía de la hora actual ha roto con la poesía de la hora inmediatamente anterior? Algo más que eso: en cierto sentido (y sabiendo muy bien que los rompimientos en el arte son siempre relativos y que el valor de una novedad cualquiera se halla precisamente en relación con su capacidad de salvar la mayor cantidad posible de tradición), en cierto sentido, repito, la poesía de la posguerra española representa el intento de romper en bloque con la poesía que se ha llamado "contemporánea". Hoy no estamos ya exactamente dentro de la poesía contemporánea, si llamamos así a la poesía que se escribió en Europa desde Baudelaire hasta la segunda guerra mundial, poesía signada por el individualismo y el irracionalismo en su más evidente modalidad. Peró aquí se hace ya preciso matizar: el individualismo y el irracionalismo no han desaparecido; simplemente se han atenuado (o mejor, sólo *enmascarado* bajo formas menos llamativas, aunque sustanciales), lo cual, justamente, permite a los poetas actuales *aprovechar* las geniales conquistas expresivas de los últimos cien años, para ponerlas junto a otras inéditas, al servicio de un nuevo concepto del hombre. Si el rompimiento hubiese sido total, no cabría recibir lecciones de la poesía antecedente; toda una página de la poesía europea, quizá la más importante de su historia, habría de ser olvidada, y me parece difícil que en esas condiciones los poetas pudiesen superar los inconvenientes graves y torpes de cualquier adanismo. El renacimiento europeo (con la excepción del español, que supo, sin merma de su "modernidad", recoger impulsos esenciales de la Edad Media), el renacimiento europeo pudo, ciertamente, volverse de espaldas a los siglos anteriores; pero sólo porque ese pretérito tenía, de algún modo, mucho de primitivo, y, además, porque al orillar la larga pausa medieval se enlazaba con una época de mayor esplendor, la antigüedad clásica, cuyo legado era ya hacedero conciliar con la nueva posición del hombre. Nada de esto ocurre hoy: no existe ninguna época "antigua" de gran valor a cuya tradición poética acudir, una vez obviada la que se ha denominado contemporánea, pues la tradición originada en el renacimiento y el posrenacimiento barroco o la anterior a ella no tienen intersección esencial alguna con las actuales preocupaciones; y la tradición lírica del siglo XVIII, la única que, en algunos de sus aspectos, ofrece semejanzas con cierto sector de la poética de hoy, suficientes para ser tomadas como punto de partida, carece, en cambio, de ese alto valor estético que es el engendrador de todo posible entusiasmo.

SEMEJANZAS DE LA POESÍA ACTUAL CON
LA POESÍA FILOSÓFICA DEL NEOCLASICISMO

En efecto, una extensa provincia de lo que fue el neoclasicismo muestra extraños paralelismos y hasta coincidencias formales sorprendentes con otra del panorama completo de la hora presente española: como ahora dentro de ese sector de que hablo, entonces se repudiaba la imaginación en el verso, predominaba un vago menosprecio por el poema exclusivamente lírico y se aspiraba, de manera contrapuesta, a un arte socialmente "útil" (adjetivo muy del Siglo de las Luces). No nos sorprenderá, pues, que en aquella sazón, como parcial e implícitamente en la actualidad, la crítica se inclinase a favor de la sátira. Síntoma significativo: Sedano, al trazar una antología de toda la lírica del Siglo de Oro, selecciona, al gusto del tiempo, de entre la producción poética de ese riquísimo pasado, preferentemente poemas del género satírico. La poesía puramente amorosa, en ciertos círculos de la segunda mitad del siglo XVIII (recuérdese la posición de Jovellanos al respecto), se contemplaba, sin incongruencia, con no disimulado desdén, una vez que el filosofismo de la época hubo superado la sensualidad de la anacreóntica y de los géneros afines, expresión, a su vez, de otras vetas de la visión del mundo neoclásico que no hacen ahora al caso. La poesía había de conllevar "ideas" (no en vano el racionalismo imperaba), y mejor aún si esas ideas eran socialmente revolucionarias. No se desconsideraba, por tanto, el prosaísmo, verdadero "mal du siècle", literariamente hablando. La crítica de la sociedad se había puesto de moda (especialmente en la prosa). Se abogaba por un mundo más justo, se atacaban los privilegios de la clase dominante (la aristocracia), etc., directrices e impulsos todos ellos que con las necesarias modificaciones, en todo caso leves, servirían para definir una sección de la poesía de hoy. Y digo una sección porque en la poesía actual española existen otras corrientes, no menos importantes y a la "altura de los tiempos" que la mencionada, y que, respondiendo a su misma causalidad genérica que luego intentaré señalar, van, sin embargo, por diferentes derroteros.

Pero todos estos parecidos de intención y expresión no han bastado para establecer un enlace entre la poesía del siglo XVIII y la actual, ni siquiera con respecto a ese costado de la poesía de hoy que le es tan afín. El descrédito literario de la poesía "filosófica" del neoclasicismo, su escaso valor estético, le han privado de la única posibilidad que hasta la fecha había tenido a fin de servir como paradigma a una revolución que transformase a fondo el concepto de poesía.

En tales circunstancias, la definitiva ruptura con la tradición contemporánea se hizo imposible. Y los mejores poetas del citado sector han acudido a ella muchas veces, no sin fortuna, para sus más duraderas novedades y sus hallazgos más evidentes. Todo ello ha tenido una gran ventaja: el enriquecimiento de la poesía actual, muy distinta y caracterizada, con perfecciones y refinamientos de los poetas "contemporáneos". Transición suave en que el verso vuelve a situarse en una posición "normal" (lejos ya de los "ismos"), sin mengua ni olvido de todo lo que le ocurrió a la poesía desde la fecha de composición de *Les fleurs du mal*.

INDIVIDUALISMO E IRRACIONALISMO
ROMÁNTICOS Y CONTEMPORÁNEOS

En este punto, no sobra un esquema de lo que fue esa tradición contemporánea, que, en cierto modo como fuente y sin duda como oposición, tanto significado ha tenido en la aparición de la nueva poesía. Para ello, es preciso que tomemos nuestra historia en un momento inmediatamente anterior, en el momento romántico, porque el inicio del individualismo e irracionalismo contemporáneos hay que buscarlo, incuestionablemente, en el romanticismo. Lo primero que advertimos, en un intento de parangón entre ambos estilos, es, pues, paradójicamente, su extraordinaria semejanza. Parece, en efecto, que con matices importantes que en seguida veremos, esos dos modos de poetizar (el romántico y el contemporáneo) coinciden en lo fundamental, puesto que coinciden en los fundamentos irracionalistas e individualistas que los distinguen [1]. Pero la intuición crítica nos hace decir de inmediato que, pese a todo, la poesía contemporánea es antirromántica. No nos sorprende: lo primero que necesita una realidad para ser lo contrario de otra es un amplio fondo de concomitancias desde las cuales oponerse a ella. Para que un par de cosas contrasten y se contradigan es preciso que disfruten de un género próximo en común y de una diferencia específica en disidencia. El "color blanco" no es lo contrario de una trilladora mecánica, sino del "color negro", porque sólo el "blanco" y el "negro", en tal caso, poseen ese tipo de fundamentales semejanzas (ser colores) que es indispensable en toda antítesis. No es paradójico, pues, que el antirromanticismo de la poesía contemporánea se levante desde un vasto fondo de parecidos evidentes con la escuela a la que se enfrenta. Ahora bien: todos los elementos antirrománticos que observamos en la poesía desde, digamos, sus orígenes franceses, hacia 1845, hasta, digamos, sus últimas manifestaciones para España, hacia 1940, se deben al fun-

---

[1] Véase en las páginas 443 y ss. de este mismo libro la explicación de ese doble fenómeno.

cionamiento en dirección opuesta de esos dos engranajes rectores que acabamos de precisar. El arte romántico y el contemporáneo son irracionalistas e individualistas; pero individualismo e irracionalismo de una y otra especie marchan en sentido contrario. Empecemos a comprobarlo con el irracionalismo. Los románticos eran irracionalistas en cuanto a la posición del poeta frente al poema (improvisación, digresiones, uso de una subjetiva libertad no sólo con respecto a las leyes externas de las preceptivas, sino, de hecho con demasiada frecuencia, en lo que toca a las leyes internas del poema mismo en trance de redacción: típico abuso romántico de la recién adquirida libertad). En cambio, la materia verbal que los románticos manejaban era aproximadamente la misma tradicional, con alguna que otra excepción. Los poetas contemporáneos, al revés, han solido ser "intelectuales", racionalmente reflexivos en su postura frente al poema: lo dice su vigilante atención a la ley interior de la pieza, que "exige" al poeta lo que antes "exigía" un exterior sistema de reglas. Diríamos en ese sentido que el romántico (para quien ya no rigen los tratados de retórica que gobernaban al neoclásico) sólo atendía a su subjetiva inspiración, que autoritariamente disponía la hechura y desenvolvimiento del poema; y que, opuestamente, el autor contemporáneo siente, como el neoclásico, la presencia de normas; sólo que ahora las normas no vienen de fuera, sino del interior de las composiciones: es el poema mismo, su sucesivo desarrollo, el que dispone lo que el poeta va realizando artísticamente. Éste se halla, pues, críticamente atento a los avatares de la composición. Su actitud es alerta, racional, en lo que atañe a la composición misma, considerada como totalidad y como sucesiva fluencia. Es más que nunca crítico de lo que hace y de lo que está haciendo, y crítico frecuentemente severo. Pero (nótese la contraposición con el romanticismo) los materiales léxicos y sintácticos que utiliza ostentan a menudo, peculiarmente, un marcado carácter irracional. El poeta ha aprendido a manejar las palabras y sus relaciones *en cuanto capaces de asociaciones inconscientes,* que la sabiduría crítica, aunque intuitiva, del poeta encauza según normas rigurosas que, como hemos dicho, proceden del poema mismo.

Algo semejante probaríamos para el individualismo. También aquí se produce la antítesis arte romántico-arte contemporáneo, que notamos con más bulto en sus consecuencias (pero si las consecuencias se oponen es porque, antes, se han opuesto las causas). El yo romántico, al dilatarse, aspiraba a la superación de toda resistencia, lo que quiere decir que aspiraba a la universal infinitud. Su sentimentalismo, manifestación evidente de la subjetividad, será por eso un sentimentalismo extremoso: puestos a ser sentimentales, había que serlo al máximo. Es así como el romántico, en su afición por lo que carece de límites, hizo moneda corriente de lo que por naturaleza es excepción: la sublimidad, la grandeza. El lenguaje que el romántico usa al frecuentar la grandeza tenía necesariamente que henchirse frecuentemente también para poder recibir en su seno la enormidad de su contenido. El lenguaje romántico tiende por ello a la dilatada elocuencia. Y cuando Homero dormía (cosa después de todo normal en cualquier fisiología sana, aunque fuese de privilegio), a la grandilocuencia. He aquí que hemos dado con el principal pecado de los románticos (naturalmente, cuando pecaban; pero los Evangelios nos muestran que el más santo lo hace setenta veces siete cada día). Y sabido es que los hijos, al llegar a la mayor edad, lo primero que notan es las veces que sus padres han atentado contra las reglas de lo debido. Y claro está que los posrománticos registraron cuidadosamente en seguida las setenta veces siete que el más santo de los poetas anteriores se hallaba convicto del pecado de ampulosidad y vana hinchazón. Y como el hijo del alcohólico, que jamás prueba el vino, el posromántico se juró seguir en adelante el buen camino, que era, claro está, el opuesto al que su padre había practicado. Y así, si la falla romántica por excelencia, la grandilocuencia, puede definirse por un defecto de contenido y un exceso de continente, lo que un poco en broma llamaríamos "minilocuencia", propia del arte posterior, consistirá en lo contrario: en la predominancia del contenido con respecto al continente. Para lograr tan apetecible finalidad, el poeta posromántico, al que en adelante llamaremos contemporáneo, apeló y pronto puso a punto el arte de la implicitación de cuantos materiales pudiesen ser suplidos por la fantasía del audito-

rio, con el resultado, oneroso sin duda, de la discriminación lectora, pues no eran muchos los hombres que estaban en condiciones
de ejercitar con tanta acuidad sus facultades imaginativas. Ahí
yace la posible quiebra de la poesía "contemporánea": su incapacidad para dirigirse a un público "normal" y su exclusiva dedica-
ción a un público "artista": la famosa "minoría" de que tanto
gustaba Juan Ramón Jiménez y cuya escasez numérica alarmó ya
a algunos miembros de la generación del 25, que comenzaron a
darse cuenta del carácter levemente monstruoso (desde un punto
de vista no estético) de una poesía, cuya condición, al parecer indispensable, era el progresivo enrarecimiento de sus lectores. Porque, al principio, la cosa no había preocupado al escritor. El individualismo contemporáneo que en sus inicios, de Baudelaire, de
Valle Inclán, se presentó como orgulloso aristocratismo, sostenía y
fortalecía enérgicamente al poeta en su soledad y le llenaba de desdén por los "filisteos", el adocenado público burgués que en su
mediocridad materialista se volvía de espaldas a un arte para él
incomprensible y que acaso hubiese sido concebido en son de befa.

TÉCNICA DE IMPLICITACIÓN: SUS VARIANTES

La técnica de implicitación antigrandilocuente se podía ofrecer
en versiones muy variadas, que fueron desarrollándose progresivamente. En primer término, estaba la posibilidad de sugerir. Pues
¿qué es sugerir sino decir poco para que la indispensable audiencia entienda mucho, emplear la mínima forma que conlleve el fondo máximo? ¿Y no es eso lo opuesto a la grandilocuencia? Fondo
aquí no quiere decir sólo ni principalmente, claro está, fondo conceptual, sino sobre todo fondo sentimental, sensorial (estamos en
la época en que el irracionalismo empieza a actuar sobre la materia verbal misma). Y es así como la implicitación aparece en el
Art Poétique, de Verlaine, condensación doctrinal, aunque bajo "fer-
mosa cobertura", de la estética del momento: poesía como vaga
sugestión, como temblor de ala, poesía sin peso conceptual, en
levitación delicada, hecha de matices finísimos. A eso Verlaine lo

llamaba, como nadie ignora, "poner la música sobre todas las cosas" y "torcerle el cuello a la elocuencia". En cuanto a lo último no le faltaba razón, en el sentido que sabemos. Y en cuanto a lo primero, tampoco; sólo que la palabra "música" para indicar "capacidad de insinuar sin decir del todo" es una metáfora que se presta a equívocos, pues claro está que Verlaine con ese término no quiere decir "sonoridad". En esta época la poesía se acerca a la música en cuanto que la música carece de fondo conceptual y es puramente sugestiva. O más exactamente: los conceptos en la música, como en la poesía contemporánea con frecuencia, se hallan en situación de invisibilidad en cuanto implicados en las emociones. En adelante, y hasta muy cerca de nosotros, la sugerencia prosigue haciendo prosélitos, aunque ya dentro de una idea distinta, muchas veces escultórica, del poema (Jorge Guillén es, en España, buen ejemplo de ello).

Como se trataba de evitar la maximidad verbal del romanticismo, al trazar un cuadro había que darlo a entender más que dibujarlo del todo, para lo cual era buena cosa, por ejemplo, captar un detalle que, por ser característico, hiciese adivinar al lector su considerable resto innominado. Un pormenor bastaba para dar sentido a todo un ambiente, evocado más que pintado. Ello es peculiar de Azorín dentro de nuestras letras, pero la técnica no le es, ni con mucho, exclusiva: en unos más que en otros, el procedimiento pertenece a eso que llamaríamos "lenguaje de época", y se encuentra en numerosos autores. Cuando Rubén Darío dice: "Pasaba, oro y hierro, el cortejo de los paladines", está tomando sólo dos notas que considera esenciales (oro, hierro) y que son suficientes para que nosotros "pongamos" por nuestra propia cuenta de buenos lectores lo que esa expresión "implica" (armas, arreos, peculiares vestimentas guerreras, etc.). Antonio Machado incurre de otro modo en la misma técnica cuando, al describir un viejo caballero enlevitado que aspira, ansiosamente, en un parque otoñal, el perfume de los eucaliptos, cierra su poema así:

> Y le he visto llevar la seca mano
> a la perla que brilla en su corbata,

pues, dentro de su contexto, ese simple gesto del caballero (un pormenor tan sólo) está poblado de implicadas sugestiones, que nos dan, aunque de manera vaga, el carácter total del personaje en sus líneas centrales: su atenimiento estoico, su entereza, su sobrio anhelo de comprobar que aún vive, etc.

Y en ese afán de encoger todo lo posible la expresión, era preciso suprimir los puentes lógicos entre los enunciados indispensables, siempre que ello no impidiese del todo la inteligibilidad del poema incluso para la minoría a la que iba destinado. Tales puentes pasaban así a la humilde condición de *supuestos* que la sensibilidad del lector añadía a lo dicho. Un paso más allá lo dio la escuela suprarrealista al eliminar valientemente toda lógica dentro del poema (al menos en la teoría). He aquí cómo cada uno de los elementos del conjunto apunta al mismo blanco, cómo los cabos sueltos se unen al fin en cerrada coherencia. El individualismo, en su vertiente contemporánea, lleva a la implicación, a la sugerencia, a la ruptura con la lógica. Y exactamente al mismo sitio va a dar el irracionalismo, ese otro elemento básico del arte que consideramos, con lo cual el sistema queda ya sin sutura y se hace perfectamente comprensible. Lo que ocurre es que, en la época de que estamos hablando, el individualismo pudo manifestarse como implicitación precisamente porque existía en el ambiente literario (y no sólo literario) un irracionalismo expresivo (fruto también de tal individualismo) que lo permitía. A la misma conclusión llegaremos por diverso camino, pues la relación dual de la técnica implicitadora (con el individualismo y con el irracionalismo) la observamos igualmente en otra de sus consecuencias más notables: la progresiva tendencia "contemporánea" a la supresión de la anécdota en la poesía. Existente ya en Bécquer ("cuando me lo contaron sentí el frío - de una hoja de acero en mis entrañas"), se desarrolla en Antonio Machado y Juan Ramón Jiménez, y culmina en la generación del 25. Lo que le importa cada vez más al poeta no es la anécdota, el hecho en crudo, sino su equivalencia emocional (subjetivismo), pues desde la emoción presentada ese fondo anecdótico podía, racional o irracionalmente, ser vagamente reconstruido por la intuición del lector (irracionalidad, implicitación). El proceso destructor de la anécdota no es solamente, pues, un fenómeno individualista por partida doble, sino, en idéntica proporción, un fenómeno irracionalista. Aparte de lo que he sugerido en el segundo paréntesis, la relación causa-efecto que la relación anécdota-emoción supone, ¿qué es sino un hecho de lógica? Lo evidente no necesita prueba, pero si deseásemos demostraciones, ahí está el suprarrealismo, donde la aniquilación de la anécdota y aun de todo tema llega al máximo, precisamente al culminar la irracionalidad.

Claro está que la implicitación no siempre muestra una conexión tan aparente con el ilogicismo. A veces el lazo es, aunque existente, de más delicada materia, cuando, por ejemplo, el poeta contemporáneo, al asquearle, en su afán de mera insinuación, la nominación directa de la realidad, recurre a la metáfora o, en general, a la figura de dicción recónditamente alusiva. Durante mucho tiempo me pareció una pura incongruencia (diríamos, un puro error) la exaltación de Góngora, el gran poeta "racionalista", realizada el año del centenario de su muerte por la irracionalista generación del 25. La significación de ese homenaje colectivo no podía deberse a la cualidad de "raro" (en el sentido de Rubén) del gran andaluz, porque la época en que la "rareza" podía fundamentar el pasmo lector ya había pasado; por otra parte, tampoco el sistema metafórico racionalista de Góngora parecía casar, en ningún sentido, con el sistema irracionalista del grupo festejante. Sin embargo, la afinidad entre los dos estilos, el gongorino y el contemporáneo, existía, bien que sólo en un par de limitados aspectos: la intencionalidad alusiva de ambos y el común intento de una poesía en tensión. En los dos casos, la coincidencia era puramente formal, aunque no por ello menos seductora. Las razones de la alusión gongorina son, en efecto, muy otras que las que movilizaban en la misma dirección a los poetas del 25 y no sólo a ellos (piénsese, particularmente, en la línea Mallarmé-Valéry). Góngora era impulsado a aludir por el ideal de ingenio de su época, por el escepticismo frente a lo natural con que el barroco responde al naturalismo renacentista; diversamente, los poetas contemporáneos buscaban sobre todo en el procedimiento alusivo la creación de ámbitos de vaguedad, en evidente relación con el creciente irracionalismo del período. Si Góngora usaba la metáfora como medio de presentar un platónico mundo ideal de belleza absoluta que sólo esquemáticamente coincidiese con el menos sustantivo mundo real que se entregaba a los ojos cotidianos, los poetas contemporáneos la usaban con fines por completo diferentes: para sumir al lector en la emoción del misterio, que es, sin duda alguna, el sentimiento contemporáneo por excelencia, el verdadero estremecimiento nuevo que, a través de la implicitación, aporta la poesía de ese período. Al decir esto hemos de salvar, claro está, los antecedentes que se puedan hallar anteriores (en especial, dentro de lo español, pero sin excluir otros posibles, la poesía de San Juan de la Cruz, la de Bécquer y algunos poemas "tradicionales").

Idéntico carácter formal tiene, como hemos dicho, la otra similitud que acerca el arte de Góngora al contemporáneo: el gusto por la intensidad expresiva. A Góngora le venía ese rasgo estilístico de la índole misma del contenido que intentaba expresar: un mundo continuamente bello en todas sus partes sólo podía plasmarse en un verso que no desfalleciese. En los poetas contemporáneos, distintamente, la tensión y apretamiento de la palabra poética eran resultado de la técnica de implicitación, condensadora de la materia verbal hasta el punto de hacer aparecer en la lírica todo un grupo de procedimientos nuevos a los que en este libro he llamado "sintetizadores": "signos de indicio", "desplazamientos calificativos", "símbolos bisémicos", ciertos tipos de "rupturas del sistema", etc., recursos todos ellos que coinciden en ser maneras diversas de apresar en un único significante una dualidad semántica.

Por otra parte, la necesidad de expresar con intensidad conduce directamente al uso, casi sin excepciones, de la brevedad poemática, otro modo de sintetización ensayado por esta poesía. Ya Baudelaire, punto de partida, en la teoría y en la práctica, de tantas cosas que iban a regir por un siglo el destino del arte posterior, se había expresado peyorativamente sobre el poema de gran extensión: "Quant aux longs poèmes, nous savons ce qu'il en faut penser; c'est la ressource de ceux qui sont incapables d'en faire de courts. Tout ce qui dépasse la longueur de l'attention que l'être humain peut prêter à la forme poétique n'est pas un poème". Frases semejantes, en el fondo, a la de nuestro Bécquer ("contemporáneo" ya, si entrecomillamos la calificación): "Toda buena poesía cabe en un papel de fumar". En términos generales, podríamos hablar de la desaparición en la literatura contemporánea del largo poema que los románticos todavía podían practicar generosamente. Y a este respecto, es curioso observar el cambio de sentido que sufre precisamente la palabra "poema" en español, que de retener durante el siglo XIX su tradicional significado específico de "composición poética de amplio desarrollo", pasa a querer decir "composición poética" sin más calificativos. "Poemas" eran antes exclusivamente piezas como *La Dragontea,* de Lope; el *Don Juan,* de Byron; el *Fausto,* de Goethe; el *Diablo Mundo,* de Espronceda. Y si Campoamor escribía unas obras narrativas más cortas que las citadas, pero aún de dimensiones considerables, las denominará *Pequeños Poemas.* Hoy se llama poema a cualquier leve pieza, sea cual fuere su extensión. Prueba evidente de que ya no se escriben (o no se escribían, pues en la concepción más reciente la cosa cambia) poemas propiamente dichos.

Por último, la implicitación puede referirse también a los elementos moralizadores, cuando existen. El arte contemporáneo ha podido ser, desde el punto de vista de la ética al uso, "inmoral"; pero también ha sido en otros casos, no lo olvidemos, moral y hasta "edificante", si empleamos el término sin adherencias de sermonario. De todas maneras, el posible didactismo de esa clase que le quede a la poesía contemporánea se ofrecía, salvo cuando ésta pecaba contra sí misma, en versiones muy diferentes a las neoclásicas. En la poesía que se escribió a partir del romanticismo, el autor se cuidaba de no sacar por sí mismo las conclusiones de su relato, no quería dar la impresión de un maestro que se siente inseguro de la perspicacia de sus alumnos. Permanecía impasible en la apariencia y dejaba al lector todo el mérito de la indignación o del aplauso frente al hecho contemplado. La lección moral funcionaba también en estos casos, sólo que con más eficacia y a la manera muda que caracteriza al nuevo tiempo.

IMPUDOR ROMÁNTICO Y PUDOR CONTEMPORÁ-
NEO: OBJETIVACIÓN COMO DISFRAZ DEL YO

Todo lo anterior nos ha hecho ver el carácter sintético del arte a partir de Baudelaire (piénsese igualmente en las artes plásticas) como reacción frente a la grandilocuencia romántica. Mas es inaplazable agregar que numerosos rasgos estilísticos que proceden de ese afán contemporáneo de brevedad, esquematismo y condensación se oponen en igual medida a otra saliente peculiaridad del romanticismo: el impudor con que el artista de esa tendencia exhibía su desbordante yo. El subjetivismo del siglo XX no es menor que el romántico; al contrario, lo es más; pero se manifiesta, diríamos, con menos inocencia; es, por así decirlo, más cortés, disimulado y subrepticio. El poeta, aunque siga, y más que nunca, hablando de sí mismo, no lo suele hacer directamente y con descaro: acostumbra a buscar un soporte objetivo para colocar en él, con el suficiente distanciamiento, el producto de su exaltada subjetividad. Ese soporte consiste, por lo general, en un tema aparentemente ajeno al yo, pero que, en realidad, no es otra cosa que una pudorosa manera de simbolizarlo. Lo importante continúa siendo la emoción del poeta, pero a través del símbolo temático esa emoción queda como enajenada. Se trata de un subjetivismo oblicuo, vergonzante y encapotado, cuyo carácter clandestino no impide, sino que fomenta la ubicua presencia del yo que todo lo invade. Las emociones son entonces, desde el punto de vista puramente racional, algo así como "eminencias grises", cuyo secreto mandato organiza y dispone el entramado lógico o argumental de las composiciones. Diríamos, abultando un poco la cosa, que no es el tema quien busca ahora la adecuada emoción, como tradicionalmente sucedía, sino que, al revés, es la emoción quien "se echa a la calle" en busca del tema adecuado que pueda despersonalizarla sólo en la apariencia.

Para lograr este púdico enmascaramiento del panegotismo que a todos abarca, Machado usa varios procedimientos, descontados el invasor símbolo temático a que antes aludí y los símbolos de todo tipo que en su obra abundan. Por lo pronto, la técnica de implicitación, muy usada por él con intenciones antigrandilocuentes, le es útil también para disimular el subjetivismo. Pero, además, Machado, "avergonzado" del descaro con que los románticos hablaban de sí mismos, procura evitar la primera persona, desdoblándola en una segunda que la representa, sin embargo. El yo sigue existiendo poderoso, más poderoso que nunca, pero reflejado, embebido en un supuesto "tú" interlocutor que "guarda las formas" y permite no sonrojarse. A veces Machado usa otros artificios: en vez de decir "yo", puede pluralizar en un "nosotros", o más sutilmente dialogar con una realidad natural (la tarde, la noche, el alba de la primavera, una fuente), que al responderle, le define, o de alguna manera alude a sus estados de alma. De este modo, Machado llega a un compromiso con la objetivización, sin abandono del subjetivismo. Pues, formalmente, no es el poeta quien realiza la "indecente" exhibición de su psique, sino que es un indiscreto interlocutor el encargado de esa faena "indecorosa". No hay por qué añadir que, con posterioridad a Machado, siguieron usándose algunos de estos disfraces de la subjetividad: en particular, el empleo de la segunda persona como testaferro de la primera, y más aún el símbolo temático o el símbolo a secas.

La unidad última de todos los procedimientos propios de la poesía contemporánea salta ya a la vista: pues todos o casi todos ellos reaccionan a la par contra la grandilocuencia y contra el impudor del romanticismo; y, al mismo tiempo que representan y son fruto del acrecido individualismo, significan, en igual medida, el triunfo del irracionalismo en la literatura.

MADURACIÓN DE LA POESÍA CONTEMPORÁNEA A LO LARGO DEL TIEMPO

Sólo me resta, para completar este esquema, decir algunas palabras sobre el sucesivo desenvolvimiento de lo que hemos llamado poesía contemporánea. Pues lo mismo que ocurre en la esfera de

lo individual, sucede en la esfera de lo colectivo: la conquista de
la personalidad, el afianzamiento y maduración del ser, es cuestión
de años; sólo se logra a través de un esfuerzo penoso que se desarrolla en el tiempo. La Naturaleza no da saltos; pero tampoco
los dan los hechos de cultura. La razón de ello se relaciona muy
probablemente con la limitación imaginativa del hombre, que le
impide la comprensión de lo absolutamente insólito. La mente humana no parece completamente capaz de superar la practicidad a
la que el vivir mismo le condena; y la practicidad exige el hábito,
la reiteración de lo mismo, que únicamente en mínima porción puede sortearse. Y así vemos que cualquier período comienza a manifestarse por síntomas y prenuncios, que sólo poco a poco van
adquiriendo volumen progresivamente desplazador. Tal ocurre en
la poesía contemporánea. Los fenómenos que la caracterizan, lo
mismo los primarios que los secundarios o terciarios, aparecen primero con timidez y apocamiento, y pasan muchos años antes de
alcanzar la mayoría de edad. Si situamos el origen de lo poético
contemporáneo en Baudelaire, encontramos su primera etapa de
maduración en Verlaine y en el primer Rimbaud, y su etapa segunda en el último Rimbaud y en el más característico Mallarmé.
Y si en este punto abandonamos la consideración de la poesía francesa y acudimos a la de habla española, notamos ante todo el retraso cronológico de su iniciación; nos tranquiliza comprobar, sin
embargo, la rapidez con que los poetas españoles se pusieron a la
altura de los tiempos, asimilando primero y enriqueciendo y ensan-
chando después las posibilidades de la lírica contemporánea, con
una originalidad, variedad, densidad y continuidad que tiene difícil parangón con ningún otro país en el siglo XX. No es casual este
despliegue de gran poesía dentro de la España novecentista: el espíritu español, que nunca supo ser racionalista por completo (ni
aun en el siglo XVIII), estaba especialmente preparado para la creación de una poesía cuya sustancia última estaba hecha de irracionalidad.

Pero retraso en el origen: el iniciador del espíritu contemporáneo para la poesía hispánica es, como todos saben, Rubén Darío,
nacido en 1867. Para ello se inspira, como es natural, en los poe-

tas franceses, aunque, de hecho, se "equivoca" de dechado, y en lugar de apoyarse en los simbolistas, que representaban mejor que los parnasianos el espíritu de la época, Rubén Darío toma impulso en estos últimos o en el Verlaine de lo más superficial de *Fêtes Galantes*, o sea, un Verlaine mucho más externo y menos fecundo que el hondo, delicado y penetrante poeta de otra zona de su poesía. Pero el "error" era explicable, fatal y hasta necesario, precisamente porque España, que había tenido un posromanticismo divergente del que acabó triunfando en el mundo occidental, no podía dar el "salto" que hubiese significado la incorporación repentina y sin preparativos del simbolismo, cuyo individualismo e irracionalismo eran mucho más agudos que los implícitos en la escuela parnasiana. Fue así cómo Rubén encaminó a numerosos poetas hispánicos por las rutas de un "modernismo" exterior, que su creador, con todo, dotado de auténtico genio, supo superar dentro de su propia obra. El modernismo de esta clase sirvió como de rápido "entrenamiento" para pasar a la etapa segunda, que Antonio Machado inaugura. Él fue el encargado, en efecto, de poner a la poesía hispánica "en el buen camino", enlazando, muy originalmente, con el simbolismo francés sin mengua de aprender mucho también en el español Bécquer, que, si romántico aún, había utilizado una técnica afín a la contemporánea. El irracionalismo, moderadísimo en Darío, puede alcanzar ya una primera maduración en el poeta español, lo cual significa que, pese a ciertas apariencias en contrario, Machado supone también la maduración del individualismo, dada la conexión con que ambos fenómenos se dan a partir de la época romántica. Y así, este poeta es el primero que en España usa sistemáticamente muchos de los procedimientos propios de la poesía contemporánea: la implicitación, la supresión de la anécdota, la primacía de la emoción sobre el tema y, más patentemente aún, el uso del símbolo y el correlativo sentimiento de misterio. Y otra cosa importante, fruto inmediato también del individualismo: la expresión de una visión del mundo personal. He dicho en otro lugar que, aunque muy individualistas, los románticos no lo fueron tanto como para diversificarse en cuanto al esquema genérico de su cosmovisión. No hay visiones románticas de la realidad, sino visión romántica, si prescindimos de los matices sentimentales y sensoriales que distinguen a cada autor y atendemos sólo a la reducción conceptual de las interpretaciones románticas de la vida. El sistema lógico implícito o manifiesto en tales interpretaciones es siempre el mismo, lo que no pasa ya en el período contemporáneo, mucho más agudamente individualista. Ahora cada poeta cantará un mundo aparte, que, si se me permite alguna dosis de exageración dialéctica, no interfiere, en manera alguna visible, los mundos poéticos coetáneos. Ya Rubén Darío, en cierto modo, pero sobre todo Machado, comienzan, repito, a sorprendernos con este separatismo interpretativo, que, al correr de los años, crecerá más aún: la generación del 25 es la llamada a ser, en este extremo, como en todos los otros, la culminación para España del proceso iniciado en Baudelaire. Pero antes de esa generación, la poesía española había de pasar por una nueva experiencia: Juan Ramón Jiménez, poeta que toma la antorcha de Machado y la deposita en un punto ya lejano de la carrera. El irracionalismo, más que intensificarse, diríamos que se ensancha en su obra; Juan Ramón no es más irracionalista que Machado, pero lo es en nuevos campos: aparecen en sus versos, aparte del símbolo y de las otras técnicas contemporáneas, recursos diferentes, inéditos a la sazón en las letras españolas: "visiones", "imágenes visionarias", "desplazamientos calificativos", etc. Esto sin olvidar la utilización del versículo, que antes de Juan Ramón Jiménez sólo había tenido desmañados y escasos ensayos en español. De este modo, Juan Ramón Jiménez completa o casi completa el repertorio de los usos poéticos, que alcanzarán un máximo de vigencia y frecuentación en la generación siguiente, la de 1925, donde todos ellos proliferarán en abundancia y con plenitud. Porque en esa generación el movimiento irracionalista-individualista que hasta la fecha había ido creciendo "sin pausa pero sin prisa", de pronto diríamos que estalla. Sobreviene el gran cataclismo y en él todo se rompe: el crítico ha necesitado recurrir aquí a metáforas cósmicas; tan trastornadores, repentinos y subversivos parecen los nuevos acontecimientos literarios. Y, no obstante, sólo se trata del ápice de un proceso muy viejo ya. Es sólo un fenómeno de cantidad que, pese a todo, ostenta visos de revolución.

Pero la matización se impone. En la generación del 25 hay dos promociones que se distinguen por el grado de su irracionalismo: la primera, menos avanzada en este aspecto, estará constituida por Rafael Alberti, Pedro Salinas y Jorge Guillén. La segunda, por Aleixandre, Neruda y Cernuda. Lorca (y, en otro sentido, Gerardo Diego) andaría a caballo entre las dos: es el tránsito suave para entrar preparados en el tramo postrero: el suprarrealismo, que todo lo destruye. Con la lógica, la sintaxis, el tema y, generalmente, la rima y el ritmo tradicional quedan desterrados por un tiempo del orbe lírico. Aleixandre y Neruda representan el cenit del irracionalismo hispano; Neruda, Aleixandre y Guillén, las cimas del individualismo. Los mundos poéticos de estos tres poetas son, en efecto, tres mundos no sólo personales y hasta contrarios, sino insólitos en cierta manera. La originalidad de las ideas que ofrecen, la novedad del mundo evocado y de su enunciación nunca habían sido tan sorprendentes. Ya no era posible ir más lejos en el mismo sentido. Un capítulo genial de la historia de la poesía se había cerrado con ellos.

II

LA POESÍA POSCONTEMPORÁNEA

ATENUACIÓN O ENMASCARAMIENTO DEL INDIVIDUALISMO E IRRACIONALISMO ANTERIORES: SUS CONSECUENCIAS. DESCUBRIMIENTOS DEL PRÓJIMO

El sumario análisis a que hemos sometido la evolución de la poesía, desde el romanticismo hasta aproximadamente 1940, nos presenta un proceso en el que parece cumplirse algo como una ley: según ella, un nuevo movimiento literario (el romanticismo en nuestro caso), que es, ante todo, una nueva posición del hombre (individualismo), al desarrollarse, deja pronto a la intemperie los que llamaríamos "defectos de sus virtudes" ("impudor", "libertinaje", "grandilocuencia"), que un movimiento literario segundo (poesía contemporánea) intenta corregir con una marcha pendularmente opuesta a tales "defectos" ("pudor", "sentido de la composición", "implicitación"), pero sin abandono de la posición fundamental del movimiento anterior (el individualismo), que incluso se afirma más enérgicamente al ser contemplada como llena aún de posibilidades. Pero llega un momento en que esas posibilidades se agotan. Es el instante de ensayar una posición nueva ante el mundo (originada dialécticamente en la exhausta anterior), desde la cual se perciben con nitidez los inconvenientes, tanto como las ventajas, acarreados por la técnica últimamente en uso. Las que *a la nueva luz* se ven como soluciones felices del viejo lenguaje se conservarán en el nuevo; las que se ven como incongruentes con la visión del mundo recién nacida, *y, por tanto,* como defectos, procurarán esquivarse. Se estrena así, al alimón, una interpretación de la realidad y una técnica literaria capaz de expresarla, nacidas ambas en son de réplica a las inmediatamente antecesoras, pero donde persevera algún elemento común que, proporcionando continuidad al proceso artístico, impide el adanismo. Tal es lo que, al menos, parece confirmar la poesía escrita en España durante la última posguerra. El individualismo de tipo extremoso y manifiesto en sus dos amplios compases (romanticismo, poesía contemporánea) no podía ya dar más de sí, y, en consecuencia, dentro de un mundo y en el seno de una sociedad, cuya estructura de sentimientos, creencias, ideas, etc., lo permitía e impulsaba, como luego veremos, se hacía necesaria una renovación que habría de basarse en la postura, en cierto modo, opuesta. Si aquel individualismo consistía, de alguna manera, en la negación e insolidaridad con el otro, la nueva época que se inicia para España hacia 1947, con unos años previos de incubación, consistirá en la afirmación y la solidaridad del escritor con respecto a la colectividad. Dentro de esta nueva situación en que el prójimo vuelve a cobrar figura de existencia, tenía forzosamente que parecer grave deficiencia de la poesía contemporánea antecedente el minoritarismo a que su técnica (implicitación, irracionalismo) le condenaba. Antes, al contrario, durante la época que hemos llamado contemporánea, la rarificación del público no era sentida como una tara, ya que el individualismo ambiente, tal como era concebido, proporcionaba al escritor un aristocrático desdén por el "vulgo necio", cuyo aplauso no era interesante procurar. Frente al minoritarismo del poeta contemporáneo manifiestamente individualista, la voluntad mayoritaria no individualista en ese sentido del poeta poscontemporáneo. Y como la anterior escasez de lectores era resultado del irracionalismo y de la implicitación, ahora se hacía preciso escribir con más explicitación y con menos carga irracional, o lo que es lo mismo, desde una mayor dosis de elementos conceptuales en situación de primer término y conscientemente captables. No será ocioso introducir, en cuanto a esto último, un paréntesis aclaratorio, porque es indispensable hacer constar muy firmemente que los conceptos jamás dejaron de darse en el contenido de la poesía contemporánea, incluso en su zona más extremosamente irracionalista (suprarrealismo). Lo que ocurría en aquella época era que, o bien los conceptos, aunque perfectamente reconocibles e incluso abundantes, no protagonizaban, en última instancia, el poema, pese a las posibles apariencias (primer Juan Ramón Jiménez, por ejemplo), o bien se hallaban en condición de hueso de melocotón, enterrados en una masa emotiva de carácter envolvente que los implicaba, sin permitirles, con todo, aflorar a la visible superficie (suprarrealismo)[2]. En lo que concierne a lo primero, lo notábamos anteriormente en la tiranía de las emociones con respecto al tema, rasgo estilístico de la poesía contemporánea. El tema es en ésta, cuando existe, mero pretexto de las emociones del personaje poemático, veníamos a decir, y, por tanto, el engranaje conceptual que constituye el tema como tal entra en esa poética en la categoría de personal subalterno o, todo lo más, como producto secundario de las emociones, incluso cuando no lo parece. De ahí que, en esa época, la visión del mundo

---

[2] Excepciones hay, sin embargo, que sería interesante estudiar: *Cántico*, de Jorge Guillén, por ejemplo. En *Cántico*, el pensamiento importa en primer plano, y en ese sentido, su autor anticipa un elemento que es esencial a la poética "poscontemporánea".

que unos versos contengan pudiera no ser "creída" racionalmente por su autor, a quien le bastaba sentir con autenticidad la atmósfera emotiva que protectoramente la envolvía. Y al quedar el poeta en un cierto grado de "libertad de conciencia" frente a su propia visión del mundo, le era posible, por otra parte, optar a una mayor originalidad en esa visión misma (originalidad, gran meta de aquel individualismo), ya que desaparecía para él la atenazante, constreñidora y limitadora condición del compromiso entre lo dicho lógicamente en la obra y lo pensado racionalmente en la vida.

Por el contrario, en la poesía actual poscontemporánea, el concepto vuelve a ocupar rango de primer actor en la creación estética. Para que la poesía exista, claro está, es necesaria la emoción, y el concepto a secas jamás ha cantado. Por tanto, la afirmación anterior sólo quiere dar a entender que, en vez de darse una emoción que busca un concepto o un tema, en la poesía de hoy es un concepto o un tema quien busca la adecuada emoción. O de otro modo: el poeta expresa conceptos con los que se compromete racional y vitalmente, y procura expresarlos con la emoción que exige todo arte. Nótese, pues, que, en principio, no es una mayor cantidad de pensamiento lógico lo que distingue la nueva poesía de la vieja, sino que se trata, simplemente, de una cuestión jerárquica: del sitio que se ocupa en la mesa del banquete. En un poema o poeta contemporáneos podría haber, y de hecho hay en ocasiones, incluso más conceptos que en otro poema o poeta actuales (que, a su vez, podrían ser hasta conceptualmente pobres); y, sin embargo, ni unos ni otros perderían por ello sus características de época, ya que grande o pequeña, la masa conceptual, en los dos casos que hemos supuesto como contrarios prototipos, se hallaría en una distinta situación jerárquica con respecto a la emoción, que es lo realmente diferenciador. Y como ahora le es en cierto modo obligatorio al poeta verdadero el compromiso racional y vital con lo que dice, la originalidad personal de la visión, al revés de lo que ocurría antes, no tiene tanto margen para producirse. Pero además esa originalidad tan radical no se echa de menos: si lo que de veras importa es la participación en la colectividad, la visión del mundo se entenderá como sustancialmente comulgatoria. Coincidir, no discrepar, será el nuevo ideal hacia el que los escritores se encaminan, y todos vendrán en sus obras a exponer interpretaciones del mundo genéricamente coincidentes en un esquema último; vivido y sentido, eso sí, de manera personal y distinta, con diferencia también en las proporciones y resaltes de sus elementos constitutivos. Se tratará, en todos los casos, de cantar al hombre como sumergido en el tiempo y como capaz de historia, como situado en una fecha y en un lugar concretos y en trance de vivir una vida que él mismo ha de hacerse con el esfuerzo de su voluntad y de su imaginación. Ciertamente, no todos los poetas cantan directamente todas estas ideas. Pero estas ideas y su lógica concatenación son, de manera expresa o tácita, el *supuesto* de las obras recientes.

(No confundamos este hecho, propio de todas las épocas, de que el concepto expresado suponga otros que permanecen ocultos, con el fenómeno de la implicitación, que antes vimos como peculiar de la poesía "contemporánea". Pues el poeta "contemporáneo", cuando se calla algo, pretende que el lector lo adivine de una manera más o menos confusa, mientras el otro fenómeno de que estoy hablando no consiste en *insinuación,* sino en *presuposición*: algo de que el lector, y frecuentemente también el autor, es inconsciente por completo, y no necesita tener en cuenta ni siquiera al modo vago, remoto y entresoñado que la implicitación, en cambio, requiere.)

Porque, en efecto, la técnica de la poesía actual, según antes he sugerido, *tiende* a la explicitación y a la anécdota, en un intento de superar el relativo hermetismo y consiguiente empobrecimiento del público que había traído consigo la implicitación "contemporánea". Congruentemente, dada la relación que media entre ambos hechos, también se atenuará el irracionalismo. Por supuesto, esta marea baja de la implicitación y el irracionalismo no se produce en todos los poetas con identidad de nivel. Blas de Otero, por ejemplo, abundará relativamente mucho en instantes irracionales e implicitadores ("Aquí. Jamás. El cuervo. Aquí. La nada"); y lo mismo, de otro modo, sucederá en José Hierro, cuyo carácter alusivo no precisa de comentarios; y hasta el joven Claudio Rodríguez incurrirá, a su personalísima manera, en una técnica semejante. Parece como si los mejores poetas del nuevo período fuesen precisamente aquellos que, dentro de las normas generales de la nueva actitud, se han decidido por la salvación de ciertos hallazgos y recursos que hemos descrito como "contemporáneos". Todo se reduce, en definitiva, a una cuestión de proporciones; a dar al César lo que es del César y al compromiso entre el concepto y la vida lo que le corresponde.

LA OBJETIVACIÓN, ELEMENTO DE CONTINUIDAD

Hasta aquí hemos intentado destacar, aproximadamente, lo que en el fundamento mismo de la actual poesía se opone al fundamento de la anterior: frente a la versión más acusada del individualismo, la afirmación de la existencia del prójimo; frente a la irracionalidad, la aparición del concepto inmediatamente sensible y "previo" a la emoción; frente a la relativa implicitación, una relativa explicitación, muchas veces con acompañamiento anecdótico; en consecuencia, frente al minoritarismo, una voluntad mayoritaria (aunque el público no se haya dado aún del todo por enterado). ¿Se ha roto, pues, la continuidad? ¿No hay ningún elemento técnico de la poesía contemporánea que perdure actualmente en su positividad y no sólo bajo la forma de contradicción? Antes hemos afirmado que la evolución histórica siempre salva algún ingrediente esencial del estadio antecedente, pues de lo contrario, a fuerza de negaciones, se correría el riesgo de recaer en el pasado. Si en oposición al universalismo racional del neoclasicismo naciese, sin más, el explícito individualismo irracional romántico y contemporáneo, la mera reacción al individualismo irracionalista de tal especie, propio de esa doble época, podría significar la vuelta al Siglo de las Luces. Pero tal regresismo no se produce nunca, entre otras cosas porque cada período aprovecha algún elemento del anterior y aun de los anteriores que todavía tengan significación y sean válidos con vistas a la situación nueva. Y esta continuidad en una zona modifica todo el sistema de relaciones, de forma que no es posible recaer en el lugar de donde se huyó en otro tiempo. En otras palabras: la ley de contradicción en unos elementos y de continuidad en alguno que estamos examinando permite que los hechos de cultura se ofrezcan bajo forma de historia, o sea con irreversibilidad. Como réplica al impudor romántico, la poesía "contemporánea" había propendido a disimular la omnímoda presencia del yo, y este objetivismo, aunque sólo fuese un disfraz del más agudo subjetivismo, no podía menos de complacer a los poetas "poscontemporáneos", que se proponían superar en una actitud colectivista el egotismo anterior. En este intento de salir de sí mismos hacia la realidad de fuera, que no era ya un mero reflejo y creación del yo, como antes, sino que tenía una existencia independiente y previa a la realidad íntima, los escritores actuales podían aprovechar la técnica objetivizante "contemporánea" y aun hacerla llegar a un punto de mayor plenitud, pues ahora no se trataba ya de un artificio disimulador. Y del mismo modo que el individualismo romántico fue acentuado por el "contemporáneo", el objetivismo "contemporáneo" está siendo llevado a sus últimas consecuencias por ciertos poetas y novelistas actuales. Novela y poesía objetivas de hoy tienen, a mi entender, ese sentido. Pero conviene advertir con este motivo lo que advertíamos a propósito de la explicitación y del conceptualismo: se trata siempre de tendencias y de su significación, lo que no impide ni puede impedir la presencia de otras formalmente contrarias que, no por serlo en determinados y hasta en muchos momentos, quedan recluidas en las tinieblas exteriores del desarrollo histórico. Digo esto porque hay gentes bienintencionadas que creen, con envidiable buena fe, en la simplicidad de las realidades literarias y en lo que llamaríamos, sin ningún sentido político, "partido único" de la literatura, condenando como error y fatal heterodoxia a cuanto se sale de un esquema previo, construido a veces con precipitación, por el que deberían guiarse "los pocos sabios que en el mundo han sido" y quieran ser. (Tal, por ejemplo, José María Castellet en su *Antología* de los últimos años.) Pero en vez de ir de la tesis a la realidad, desconociendo con inocente dogmatismo lo que no se ajuste a la doctrina, es necesaria la faena más modesta y menor de ir desde la realidad a la tesis. O sea, es preciso ser realista a ultranza y aconsejarse por los hechos y no por los productos de la imaginación. Todo lo que poéticamente nos conmueve *hoy* de los poetas de *hoy* es poesía de *hoy,* y de ahí ha de partir el crítico de *hoy* para enjuiciar lo que *hoy* es válido o no lo es. El objetivismo es una tendencia evidente de la poética actual. Pero no deja de ser actual una poesía por el mero hecho de su lirismo si se inserta de otra manera en el organismo de la literatura nueva. No podemos excluir a Blas de Otero del panorama literario de la posguerra por la simple razón de ser lírica una parte importantísima de su producción y de que el tema de sus mejores versos sean precisamente los sucesos acaecidos en la intimidad de su espíritu. Pues para pertenecer, incluso muy acusadamente, a una época, no es necesario poseer todas y cada una de las características más visibles de ella. Dada la estructura sistemática con que se organiza toda obra, si se reúne un grupo de rasgos peculiares, cuya motivación está justificada por el espíritu que preside y unifica la edad de que se trate, es obvio que el elemento o elementos que parecen discrepar del organismo general se legitimarán por otro sitio o desde otra perspectiva. Será una disidencia engañosa. Y, en efecto, así ocurre en el caso del lirismo de Blas de Otero o de otros que podríamos señalar. Pues el hombre de hoy, al superar el idealismo subjetivista, se encuentra con el hecho de que el "mundo" forma parte también de su vida, y que es ese "hombre en el mundo" o hecho de "mundo" lo que constituye la última realidad atendible. Pero si la realidad es, ante todo, nuestra vida, la de cada uno, considerada como un diálogo con el contorno social y hasta físico, es natural que ciertos poetas que están a la altura de los tiempos se preocupen por el vivir del hombre y su propio vivir (*en cuanto ese específico vivir es el vivir del hombre*). De ahí la posibilidad del lirismo, que, en este caso, aunque a la mirada superficial pudiere parecer índice de subjetivismo, tiene una raíz bien distinta y poscontemporánea.

TÉCNICA DE OBJETIVIZACIÓN POSCONTEMPORÁNEA

Recordemos que algunas de las técnicas objetivas utilizadas en la poesía de la posguerra habían sido adelantadas por Antonio Machado: el uso de la primera persona del plural ("nosotros") en vez de la primera del singular, o más frecuentemente aún, la interpelación a un "tú" que, al menos, disimula y encubre la "impertinente" presencia del vitando "yo". Todo ello se acentúa y acrece al llegar la nueva época, pero además aparecen novedades significativas. Machado no siempre, ni aun en "Campos de Castilla", había entrado *con sus versos* en la genuina "estética del otro" que ahora triunfa, y por ello sus recursos de distanciamiento no sobrepasan con frecuencia el tipo "disfraz" que acabamos de traer a colación. La poesía de la posguerra, aunque no deja de emplear también este último género de artificio, practica otro más peculiar: la creación, por parte del poeta, de "personajes" que no es necesario entender como meros símbolos de la subjetividad, y que, a veces, ni siquiera admiten tal interpretación.

En relación con este procedimiento, y en ocasiones con independencia de él, se halla el estilo narrativo o seminarrativo que sustituye, en buena parte, al puramente lírico de las más salientes producciones "contemporáneas", salvadas las excepciones de ese tiempo que todos conocen (*La tierra de Alvargonzález* y otros poemas de Antonio Machado; *Historias para niños sin corazón*, de Juan Ramón Jiménez). Lo característico sería, en todo caso, la frecuencia y extensión del recurso en la actual poesía (Celaya, por ejemplo, llega a escribir un poema narrativo que ocupa un libro entero) y la significación de que ahora se reviste. Dentro de los jóvenes, José Hierro fue uno de los primeros en considerar la poesía parcialmente como relato, aunque, ciertamente, no excluye de sus versos la posibilidad actual de actitudes más personales y líricas. Otros poetas harán lo mismo en algunos y hasta en muchos instantes de sus obras, y, en cierto sentido, el paso de los años ha hecho ganar cada vez más adeptos a esta tendencia, que se diversifica en múltiples modalidades. Unas veces se presentará un cuadro, en que un personaje dice, por ejemplo, unas palabras o ejecuta algún acto; o se pondrá la composición en boca de una criatura histórica que narra o reflexiona acerca de algo; o bien el hablante del poema, que acaso se define a sí mismo, pertenecerá al presente y sus palabras encerrarán un contenido político, o entrañadamente grotesco, como cuando Lorenzo Gomis elige de protagonista narrador a un gigante, o un negro, e incluso un animal; o será el propio poeta el encargado de referirnos una anécdota histórica, o evangélica, o de la vida diaria, o tal vez de carácter simbólico. Casi nunca, ni aun en este último caso, se ofrece lo contado como mera representación de la persona o las emociones del autor, sino que el poeta se coloca frente a sus modelos en una posición sólo en este sentido semejante a la del novelista. Se trata de ir desde la realidad íntima (poesía contemporánea) a la colectiva y más ampliamente humana, ya sea la humanidad en general y sus problemas metafísicos, ya, con más especificación, la que se centra en un grupo o clase y las cuestiones que les son inherentes, sociales y hasta políticas. De ahí que si el poema es lírico, su lirismo lo sea del "nosotros" y pocas veces del "yo". Y esto lo mismo cuando se usa, lo que es frecuente, esa primera persona del plural que cuando se utiliza la tradicional primera del singular. No nos sorprenderá, pues, el desdén con que desde ciertas posiciones extremas de la poesía de hoy se han podido mirar los temas exclusivamente amorosos que no se compliquen con posiciones metafísicas o morales, reveladoras siempre, por principio, de significación colectiva. Aunque en este punto, como en todos los otros, no debemos dejarnos guiar por pautas simplificadoras. Repito de nuevo lo que anteriormente he indicado: es ilegítimo todo diagnóstico crítico que no tome en consideración el sistema completo de cada autor y atienda sólo a una característica aislada. Carlos Sahagún, poeta muy de la hora presente, puede, en su segundo libro, hacer poesía amorosa, sin dejar por eso de estar a la altura de los tiempos, ya que su lenguaje posee otras peculiaridades que lo definen sin vacilación en ese sentido.

EL PAPEL DE LA SOCIEDAD EN LA EVOLUCIÓN POÉTICA

Hasta ahora casi siempre hemos considerado a la literatura como hija dialéctica de la literatura, y sólo ocasionalmente y con prisa hicimos alusiones a la intervención de la sociedad en el proceso artístico. Pero la sociedad y su sucesiva estructura no es ajena al desarrollo del arte, sino que, al revés, cumple en la evolución de éste papel principalísimo, que no consiste en negar y sí en complicar el papel que la literatura anterior misma posee al respecto.

Diríamos que el arte de un determinado tiempo es una resultante de esas dos fuerzas que, en combinación, lo condicionan. Y por ello, cuando el crítico toma, unilateralmente, como motivo del fenómeno estético uno sólo de sus dos externos condicionantes, no suele quedar defraudado por los hechos, confirmándose así en su parcialidad. Pues es evidente que el producto artístico no puede hallarse en contradicción con una de sus causas formales, aunque existan otras de quienes también recibe esa misma configuración. En suma, lo que a mi juicio ocurre es esto: un estado cualquiera de la sociedad podría, en principio, traducirse en toda una serie, más o menos numerosa, de tipos poéticos disímiles entre sí. Pero esta baraja de posibilidades se constriñe y merma a través del condicionante literario que le es previo y que actúa como molde objetivo que deja sin valor y como fuera de juego a algunos de esos naipes. Aun así, la baraja dispone todavía de varias cartas que entran en nuevas discriminaciones: las formas de arte utilizadas (pintura, escultura, música, literatura), y dentro de cada una de ellas, sus diversos géneros y especies (poesía, novela, teatro; o épica, lírica, etc.); e incluso, si nos referimos a la literatura, la lengua específica en que se escriba (francés, inglés, chino), situada, además, en un momento concreto de su evolución. Y algo importantísimo: el genio individual de cada artista no sólo como factor *determinante* de cada una de sus creaciones, sino como factor *condicionante* de cuantas le siguen. Cada autor toma decisiones e imprime a su obra un determinado sesgo a partir de un estadio artístico que le precede y dentro del ámbito social en que se halla incurso. Si la obra es de importancia, tal sesgo no puede ya borrarse en lo sucesivo, puesto que se convierte en punto de partida de un movimiento de ondas concéntricas. No cabe duda, por ejemplo, de la responsabilidad que hemos de achacar a Lope en el giro que desde él a nuestros días adoptó el teatro español, que en vez de ir, digamos, por el camino de *La Celestina*, siguió la senda muy distinta de la suspensión del interés y del predominio de la acción y la situación humanas sobre el análisis de la pasión y del carácter del protagonista, a diferencia del teatro francés, al que Corneille y Racine imprimieron una dirección opuesta, que aún hoy es perceptible.

En suma: el estado en que una sociedad se encuentre en un momento dado propone al escritor un conjunto de esquemas expresivos, de los cuales éste elige uno, en vista de las diversas presiones que desde otros sitios actúan también, y con idéntica fuerza, sobre él: una de tales presiones, pero sólo una de ellas, es la constituida por ese juego de afirmaciones y negaciones a que el estado anterior de la literatura le somete. He aquí lo que, en parte, puede explicar, a veces, el hecho de que naciones diferentes evolucionen por caminos dispares a partir de una realidad literaria aproximadamente común. El posromanticismo poético francés se llamó "poesía contemporánea" ya desde los tiempos de Baudelaire. El posromanticismo español, quizá por la índole discrepante de su contexto social, sin excluir otros factores tal vez de más importancia (como el retraso cronológico con que penetró en nuestro país el romanticismo), no pudo ostentar ese mismo nombre en la obra de un Campoamor, un Núñez de Arce o un Bartrina.

ELEMENTOS SOCIALES QUE CONDICIONAN LA NUEVA POESÍA

Todo lo anterior nos aclara la estructura y lenguaje de la nueva poesía, que, si afectada por la precedencia de la anterior "contemporánea", según hemos indicado, se *condiciona* a la par en una concreta atmósfera social, en su sistema de fuerzas, sentimientos e ideaciones. En primer término, la relativa popularización de ciertas ideas filosóficas, existencialistas y paraexistencialistas, que maximalizan la importancia de lo circundante en la vida personal ("yo soy yo y mi circunstancia", "vivir es convivir": Ortega; "el hombre-es-en-el-mundo": Heidegger), contribuye a dar sostén y basamento filosófico a una literatura que toma en cuenta la existencia objetiva de la realidad exterior. Porque lo curioso del caso es que Ortega, propugnador de un arte que tan equívocamente llamó "deshumanizado", estaba, por las mismas fechas de su famoso ensayo, construyendo una filosofía cuya consecuencia natural en el plano literario debería haber sido, a mi juicio, un realismo de la existencia humana semejante al actual, un realismo que llamaríamos "del hombre y la gente" o "del hombre en la circunstancia".

Al mismo sitio conduce, y aun en mayor grado —innecesario es decirlo—, la propagación, cada vez más intensa e invasora, de ideas sociales y aspiraciones de justicia y redención con respecto a clases y pueblos. La pugna entre los bloques de naciones y el engranaje de poderes ha puesto *al descubierto,* no hace mucho, la penuria de una gran mayoría de países y la necesidad de ayudarles en su desarrollo, pareja a la precisión de hacer desaparecer, de una u otra manera, los privilegios injustos de los poderosos dentro de cada concreta sociedad.

No hemos de disminuir tampoco el papel que en este hallazgo del prójimo ha tenido el indudable complejo de angustia en que vive una zona no pequeña del mundo que habitamos. El propio historicismo, que se halla al pie de parte muy principal de las filosofías actualmente en vigencia, no es por completo extraño a la formación de ese complejo. Si el hombre tiene historia y no naturaleza, si su existencia es previa a su esencia, la criatura humana poseerá una realidad en perpetua cuestión e incertidumbre, situada, para colmo, frente a un horizonte de temporalidad y de muerte. Su misma sustancial libertad se constituirá acaso en manantial de acongojantes perplejidades en el instante de "proyectar" y "programar" uno de los innumerables futuros posibles. Y si a esas consideraciones metafísicas que nuestro tiempo ha puesto en boga agregamos, entre otras cosas, la cenagosa e incierta realidad política que a escala universal hoy se debate en un mundo amenazado además de apocalípticas destrucciones, comprenderemos el estado de desconcierto y agonía de que dan señales muchos de los espíritus más alertas de la hora presente.

EL TEMA DE LA ANGUSTIA Y SUS SALIDAS

De ahí que, hasta cierto punto, la angustia y sus repercusiones de vario tipo hayan sido el sentimiento *radical* que informa la poesía de la posguerra, desde el escenario o desde su vasto trasfondo de bastidores. La situación de ese sentimiento en primer término y a la vista del público, la podemos ejemplificar, junto a otros de idéntica significación, en el Blas de Otero de *Ancia,* donde, al propio tiempo, se disciernen con claridad dos de sus más notables consecuencias expresivas: el uso del encabalgamiento como tratamiento estrófico y la utilización de la ironía y otros juegos verbales (paranomasias, aliteraciones, chistes propiamente dichos), cuyo sentido esencial sería, en todo caso, lo que habría que llamar burla grave y moral frente a una sociedad y un mundo socialmente desconcertados y moralmente angustiosos. En diversos poetas es perceptible este empleo no casual de materiales cómicos dentro de poemas de máxima seriedad y descoyuntamiento acongojador. Y en cuanto al uso del encabalgamiento como producto de la angustia, podemos decir que se generalizó entre 1947 y 1957, fecha esta última en la cual el procedimiento se amortigua y, en gran parte, cesa. Y es que como la angustia es un sentimiento que por su carácter de pantano no resulta apto para hacer de él habitación permanente y piso vitalicio, los poetas han procurado instintivamente buscar refugio y consolación en suelos de segura firmeza desde donde vivir y construir un hogar adecuado. (Aunque, como el hombre es esencialmente plástico y acomodaticio, no siempre ocurre esto, pues cabe también la habituación incluso a las emociones más inconfortables. Y a la angustia puede uno acostumbrarse, del mismo modo que el esquimal lo hace al extremoso clima que le ha tocado en suerte.)

Las salidas de la angustia catalogable en la poesía española de 1940 a 1964 serían principalmente tres: *a)* hacia el cobijo o el anhelo, con más frecuencia conturbado, de la religión, bien confesional y concreta, o sólo vagamente deísta; *b)* hacia el respaldo de la solidaridad humana, ya sea en su latido y sentido de comunión, o en su más explícito acotamiento político; o, en fin, *c)*, la afirmación simple y pura de los valores de la vida como tal, modestos, eso sí, pero reales "a pesar de todo" y sin que necesitemos de manera imperiosa "chuparnos el dedo" para poder percibirlos. Bien vemos aquí el sentido sin contradicción que tienen, a mi entender, en el panorama poscontemporáneo, tipos tan aparentemente dispares e incluso opuestos de poesía como son el religioso y hasta específicamente católico, y el social y hasta específicamente político de la extrema izquierda. Y nótese a este propósito cómo el origen dialéctico de la poesía social en un estado previo de angustia al que supera viene a sumarse a los otros orígenes antes enumerados, en son de lluvia, que a mayor abundamiento cae sobre mojado. Y más aún si a lo dicho añadimos otro elemento coadyuvante de suma importancia: la situación misma española, cuyo carácter excepcional ha prolongado hasta hoy, paradójicamente, una dirección artística que le es sustancialmente extraña. En la fecha en que escribo, sin embargo, la poesía social parece en buena parte haber agotado su repertorio y ser cultivada, casi exclusivamente, por repetidores de escaso talento. Las últimas promociones poéticas se hallan, por lo visto, en una actitud de discrepancia frente a la obligatoriedad para la poesía del expreso compromiso político, lo cual es comprensible si tenemos en cuenta, junto a un notable grado de saturación y rebose, la relativa mediocridad de la poesía social, que aunque muy asistida por la expectación de un público noblemente inquieto, sólo ha tenido hasta el presente, por desgracia, un puñado de poemas magníficos en relieve sobre un fondo de irrelevante tono gris. Dejando a un lado la gran poesía del chileno Neruda y la excelente del cubano Nicolás Guillén, algunos de estos aciertos corresponden al Blas de Otero que llamaríamos intermedio entre sus dos épocas, pues la mitad del libro titulado *Pido la paz y la palabra* y la totalidad o casi totalidad del que lleva el nombre de *En castellano* representan un eclipse (probablemente pasajero) del gran poeta anterior, social sólo en un brevísimo número de piezas. También es Celaya autor de felices composiciones sociales, que tanto le han caracterizado; pero sus mayores hallazgos los ha logrado, si mi juicio no yerra, fuera de ese cauce estricto. Y aunque últimamente Ángel González no cultiva ya, al parecer, la poesía social, su tercer libro reveló sorprendente intensidad en el tratamiento de la poesía política. Pero fuera de tales ejemplos, y de algunos otros que podían citarse, no parece que la poesía social (históricamente justificada, como hemos visto, y moralmente necesaria en un mundo urgido de transformaciones) se haya impuesto por la altura de sus resultados habituales. Y no basta en la literatura decir cosas buenas y verdaderas: hay que decirlas bien, pues de lo contrario, en rigor, no se han dicho: se cae en lo que José Ángel Valente ha llamado "formalismo temático", no menos vicioso que el otro, el esteticista, la tiránica atracción ejercida por la exquisitez verbal sin apenas horizonte significativo.

A la poesía social y su consideración del poema como "instrumento para modificar el mundo" cabe achacar, tanto al menos como a la angustia, antes citada, la actual proclividad al uso de ingredientes satíricos e irónicos en el interior de las composiciones poéticas, género de libertad que con antecedentes en el romanticismo primero, y en el suprarrealismo después (Vicente Aleixandre, Rafael Alberti), estaba muy olvidado ya y que ahora aparece remozado y con un nuevo sentido.

DESAPARICIÓN DE LAS GENERACIONES

Las causas y concausas que explican la relativa derrota del expreso individualismo en la literatura reciente son, pues, muy variadas (artísticas, filosóficas, psicológicas, sociales); sus consecuencias, múltiples. Al lado de cuanto hemos anotado a este último respecto, pongamos, por lo pronto, un hecho significativo: la desaparición para las letras actuales de eso que técnicamente ha recibido el nombre de "generaciones". Desde la altura de 1964 podemos divisar, con una claridad que no deja de pasmarnos, el error de los teóricos que impusieron ese concepto como intemporalmente valedero en la historia del arte. Al hacerlo, a mi juicio cometieron una sinécdoque mental: algo propio de una época lo extendieron, incorrectamente, a todas. Pues la verdad es que la existencia de generaciones literarias constituye una evidencia aproximada en la época expresamente individualista; mas no se corresponde con lo que podemos deducir cuando estudiamos otros períodos. Fuera de los estrictos márgenes contemporáneos, lo visible son siempre estilos cronológicos en que vienen a coincidir, sin discrepancia apreciable, todas las generaciones que no estén, de hecho, muertas para la verdadera creación estética. Viejos, maduros y jóvenes dentro de cada segmento temporal se producen con un mismo lenguaje genérico, que traduce la comunidad de intenciones que les mueve. La excepción que a esta regla hace el arte contemporáneo es perfectamente explicable. Del mismo modo que en tal sazón cada escritor procuraba ser distinto de sus compañeros, cada grupo cronológico como tal aspiraba a una pareja diferenciación con respecto a los otros que les antecedían o seguían en el curso del tiempo.

Por tanto, esa tan traída y llevada ley de las generaciones se nos aparece como un mero rasgo estilístico que añadiríamos a la lista de los que aquí y allá hemos ido registrando como propios del arte posbaudelariano. La pérdida o, mejor aún, el enmascaramiento del vigor individualista en España hacia 1940 hizo desaparecer ese rasgo junto a los otros fraternos. Y así, notamos que a partir de esa fecha los poetas, sea cual fuere su edad, entran en la nueva posición que hemos descrito. Y lo hacen incluso quienes se habían caracterizado más por la exaltación de su individualismo: Jorge Guillén, Vicente Aleixandre, Pablo Neruda, Luis Cernuda, Rafael Alberti. Y también, naturalmente, los que, como Dámaso Alonso, se habían mantenido con anterioridad un poco al margen en el instante de la culminación de esa tendencia. Todos ellos evolucionan con su tiempo, lo que nos permitiría citarles junto a los más jóvenes, al describir las peculiaridades de la poesía de posguerra. Si esto les ocurre a los miembros de la generación del 25, ¿qué podemos esperar de los poetas que tienen menos años? Todos ellos, los que hoy andan por la cincuentena, los que rondan o sobrepasan los cuarenta, los treinta, los veinticinco años, coincidirán en el realismo que hemos venido describiendo, sin adscripción a grupo cronológico alguno. Valverde, por ejemplo, se aproximará más a Panero o Rosales que a sus coetáneos Hidalgo o Vicente Gaos; Francisco Brines, más al último Cernuda (nacido en 1902) que a Ángel Crespo o Eladio Cabañero, de edad más parecida a la suya. Podríamos confeccionar una lista larguísima de "incongruencias cronológicas" semejantes a las mencionadas, que dejan de aparecer como tales en cuanto las pensamos fuera de la teoría de las generaciones, a todas luces inadecuada para explicar el momento poético actual. Y conste que de entre todos esos casos de parentesco poético (los citados y los más numerosos citables) excluyo aquellos en que las semejanzas se deben a meros influjos, que también los hay, claro está.

Pero si no existen actualmente "generaciones" en el sentido técnico del término, ¿cómo es posible la evolución? La totalidad de los escritores literariamente vivos en cada determinado período percibe intuitivamente el momento en que éste llega a su colapso histórico y reacciona en conjunto, según la compleja ley de evolución que hemos intentado apuntar en este trabajo. Pero los hechos parecen demostrar que no siempre son los más jóvenes los encargados de iniciar la misión rectificadora. El peruano César Vallejo, de la generación del 25, encontró, con antelación a todos los jóvenes de posguerra, el tema del prójimo, la dicción coloquial y el sentimiento de angustia; Luis Cernuda, de la misma generación, concibió el poema como relato antes que esto se convirtiese en un hábito expresivo de la nueva poética; Dámaso Alonso, nacido en 1898, llevó el logicismo a máxima extremosidad, anticipándose a lo que ocurrió después, y anticipándose a lo que ocurrió después mezcló chiste y gravedad en su poesía; Alberti y el cubano Nicolás Guillén comprometieron su talento poético ya en los años que antecedieron a la guerra española; y Vicente Aleixandre entendió el verso como preocupación por el vivir del hombre y sus problemas metafísicos en toda la última parte de *Sombra del Paraíso*, cronológicamente anterior a la fecha en que ello se generalizó en la poesía de España. A mi entender, las cosas ocurren como si la edad de cada poeta no tuviese mucha importancia para la aparición en su obra de la novedad significativa. En principio, ni los viejos influyen en los jóvenes, ni los jóvenes en los viejos. Las novedades surgen como espontáneas reacciones de cada individuo, mozo o maduro, a un estado previo de literatura y sociedad; y sólo secundariamente entrarán en el juego también contagios e imitaciones de toda índole y de toda dirección; de abajo arriba y de arriba abajo, y, asimismo, en sentido horizontal. Tal es lo que quizá como nunca estamos ahora en condiciones de percibir.

CONTRA EL BRILLO DE LA SORPRESA

La relativa ruptura con el individualismo tiene otras consecuencias, y entre ellas destaca una nueva concepción del estilo.

Baudelaire había trazado ya la definición de la belleza, que fue válida durante todo el período contemporáneo: "L'irrégularité, c'est-à-dire, l'étonnement sont une partie essentielle et la caractéristique de la beauté." "Le beau est toujours bizarre"; "cette dose de bizarrerie qui constitue et définit l'individualité, sans laquelle il n'y a pas de beau". Consecuentemente a estas ideas, la poesía contemporánea aspira a un alto grado de originalidad y de sorpresa. Metáforas y figuras de dicción inauditas, adjetivación inesperada, aproximación de ideas muy alejadas entre sí y jamás emparejadas, visiones del mundo muy personales, serán notas, todas ellas, junto a otras del mismo tenor, de la estética posbaudelairiana. E incluso durante un cierto tiempo, partiendo de la lírica del propio Baudelaire (que, en esto, a su vez, no hace sino intensificar una tendencia romántica), el poeta, en su afán de ir contra la corriente, se situará por encima del bien y del mal y llegará a considerar el pecado y hasta el satanismo en cuanto tales como especialmente dignos de la exaltación poética. El lema será sorprender, y sorprender con lo que sea: con un himno a Satanás, con definiciones insólitas (Valle Inclán, en frase famosa, nos presenta al marqués de

Bradomín como un Don Juan "feo, católico y sentimental"), con opiniones paradójicas o relacionando conceptos o sentimientos de difícil conciliación. El resultado de ello en lo que se refiere al estilo será la brillantez, y en lo que toca al efecto sobre el público, la estupefacción, el pasmo de los mejores, o, por el contrario, la indignación de quienes no comprenden.

La nueva época, con su individualismo inhibido, echará por tierra tales concepciones, y al no pensar la poesía como expresión de la exacerbada singularidad íntima, sino de la plural realidad humana, no se tratará tanto de sorprender como de participar en una honda palpitación común. El estilo, con frecuencia, querrá situarse en una zona menos luminosa y espectacular, vivirá una existencia más apacible y sin relieve, donde no puede destacarse con la misma violencia que antes la ingente personalidad del autor. Las diferencias entre los diversos escritores no se marcarán así con tanta nitidez como en el período contemporáneo, ni en cuanto a la expresión ni en cuanto a la visión del mundo, que, según sabemos ya, es, en el fondo y en un cierto sentido, la misma para todos. Pero tampoco el poema, cada poema, tendrá pretensiones fulminadoras a través de la continua suspensión del ánimo lector. Leer poesía será, en multitud de ocasiones, una tarea de lenta impregnación emotiva, de sumersión, no estridente ni con vuelcos del corazón, en un ámbito verbal que nos embarga y conmueve sin que pasemos previamente por el sobrecogimiento repentino de la expresión jamás escuchada. Por eso existirá una tendencia entre los poetas de hoy a no dar relieve específico a la estrofa o al verso aislados, sino a considerarlos únicamente como notas de un conjunto, fuera del cual carecen de vida y de sentido. Exagerando un poco, diríamos que ahora, al revés de lo que sucedía antes, no suelen hacerse poemas de los que se quedan en la memoria versos o estrofas sueltos que nos atraen por la intensidad, en cierto modo independiente, de su compacto bulto. Cuando el poema es feliz, lo memorable es el poema como unidad y no cada una de sus partes, atentas sólo al efecto total y no a llamar la atención sobre sí.

DESDIVINIZACIÓN DEL AUTOR

Un proceso semejante de aniquilación de singularidades, que desde la sensibilidad actual llamaríamos excesivas, sufrirá la figura misma del poeta, con la única diferencia de que en este punto la generación del 25 anticipa, con menos resolución, lo que hoy se ejecuta decididamente. También aquí hemos de remontarnos a Baudelaire. Desde éste, que fue su teorizador, el dandismo, versión humana del individualismo literario, se había impuesto entre quienes aspiraban a la notoriedad, y consistía en la "superioridad aristocrática del espíritu", que "busca la originalidad dentro de los límites exteriores de las conveniencias", "culto de sí mismo" que tiene como finalidad "el placer de sorprender y la satisfacción orgullosa de no ser jamás sorprendido". En conclusión, el *dandy,* en la definición de Baudelaire, de quien son las frases entrecomilladas que he traducido, hace y busca lo mismo que hacen y buscan los poemas que el *dandy* escribe cuando es poeta: sorprender. Pues el *dandy* es lo opuesto al "hombre vulgar"; justamente, al *dandy* se le encomienda la misión de "combatir y destruir la trivialidad", y, por eso, "su carácter es de oposición y revuelta". Claro está que en ese afán de sorpresa y en esa singularidad a toda costa que le distingue era fácil salir de "los límites exteriores de las conveniencias", para, desde fuera de ellas, poder contradecir más ampliamente la adocenada vulgaridad burguesa en nombre del altivo remontamiento del alma privilegiada.

En suma: el ideal humano de esa época, asumido por el escritor no siempre, pero sí con relativa frecuencia (exactamente, para España, hasta la generación de Juan Ramón Jiménez), consistía en ser si no algo así como un dios, algo así como su profeta o pontífice máximo; alguien a quien un oculto Sinaí secularizado otorgaba esdrújulo convencimiento sacerdotal (piénsese un poco en Juan Ramón Jiménez y otro poco en Unamuno o Valle Inclán). Y así como los de alguna manera ungidos por el Altísimo suelen llevar ropajes denunciadores, estos artistas, no menos tocados por divinidades secretas, procuraban ostentar a las claras en su atuendo los privilegios de su condición: atlánticas barbas de Valle Inclán, a las que sólo faltaba el pormenor de un navío; vestimenta de pastor protestante de Unamuno; paraguas rojo de Azorín; extravagancias de Ramón Gómez de la Serna; bigotes como antenas de insecto de Dalí (un poco tardíos, por cierto, pues la verdad es que la generación del 25, a la que Dalí pertenece, había abandonado a la sazón, según dijimos, el carácter espectacular de la biografía con pretensiones dandísticas para concentrar su agudo individualismo en la obra misma).

Pero al llegar el nuevo tiempo todo se modifica: una vez realizado el reconocimiento del prójimo, no le cabía al escritor sino definirse como uno entre los iguales. El poeta no es ya un dios, ni su vicario. No es siquiera el primer tenor de la ópera. Es, por el contrario, uno de tantos, sin privilegios, no situado por encima de la responsabilidad civil. Y si antes un Ramón Valle, "extravagante ciudadano", se bautizaba literariamente como don Ramón María del Valle Inclán, en su afán de resaltar la personalidad del escritor con aristocráticos prestigios, un poeta de hoy podrá firmar con su más vulgar apellido: Claudio Rodríguez o Ángel González (antecedente: Miguel Hernández, que no en vano con su obra entra ya, anticipadamente, en el espíritu poscontemporáneo).

HOMBRE VULGAR, VIDA DIARIA, LENGUAJE FAMILIAR

El hombre vulgar se convertirá así, paradójicamente y en oposición al espíritu "contemporáneo", en personaje venerable y a veces en dechado de conducta. Y si el poeta, como se ha señalado ya alguna vez[3], hace referencia a lo excelso, heroico y excepcional por su propia naturaleza, como lo es la santidad, propondrá, característicamente, en calidad de modelo, no al santo que evidencia (aunque sin pretenderlo, naturalmente) su indudable superioridad

---

[3] Véase Vicente Aleixandre, *Algunos caracteres de la nueva poesía española*, Madrid, 1955.

ética, sino al que aparentemente no se sale del casillero comunal y no aparece en modo alguno como criatura extraordinaria y fuera de lo corriente. Y aún tiene más resalte, en este sentido, el tratamiento que en algún caso se da a la figura de Cristo, que, en cuanto el tema da margen para ello, tiende a ser presentado en su cotidianidad, o, incluso, como no distinto de los hombres al uso, en su apariencia exterior.

Se trata del imperio de lo cotidiano y habitual sobre lo sorprendente e imprevisto. Se contará lo de todos los días, lo que pasa en el hogar y en la calle o en el ámbito nacional (poemas y libros a España de tantos poetas) o en el mundial. Congruentemente, el lenguaje depondrá toda altanería y descenderá hasta el giro natural, la expresión familiar e incluso la frase hecha, más o menos adobada para uso poético. Paralelamente, se repudiará la imaginación, la metaforización del verso y, en general, todo artificio literario que no quede suficientemente disimulado y como entre cortinas de humo.

"REALISMO DEL HOMBRE Y LA GENTE" Y MORALISMO

El nombre de todo ello es realismo, pero realismo no de las cosas, sino del hombre situado temporal y espacialmente. Lo que preocupa es la existencia, el vivir y lo que rodea y se halla incluso en el vivir: la sociedad. De ahí que se asuman ideales y preocupaciones de signo colectivo, algunos de los cuales (religiosidad, poesía social y política) conocemos ya, y otros, como el moralismo que impregna toda la actual literatura, se hallan implícitos en aquéllos. Si la metafísica se ha convertido en ética dentro de las filosofías vigentes (puesto que la vida o la "esencia" no se nos da hecha, sino que somos éticamente responsables de su confección desde la existencia o dato biográfico previo), no nos sorprende que la poesía se nutra en moralismo. Por eso el tono de esta poesía será, con rarísimas excepciones, grave (tal el de Machado, Unamuno o Quevedo, en tantas cosas anticipadores y guías de la nueva actitud).

VIRTUDES Y DEFECTOS DE LA ACTUAL POESÍA

Aún podrían señalarse otros rasgos distintos de la actual estética, pero los enumerados bastan para probar el enraizamiento de la poesía reciente española en la historia de la literatura y en la historia de la sociedad. O lo que es equivalente: para probar su genuinidad, su carácter necesario y a la altura de las circunstancias. Esto, que ya es mucho, sin embargo no lo es todo en el arte: hace falta, además, como es lógico, la calidad, sin la cual de nada sirven la autenticidad ni la acorde respuesta a las exigencias de la historia. No sé hasta qué punto se puede conceder a un coetáneo (que, para colmo, ha participado con su actividad poética en la nueva concepción literaria) la capacidad para valorar serenamente lo que de bueno y de malo se haya hecho a su alrededor. Pero acaso la validez del criterio carente aún de perspectiva histórica se hubiese desacreditado más allá de lo justo, a base de juicios escandalosamente inexactos que ciertos autores (a veces movidos por sus pasiones más que por una verdadera desorientación crítica) han emitido acerca de sus contemporáneos. Se olvidan entonces los numerosísimos casos (seguramente los más, con gran diferencia) en que la crítica del día ha sido perspicaz. Alentado por tales aciertos, yo me atrevería a decir que la poesía de la hora presente española tiene, en algunos de sus representantes de muy diversa edad, una calidad que, dentro de la nueva configuración, no parece desmerecer de la magna tradición poética de la España novecentista. La continuidad, por otra parte, de las personalidades de relieve no da la impresión de romperse. Tras un Miguel Hernández, nacido en 1910; tras un Hierro, para poner un solo ejemplo de quienes andan por la cuarentena, hasta un José Ángel Valente de treinta y cinco años o un Claudio Rodríguez de treinta, se han sucedido en nuestro país los nombres de poetas con reciedumbre expresiva. Y si de aquí pasamos a la consideración de los géneros o especies de poesía que se han visto favorecidos, en los últimos veinte años, con el verdadero éxito artístico, que consiste en su capacidad de perdurar a través de los años, nuestra afirmación será análoga: la poesía actual ha alcanzado triunfos indudables. Páginas atrás señalábamos algunos momentos de poesía más o menos política que se destacan por su validez literaria. Añadamos en la cuenta de las buenas obras otros muchos tipos de composición que han tenido más cuantiosa realidad feliz en la España de los últimos años: el poema de evocación autobiográfica y, en especial, de recuerdos de infancia (relacionado con el sentimiento de la temporalidad, propio de nuestra época); el poema de meditación que llamaríamos metafísica (en conexión con la revalorización de lo conceptual en el sentido que sabemos); el poema tiernamente grotesco (producto indirecto de un mundo censurable). Y, aparte de ello, los otros tipos ya comentados: el poema de la vida diaria, el de relato, el objetivo, el religioso, el irónico o satírico. No sería difícil mostrar en una antología la variedad, riqueza y, en los mejores casos, la intensidad de la producción poética de la hora presente española. No obstante, desde un mañana tal vez no muy lejano podría lanzársenos como reproche de conjunto y teniendo a la vista producciones actuales característicamente imperfectas y significativas, precisamente la tendencia al descuido en la ejecución, que hoy no se siente (o no se sentía, pues el cambio de gusto se percibe ya) como algo completamente reprobable. Y aunque una parte de los poemas escritos en nuestra hora quede al margen de reparo tal, ese defecto dará acaso pie para una estética futura, comprometida mayoritariamente aún con el vivir humano, a lo que podamos vaticinar, pero más atenta a la perfección formal, probablemente menos acuciada por instancias objetivizadoras y con una dicción no tan exigente en lo que toca a la externa coherencia lógica. Síntomas hay en el ambiente que me llevan a pensar en la posibilidad futura de un "neoirracionalismo sensato", si se me permite improvisar tal contradicción terminológica; es decir, en la posibilidad de un tipo de poema que, congruente y responsabilizado en cuanto a su sentido general, permita asociaciones irreflexivas en el término de su desarrollo. La configuración, sin embargo, de la poética por venir es algo rigurosamente imprevisible en su concreción, y sólo vagamente determinable como posibilidad. Al escapársenos la índole del condicionante social que haya de encauzar la literatura del mañana, no podemos adivinar con precisión alguna la naturaleza de ésta. No es ello, por otra parte, cosa que debe preocuparnos. Nuestra literatura ha cumplido con su deber histórico y estético. Y porque ha sido así, cabe esperar la salvación del período en algunos nombres que lo representen con fuerza en el futuro [4].

---

[4] El presente artículo fue escrito en 1961 para una revista italiana. Se publicó luego en español ("Papeles de Son Armadans", CI, agosto, 1964). El modesto vaticinio a que me aventuré entonces, está hoy, 1966, si no me equivoco, en trance de pleno cumplimiento.

APÉNDICE II

LA SUGERENCIA EN LA POESÍA CONTEMPORÁNEA

POESÍA CONTEMPORÁNEA Y ROMANTICISMO: SUGERENCIA FRENTE A GRANDILOCUENCIA

En cierto trabajo mío que aún no ha visto la luz en castellano [1] he intentado probar el carácter dialéctico de la poesía contemporánea (llamando "poesía contemporánea" a la que se escribe en Europa, aproximadamente, entre Baudelaire y la segunda guerra mundial) con respecto a su antecesora y contraria la poesía romántica. Poesía romántica y poesía contemporánea pueden oponerse y contradecirse precisamente porque se asemejan en lo fundamental, o sea en sus esenciales fundamentos. No nos turba esta aparente paradoja en cuanto pensamos que cualquier pareja de opósitos requiere, para existir, de la afinidad en un género próximo. Si el blanco es antítesis del negro y no lo es de un transatlántico o de un piano de cola, se debe a que el blanco y el negro tienen en común su proximidad genérica, ser colores, mientras el blanco y el piano o el blanco y el buque no poseen tal tipo de coincidencias. Para

---

[1] Me refería aquí, justamente, al Apéndice anterior, "Poesía Contemporánea, y poesía poscontemporánea". Como verá el lector y ya indiqué en la "Nota" introducción de este libro, en las primeras páginas de este artículo se repiten conceptos anteriores, que he preferido no suprimir por varias razones que no son del caso explicitar.

que la poesía contemporánea contraríe a la romántica precisa participar con ella en una vasta zona de básicas concomitancias: estar centrados ambos modos de literatura en un individualismo y un irracionalismo sumamente agudos.

Ahora bien: aunque cimentados semejantemente, la contradicción se produce en cuanto ese individualismo y ese irracionalismo funcionan en sentido inverso, según se trate de poesía romántica o de poesía contemporánea. A nosotros no nos interesa aquí más que uno de los términos de la antítesis, el individualismo, y además tan sólo en uno de sus aspectos: el que atañe al modo de ofrecerse tal individualismo, que si con alguna frecuencia tiende, entre los románticos, a presentarse en forma de gran gesticulación y amplitud retórica, ostentará propensión a disimularse en vagas sugerencias entre los contemporáneos. La explicación de ambos hechos no es difícil de encontrar. El yo romántico, al crecer intencionalmente de manera infinita (individualismo), aspirará al maximalismo sentimental. Del mundo le interesará al romántico, sobre todo, lo que en él pueda producirle poderosas reacciones afectivas, espectaculares convulsiones del ánimo. El romántico busca, pues, la grandeza. Pero la grandeza, para ser expresada, requiere un lenguaje igualmente grande, que permita alojar en la vastedad de su continente la enormidad de su contenido. Desgraciadamente, el poeta, incluso el excelente, no siempre está a la altura de su talento, y cuando ello ocurre, la grandeza lingüística se convierte, indefectiblemente, en grandilocuencia. Y si eso le pasa o puede pasarle al poeta mayor, no es difícil suponer lo que le ocurrirá al menos dotado. Podemos, pues, hablar de la grandilocuencia como de un "pecado" romántico, pese a que no siempre el romántico aspire a la grandeza (como nadie ignora, existe también, junto al sonoro y exterior, un romanticismo en sordina, un romanticismo íntimo), y, además, aun en los casos en que esa aspiración se dé, no siempre, ni mucho menos, va seguida de fracaso. Pero no es indispensable que un error sea compañero constante de determinada escuela literaria para que la sensibilidad posterior se lo atribuya. Basta con aquel tipo de frecuencia que permita contemplarlo como característico de ella. Y así, los poetas contemporáneos vieron a

los románticos incursos en el pecado de ampulosidad y vana hinchazón; y aunque no eran menos individualistas que sus oponen-
tes, sino que, por el contrario, lo eran más, procuraron serlo sin
caer en la grave falta que su sensibilidad acusaba en la obra de
sus antecesores. De este modo, su individualismo, huyendo de la
pompa retórica, vino a dar en lo opuesto, como suele ocurrir siempre que escapamos de algo. Frente a la grandilocuencia romántica,
lo que un poco en broma llamaríamos, utilizando un cómico neologismo, "minilocuencia" contemporánea. Si la grandilocuencia puede definirse como un exceso de continente y un mínimo de contenido, la "minilocuencia", al revés, consistirá en un máximo de contenido dentro de un mínimo continente.

"Minilocuencia" será, por tanto, lo mismo que sugerencia. ¿Pues
qué es sugerir sino decir poco para que el oyente entienda mucho?
Los poetas desde Verlaine, y aun desde antes (Baudelaire, etc.),
hasta el momento en que la poesía contemporánea dio fin (como
dije al principio, hoy no nos hallamos ya inmersos en ella), han
intentado, en esa vía, "torcerle el cuello a la elocuencia" por medio del arte de la insinuación. Arte que, claro es, no se manifestó
del mismo modo en los diversos períodos que tan larga época supone.

La poesía buscará, pues, en tal sazón, dar sólo las indicacio-
nes o pormenores indispensables para que el público complete en
su interior lo que el autor únicamente ha esbozado externamente,
en los signos del poema. La expresión se hará muchas veces, y
por consiguiente, esquemática (piénsese también en lo que le ocurre durante esa época a la pintura, a la escultura, etc.). Tal fenómeno lleva consigo, a mi juicio, tres consecuencias importantes:
la condensación o intensidad de la proposición artística; la vaguedad, borrosidad o misterio del contenido, y el enrarecimiento del
público. Lo primero resulta, en efecto, del apretamiento del fondo
dentro de una forma relativamente minúscula. Lo mucho que se
da a entender ha de estrecharse, apretarse y contraerse dentro de
lo poco que se dice, con lo que la palabra, forzosamente, queda
cargada de sentido, adensada y plena. Pero como esa plenitud significativa no es fruto de una explicitación lingüística, sino de una

mera indicación formal que el auditorio ha de complementar, añadiendo lo que le falta al bosquejo que el autor ha trazado, la significación no puede tener contornos definidos, rígidos, precisos. La significación contemporánea es, sin duda, con peculiar frecuencia, desdibujada, vaga, sin determinación, y, por ello, nos da la impresión del misterio, verdadero *frisson nouveau* del arte que media entre Baudelaire y la poesía de la segunda posguerra.

Del público se pide, pues, la imaginación suficiente para entender un todo del que sólo se le da una parte. Y como no son muchos los hombres que se hallan en condiciones de dar respuestas justas a estímulo expresivo tan exigente, no puede maravillarnos el carácter exiguo de la audiencia que lo sabe recibir con comprensión idónea. El poeta se dirige a una minoría que sólo excepcionalmente puede llegar a ser "inmensa", una minoría de "artistas", empleando el término en su sentido lato, e incluso a veces, por desgracia, en su sentido más restringido.

Y ya que hemos concluido que la sugerencia es nada menos que el modo básico de manifestarse el individualismo artístico contemporáneo, no sobra añadir que ello fue posible porque el irracionalismo, que en la poesía romántica se refería a la posición del poeta frente al poema (improvisación, digresiones, etc.), cambia ahora de dirección y atañe a la materia misma lingüística, a su capacidad de asociar al contenido elementos significativos que residen fuera de la esfera propiamente lógica.

Pero al llegar aquí hemos de distinguir. No toda sugerencia implica el irracionalismo verbal. Precisamente un costado de la insinuación, bien que un costado estadísticamente menor, cae dentro de lo que, para entendernos, llamaríamos conciencia plena. Siendo así, se nos impone separar radicalmente esas dos maneras de concisión expresiva y hablar de una sugerencia lógica y de una sugerencia irracionalista. Entiendo esta terminología como exclusivamente manual, pues su deficiencia es clara desde el momento en que pensamos que la sugerencia lógica no lleva consigo sólo la insinuación de conceptos, y, de otro lado, en cuanto alcanzamos a saber que los conceptos o sus equivalencias funcionales no faltan en el otro tipo de sugestión. Me apresuro a insistir, pues, en que tal nomenclatura no quiere ignorar que la poesía jamás se ha hecho sólo con ideas generales, ni que, por el contrario, las ideas generales se hallan siempre, *de un modo u otro,* en la poesía, incluso en la poesía más aparentemente inconexa (suprarrealismo, por ejemplo). Como esto último, en la expresión que le acabo de otorgar, es cosa relativamente o del todo nueva, me tomo la licencia de aclararlo. En un poema suprarrealista puro, pero no sólo en ese extremoso movimiento, se busca, por principio, la supresión de la lógica. Dejando a un lado el hecho evidente de la dificultad de lograrlo por completo, y aun dando por sentado el caso de que tal suceso se produzca en su puridad teórica, la cordura no desaparece ni puede desaparecer del poema más que en su zona cortical. Por debajo del aparente dislate expresivo alienta, sin excepciones, un fondo significativo que es perfectamente expresable en términos lúcidos y de razón.

Por supuesto, esta reducción de la sustancia lírica de tal clase al plano conceptual lleva consigo la destrucción de la emotividad poética, puesto que lo poético es siempre una unidad compleja donde el concepto es sólo una parte menor. Pero mi afirmación anterior no pretende ser una exhortación para que en esta clase de lecturas, y en el momento de ellas, se intente extraer el sustentáculo conceptual a que pueden ser estrechadas las emociones, cosa monstruosa, sino que trato, simplemente, de dejar constancia de un hecho: la imposibilidad que, al parecer, tiene el hombre, en estos casos, de moverse totalmente fuera de los imperios racionales. Cuando esto ocurre implantamos no el reino del arte, sino el de la locura. El poeta suprarrealista es únicamente un loco aparente; se hace el loco para mejor expresar algo cargado de sentido.

Ignoro si los eternos partidarios de la confusión, que abundan bastante, no me atajarán en este punto dando, acaso, su conformidad a lo que acabo de decir, pero calificando ese sentido de que hablo de puramente "poético". Hay sentido siempre en el poema, tal vez me digan, pero un sentido "poético", no un sentido cuyo esquema pueda adoptar forma discursiva. A esto, caso de que se me interpele así, he de responder que diferenciar entre sentido poético y sentido captable lógicamente como dos cosas radicalmente opuestas, incongruentes y sin afinidad ninguna entre ellas, es una cómoda manera de abandonar el pensamiento a las nebulosidades de la anfibología. Pues, ¿qué quiere decir eso de "sentido poético"? Sospecho que los que así se expresan, si se expresan de ese modo, sacarán a relucir, una vez más, el famoso "misterio de la poesía", que tan buena prensa tiene, con lo cual, una vez más también, dejarán el significado de su frase en la tiniebla de lo recóndito, de lo imposible de decir, o sea de lo imposible de pensar, y su "sentido poético" se desvanecerá en algo como "misterioso sentido". Pero me atrevería a argüir que sentido de algo, sea poético o no, es siempre, aunque de diversa forma, "sentido inteligible"; esto es, sentido manejable lógicamente. Para el hombre no hay más sentido que ése, aunque se trate, como aquí, de un sentido lógico que sólo puede captarse por completo *a posteriori* de la emoción, operación intelectual que, todo hay que decirlo, es innecesaria desde el punto de vista estético. Mis palabras se refieren, pues, a que en todo poema hay, tras su posible caos exterior, tras su incongruencia aparente, puramente emocional, un último contenido, apto para ser formulado después en forma de razonamiento, que arma y sostiene, invisiblemente, desde dentro, la emoción poética. Tal contenido no aparece en la conciencia sino como estructura sustentante de la emoción, que es lo único apreciable, como basamento inarticulado y mudo, pero presente y existente. No creo necesario ser por ahora más explícito en este punto, porque el significado pleno de lo que acabo de decir se manifestará, con precisión, creo, en el análisis de lo que anteriormente he denominado "sugerencia irracionalista".

LA SUGERENCIA IRRACIONALISTA

Tomemos como ejemplo de ella uno de los versos lorquianos que a continuación transcribo:

> Los caballos negros son.
> Las herraduras son negras.
> Sobre las capas relucen
> manchas de tinta y de cera.

> Tienen, por eso no lloran,
> de plomo las calaveras.
> Con el alma de charol
> vienen por la carretera.
>
> Jorobados y nocturnos,
> por donde animan ordenan
> silencios de goma oscura
> y miedos de fina arena.

Así comienza el "Romance de la guardia civil española". Encontramos en él un octosílabo, "jorobados y nocturnos", cuyo análisis nos conviene realizar. ¿Qué ha querido decir el poeta en esas ocho breves sílabas? Por lo pronto esto: los guardias civiles van, entre la oscuridad de la noche, inclinados sobre sus cabalgaduras, y en ese sentido, "nocturnos" y "jorobados". Pero si ahora comparamos este sentido lógico del octosílabo en cuestión con la emoción que hemos notado al leerlo dentro del romance, no podremos menos de recibir una sorpresa. Y es que, indudablemente, media un abismo insalvable entre el efecto que puede producir tal sentido lógico y el efecto que el verso de Lorca produce de hecho en nosotros. ¿Qué hemos experimentado, pues? Lo primero que observa el lector es su reacción negativa frente a los personajes de los que el poeta habla. No se le escapa que figuran en el poema en calidad de antihéroes, ya que el autor le obliga a situarse en la perspectiva del gitano, para quien el guardia civil es el nato oponente. Delimitando un poco más su intuición, ese lector hallará en ella la impresión de que algo sombrío y siniestro emana de tales figuras, sin que, por otra parte, pueda ir más lejos en su análisis sin salirse de lo que esa intuición es como tal en su conciencia. Pues *en su conciencia,* la emoción no aparece montada sobre ningún esquema de conceptos que explícitamente se manifieste. Es una emoción y nada más, y, en consecuencia, cosa de naturaleza irracional, como si el misterioso juego del lenguaje hubiese trabajado por su cuenta, desencadenando una emoción pura, que con ningún elemento lógico se relaciona, ya que sin duda alguna no lo hace con los únicos conceptos que están a la vista y actúan en la conciencia de quien lee: los que hemos expresado en la frase "hombres que, entre la oscuridad de la noche, se inclinan sobre sus caballos". Esta trama lógica, en sí misma, no es la responsable de la emoción, pues "inclinarse sobre el caballo", por ejemplo, no inspira ni puede inspirar el sentimiento moralmente turbio de algo como solapado que registrábamos en nuestra intuición de lectores. No es, por lo visto, el contenido lógico de la frase lorquiana el que así nos mueve, sino la forma verbal utilizada para expresarlo: las palabras "jorobados y nocturnos" en su contexto, que semejan actuar con independencia de lo que racionalmente significan. Pues el adjetivo "nocturnos" no se exceptúa de lo que afirmamos: ateniéndonos a su estricto sentido lógico, sólo da a entender el inocente hecho de que alguien, en nuestro caso unos guardias civiles, vaya, carretera adelante, a una determinada hora del día.

Estaríamos, pues, tentados a dar la razón a los numerosos teóricos de la poesía contemporánea que hablan, aunque en otro sentido no muy distinto de éste, de la "iniciativa del lenguaje" en la creación poética, a partir de, digamos, Poe. Es la palabra misma ("jorobados", "nocturnos") y no su significación explícita en la frase ("inclinados sobre el caballo", etc.) la que "inexplicablemente" ("misterio de la poesía") actúa sobre la sensibilidad poética [2].

Las cosas no son, sin embargo, así. Pues si la calificación "jorobados", por ejemplo, nos lleva, en el interior del romance, a esa impresión tenebrosa, se debe, precisamente, contra lo que habíamos pensado antes, a su significación lógica, sólo que no se trata de la que explícitamente tiene esa palabra en el poema, sino de la que explícitamente tiene *fuera* del poema ("hombre con joroba") y que en el poema también tiene, claro es, pero en un modo de actividad muy diferente. Sucede, en efecto, que aunque un lado de nuestro espíritu acoja la palabra "jorobados" en el sentido de "inclinados sobre la cabalgadura" y rechace el otro ("hombres con joroba"), un lado distinto de nuestro ser espiritual realiza, aunque inconscientemente, la operación inversa: rechaza el significado primero ("inclinados", etc.) y se queda, en exclusiva, con el segundo

---

[2] Claro es que puede hablarse de "iniciativa del lenguaje" en la poesía contemporánea si damos a la frase una cierta significación, en la que ahora no entro, y que no es a la que el texto alude.

("hombre con joroba"). Y resulta que este segundo sentido es, justamente, el causante de aquella emoción que antes intenté definir, evidentemente porque un jorobado es físicamente un monstruo. (Algo parejo diríamos del adjetivo que acompaña a "jorobados" en la frase lorquiana, el adjetivo "nocturnos", que significando lógicamente el hecho de cabalgar a cierta hora, posee también, dentro del poema, un sentido emocional próximo al que hemos observado en su *a látere*, y ello porque la noche es un ámbito no sólo desconcertante e inseguro, sino con temerosas resonancias de muerte.)

Pero volviendo a la consideración de la palabra "jorobados", nos damos cuenta de que al hacerla equivalente a "monstruos" no hemos adelantado mucho en nuestra penetración. La explicación hallada (jorobados = monstruos) es sólo el primer tramo en la escala de las causas, y lo que sin duda hemos alcanzado es sustituir una incógnita X por otra Z: ante el concepto "monstruos" siempre se nos planteará el mismo interrogante que ante la voz "jorobados". ¿Por qué nos repugna y repele lo monstruoso? Llamamos monstruo al ser que con pretensiones de adscripción a un género (o especie) da la impresión de salirse alarmantemente de él, sin entrar definitivamente en ningún otro. (Pues si ingresase victoriosamente en una distinta clasificación de ese orden ya no sería, *sensu stricto,* monstruo, o al menos no lo sería para nuestra sensibilidad, al no suscitar los efectos emocionales que el verdadero monstruo obtiene de ella. Y así, una sirena no nos produce la misma negativa reacción que, por ejemplo, un hombre con dos cabezas o siete ojos.) Y es que el monstruo se dispara fuera de la norma dentro de la cual, al entender, nos sentimos seguros, sin penetrar en otra que nos tranquilice. En efecto, el acto de la comprensión requiere, como su primer momento, la inclusión del objeto en el género o especie al que pertenezca. El monstruo entorpece y hace vacilar este mecanismo de inteligibilidad, y como la finalidad del conocimiento es, en postrera consideración, la seguridad de un ser que como el hombre ha perdido sus protecciones instintivas, propias del animal, el monstruo, al sumirnos en una vaga y remota sensación de desconcierto, nos sume, con idéntica borrosidad, en una atmósfera de inquietud o peligro. Esto, que vale para todo monstruo, se acentúa en un caso particular: cuando el ser monstruoso es una criatura humana. En tal caso, a lo dicho se añade algo no menos decisivo: el hecho de que el monstruo humano nos obligue a contemplarnos a nosotros mismos en un inquietante espejo deformador. Nos da una versión intranquilizadora del hombre, y, por tanto, de mí en cuanto que lo soy.

Todo este análisis ha pretendido mostrar el carácter irracional del complicado proceso mediante el cual nuestra emoción se genera. Es irracional, en efecto, el entendimiento de la palabra "jorobados" en su sentido literal de "hombres con joroba", pues racionalmente bien sabemos que Lorca no ha querido decirnos que tales guardias padeciesen de defecto tal; irracional es también la asociación "jorobados-monstruos", ya que en el acto de la lectura no somos conscientes de ella; y más irracional es aún, si cabe, la descarga sentimental que la noción "monstruos" logra en nuestro espíritu. En este último caso, no sólo ignoramos, en principio, la causa de tal descarga, sino que la misma noción "monstruos" de la que el sentimiento parte sin justificación aparente, permanece en la sombra, fuera del texto lorquiano y sólo presente en una asociación inconsciente que involuntariamente establecemos.

Pero el proceso irracional aún contiene un elemento más que todavía no hemos tenido ocasión de examinar: *sin darse cuenta,* el lector atribuye la monstruosidad, que en el texto lorquiano es, en lo literal, física, al alma de los protagonistas. Sentimos como jorobadas no sólo las espaldas, sino, sobre todo, las almas de esas criaturas. Y es, en definitiva, esta monstruosidad ética lo que nuestra sensibilidad percibe con reprobación, no ciertamente bajo figura conceptual, sino bajo figura emotiva.

Hemos venido así suavemente a adelantar la cuestión que a continuación desarrollaremos. Una vez establecida la irracionalidad del proceso cuya última fase es la emoción producida, debemos mostrar que, en efecto, hay en el verso lorquiano de que tratamos la sugerencia de un sentido; y sobre todo que esa sugerencia es, asimismo, irracional, como su nombre pretende. La irracionalidad de esta clase de sugerencia es, en suma, por partida doble: en cuanto al proceso emocional y en cuanto al modo de ofrecerse el sentido mismo de la emoción.

Pero ¿existe, en verdad, ese sentido? El verso "jorobados y nocturnos", conectado al todo del que forma parte, desprende una emanación afectiva que no parece tener soportes lógicos, o sea que no parece tener eso que llamábamos "sentido", una vez que hemos descartado como base conceptual de nuestra negativa reacción el significado al que el verso apunta de manera explícita ("hombres inclinados sobre sus caballos", etc.). Lo que percibimos en nuestra conciencia no es una suma de conceptos seguida, como el efecto sigue al motivo, de una estela sentimental, sino un mero sentimiento subsistente por sí mismo y como montado en el aire. Nos emocionamos "sin conocimiento de causa": en tanto que somos lectores y sólo lectores, no existe, al parecer, residuo conceptual alguno al que manifiestamente podamos achacar nuestro estado de ánimo. La emoción que, al recibir el poema, sentimos ante el octosílabo en cuestión se halla, a primera vista, vacía de todo razonable contenido, exenta y libre, pues, en un ámbito de pureza sentimental absoluta. ¿Habremos errado antes, por tanto, al pretender que las emociones en el arte son siempre *sensatas,* esto es, portadoras, bien que secretas, de una significación que admitiría, en principio, ser desarrollada lúcidamente? No creemos habernos, en este punto, equivocado, pues el análisis hecho anteriormente garantiza nuestro pensamiento. Al leer el verso lorquiano, aunque no asome en nuestra conciencia ningún perceptible concepto que justifique el sentimiento experimentado, no por ello es éste algo así como un castillo en el aire, misterioso e ingrave levitador sin relación alguna con un suelo que lo haga comprensible, sino que tal sentimiento se afirma sobre un sustentáculo inteligible, aunque informulado en el espíritu del lector y, por consiguiente, invisible para él. Éste: que los ánimos de esos personajes del romance son torcidos y perverso cuanto ejecutan. He ahí el núcleo de pensamiento racional al que podemos reducir, en última instancia, nuestra afectividad lectora, afectividad, en consecuencia, arraigada y significativa. (Como siempre ocurre, por cierto y según señalábamos, en la poesía, pues otra cosa no es en ella posible.)

Pero esa reducción de que hablamos es, en efecto, una *reduc-ción*, o lo que es lo mismo, una simplificación extraestética, *a pos-teriori* de nuestra lectura y que no puede ni sustituirla ni aun enri-quecerla. Y además, una formalización de lo que bajo la cobertura afectiva yace informalmente, es decir, irracionalmente, como que-ríamos mostrar. Los conceptos que el análisis de tal cobertura nos proporciona sólo entonces se convertían en auténticos conceptos, sólo entonces alcanzaban racionalidad, cuando al decirlos les otor-gamos su figura formal. Pues en el interior de la emoción, al exis-tir sin ser verbalizados por la conciencia, eran meros puntales pre-lógicos que, invisiblemente, articulaban o armaban la emoción, sin hacérsenos presentes sino por sus efectos sentimentales.

De aquí concluimos aún otra cosa: lo que acabamos de decir hace palmario el hecho de que los conceptos a que podemos redu-cir la emoción son siempre segundos con respecto a ésta en su ha-llazgo por el crítico, puesto que el crítico los obtiene de ella. Pero al mismo tiempo, y con no menos seguridad, deducimos que, en cambio, la armadura prelógica o preconceptual ("equivalencias fun-cionales", decíamos, dentro de las emociones, de eso que luego van a ser conceptos en sentido riguroso) se anticipa a su sentimental envoltura, supuesto que la origina, centra y sostiene [3].

------

[3] Deseo dejar, al menos en esta nota, constancia de un problema que en el texto no tratamos y cuya solución, sin embargo, posee valor general y es aplicable a todos los casos —numerosísimos— de sugerencia irracionalis-ta de tipo bisémico, semejante a la que existe en el romance lorquiano. Me refiero a la función que en el octosílabo "jorobados y nocturnos" desem-peña la significación lógica que ambas palabras tienen explícitamente en él ("hombres inclinados sobre sus caballos", etc.). Pues el lector de este artícu-lo, al saber que tal suma conceptual no interviene en la emoción reprobadora que experimenta cuando se encara con ese verso de Lorca, habría de que-dar no poco sorprendido de que en un poema uno de sus elementos más señalados careciese de finalidad. Y en efecto, la finalidad existe. Aunque tal significación lógica no se relaciona, según vimos, con la emoción que esos dos adjetivos nos proporcionan, hace alusión al sentido general del poema y se halla en conexión con esa totalidad. Es algo así como un eslabón en una cadena; contribuye a la continuidad de la representación poemática, y, por tanto, sirve también al octosílabo en cuestión, en cuanto ese octosílabo es una parte de la pieza completa.

Deseo traer aquí otro ejemplo, tomado de un arte bien distinto al poético de que hemos partido, para probar, con más claridad aún, ese doble aserto. No hace demasiado tiempo se proyectó en las pantallas españolas una película que originalmente se titulaba *On the beach*, pero que aquí se presentó bajo el rótulo de *La hora final*. Recuerdo, y probablemente recordarán conmigo cuantos la hayan visto, la intensa emoción de su escena última, a cuyo análisis quisiera proceder. Se trataba, si mi memoria me es fiel, de lo siguiente. Una guerra atómica ha destruido enteramente a la humanidad, salvo en una zona relativamente reducida: Australia. Cuantos allí viven se han exceptuado de la monstruosa hecatombe,

---

De otro modo: el sentido racional explícito de ambas calificaciones permite, paradójicamente, que pueda ponerse en movimiento aquel proceso inconsciente que se coronaba en la sugerencia irracionalista. Es un medio para un fin, porque, al ser el romance de Lorca un relato, es decir, algo en definitiva lógicamente congruente, precisa serlo de algún modo sin interrupción, y, en consecuencia, también en el punto poemático que consideramos. Y, en efecto, si la congruencia lógica se rompiese en ese momento y sólo en él, el lector se sumiría en el desconcierto, y su perplejidad, su "disentimiento" ante el cese de la coherencia narrativa le impediría incluso la asociación emocional de que la insensata expresión sería, en principio, capaz. Diríamos que, en este sentido, los conceptos explícitos sirven para anestesiar la reacción de repudio que nuestra razón dispara contra todo lo que escapa a su control. Y que, una vez tranquilizada y adormecida así tan estricta vigilancia, se hace posible el solapado acto irracional al que la conciencia discursiva de otro modo no "asentiría".

Naturalmente, existe también una poesía sin lógica externa (suprarrealismo, por ejemplo), pero ése es un caso distinto, al no haber en él la turbación y desasosiego que representa el paso, inexplicable para la razón ("ley de inercia"), desde lo que ésta entiende a lo que ésta no entiende. A partir del comienzo poemático, en tal caso, la razón se dispone a vacar, no sufre disturbio alguno, y, por tanto, no ejercita su entorpecedora censura.

Pero la misión de los conceptos explícitos en el poema es más compleja aún. Sirven estos también y sobre todo para enriquecer la significación, al añadirle, sobre los otros que la significación irracional aporta, un valor más. La palabra se carga entonces de un rebosante sentido que estéticamente la intensifica y ennoblece, pues la *sintetización* en un sintagma de varias significaciones es, como sabemos ("procedimientos intrínsecos de tipo C"), uno de los dos modos esenciales de que se puede valer el poeta para su creación.

mas sólo temporalmente. Ninguno de ellos ignora que la atmósfera australiana será también contaminada por las radiaciones en un futuro próximo. La cinta va brindando al espectador la contemplación de un suceso de gran porte dramático: la diversificada reacción psicológica de todo un pueblo, instalado de pronto en una gigantesca situación-límite: la muerte universal, irremediable a corto plazo. Hacia el final de la película se ve a un predicador que se dirige, quizá por última vez, a sus fieles. La plaza, desde la que les exhorta, está colmada por una gran multitud. Poco después, la tragedia se ha consumado. Toda vida se ha extinguido en la tierra. Y súbito, el hallazgo artístico que remata y justifica todo lo anterior: la cámara enfoca de nuevo la plaza, donde poco ha se apiñaba la gente. El lugar ahora se encuentra desierto, bajo un maravilloso día primaveral. Sopla un vientecillo suave y todo el ámbito ríe con finura. La delgada brisa arrastra con indolencia algunas hojas de periódico. Y en este instante conmovedor, la obra da fin.

Los últimos metros de la película han emocionado al espectador. ¿A qué se debe ese sentimiento? Como en tantos pasajes de la poesía contemporánea, el espectador, como tal, lo ignora, y sólo tras un análisis introspectivo y extraestético le será hacedero disponer en forma de conceptos el sentido que irracionalmente la obra le ha sugerido y que se halla como metido en un sobre o plica emocional, "implicado", y, por tanto, sin manifestación explícita en la conciencia.

Tras un momento de reflexión, algo se nos torna indudable. Una parte de la emoción se debe a la doble visión de la plaza llena de gente y de la plaza vacía, que al ofrecerse, dentro de la pieza con una cierta contigüidad cronológica, nos da, plásticamente, el tamaño de la tragedia. Esa emoción, ya de por sí grave, se hace mayor por el simple hecho de la belleza primaveral con que el mundo se manifiesta. Esa belleza parece decirnos que nada ha ocurrido, pero nosotros sabemos que ha ocurrido *todo*, y como es así, la hermosura del aire y de la luz se nos convierte en profundamente siniestra. Experimentamos la sensación espantosa de una horrible injusticia y de un infernal engaño: algo como una satánica burla.

A la tragedia se añade la irrisión, y sentimos que no sólo la humanidad ha muerto, sino que ese hecho, el más catastrófico que el hombre pueda imaginar, *no importa nada*: es cosa insignificante en la historia del cosmos. Por tanto, la vida carece de sentido, es, esencialmente, absurda, insensata y hasta amargamente risible. Pero con esto no queda todo explicado. Aún no hemos hecho mención de uno de los motivos máximos de nuestra complejidad afectiva: precisamente la visión de esos periódicos que el viento arrastra con suavidad. Tampoco aquí alcanzamos a adivinar, de inmediato, por qué quedamos tan sensiblemente tocados, y también aquí son hallables, pero sólo con posterioridad a la emoción experimentada, los conceptos en ella ocultos bajo especie prelógica. Nuestro análisis de la impresión producida nos lleva a esta conclusión: una de las realidades más efímeras en que nos sea dable pensar, es la hoja de un diario. Mas en el caso que *La hora final* nos presenta, esas volanderas páginas sobreviven al hombre, y, en ese sentido, son más que él. La vida humana es más pasajera e inválida que tan insignificantes residuos. Sobre todo esto, el director del film tuvo el acierto de hacer que esos trozos de papel se moviesen con delicadeza, pues si irracionalmente el movimiento nos da idea de la vida, la delicadeza de tal movimiento nos lleva, por razones parecidas a las antes expuestas, a la intuición de lo siniestro, que otros aspectos de la escena, según dijimos, comportan. Los supervivientes restos impresos no sólo tienen vida, sino vida grácil; es decir, vida que posee un cierto género de plenitud. Y ello cuando todos los hombres han muerto y nada son: el hombre vale menos que un papelillo y su vida en la historia es más breve y sin valor.

Recojamos ahora lo que nuestro análisis arroja. El espectador ha tenido ante la última escena de la película una especial intuición patética. La apoyatura razonable que origina esta impresión no aparece en su conciencia, pero se hace lúcida una vez realizada la indagación extraestética. Por tanto, en cuanto causante de la emoción y como sostén preconceptual de ella, esa apoyatura habrá de precederla; como concatenación lógica, extraída de la emoción por análisis, forzosamente habrá de seguirla. Tal lo que quisimos probar para el caso lorquiano anterior.

LA SUGERENCIA LÓGICA

Pasemos ahora a atender lo que hemos denominado, con relativa imprecisión, "sugerencia lógica". La llamamos así porque lo que a su través se nos da alusivamente no son ya preconceptos, sino conceptos genuinos, que, aunque tácitos en el poema, son formulados en la conciencia del lector, al revés de lo que ocurría en el otro tipo de sugerencia, donde el carácter tácito no afectaba sólo al verbo poemático: también a la conciencia que lo recibía. En esta última, lo único que se formalizaba era la masa emocional, dentro de la cual, como una armadura interiorizada e inapreciable, se aposentaba al "preconcepto". En el acto de la lectura se manifestaba el ingrediente emotivo y no su apoyo interno prelógico, que sólo después, en una operación innecesaria desde el punto de vista artístico, podía ser verbalizado y acceder, por tanto, a un estado de lógica plenitud. Lo opuesto sucede en la sugerencia propiamente conceptual, pues en ella lo primero que la conciencia acepta es el concepto insinuado, y únicamente tras su reconocimiento como tal concepto procede el espíritu a emocionarse estéticamente. Se trata, por consiguiente, de dos fenómenos exactamente inversos: en uno, la emoción es previa a la conceptualización, que, para colmo, no se realiza en la lectura, sino en la crítica racional de la lectura; en el otro, la conceptualización va por delante y origina la descarga emotiva. Pongamos un ejemplo muy claro, sacado de la obra de otro poeta contemporáneo: Jorge Guillén. En la cuarta edición de *Cántico* hay un poema que tal vez sea, si no el mejor, uno de los mejores epitalamios que se hayan escrito en nuestra lengua. A propósito de unas bodas, su autor nos ofrece un entero panorama vital y una concepción del mundo. En su tercera parte leemos esta estrofa. Una pareja de novios avanza hacia el altar, donde su matrimonio recibirá sacramento:

> Jugadores, arriesgan: van gozosos.
> ¡Cuánto supuesto en su silencio denso!
> ¡Tan callados, tan cómplices, qué esposos!
> Ceremonia. Posible, hasta el incienso.
>
> *(Sol en la boda,* III)

Fijémonos en el último verso. ¡Qué denso es, qué apretado es, qué económico y conciso! En cuatro mínimas palabras ("posible, hasta el incienso") se nos ha comunicado cabalmente un conglomerado de ideas, cuya pormenorización requiere desarrollo verbal mucho más extenso y abundante. Algo así como esto: "el acto del matrimonio es un suceso tan importante y trascendental, que cuanto a él se refiere, hasta lo más externo, accidental y puramente ceremonial se convierte en sustancia, se hace ser: tiene posibilidad de esencia". Ahora bien: todo este complejo significativo que el poema no dice y sólo insinúa ingresa conceptualmente en nuestro espíritu de modo sintético. Lo que el poema calla lo verbaliza la conciencia lectora y allí permanece expreso, manifiesto, *dicho,* aportando la consiguiente emoción que es cronológicamente secundaria con respecto a la comprensión lógica.

Ocioso sería pretender probarlo; basta con caer en esta indudable perogrullada: si no entendiésemos el verso guilleniano, de ese modo sintético, en el sentido que hace un instante he intentado precisar en todo su generoso despliegue, no podríamos emocionarnos. La emoción nace, pues, de la intelección cabal de los conceptos como tales. La diferencia de este tipo de sugestión con el que llamábamos "irracionalista" no puede patentizarse más. En este último, permítaseme insistir, los conceptos insinuados no se percibían, no se entendían: la emoción era anterior al reconocimiento formal de los conceptos por la inteligencia discursiva.

JUSTIFICACIÓN DE ESTE TRABAJO

Me he detenido en tan largo análisis porque considero la sugerencia como el fenómeno central, fundamental de la poesía contemporánea. No se trata de un artificio retórico más, entre los muchos que época tan fecunda en alardes de individualista originalidad aportó al repertorio lírico. No. Se trata de una verdadera revolución en lo sustancial: nada menos que en la concepción de lo que el arte sea. Y no un mero resultado de esa nueva concepción, sino la expresión misma de ella. Y así, si catalogamos los procedimientos poéticos que pueden considerarse típicos de período tan largo y fértil, encontramos que casi todos responden, de diversa manera, a la estética de la insinuación. Son variaciones, muy diferentes entre sí, de la sugerencia: de la sugerencia irracionalista y de la sugerencia lógica.

APÉNDICE III

1. POSIBILIDAD DE LAS TRADUCCIONES EN LA LÍRICA

Se ha planteado muchas veces un interrogante con respecto a la posibilidad de las traducciones poéticas. ¿Es posible traducir la poesía de una lengua a otra? A la luz de las anteriores páginas quizá podamos examinar este asunto con alguna precisión.

El poema no se produce nunca, hemos dicho, en la expresión directa, desnuda. Para existir, requiere el poema eludir la "lengua" común a través de un aparato retórico, más o menos complicado, pero siempre analizable; bien que a veces (incluso muchas veces) tal aparato permanezca escondido a la mirada ingenua de todo lector, y el sustituyente poético finja con extraordinaria habilidad un ilusorio despojamiento expresivo, que anda lejos de poseer. La cuestión se nos simplifica, por tanto. Si la poesía resulta ser el producto feliz de los artificios utilizados por el poeta (metáforas, etcétera), el problema de la traductibilidad de la lírica se convierte en el problema de la traductibilidad de tales artificios. Y este segundo problema, en el que se sume el primero, se nos muestra como mucho más asequible, pues se limita a preguntar cuáles de esos artificios son *directamente* trasladables a una lengua extranjera y cuáles requieren una manipulación creadora por parte del traductor.

Paradójicamente, hemos de reconocer que la inmensa mayoría de los procedimientos poéticos pueden ser insaculados en un lenguaje diferente sin merma alguna de su efecto sobre los lectores. Diríamos que todos ellos son *esencialmente* traducibles, salvo los que operan desde el significante; a saber, el ritmo, la rima y los casos de expresividad vinculada a la materia fonética de los vocablos o a su ondulación musical. Estos últimos recursos, en efecto, sólo a través de una nueva labor poética transformadora serían vertibles a un lenguaje distinto.

Seguramente quien me lea se ha de sentir tan escandalizado como yo mismo lo estuve, en un principio, ante tan sorprendente conclusión. Pues si es cierto lo que acabo de escribir, no lo es menos que existen poquísimas traducciones poéticas que conserven, ni al modo pálido, la belleza del original. ¿De dónde procede, pues, la desarmonía existente entre la rareza de los artificios no traducibles y la legión de las traducciones deficientes?

Nuestra confusión acaso se desvanezca tan pronto como caigamos en la cuenta de que justamente esos pocos procedimientos reacios al poliglotismo son los más usados por el poeta. La rima y, sobre todo, el ritmo, son de empleo casi general en la poesía (habríamos de exceptuar, para el caso de la rima, buena parte de la producción contemporánea y cierto número de poemas no contemporáneos). Pero, además, el poeta está acudiendo, de manera que sin grave exageración llamaríamos constante, al poder evocador de la materia verbal en sí misma, a la fuerza de sugestión sentimental y sensorial poseída por el sistema fónico de las consonantes y las vocales. Y ese sistema, sobra decirlo, es inseparable del idioma concreto desde el que se habla. Y ocurre que todos los otros artificios usados, dóciles al vertimiento idiomático (rupturas del sistema, superposiciones, sinécdoques, hipérboles, etc.), se hallan conexionados íntimamente con esos efectos, a los que piden muchas veces en préstamo su energía, o su suavidad, o su ternura, o su aspereza, etc., para aumentar, con su ayuda, la propia eficiencia en ese sentido. Y es que la poesía no sólo requiere la sustitución en cada una de sus descargas; de hecho, no suele darse en estas últimas una sustitución aislada; es todo un complejo de sustituciones las que se ejercitan sobre cada sustituyente (en los apartados que siguen lo hemos de probar con el examen de varios

casos prácticos). Si de este complejo conseguimos únicamente tras-
ladar a otro idioma alguno de sus componentes, el resultado obtenido en la versión lograda traicionará al dechado de modo considerable; y ello no sólo en la proporción de los recursos que se
hayan volatilizado. Pues un instante poético supera siempre en eficacia a la suma de sus diversos ingredientes.

En suma: puede traducirse directamente a otra lengua la mayor parte de los artificios retóricos; pero no pueden verterse en
operación igualmente mecánica unos pocos recursos que son cuantitativamente los más importantes: y sobre todo, no puede verterse de ese modo el entramado de estos pocos con aquellos muchos.
El "veto" lanzado así al presunto traductor por los escasos procedimientos que se ligan inmediatamente al significante anula la posibilidad de una traslación lingüística directa que se nos ofrezca
como fiel. Sólo oblicuamente, cuando el traductor es un verdadero poeta a su modo, y por medio de una recreación que considero
ardua, puede ser vencida, al menos notablemente, la gigantesca dificultad.

2. PROCEDIMIENTOS PRINCIPALES Y PROCEDIMIENTOS SUBORDINADOS

Hemos indicado ya que a menudo se ejercen sobre un mismo
punto del lenguaje varias sustituciones poéticas, que forman así
un complejo organismo con una finalidad única. De este entramado de recursos no todos ostentan idéntica jerarquía. Hay siempre uno, uno sólo, que lleva la acción principal; los demás únicamente cumplen oficios rigurosamente ancilares con respecto a
aquél. Son procedimientos esencialmente serviles, cuya misión modestamente se supedita a la magna que el artificio capital desempe-
ña. Veo un ejemplo muy sencillo de todo ello en el lorquiano
"Llanto por Ignacio Sánchez Mejías":

> No se cerraron sus ojos
> cuando vio los cuernos cerca;
> pero las madres terribles
> levantaron la cabeza.

Henos aquí frente a un par de procedimientos que nos son ya muy familiares. Uno de ellos se extiende por los versos primero y segundo. Se trata de una ruptura en el sistema de lo psicológicamente esperado, pues la reacción normal ante la inminencia de la mortal cornada es el temor ("cerrar los ojos") y no la impavidez. El otro recurso a que me refiero se acomoda entre el verso tercero y el cuarto, y consiste en una "visión". Se atribuye a las "madres terribles", a las solemnes vacas de las que proceden los toros de lidia, facultades telepáticas: levantar la cabeza desde sus lejanos campos, presintiendo la tragedia que Ignacio protagoniza.

Lo que notamos de inmediato es que este segundo procedimiento se subordina al primero. La visión sirve aquí únicamente para hacer más violenta y, por tanto, más eficaz, la acción de la ruptura del sistema. La valiente impasibilidad de Ignacio ante la proximidad del sanguinario cuerno, que esa ruptura encarece, se nos torna más heroica cuando sabemos que, en cambio, las quietas vacas desde sus dehesas alejadas levantan la testuz husmeante, presintiendo lo pavoroso de la situación. La visión refuerza así la ruptura del sistema; su función no es propia, sino meramente auxiliar: la de actuar como mero modificante de tal ruptura.

Se me dirá que, sin embargo, existen dos descargas poéticas y no una sola. En efecto, la lectura de los versos primero y segundo trae un estremecimiento a nuestra sensibilidad; y trae otro la de los versos tercero y cuarto. Pero ese hecho no anula nuestra afirmación: ya sabemos (véase la página 70) que la emoción lírica no se liga necesariamente al sustituyente, sino al momento en que el sustituyente y el modificante entran en colisión. Si el modificante antecede al sustituyente, la emoción se concentra en el sustituyente; si, por el contrario, el sustituyente antecede al modificante, es en este último en quien recae la emotividad. Como la ruptura del sistema de los versos primero y segundo establece ya un primer encuentro de sustituyente y modificante [1], nuestra sensibilidad se

---

[1] En la expresión "no se cerraron sus ojos / cuando vio los cuernos cerca" el modificante es, naturalmente, nuestro conocimiento de que lo normal es temer, "cerrar los ojos", ante un peligro de esa naturaleza. La frase de Lorca, ya así modificada, convertida en sustituyente, vuelve a sufrir una

siente herida. Mas, como ante los versos tercero y cuarto adviene una nueva modificación de efecto retroactivo, otra vez nos movilizamos afectivamente.

3. ANÁLISIS DE "ESTAMPA DE INVIERNO", DE J. R. JIMÉNEZ

No sobra traer ahora a análisis un poema de Juan Ramón Jiménez, porque la intelección de su complejo mecanismo nos va a confirmar, por un lado, en las ideas del anterior apartado; y por otro, nos va a hacer ver los variados modos de actuación de que son capaces los que hemos denominado "signos de sugestión". En los ejemplos que he puesto de Antonio Machado en el capítulo VII, los signos de sugestión actuaban, sobre todo, desde los ingredientes irracionales del significado verbal. Pero, naturalmente, la actividad de estos signos puede originarse en otros elementos del vocablo: en el concepto o en el significante. La actuación desde el significante fue vislumbrada por nosotros ya en el análisis de la composición machadiana que empieza con el verso: "Las ascuas de un crepúsculo morado". Ahora examinaremos con más pormenor este plural aspecto de la palabra en trance de creación simbólica. La pieza juanramoniana a que me refiero se titula "Estampa de invierno (Nieve)":

> ¿Dónde se han escondido los colores
> en este día negro y blanco?
> La fronda, negra; el agua, gris; el cielo
> y la tierra de un blanquinegro pálido;
> y la ciudad doliente
> una vieja aguafuerte de romántico.
>
> El que camina, negro;
> negro el medroso pájaro
> que atraviesa el jardín como una flecha...
> Hasta el silencio es duro y despintado.

---

modificación distinta al pasar los ojos del lector por los versos tercero y cuarto: "pero las madres terribles / levantaron la cabeza".

La tarde cae. El cielo
no tiene ni un dulzor. En el ocaso,
un vago amarillor casi esplendente,
que casi no lo es. Lejos el campo
de hierro seco.
                              Y entra la noche como
un entierro; enlutado
y frío todo, sin estrellas, blanca
y negra, como el día, negro y blanco.

(*Estampas*)

Hay en esta pieza elementos muy propios de Juan Ramón Jiménez (preocupación por el aspecto cromático de la realidad; matizaciones de color extremadamente sutiles, etc.). Y al mismo tiempo se da en ella algo que no es frecuente en la obra de nuestro autor: la poderosa energía con que la expresión se produce. Ya a partir de la segunda estrofa, el poema va cobrando reciedumbre, que alcanza su colmo en el verso final, verdaderamente restallante. Pero la pieza que comentamos no sólo se torna cada vez más vigorosa: al propio tiempo que aumenta en pujanza, una creciente sensación de oscuridad va instalándose en nuestro ánimo.

Tras esta descripción analítica de lo acaecido en el poema debemos afirmar el carácter sintético de la doble impresión. Porque el poema, y más aún el verso postrero, proporciona de una sola vez el efecto dúplice que hemos descompuesto hasta aquí en sus ingredientes esenciales. Es una negrura poderosa o un poder sombrío lo que nos sobrecoge, y no dos sensaciones separadas.

Quisiera en estas páginas llegar a determinar cómo el poema obtiene de nosotros, sus lectores, ese global resultado. Para ello, debemos ir analizando cada uno de sus componentes.

La técnica utilizada aquí por Juan Ramón es la misma que hemos anotado en el capítulo VII como característica de Antonio Machado: el eslabonamiento de dos hileras distintas de signos de sugestión, que entrelazan sucesivamente sus efectos hasta el final de la pieza. Porque, naturalmente, si el símbolo (y, sobre todo, el bisémico), es especialmente peculiar de Machado, lo es también, en grados diversos, de otros escritores de nuestro siglo. En Lorca, el simbolismo abunda; y seguramente un estudio de Cernuda nos mostraría hasta qué punto este artificio mantiene en eficacia muchos de sus poemas, y lo mismo ocurre en algunos poetas de la posguerra.

En "Estampa de invierno" existe, como acabo de adelantar, un doble cauce de signos de sugestión, que se corresponde con la sintética duplicidad de nuestras impresiones. Hay una primera serie de palabras que nos trasmite la sensación de oscuridad; y otra serie que nos comunica la sensación de fuerza. Necesitamos acudir a la minucia para verlo con precisión.

La doble cadena se inicia ya en la primera estrofa: la oscuridad viene proporcionada por la parte lógica de la mayoría de los vocablos: "día negro", "fronda negra", "agua gris", "cielo y tierra de un blanquinegro pálido"; y por asociación menos lógica en la palabra "aguafuerte". La reiteración del color oscuro (que aquí no ha hecho sino empezar) multiplica, además, a cada nueva oleada, esa sensación progresiva. La violencia del tono, en cambio, apenas se delata. Pero el significante áspero y duro de ciertas expresiones inicia, casi sin que nos percatemos de ello, una introducción a esa vía tonal, preponderante después. Y así las erres y las jotas de "tierra", "vieja" y "romántico" (para referirnos sólo a lo que no admite duda) nos predisponen para experimentar, a continuación, la energía de los versos posteriores, ya muy considerable en la estrofa segunda. Los motivos de ese aumento serían para tal estrofa variados. Contribuyen a él la nueva acumulación de jotas ("pájaro", "jardín"); el concepto que aparece en uno de los vocablos (el adjetivo "duro"); y la supresión de la cópula en el verso:

> El que camina, negro,

la cual, a su vez, coopera a la oscuridad: al suprimirse el verbo, la cualidad de negrura se ofrece como más adherida al objeto; parece como si tal negrura fuese algo ineludible, fatal. Y es precisamente esa *fatalidad* sentida por nosotros la que nos lleva a una lectura *violenta* del verso:

> El que camina, negro.

El color es negro sin remisión, y nuestra voz se torna enérgica al enunciarlo.

Dentro de la misma estrofa, aún la sensación sombría se reitera dos veces más: "negro... el pájaro"; "despintado", el silencio. La estrofa tercera comienza por un contraste con todo lo anterior: colores más vivos ("un vago amarillor casi esplendente") que por su posición antitética contribuyen a acentuar la significación umbrosa del contexto. Y de nuevo, las erres y las jotas endurecedoras: "lejos", "hierro". Detengámonos un momento a examinar esta última palabra. Su importancia en el poema resulta grande, pues el campo de su expresividad es múltiple. Hemos visto a su significante sugerir la impresión de fuerza; pero también la sugiere irracionalmente su significado, al recordarnos indirectamente la dureza de ese metal. No termina aquí la actividad de tal vocablo. Nos proporciona también, y ahora de modo menos subterráneo, la sensación de la oscuridad. Cuando el poeta escribe que el campo "es de hierro seco" se propone, ante todo, decirnos que el campo es de ese color. No nos sorprende que una palabra clave, como ésta, venga encabalgada:

> Lejos el campo
> de hierro seco,

ya que el encabalgamiento, entre otras posibles funciones, puede superlativizar la significación del sintagma al que afecta. Y así, en el verso siguiente, el poeta reitera ese mismo artificio, para realzar otro vocablo esencial, el vocablo "entierro", que, igualmente, posee más de una finalidad en el poema; pues, por una parte, ostenta otra erre en su significante, con las consecuencias que de ello se derivan; y, por otra, su significado irracional es también cromáticamente negativo. Juan Ramón Jiménez al trazar ese vocablo no alude a posibles resonancias sentimentales, sino a representaciones puramente sensoriales: lo que significa con "entierro" es "luto". Si precisásemos de una prueba, la tendríamos en la asociación que inmediatamente le sugiere al poeta esa palabra:

> enlutado
> y frío todo...

Prosigue así la coloración oscura:

> sin estrellas, **blanca** y
> **negra**, como el día, negro y blanco.

El encabalgamiento refuerza, otra vez, el significado del adjetivo "negra" que lo sufre. Y el juego de intercambio en las dos parejas calificativas ("blanca y negra", "negro y blanco"), al producirnos una impresión de inexorabilidad en la existencia de esos colores, acentúa la negrura en que poéticamente nos movemos, y nos obliga, de otra parte, a subir aún más la energía de nuestra lección: algo semejante a lo obtenido por la supresión de la cópula en el verso:

> El que camina, negro.

De este análisis hay que destacar principalmente dos cosas que anticipé al comienzo. Una de ellas se refiere a la pluralidad de manifestaciones por la que a veces se caracterizan los signos de sugestión; la otra, a la distinta posición jerárquica de los recursos poéticos.

En una fila de palabras sugestionadoras, el significado simbólico puede proceder de los elementos irracionales del signo o bien de su ingrediente racional (concepto). Cuando ocurre lo primero, cabe que lo expresivo sea el significante, o que, por el contrario, lo sea el significado. Y aún existen casos en que ambas posibilidades (o las tres) se ofrecen conjuntamente. Así lo hemos observado en la palabra "entierro", y, con más riqueza, en la palabra "hierro", donde el significante y el significado elaboran aunadamente la expresividad simbólica. Aún más: hemos visto que la palabra "hierro" no sólo sirve a la cadena "enérgica" desde su significante y desde su significado, sino que coopera a la impresión tenebrosa desde otra zona de su contenido.

La otra conclusión obtenida por nuestras indagaciones es el hecho, ya examinado por nosotros en el apartado anterior, de que cuando se engarzan varios recursos, uno sólo figura como capital. Insistiendo en los ejemplos últimamente considerados, llegaremos a deducir que dos de los encabalgamientos situados en la parte final del poema tienen únicamente por oficio intensificar las metáforas "campo de hierro" y "noche como un entierro", y que, por su parte, tales metáforas están destinadas a incrementar lo sombrío de la coloración. Su función así tampoco es autónoma; depende del encadenamiento simbólico, artificio este último esclavizador de todos los demás. En sustancia: el encabalgamiento en estos casos es un recurso servil en segundo grado, pues se supedita a otro recurso igualmente subordinado.

APÉNDICE IV

PARALELISMO ENTRE POESÍA Y CHISTE

Quizá convenga trazar, para dar fin a este trabajo, el cuadro completo de los paralelismos que aquí y allá hemos ido encontrando entre la poesía y el chiste. En ambos hechos de expresión se corresponden los siguientes fenómenos:

POESÍA

CHISTE

a) Emoción estética.

b) Sustitución que nos ofrece un contenido anímico legítimamente acaecido.

c) Nuestro asentimiento a ese contenido.

d) Tal asentimiento admite grados.

e) Moralidad.

f) Nuestra fe en la autenticidad del poeta, esto es, nuestra creencia de que las emociones presentadas no son miméticas o fraudulentas. (Para el caso de la poesía, este fenó-

a) Risa.

b) Sustitución que nos ofrece un contenido anímico ilegítimamente acaecido por ser fruto de una mecanización, rigidez o distracción.

c) Nuestra tolerancia a ese contenido (del que disentimos) en virtud del conocimiento a que hemos llegado acerca del porqué de tal error psíquico.

d) Tal tolerancia admite grados.

e) Moralidad.

f) Nuestra fe en la superioridad del chistoso.

meno *f* se sume en el anterior *c,* del
que es una particularización.)

g) Tal fe admite grados.

h) Casos de poesía puramente
poemática, que no puede escucharse como lenguaje real (muy frecuentes).

i) Casos de poesía no poemática,
en lenguaje real (muy poco frecuentes).

j) En consecuencia a los puntos
h) e *i),* no importa esencialmente que
el personaje, lenguaje, situación, etc.,
poéticos sean reales o imaginarios.
Digo no importa esencialmente en
el sentido de que puede no impor-
tar; esto es, que hablando en términos generales, no podemos definir
lo poético por la existencia del género literario (o por su inexistencia).

k) La poesía tiene modificantes
y procedimientos extrínsecos.

l) El contenido de la expresión
poética debe ser verosímil: de lo
contrario no sería asentido.

m) La verosimilitud poética se
engendra en una posibilidad real
asentible.

n) La poesía tiene supuestos, de
los cuales algunos son fugaces.

ñ) La poesía es histórica.

g) Tal fe admite grados.

h) Casos de "chistes puros", que
no pueden escucharse como lenguaje real (muy poco frecuentes).

i) Casos de chistes fuera del género literario comicidad, en lenguaje
real (muy frecuentes).

j) En consecuencia a los puntos
h) e *i),* no importa esencialmente que
el personaje, lenguaje, situación cómicos sean reales o imaginarios. De
otro modo: no importa que la "distracción" del sujeto sea real o fingi-
da. En el primer caso nos reímos de
éste, en el segundo nos reímos de
un *personaje* inventado por éste.

k) El chiste tiene modificantes y
procedimientos extrínsecos.

l) El contenido de la expresión
cómica debe ser verosímil: de lo
contrario no sería *tolerado.*

m) La verosimilitud cómica se
engendra en una posibilidad real disentible pero tolerable.

n) El chiste tiene supuestos más
fugaces que los poéticos.

ñ) El chiste es histórico, y aún
más rápidamente pasajero que la
poesía.

La aclaración entre paréntesis que he puesto en el parangón
establecido en los casos *h, i* nos revela que la poesía se halla estadísticamente mucho más ligada al género literario que el chiste.
La poesía es frecuentemente "literaria"; el chiste, frecuentemente
no literario. Pero en ambas laderas de la expresividad se dan, poco
o mucho, las dos posibilidades: poesía y chiste fuera y dentro de
la "literatura".

APÉNDICE V

IMÁGENES VISIONARIAS EN CIERTO JUEGO ACTUAL DE SOCIEDAD [1]

Hay un juego de sociedad, propio en exclusiva de nuestra época, cuyo comentario tiene interés para nosotros. Consiste en que alguien ha de adivinar el nombre de una persona A conocida de todos, haciendo a los presentes, que lo han convenido, preguntas de este tenor: "Si esa persona A fuese color, ¿qué color sería?" "Si fuera nota musical, ¿qué nota sería?" "¿Y si fuese paisaje, obra literaria, estatua, cuadro, rey, actor de cine, río?"

Este juego no pudo haber nacido más que en un tiempo irracionalista y subjetivista como el que hemos llamado "contemporáneo", porque, como es fácil de ver, está basado en el uso de imágenes visionarias. En efecto: la semejanza entre una persona humana A y un color B_1, una nota musical B_2, un paisaje B_3, etc., no puede ser inmediatamente objetiva, sino, en principio, puramente emocional. Tal persona A (plano real) me producirá una impresión Z, que es la misma (aproximadamente) que me produce un determinado color B_1, una determinada nota musical B_2, un paisaje B_3, etc. Si yo, que pertenezco al grupo que ha convenido el nombre A a descubrir, sé quién esa persona sea, debo buscar entre los colores, las notas musicales, los paisajes, estatuas, etc., aque-

---

[1] Compuesto ya este libro, me he visto en la precisión de disponer como apéndice este comentario que debería insertarse en el Capítulo VI, 1.

llos que me impresionen de un modo semejante a como me impresiona la persona A. Partiendo de ésta como de un plano real, elaboraré una serie de imágenes que la convengan, y que han de ser rigurosamente visionarias, repito, puesto que sólo se justifican irracionalmente en la emoción, y no en el parecido objetivo, imperceptible en lo inmediato, y así hablaré de un color B_1, una nota musical B_2, un paisaje B_3, etc. Si por el contrario, soy el encargado de hallar el nombre del personaje A en cuestión, realizaré un trabajo "poético" idéntico, sólo que en dirección opuesta. Tomando como punto inicial el color B_1, la nota musical B_2, el paisaje B_3, he de encontrar entre los personajes históricos aquél que me traiga la misma impresión Z a que B_1, B_2, B_3, me llevan.

Para explicarnos la aparición de este juego en la sociedad de nuestro momento, no es necesario pensar en un influjo de la poesía contemporánea sobre el inventor de aquél y sobre quienes en aquél participan. Es más bien a mi juicio, una determinada situación irracionalista del hombre de nuestro tiempo la responsable del parecido entre ambos fenómenos. Una época es siempre un organismo, un sistema de relaciones, cuyos contenidos forzosamente han de ser entre sí congruentes.

Lo curioso del caso es que habrá personas que, tras haber pasado ratos muy divertidos con este entretenimiento, se sientan escandalizados o indignados con los "atrevimientos" visionarios de los poetas del siglo XX; una vez más comprobamos el extraño modo de funcionar la indignación o la escandalizada sorpresa en el alma de algunos hombres.

ÍNDICE GENERAL

ALGUNOS PROCEDIMIENTOS RETÓRICOS RELATIVOS
A LA PRIMERA LEY POÉTICA

ALGUNOS PROCEDIMIENTOS RETÓRICOS RELATIVOS
A LA SEGUNDA LEY POÉTICA

LA HISTORICIDAD DE LA POESÍA